力学丛书·典藏版 15

非线性随机动力学与控制

——Hamilton理论体系框架

朱位秋 著

科学出版社

北京

内 容 简 介

本书在较详细地介绍 Hamilton 系统与扩散过程基础上，系统而深入地论述了随机激励的耗散的 Hamilton 系统理论，包括 Gauss 白噪声激励下耗散的 Hamilton 系统的精确平稳解与等效非线性系统法、拟 Hamilton 系统随机平均法、拟 Hamilton 系统的随机稳定性、随机分岔、首次穿越以及分别以振动最小、稳定度或可靠度最大为目标的非线性随机最优控制。

本书可供力学、机械、土木、海洋及航空航天工程等方面的科学技术人员以及有关专业的高年级大学生、研究生、教师阅读。

图书在版编目(CIP)数据

非线性随机动力学与控制：Hamilton 理论体系框架/朱位秋著．—北京：科学出版社，2003.2

(力学丛书)

ISBN 7-03-011184-2

Ⅰ．非… Ⅱ．朱 … Ⅲ．哈密顿系统-动力系统(力学)
Ⅳ．O175.12

中国版本图书馆 CIP 数据核字(2003)第 009555 号

责任编辑：李成香 鄢德平 /责任校对：钟 洋
责任印制：安春生/封面设计：王 浩

科学出版社 出版

北京东黄城根北街 16 号
邮政编码：100717
http://www.sciencep.com

北京京华虎彩印刷有限公司印刷
科学出版社发行 各地新华书店经销

*

2003年第一版 开本：850×1168 1/32
2016年印刷 印张：16
字数：415 000

定价：138.00元

《力学丛书》编委会

序

随机动力学之源始，可追溯至20世纪初物理学者对布朗运动之研究，至今已有百年之历史。其后因各种工程应用之需要，范围逐渐扩大，包括通信、航天、航海、土木、机械等领域。近年来精益求精，注意力尤集中于难度较深之非线性系统、系统稳定性及系统控制之发展。朱位秋教授以深厚之数学根底，对此三方面均有显著贡献，在随机动力学领域内，成为国际著名专家之一。其新著《非线性随机动力学与控制》一书，集十余年对此三方面研究之精华于一册，实属学术上重要贡献。书中理论上发展，以统一之哈密尔顿框架为基础，乃朱位秋教授之首创，尤属独特可贵。此书之广受欢迎，可预为朱教授贺。

Y. K. Lin
于美国佛罗里达大西洋大学应用随机研究中心

前　　言

非线性随机动力学系统广泛存在于自然科学、工程科学及社会科学之中。例如，强震、强风、强浪等严重随机载荷可使高层建筑、大型桥梁、海洋平台等工程结构产生强烈的非线性随机振动、失稳甚至破坏，因而需要加以控制。又如，在物理、化学、生物学中，噪声对非线性动力学系统可产生多种重要效应。近 20 年中，物理学界对随机共振进行了大量的研究，近 10 年来，化学与生物学界的科学家逐渐体会到，噪声在非线性动力学系统中可起积极的作用。因此，愈来愈多的学者从事非线性随机动力学与控制的研究。

上世纪初，Einstein 等人对布朗运动的研究标志着随机动力学研究的开端。对非线性随机动力学的研究则始于上世纪 60 年代初。至上世纪 90 年代初，对非线性随机振动的研究基本上局限于拟线性系统与单自由强非线性系统。对随机稳定性的研究基本上局限于单自由度线性随机系统。首次穿越问题的研究局限于单自由度随机系统。随机分岔研究始于上世纪 80 年代初，至今也基本上局限于一、二维随机系统。对随机最优控制的研究始于上世纪 60 年代初，至今基本上局限于线性随机系统的线性二次 Gauss (LQG)控制。然而，实际的非线性随机动力学系统往往是多自由度、强非线性的。因此，迫切需要发展多自由度强非线性系统随机动力学与控制理论。但是，这是一项十分困难的任务。

近 10 年来，作者将非线性随机动力学与控制的研究从 Lagrange体系转到 Hamilton 体系，将非线性随机动力学系统表示成随机激励的耗散的 Hamilton 系统，根据相应 Hamilton 系统的可积性与共振性，将系统分成不可积、可积非共振、可积共振、部分可积非共振、部分可积共振五类，提出与发展了随机激励的耗散的 Hamilton 系统理论，包括 Gauss 白噪声激励下耗散的 Hamilton 系统的精确平稳解与等效非线性系统法、拟 Hamilton 系统随机平均法、拟 Hamilton 系统随机稳定性、随机分岔、首次穿越以及分别以振动最小、稳定度或可靠度最大为目标的非线性随机最优控制理论方法,构成了一个崭新的非线性随机动力学与控制的 Hamilton 理论体系的框架,特别为解决多自由度强非线性系统随机动力学与控制问题提供了一整套理论方法,得到了非线性随机动力学系统四类能量非等分精确平稳解,打破了自 1933 年以来一直只有能量等分解的局面。该项研究成果获得了 2001 年中国高校科学技术(自然科学)奖一等奖,2002 年国家自然科学奖二等奖。

本书是上述研究成果的一个系统总结。为便于读者理解,前两章较详细地介绍了 Hamilton 系统与扩散过程,6.1 节中介绍了随机稳定性与随机分岔的基本概念与基本方法,8.1 节中介绍了随机最优控制的基本概念与基本方法,各种理论方法的论述皆配以若干应用例子。上述理论尚待完善与发展,理论的应用更需进一步研究。作者希望本书能起到抛砖引玉的作用,期待更多的学者从事这方面的研究,共同继续发展该理论及其应用。

在本书即将出版之际,作者首先要感谢美国工程院院士、美国佛罗里达大西洋大学应用随机学研究中心主任、工程中 Schmidt Chair Y. K. Lin 教授与美国纽约州立大学布法罗分校 Samuel P. Capen 教授 T. T. Soong 的鼓励与支持,作者对随机激励的耗散的 Hamilton 系统的研究是从访问他们期间开始的,Lin 教授还特为本书作了序。感谢国家自然科学基金(19372054,19672054,19972059)与高等学校博士学科点专项科研基金(9433528,20020335092)对此项研究工作的持续资助。感谢黄志龙教授、应祖光副教授、雷鹰博士、杨勇勤与邓茂林等,他们与作者一起发展了上述理论。感谢吴勇军与刘中华,他们协助作者整理手稿与绘制插图。感谢妻子朱巧芝的理解与全力支持。感谢中国科学院科学出版基金与国家自然科学基金优秀研究成果专著出版基金的联合资助。感谢科学出版社在本书出版过程中的全力支持与帮助。

衷心欢迎读者对本书提出宝贵意见与批评指正。

作　者

2003 年 1 月于浙江大学

目　录

第一章 Hamilton 系统

本书中将非线性随机动力学系统表示成随机激励的耗散的 Hamilton 系统，其中 Hamilton 系统的性质对整个系统的解的泛函形式与性质起着关键性作用。因此，要理解本书所述理论，需对 Hamilton 系统有所了解。Hamilton 力学是古典动力学的组成部分，Hamilton 系统则是非线性科学的一个重要研究领域，Hamilton 系统理论内容十分丰富。本章只介绍与本书后续部分有关的有限自由度 Hamilton 系统的基本知识。

1.1 Hamilton 方程

1.1.1 从 Lagrange 方程到 Hamilton 方程

一个系统，若其运动可用一组 Hamilton(正则)方程描述，就称它为 Hamilton 系统。Hamilton 方程通常由 Lagrange 方程经 Legendre变换导得。考虑一个 n 自由度理想、完整、有势的动力学系统，以 q_i 与 $\dot{q}_i$ 分别表示广义位移(坐标)与广义速度，$L=L(\boldsymbol{q},\dot{\boldsymbol{q}},t)$表示 Lagrange 函数，$\boldsymbol{q}=[q_1\ q_2\cdots q_n]^{\mathrm{T}}$，由 Hamilton 原理

$$\delta\int_{t_1}^{t_2} L(\boldsymbol{q},\dot{\boldsymbol{q}},t)\mathrm{d}t=0 \tag{1.1-1}$$

可导出如下 Lagrange 方程[1]：

$$\frac{\mathrm{d}}{\mathrm{d}t}\frac{\partial L}{\partial \dot{q}_i}-\frac{\partial L}{\partial q_i}=0,\quad i=1,2,\cdots,n \tag{1.1-2}$$

该方程之解在几何上为 n 维位形空间中的轨线，通过该空间中任一点，可有无穷多条轨线，因而在理论研究中很不方便。可以将广义位移与广义速度组成状态矢量，将 Lagrange 方程化为状态方程，以克服上述不便，但更方便的做法是引入广义动量，将

Lagrange方程化为以广义位移与广义动量为基本变量的 Hamilton 方程。

广义动量定义为

$$p_i = \frac{\partial L}{\partial \dot{q}_i}, \quad i = 1,2,\cdots,n \tag{1.1-3}$$

(1.1-3)称为由 Lagrange 函数 L 生成的 Legendre 变换。设 L 对 $\dot{q}_i$ 的 Hesse 式不为零,即

$$\det\left[\frac{\partial^2 L}{\partial \dot{q}_i \partial \dot{q}_j}\right] \neq 0 \tag{1.1-4}$$

则(1.1-3)为非奇异变换,可逆,其逆变换也是 Legendre 变换。据 Legendre 变换的逆变换定理[2],(1.1-3)之逆变换的生成函数为

$$(p_i\dot{q}_i - L)_{\dot{q}_i \to p_i} = H(\boldsymbol{q},\boldsymbol{p},t) \tag{1.1-5}$$

式中重复下标表示求和,下同,$\boldsymbol{p}=[p_1\, p_2 \cdots p_n]^{\mathrm{T}}$。而逆变换为

$$\dot{q}_i = \frac{\partial H}{\partial p_i}, \quad i = 1,2,\cdots,n \tag{1.1-6}$$

同时,正逆变换的生成函数 L 与 H 之间有如下关系式:

$$\frac{\partial H}{\partial q_i} = -\frac{\partial L}{\partial q_i}, \quad i = 1,2,\cdots,n \tag{1.1-7}$$

由(1.1-2)、(1.1-3)及(1.1-7)可得

$$\dot{p}_i = -\frac{\partial H}{\partial q_i}, \quad i = 1,2,\cdots,n \tag{1.1-8}$$

组合(1.1-6)与(1.1-8)就得到以 q_i,p_i 为基本变量的 Hamilton 方程

$$\dot{q}_i = \frac{\partial H}{\partial p_i}, \quad \dot{p}_i = -\frac{\partial H}{\partial q_i}, \quad i = 1,2,\cdots,n \tag{1.1-9}$$

该方程与 Lagrange 方程(1.1-2)等价。q_i,p_i 称为正则变量,由它们组成的状态空间称为系统的相空间,$H(\boldsymbol{q},\boldsymbol{p},t)$称为 Hamilton 函数。

将(1.1-5)代入(1.1-1),得到另一形式 Hamilton 原理

$$\delta\int_{t_1}^{t_2}(p_i\dot{q}_i - H(\boldsymbol{q},\boldsymbol{p},t))\mathrm{d}t = 0 \tag{1.1-10}$$

它与(1.1-1)等价。两者的区别在于,(1.1-1)中,仅 q_i 为独立变量,它们在积分上、下限为固定值,积分为 n 维位形空间中的作用泛函,而(1.1-10)中,q_i 与 p_i 同为独立变量,它们在积分上、下限上之值固定,积分为 $2n$ 维相空间中的作用泛函。Hamilton 方程(1.1-9)亦可从修正的 Hamilton 原理(1.1-10)导得。

以 $\boldsymbol{z}=[\boldsymbol{q}^{\mathrm{T}}\ \boldsymbol{p}^{\mathrm{T}}]^{\mathrm{T}}$ 记 $2n$ 维正则(状态)矢量,将 Hamilton 函数改写成 $H(\boldsymbol{z},t)$,再以 $\boldsymbol{D}=[\partial/\partial z_1\partial/\partial z_2\cdots\partial/\partial z_{2n}]^{\mathrm{T}}$ 记梯度算子矢量,则 Hamilton 方程(1.1-9)可改写成

$$\dot{\boldsymbol{z}}=\boldsymbol{JD}H(\boldsymbol{z},t) \tag{1.1-11}$$

式中

$$\boldsymbol{J}=\begin{bmatrix} 0 & \boldsymbol{I}_n \\ -\boldsymbol{I}_n & 0 \end{bmatrix} \tag{1.1-12}$$

为单位辛矩阵,$\boldsymbol{I}_n$ 为 $n\times n$ 单位阵。辛矩阵 $\boldsymbol{J}$ 具有下列性质:

$$\boldsymbol{J}^{\mathrm{T}}=\boldsymbol{J}^{-1}=-\boldsymbol{J},\ |\boldsymbol{J}|=1 \tag{1.1-13}$$

Hamilton 方程(1.1-9)与(1.1-11)的耦对性决定了 Hamilton 系统在相空间中具有辛结构。

1.1.2 陀螺与非陀螺 Hamilton 系统

Lagrange 函数为动能 T 与势能 U 之差

$$L=T-U \tag{1.1-14}$$

一般情形下,动能为广义速度的二次式

$$T=T_2+T_1+T_0 \tag{1.1-15}$$

式中

$$T_2=m_{ij}(\boldsymbol{q},t)\dot{q}_i\dot{q}_j/2,\ T_1=b_i^{ke}(\boldsymbol{q},t)\dot{q}_i,\ T_0=T_0(\boldsymbol{q},t) \tag{1.1-16}$$

m_{ij}构成 $n\times n$ 正定、对称质量矩阵 $\boldsymbol{M}$。势能

$$U=U_0+U_1 \tag{1.1-17}$$

式中

$$U_0=U_0(\boldsymbol{q},t),\ U_1=b_i^{gp}(\boldsymbol{q},t)\dot{q}_i \tag{1.1-18}$$

分别为普通势与广义势。因此,一般 Lagrange 函数形为

$$L = L_2 + L_1 + L_0 \tag{1.1-19}$$

式中

$$\begin{aligned} L_2 &= T_2 = m_{ij}(\boldsymbol{q},t)\dot{q}_i\dot{q}_j/2 \\ L_1 &= T_1 - U_1 = [b_i^{ke}(\boldsymbol{q},t) - b_i^{gp}(\boldsymbol{q},t)]\dot{q}_i \\ &= b_i(\boldsymbol{q},t)\dot{q}_i \\ L_0 &= T_0 - U_0 = c(\boldsymbol{q},t) \end{aligned} \tag{1.1-20}$$

将(1.1-19)代入(1.1-2),得 n 自由度理想、完整、有势动力学系统的 Lagrange 方程

$$m_{ki}\ddot{q}_i + [ij,k]\dot{q}_i\dot{q}_j + g_{ki}\dot{q}_i + \frac{\partial m_{ki}}{\partial t}\dot{q}_i + \frac{\partial b_k}{\partial t} - \frac{\partial c}{\partial q_k} = 0$$

$$i,j,k = 1,2,\cdots,n \tag{1.1-21}$$

式中

$$[ij,k] = \frac{1}{2}\left(\frac{\partial m_{ki}}{\partial q_j} + \frac{\partial m_{kj}}{\partial q_i} - \frac{\partial m_{ij}}{\partial q_k}\right),\quad g_{ki} = \frac{\partial b_k}{\partial q_i} - \frac{\partial b_i}{\partial q_k} \tag{1.1-22}$$

$[ij,k]$称为 Christoffel 符号,g_{ki}构成 $n\times n$ 反对称陀螺矩阵 $\boldsymbol{g}$。注意,(1.1-21)中陀螺力项 $g_{ki}\dot{q}_i$ 来自动能对广义速度的一次式与广义势,它与惯性力项及有势力项一样为系统的固有性质。

对定常(自治)系统,$T_1 = T_0 = 0$,m_{ij},U_1 及 U_0 不显含时间 t,Lagrange 函数(1.1-19)与 Lagrange 方程(1.1-21)退化为

$$L = L(\boldsymbol{q},\dot{\boldsymbol{q}}) = m_{ij}(\boldsymbol{q})\dot{q}_i\dot{q}_j/2 - b_i^{gp}(\boldsymbol{q})\dot{q}_i - U_0(\boldsymbol{q}) \tag{1.1-23}$$

$$m_{ki}\ddot{q}_i + [ij,k]\dot{q}_i\dot{q}_j + g_{ki}\dot{q}_i + \partial U_0/\partial q_k = 0 \tag{1.1-24}$$

式中

$$g_{ki} = \partial b_i^{gp}/\partial q_k - \partial b_k^{gp}/\partial q_i \tag{1.1-25}$$

此时,陀螺力项仅由广义势产生。

若再假定系统只有普通势,则 Lagrange 函数(1.1-23)与 Lagrange 方程(1.1-24)进一步退化为

$$L = L(\boldsymbol{q}, \dot{\boldsymbol{q}}) = m_{ij}(\boldsymbol{q})\dot{q}_i\dot{q}_j/2 - U_0(\boldsymbol{q}) \tag{1.1-26}$$

$$m_{ki}\ddot{q}_i + [ij,k]\dot{q}_i\dot{q}_j + \partial U_0/\partial q_k = 0 \tag{1.1-27}$$

(1.1-21)与(1.1-24)分别为非定常与定常陀螺系统的 Lagrange 方程,(1.1-27)为定常非陀螺系统的 Lagrange 方程,它们一般是二阶非线性常微分方程组,上述各方程的第二项乃由质量依赖于广义位移引起的非线性惯性力,陀螺力项与普通有势力项也可为非线性的。

若进一步假定质量不依赖于广义位移,b_i^{gp} 为 q_j 的齐一次式,U_0 为 q_i 的齐二次式:$U_0 = k_{ij}q_iq_j/2$,则 Lagrange 函数(1.1-23)与 Lagrange 方程(1.1-24)退化为

$$L = L(\boldsymbol{q}, \dot{\boldsymbol{q}}) = [m_{ij}\dot{q}_i\dot{q}_j + g_{ij}\dot{q}_iq_j - k_{ij}q_iq_j]/2$$

$$= [\dot{\boldsymbol{q}}^{\mathrm{T}}\boldsymbol{M}\dot{\boldsymbol{q}} + \dot{\boldsymbol{q}}^{\mathrm{T}}\boldsymbol{G}\boldsymbol{q} - \boldsymbol{q}^{\mathrm{T}}\boldsymbol{K}\boldsymbol{q}]/2 \tag{1.1-28}$$

$$m_{ij}\ddot{q}_j + g_{ij}\dot{q}_j + k_{ij}q_j = 0 \tag{1.1-29}$$

(1.1-28)中 $\boldsymbol{G} = [g_{ij}]$为陀螺矩阵,$\boldsymbol{K} = [k_{ij}]$为刚度矩阵。相应地,(1.1-26)与(1.1-27)退化为

$$L = L(\boldsymbol{q}, \dot{\boldsymbol{q}}) = [m_{ij}\dot{q}_i\dot{q}_j - k_{ij}q_iq_j]/2$$

$$= [\dot{\boldsymbol{q}}^{\mathrm{T}}\boldsymbol{M}\dot{\boldsymbol{q}} - \boldsymbol{q}^{\mathrm{T}}\boldsymbol{K}\boldsymbol{q}]/2 \tag{1.1-30}$$

$$m_{ij}\ddot{q}_j + k_{ij}q_j = 0 \tag{1.1-31}$$

(1.1-28)~(1.1-31)中,m_{ij},g_{ij}及 k_{ij} 皆为常数。(1.1-29)与(1.1-31)分别是定常线性陀螺与非陀螺系统的 Lagrange 方程。

上述 Lagrange 函数对 $\dot{q}_i$ 的 Hesse 式为质量矩阵 $\boldsymbol{M}$ 的行列式,$\boldsymbol{M}$ 为对称正定矩阵,条件(1.1-4)满足,因此,可用 Legendre 变换将上述各 Lagrange 方程变换成相应的 Hamilton 方程。(1.1-19)代入(1.1-3),得

$$p_i = \partial L/\partial \dot{q}_i = m_{ij}\dot{q}_j + b_i \tag{1.1-32}$$

可知,广义动量是广义速度的线性函数。(1.1-32)之逆为

$$\dot{q}_i = m_{ij}^{-1}(p_j - b_j) \tag{1.1-33}$$

式中 $m_{ij}^{-1} = (\boldsymbol{M}^{-1})_{ij}$。由(1.1-33)知,广义速度亦是广义动量的线性函数。(1.1-19)代入(1.1-5)得

$$H=(p_i\dot{q}_i-L)_{\dot{q}_i\to p_i}$$
$$=m_{ij}^{-1}p_ip_j/2-m_{ij}^{-1}b_jp_i+m_{ij}^{-1}b_ib_j/2-c \quad (1.1\text{-}34)$$
可知,Hamilton 函数是广义动量的二次式。(1.1-32)～(1.1-34)代入(1.1-9),得
$$\dot{q}_i=m_{ij}^{-1}p_j-m_{ij}^{-1}b_j$$
$$\dot{p}_i=-\frac{1}{2}\frac{\partial m_{jk}^{-1}}{\partial q_i}p_jp_k+\frac{\partial(m_{jk}^{-1}b_j)}{\partial q_i}p_k-\frac{1}{2}\frac{\partial(m_{jk}^{-1}b_jb_k)}{\partial q_i}+\frac{\partial c}{\partial q_i} \quad (1.1\text{-}35)$$
这是 n 自由度理想、完整、有势动力学系统的 Hamilton 方程,它与 Lagrange 方程(1.1-21)相应。

对定常陀螺系统,广义动量、广义速度、Hamilton 函数及 Hamilton 方程为
$$p_i=m_{ij}\dot{q}_j-b_i^{gp} \quad (1.1\text{-}36)$$
$$\dot{q}_i=m_{ij}^{-1}(p_j+b_j^{gp}) \quad (1.1\text{-}37)$$
$$H=m_{ij}^{-1}p_ip_j/2+m_{ij}^{-1}b_j^{gp}p_i+m_{ij}^{-1}b_i^{gp}b_j^{gp}/2+U_0 \quad (1.1\text{-}38)$$
$$\dot{q}_i=m_{ij}^{-1}p_j+m_{ij}^{-1}b_j^{gp}$$
$$\dot{p}_i=-\frac{1}{2}\frac{\partial m_{jk}^{-1}}{\partial q_i}p_jp_k-\frac{\partial(m_{jk}^{-1}b_j^{gp})}{\partial q_i}p_k-\frac{1}{2}\frac{\partial(m_{jk}^{-1}b_j^{gp}b_k^{gp})}{\partial q_i}-\frac{\partial U_0}{\partial q_i} \quad (1.1\text{-}39)$$
对定常非陀螺系统,相应的方程为
$$p_i=m_{ij}\dot{q}_j \quad (1.1\text{-}40)$$
$$\dot{q}_i=m_{ij}^{-1}p_j \quad (1.1\text{-}41)$$
$$H=m_{ij}^{-1}p_ip_j/2+U_0 \quad (1.1\text{-}42)$$
$$\dot{q}_i=m_{ij}^{-1}p_j$$
$$\dot{p}_i=-\frac{1}{2}\frac{\partial m_{jk}^{-1}}{\partial q_i}p_jp_k-\frac{\partial U_0}{\partial q_i} \quad (1.1\text{-}43)$$
(1.1-36)～(1.1-43)中,m_{jk}^{-1},b_j^{gp} 及 U_0 皆不显含 t,但可为 q_i 的任意函数。

对定常线性陀螺系统,Hamilton 函数与 Hamilton 方程为

$$H = [m_{ij}^{-1} p_i p_j - m_{ik}^{-1} g_{kj} p_i q_j + k_{ij}' q_i q_j]/2$$

$$= [\boldsymbol{p}^{\mathrm{T}} \boldsymbol{M}^{-1} \boldsymbol{p} - \boldsymbol{p}^{\mathrm{T}} \boldsymbol{M}^{-1} \boldsymbol{G} \boldsymbol{q} + \boldsymbol{q}^{\mathrm{T}} \boldsymbol{K}' \boldsymbol{q}]/2 \quad (1.1\text{-}44)$$

$$\dot{q}_i = m_{ij}^{-1} p_j - m_{ik}^{-1} g_{kj} q_j /2$$

$$\dot{p}_i = - k_{ij}' q_j + m_{jk}^{-1} g_{ki} p_j /2 \quad (1.1\text{-}45)$$

式中

$$\boldsymbol{K}' = [k_{ij}'], k_{ij}' = k_{ij} - m_{kl}^{-1} g_{ik} g_{lj} /4 \quad (1.1\text{-}46)$$

对定常线性非陀螺系统,Hamilton 函数与 Hamilton 方程为

$$H = [m_{ij}^{-1} p_i p_j + k_{ij} q_i q_j]/2$$

$$= [\boldsymbol{p}^{\mathrm{T}} \boldsymbol{M}^{-1} \boldsymbol{p} + \boldsymbol{q}^{\mathrm{T}} \boldsymbol{K} \boldsymbol{q}]/2 \quad (1.1\text{-}47)$$

$$\dot{q}_i = m_{ij}^{-1} p_j$$

$$\dot{p}_i = - k_{ij} q_j \quad (1.1\text{-}48)$$

(1.1-44)~(1.1-48)中,m_{ij}^{-1},g_{kj}及 k_{ij} 皆为常数。

将(1.1-19)代入(1.1-3),再代入(1.1-5),得

$$H = p_i \dot{q}_i - L = (\partial L / \partial \dot{q}_i) \dot{q}_i - L$$

$$= T_2 - T_0 + U_0 \quad (1.1\text{-}49)$$

上式右边称为系统的广义能量[2]。因此,$H(\boldsymbol{q}, \boldsymbol{p}, t)$为以广义位移与广义动量表示的广义能量。对定常系统,$T_0 = 0$,Hamilton 函数表示系统的总机械能,即动能与普通势能之和。注意,陀螺矩阵为反对称矩阵,陀螺力在运动中不做功,T_1 与 U_1 并不表示真正的能量。由于

$$\frac{\mathrm{d}H}{\mathrm{d}t} = \frac{\partial H}{\partial q_i} \frac{\mathrm{d}q_i}{\mathrm{d}t} + \frac{\partial H}{\partial p_i} \frac{\mathrm{d}p_i}{\mathrm{d}t} + \frac{\partial H}{\partial t}$$

$$= \frac{\partial H}{\partial q_i} \frac{\partial H}{\partial p_i} - \frac{\partial H}{\partial q_i} \frac{\partial H}{\partial p_i} + \frac{\partial H}{\partial t} = \frac{\partial H}{\partial t} \quad (1.1\text{-}50)$$

对自治 Hamilton 系统,$\partial H / \partial t = 0$,$H(\boldsymbol{q}, \boldsymbol{p}) =$ 常数,它表示总机械能在运动中守恒。

注意,一般情况下,Hamilton 方程不同于以 q_i,$\dot{q}_i$ 为基本变量的状态方程。但对定常非陀螺系统,当质量矩阵为常数矩阵时,经

无量纲化后,Hamilton 方程与状态方程形式相同。

例 1.1-1 作为定常非陀螺系统的一个例子,考虑如图 1.1-1 所示两自由度系统,它是自参数激励系统的一个模型。以 q_1 与 q_2 分别表示质量 M 的水平位移与单摆的转角,系统的动能与势能为

$$T = T_2 = (M + m)\dot{q}_1^2/2 + ml\dot{q}_1\dot{q}_2\cos q_2 + ml^2\dot{q}_2^2/2 \quad \text{(a)}$$

$$U = U_0 = kq_1^2/2 + mgl(1 - \cos q_2) \quad \text{(b)}$$

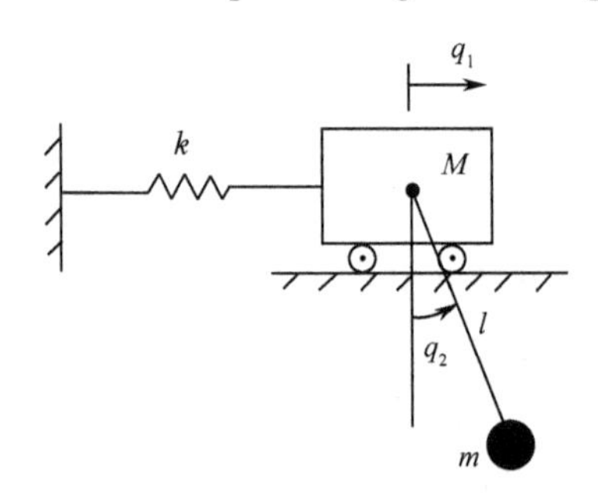

图 1.1-1

Lagrange 方程形为(1.1-27),即

$$\begin{aligned} &(M + m)\ddot{q}_1 + ml(\ddot{q}_2\cos q_2 - \dot{q}_2^2\sin q_2) + kq_1 = 0 \\ &ml^2\ddot{q}_2 + ml\ddot{q}_1\cos q_2 + mgl\sin q_2 = 0 \end{aligned} \quad \text{(c)}$$

在平衡位置 $q_1 = q_2 = \dot{q}_1 = \dot{q}_2 = 0$ 邻域,(c)可线性化为

$$\begin{aligned} &(M + m)\ddot{q}_1 + ml\ddot{q}_2 + kq_1 = 0 \\ &ml^2\ddot{q}_2 + ml\ddot{q}_1 + mglq_2 = 0 \end{aligned} \quad \text{(d)}$$

广义动量表达式为

$$\begin{aligned} p_1 &= \frac{\partial L}{\partial \dot{q}_1} = \frac{\partial T}{\partial \dot{q}_1} = (M + m)\dot{q}_1 + ml\dot{q}_2\cos q_2 \\ p_2 &= \frac{\partial L}{\partial \dot{q}_2} = \frac{\partial T}{\partial \dot{q}_2} = ml\dot{q}_1\cos q_2 + ml^2\dot{q}_2 \end{aligned} \quad \text{(e)}$$

其逆为

$$\dot{q}_1 = \frac{lp_1 - p_2\cos q_2}{l(M + m\sin^2 q_2)}$$
$$\dot{q}_2 = \frac{(M + m)p_2 - mlp_1\cos q_2}{ml^2(M + m\sin^2 q_2)} \tag{f}$$

系统的 Hamilton 函数为

$$H = Ap_1^2 + Bp_1p_2 + Cp_2^2 + kq_1^2/2 + mgl(1 - \cos q_2) \tag{g}$$

式中

$$A = \frac{1}{2(M + m\sin^2 q_2)}, \quad B = -\frac{\cos q_2}{2l(M + m\sin^2 q_2)}$$
$$C = \frac{M + m}{2ml^2(M + m\sin^2 q_2)} \tag{h}$$

而 Hamilton 方程为

$$\dot{q}_1 = 2Ap_1 + Bp_2$$
$$\dot{p}_1 = -kq_1$$
$$\dot{q}_2 = Bp_1 + 2Cp_2$$
$$\dot{p}_2 = -mgl\sin q_2 + A'p_1^2 - B'p_1p_2 + C'p_2^2 \tag{i}$$

式中

$$A' = \frac{m\sin 2q_2}{2(M + m\sin^2 q_2)^2}, B' = \frac{[M + m(2 - \sin^2 q_2)]\sin q_2}{2l(M + m\sin^2 q_2)^2}$$
$$C' = \frac{(M + m)\sin 2q_2}{2l^2(M + m\sin^2 q_2)^2} \tag{j}$$

在平衡位置 $q_1 = q_2 = p_1 = p_2 = 0$ 邻域的线性化方程由(i)中令 $A' = B' = C' = 0$ 得到。

例 1.1-2 图 1.1-2 所示的陀螺摆是定常陀螺系统的一个例子。令 $\alpha = q_1, \beta = q_2, \psi = q_3$,系统的动能为

$$T = [I_1(1 + \gamma\cos^2 q_2)\dot{q}_1^2 + I_2\dot{q}_2^2 + I_3(\dot{q}_3 + \dot{q}_1\sin q_2)^2]/2 \tag{k}$$

式中

$$I_1 = I_{x'}^{(1)} + I_{y'}^{(2)}, I_2 = I_{y'}^{(2)} + I_{y'}^{(3)}$$
$$\gamma I_1 = I_{x'}^{(2)} - I_{y'}^{(2)} + I_{x'}^{(3)}, I_3 = I_{z'}^{(3)} \tag{l}$$

I表示惯性矩，上标 1，2，3 分别表示外环、内环及转子，下标 x，x'，y'，z'表示取惯性矩之轴。系统的势能为

$$U = U_0 = k(1 - \cos q_1 \cos q_2) \tag{m}$$

式中 $k = mgl$，m 为内环质量，l 为内环重心与坐标原点之间的距离，g 为重力加速度。Lagrange 函数为

$$L = T - U \tag{n}$$

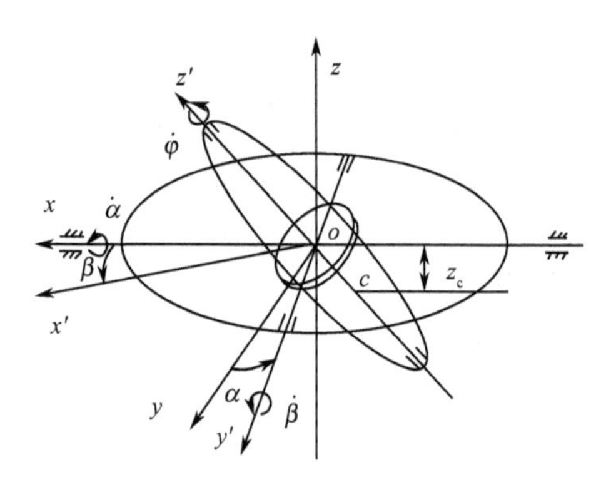

图 1.1-2

由于 q_3 在 L 中不出现，它是循环坐标，可用下列循环积分从 L 中消去 $\dot{q}_3$：

$$p_3 = \partial L / \partial \dot{q}_3 = I_3(\dot{q}_3 + \dot{q}_1 \sin q_2) = \bar{g} \tag{o}$$

式中 $\bar{g}$ 为动量矩常数。代替 Lagrange 函数，引入 Routh 函数

$$R = L - p_3 \dot{q}_3 = I_1(1 + \gamma \cos^2 q_2)\dot{q}_1^2/2 + I_2 \dot{q}_2^2/2 + \bar{g}\dot{q}_1 \sin q_2 - \bar{g}^2/2I_3 - k(1 - \cos q_1 \cos q_2) \tag{p}$$

并代入 Routh 方程

$$\frac{\mathrm{d}}{\mathrm{d}t}\frac{\partial R}{\partial \dot{q}_i} - \frac{\partial R}{\partial q_i} = 0, \quad i = 1,2 \tag{q}$$

得

$$I_1(1 + \gamma \cos^2 q_2)\dot{q}_1^2 - I_1 \gamma \dot{q}_1 \dot{q}_2 \sin 2q_2$$

$$+\bar{g}\dot{q}_2\cos q_2+k\sin q_1\cos q_2=0 \tag{r}$$

$$I_2\dot{q}_2^2+I\gamma\dot{q}_1^2\sin 2q_2/2-\bar{g}\dot{q}_1\cos q_2+k\sin q_2\cos q_1=0$$

(p)右边第三、四项称为 Routh 附加势，其中第三项为广义势，第四项为常数普通势，它们均来自动能 T。(r)中的陀螺力项则从 Routh 广义势导出，因此，它是系统固有性质。这个例子说明如何从具有循环坐标的定常完整力学系统导出一个陀螺系统，也说明系统具有一个循环坐标就可使系统的自由度数减小 1。

(r)是一个非线性系统，惯性力、陀螺力及恢复力项都是非线性的。在系统平衡位置 $q_1=q_2=\dot{q}_1=\dot{q}_2=0$ 邻域，它可线性化为

$$\begin{aligned}&I_1(1+\gamma)\ddot{q}_1+\bar{g}\dot{q}_2+kq_1=0\\&I_2\ddot{q}_2-\bar{g}\dot{q}_1+kq_2=0\end{aligned} \tag{s}$$

以 Routh 函数代替 Lagrange 函数代入(1.1-3)，得广义动量

$$\begin{aligned}&p_1'=\partial R/\partial\dot{q}_1=I_1(1+\gamma\cos^2 q_2)\dot{q}_1+\bar{g}\sin q_2\\&p_2'=\partial R/\partial\dot{q}_2=I_2\dot{q}_2\end{aligned} \tag{t}$$

再由(1.1-5)得 Hamilton 函数

$$\begin{aligned}H'&=(p_i'\dot{q}_i-R)_{\dot{q}_i\to p_i'}\\&=\frac{1}{2}\boldsymbol{p}'^{\mathrm{T}}\boldsymbol{M}^{-1}\boldsymbol{p}'-\boldsymbol{p}'^{\mathrm{T}}\boldsymbol{M}^{-1}\boldsymbol{B}'+\frac{1}{2}\boldsymbol{B}'^{\mathrm{T}}\boldsymbol{M}^{-1}\boldsymbol{B}'-C\end{aligned} \tag{u}$$

式中

$$\begin{aligned}&\boldsymbol{p}'=[p_1',p_2']^{\mathrm{T}}\\&\boldsymbol{M}=\begin{bmatrix}I_1(1+\gamma\cos^2 q_2) & 0\\0 & I_2\end{bmatrix}\\&\boldsymbol{B}'=[\bar{g}\sin q_2\quad 0]^{\mathrm{T}}\\&C=-\bar{g}^2/2I_3-k(1-\cos q_1\cos q_2)\end{aligned} \tag{v}$$

为使广义动量与陀螺力项具有更为平衡的形式，进一步引入变换

$$\begin{aligned}&p_1=p_1'-(\bar{g}/2)\sin q_2\\&p_2=p_2'-(\bar{g}q_1/2)\cos q_2\end{aligned} \tag{w}$$

q_i 保持不变。由于变换(w)的 Jacobi 矩阵行列式

$$\left|\frac{\partial(q_1, q_2, p_1, p_2)}{\partial(q_1, q_2, p_1', p_2')}\right|$$

$$= \begin{vmatrix} 1 & 0 & 0 & 0 \\ 0 & 1 & 0 & 0 \\ 0 & -(\bar{g}/2)\cos q_2 & 1 & 0 \\ -(\bar{g}/2)\cos q_2 & (\bar{g}q_1/2)\sin q_2 & 0 & 1 \end{vmatrix} = 1$$

该变换可逆且一一对应，变换后的 Hamilton 函数为

$$H = \boldsymbol{p}^{\mathrm{T}}\boldsymbol{M}^{-1}\boldsymbol{p}/2 - \boldsymbol{p}^{\mathrm{T}}\boldsymbol{M}^{-1}\boldsymbol{B} + \boldsymbol{B}^{\mathrm{T}}\boldsymbol{M}^{-1}\boldsymbol{B}/2 - C \tag{x}$$

式中

$$\boldsymbol{p} = [p_1\ p_2]^{\mathrm{T}} = [I_1(1+\gamma\cos^2 q_2)\dot{q}_1 + (\bar{g}/2)\sin q_2$$
$$\times I_2\dot{q}_2 - (\bar{g}/2)q_1\cos q_2]^{\mathrm{T}}$$

$$\boldsymbol{B} = [(\bar{g}/2)\sin q_2 - (\bar{g}/2)q_1\cos q_2]^{\mathrm{T}} \tag{y}$$

(x)形同(1.1-38)，从而相应 Hamilton 方程形同(1.1-39)。线性化陀螺摆的 Hamilton 函数仍具有(x)形式，只是

$$\boldsymbol{p} = \begin{bmatrix} I_1(1+\gamma)\dot{q}_1 + (\bar{g}/2)q_2 \\ I_2\dot{q}_2 - (\bar{g}/2)q_1 \end{bmatrix}, \boldsymbol{M} = \begin{bmatrix} I_1(1+\gamma) & 0 \\ 0 & I_2 \end{bmatrix}$$

$$\boldsymbol{B} = \begin{bmatrix} (\bar{g}/2)q_2 \\ -(\bar{g}/2)q_1 \end{bmatrix}, C = -\bar{g}^2/2I_3 - k(q_1^2 + q_2^2)/2 \tag{z}$$

而相应 Hamilton 方程形同(1.1-45)。

1.2 Poisson 括号

设 $F = F(\boldsymbol{q}, \boldsymbol{p}, t)$与 $G = G(\boldsymbol{p}, \boldsymbol{q}, t)$为定义在相空间中的两个任意连续可微的动力学量，$F$ 与 G 的 Poisson 括号是另一个动力学量，它定义为

$$[F, G] = \frac{\partial F}{\partial p_k}\frac{\partial G}{\partial q_k} - \frac{\partial F}{\partial q_k}\frac{\partial G}{\partial p_k} \tag{1.2-1}$$

不难验证，Poisson 括号具有如下重要性质：

1．反对称性

$$[F, G] = -[G, F] \tag{1.2-2}$$

2．双线性

$$[aF+bG,K]=a[F,K]+b[G,K] \tag{1.2-3}$$

式中 $K=K(\boldsymbol{q},\boldsymbol{p},t)$为另一个连续可微动力学量，$a$、$b$ 为常数；

3．Leibnitz 法则

$$[F\cdot G,K]=F\cdot[G,K]+G\cdot[F,K] \tag{1.2-4}$$

4．Jacobi 恒等式

$$[F,[G,K]]+[G,[K,F]]+[K,[F,G]]=0 \tag{1.2-5}$$

5．非退化性　若 $\boldsymbol{z}=[\boldsymbol{q}^{\mathrm{T}}\boldsymbol{p}^{\mathrm{T}}]^{\mathrm{T}}$ 不是 F 的临界点，即 $\boldsymbol{D}F(\boldsymbol{z})\neq0$，则存在连续可微函数 G，使$[F,G](\boldsymbol{z})\neq0$。换言之，若 F 使得$[F,G]=0$ 对一切连续可微函数 G 都成立，则 F 必是运动常数，即在 Hamilton 系统的整个运动过程中 F 保持守恒。

利用 Poisson 括号，Hamilton 方程(1.1-9)可改写成

$$\dot{q}_i=[H,q_i],\dot{p}_i=[H,p_i],i=1,2,\cdots,n \tag{1.2-6}$$

利用 Hamilton 方程(1.1-9)，任一动力学量 $F(\boldsymbol{q},\boldsymbol{p},t)$的时间变化率可用 Poisson 括号简洁地表示为

$$\frac{\mathrm{d}F}{\mathrm{d}t}=[H,F]+\frac{\partial F}{\partial t} \tag{1.2-7}$$

若 $\mathrm{d}F/\mathrm{d}t=0$，则称 F 为首次积分。若 F 不显含 t，则有

$$\frac{\mathrm{d}F}{\mathrm{d}t}=[H,F] \tag{1.2-8}$$

对自治 Hamilton 系统，若 F 为运动常数(首次积分)，则有

$$[H,F]=0 \tag{1.2-9}$$

(1.2-9)可作为自治 Hamilton 系统中 F 为运动常数或首次积分的定义。对自治的 Hamilton 系统，H 不显含 t，有

$$[H,H]=0 \tag{1.2-10}$$

这意味着自治 Hamilton 系统的总机械能守恒，相应的 Hamilton 系统常称为保守系统。

若 F 与 G 同为一个自治 Hamilton 系统的运动常数(首次积分)，即它们分别满足(1.2-9)，则可用 Jacobi 恒等式(1.2-5)证明

$$[F, G] = \text{常数} \tag{1.2-11}$$

可知,由两个运动常数构成的 Poisson 括号也是运动常数,此称为 Poisson 定理。据此,可从已知运动常数获得新的运动常数。但是,这样得到的运动积分可能有意义,也可能没有意义。若

$$[F, G] = 0 \tag{1.2-12}$$

则称运动积分 F 与 G 对合(in involution)。

令 F 与 G 分别为 q_i 与 p_i,则有

$$[q_i, q_j] = 0, [p_i, p_j] = 0, [q_i, p_j] = -\delta_{ij} \tag{1.2-13}$$

从现代观点看来,Poisson 括号奠定了 Hamilton 提法的基础。例如,可用广义 Poisson 括号直接定义广义 Hamilton 系统[3]。

1.3 Hamilton 相流

考虑 $2n$ 维自治 Hamilton 系统,其 Hamilton 方程

$$\dot{z} = \boldsymbol{f}(z) = \boldsymbol{J}DH(z) = [(\partial H/\partial \boldsymbol{p})^{\mathrm{T}}(-\partial H/\partial \boldsymbol{q})^{\mathrm{T}}]^{\mathrm{T}} \tag{1.3-1}$$

给出了 $2n$ 维相空间中的矢量场 $\boldsymbol{f}(z)$。设(1.3-1)之解可延伸到整个时间轴$(-\infty, \infty)$,以$(\boldsymbol{q}(t), \boldsymbol{p}(t))$表示(1.3-1)在初始条件$(\boldsymbol{q}(0), \boldsymbol{p}(0))$下之解。$g^t: (\boldsymbol{q}(0), \boldsymbol{p}(0)) \mapsto (\boldsymbol{q}(t), \boldsymbol{p}(t))$称为 $2n$ 维相空间中 Hamilton 系统(1.3-1)的相流。矢量场 $\boldsymbol{f}$ 的散度

$$\operatorname{div}\boldsymbol{f} = \frac{\partial \dot{q}_i}{\partial q_i} + \frac{\partial \dot{p}_i}{\partial p_i} = \frac{\partial}{\partial q_i}\left(\frac{\partial H}{\partial p_i}\right) + \frac{\partial}{\partial p_i}\left(-\frac{\partial H}{\partial q_i}\right) = 0 \tag{1.3-2}$$

这表明,Hamilton 相流为不可压流,在 Hamilton 相流下,相空间的体积保持不变,即 $t=0$ 时从域 D 出发的相流 $g^t D$ 的体积等于 D 的体积,或

$$\iint_D \mathrm{d}\boldsymbol{q}\mathrm{d}\boldsymbol{p} = \iint_{g^t D} \mathrm{d}\boldsymbol{q}\mathrm{d}\boldsymbol{p} \tag{1.3-3}$$

此称 Liouville 定理。这是自治 Hamilton 系统的最基本性质之一。$\iint \mathrm{d}\boldsymbol{q}\mathrm{d}\boldsymbol{p}$ 称为 $2n$ 阶不变量。

Liouville 定理的推论之一是,Hamilton 系统中不可能存在渐

近稳定与不稳定的平衡点(焦点、结点),平衡点只能是中心或鞍点;也不可能存在渐近稳定与不稳定的极限环,只可能存在简单闭轨,同宿轨或异宿轨。在典型的 Hamilton 系统中,只能存在有限个平衡点,但可有无穷多个周期轨道。

例如,单自由度自治 Hamilton 系统,Hamilton 函数为

$$H(q,p)=p^2/2+U(q) \tag{1.3-4}$$

Hamilton 方程为

$$\dot{q}=p,\dot{p}=-\partial U/\partial q \tag{1.3-5}$$

H=常数在相平面(q,p)上的投影即为相轨线,Hamilton 曲面的临界点对应于系统的平衡点。鉴于 H 与 p 的抛物线关系,平衡点必在 q 轴上,并为 $U(q)$的极值点,$U(q)$的极小值对应于中心(又称椭圆固定点),$U(q)$的极大值对应于鞍点(又称双曲固定点),围绕中心的是周期轨线,连接鞍点的是同宿轨(连接同一鞍点)或异宿轨(连接不同鞍点),它们是周期轨线区与非周期轨线区的分界线,或是摆动区与转动区的分界线,因此,同宿轨与异宿轨又被称为分界线。鉴于单摆的转角在[$-\pi,\pi$]内变化,相平面可粘合成相柱面。

Liouville 定理的另一个推论是,对 Hamilton 相流,从相空间中任一点 $\boldsymbol{z}\in U$ 出发的相轨,必在某一时刻回到该点的邻域,即 $g^t\boldsymbol{z}\in U$,此称 Poincaré 回归定理。这是关于 Hamilton 系统运动特性的少数一般结论之一。

$2n$ 维非自治 Hamilton 系统可变成 $2n+2$ 维自治 Hamilton 系统。考虑 $2n$ 维非自治 Hamilton 系统,Hamilton 函数为 $H(\boldsymbol{q},\boldsymbol{p},t)$,它满足 Hamilton 方程(1.1-9)。引入一个新的广义坐标 q_{n+1}代替 t,使得

$$\dot{q}_{n+1}=\dot{t}=1 \tag{1.3-6}$$

按正则要求,再引入一个共轭广义动量 p_{n+1},记新的 Hamilton 函数为 $\overline{H}(\boldsymbol{q},q_{n+1},\boldsymbol{p},p_{n+1})$,它要满足(1.1-9)与(1.3-6),从而

$$\frac{\partial\overline{H}}{\partial\boldsymbol{q}}=\frac{\partial H}{\partial\boldsymbol{q}},\quad\frac{\partial\overline{H}}{\partial\boldsymbol{p}}=\frac{\partial H}{\partial\boldsymbol{p}},\quad\frac{\partial\overline{H}}{\partial p_{n+1}}=1 \tag{1.3-7}$$

显然

$$\bar{H}(\boldsymbol{q}, q_{n+1}, \boldsymbol{p}, p_{n+1}) = H(\boldsymbol{q}, \boldsymbol{p}, q_{n+1}) + p_{n+1} \quad (1.3\text{-}8)$$

能满足(1.3-7),于是

$$\dot{p}_{n+1} = -\frac{\partial \bar{H}}{\partial q_{n+1}} = -\frac{\partial H}{\partial t} = -\dot{H} \quad (1.3\text{-}9)$$

即

$$\bar{H} = H + p_{n+1} \quad (1.3\text{-}10)$$

守恒。这意味着,引入一个附加的自由度伴随着一个新的首次积分。由于 p_{n+1}的初始条件可为任意,选取

$$p_{n+1}(t_0) = -H(\boldsymbol{q}(t_0), \boldsymbol{p}(t_0), t_0) \quad (1.3\text{-}11)$$

就有

$$p_{n+1}(t) = -H(\boldsymbol{q}, \boldsymbol{p}, t) \quad (1.3\text{-}12)$$

可见,n 自由度非自治 Hamilton 系统等价于 $n+1$ 自由度自治 Hamilton 系统。新系统的正则变量为 $\boldsymbol{q}$, $q_{n+1} = t$, $\boldsymbol{p}$, $p_{n+1} = -H$,新的 Hamilton 函数为 $\bar{H} = H + p_{n+1}$,它是一个首次积分,新系统也满足 Hamilton 方程(1.1-9)。因此,关于 $n+1$ 自由度自治 Hamilton 系统的结论可推广于 n 自由度非自治 Hamilton 系统。

设 γ_0 是 $2n+1$ 维扩展了的相空间 $\boldsymbol{q}, \boldsymbol{p}, t$ 中的一条闭曲线。以该曲线上的点作 Hamilton 方程(1.1-9)之解的初始条件,所有初始条件在 γ_0 上的解的集合是一光滑曲面 Γ,称为相轨道管。设 γ_1 与 γ_2 是环绕同一相轨道管的两条闭曲线,可证[1,4,5]

$$\oint_{\gamma_1} (p_i \mathrm{d} q_i - H \mathrm{d} t) = \oint_{\gamma_2} (p_i \mathrm{d} q_i - H \mathrm{d} t) \quad (1.3\text{-}13)$$

此称 Poincaré-Cartan 积分不变量,这是自治与非自治 Hamilton 系统都具有的一个重要守恒量。

若 γ_1 与 γ_2 在 $t=$常数的平面上,则 $\mathrm{d}t=0$,(1.3-13)退化为

$$\oint_{\gamma_1} p_i \mathrm{d} q_i = \oint_{\gamma_2} p_i \mathrm{d} q_i \quad (1.3\text{-}14)$$

此称 Poincaré 相对积分不变量。

1.4 正则变换

正则变换又称辛变换,它是从一个相空间的正则坐标到另一个相同维数的相空间的正则坐标的变换。设

$$Q_i = Q_i(\boldsymbol{q},\boldsymbol{p},t), P_i = P_i(\boldsymbol{q},\boldsymbol{p},t), i = 1,2,\cdots,n \tag{1.4-1}$$

是一组从正则变量 q_i、p_i 到新正则变量 Q_i、P_i 的正则变换,变换前后的 Hamilton 函数分别为 $H(\boldsymbol{q},\boldsymbol{p},t)$与 $K(\boldsymbol{Q},\boldsymbol{P},t)$。由于 Hamilton 原理(1.1-10)对两组坐标均成立,两个作用泛函 $\int_{t_1}^{t_2}(\boldsymbol{p}^{\mathrm{T}}\dot{\boldsymbol{q}}-H)\mathrm{d}t$ 与$\int_{t_1}^{t_2}(\boldsymbol{P}^{\mathrm{T}}\dot{\boldsymbol{Q}}-K)\mathrm{d}t$ 之间最多相差一个 $\boldsymbol{q},\boldsymbol{p},\boldsymbol{Q},\boldsymbol{P},t$ 的函数,从而在 $2n+1$ 维扩展了的相空间中,有

$$p_i\mathrm{d}q_i - H\mathrm{d}t = P_i\mathrm{d}Q_i - K\mathrm{d}t+\mathrm{d}F \tag{1.4-2}$$

$$\mathrm{d}F=\frac{\partial F}{\partial q_i}\mathrm{d}q_i+\frac{\partial F}{\partial p_i}\mathrm{d}p_i+\frac{\partial F}{\partial Q_i}\mathrm{d}Q_i+\frac{\partial F}{\partial P_i}\mathrm{d}P_i+\frac{\partial F}{\partial t}\mathrm{d}t \tag{1.4-3}$$

更一般的情形下,(1.4-2)左边还可有一个标量乘子,为简单起见,此处令它等于1。(1.4-2)可作为正则变换(又称接触变换)的定义。比较(1.4-2)与(1.4-3),得新旧 Hamilton 函数之间的关系式

$$K(\boldsymbol{Q},\boldsymbol{P},t)= H(\boldsymbol{q},\boldsymbol{p},t)+\frac{\partial F}{\partial t} \tag{1.4-4}$$

F称为正则变换的生成函数或母函数,它给出了正则变换的规则。正则变换(1.4-2)建立了 $4n$ 个新旧正则变量之间的 $2n$ 个关系式,还有 $2n$ 个变量可独立选取,选取不同的独立正则变量,就有不同的正则变换。例如,取 $\boldsymbol{q}$ 与 $\boldsymbol{Q}$ 作独立正则变量,$F= F_1(\boldsymbol{q},\boldsymbol{Q},t)$,代入(1.4-3),并与(1.4-2)比较,得(1.4-4)及

$$p_i=\frac{\partial}{\partial q_i}F_1(\boldsymbol{q},\boldsymbol{Q},t),\quad P_i=-\frac{\partial}{\partial Q_i}F_1(\boldsymbol{q},\boldsymbol{Q},t) \tag{1.4-5}$$

又如,令 $F+\boldsymbol{PQ}= F_2(\boldsymbol{q},\boldsymbol{P},t)$,则有(1.4-4)及

$$p_i = \frac{\partial}{\partial q_i} F_2(\boldsymbol{q}, \boldsymbol{P}, t), \quad Q_i = \frac{\partial}{\partial P_i} F_2(\boldsymbol{q}, \boldsymbol{P}, t) \tag{1.4-6}$$

可有四类生成函数[1,2],最常用的是 F_2。

正则变换具有下列性质,其中前三个性质可作为判断一个变换是否为正则变换的准则。

1. 正则变换下 Poisson 括号不变,即对所有连续可微函数 F 与 G,有

$$[F, G]_{\boldsymbol{Q}, \boldsymbol{P}} = [F, G]_{\boldsymbol{q}, \boldsymbol{p}} \tag{1.4-7}$$

上式左、右边分别表示在正则坐标 $\boldsymbol{Q}$、$\boldsymbol{P}$ 与 $\boldsymbol{q}$、$\boldsymbol{p}$ 中的 Poisson 括号。

2. 令

$$\boldsymbol{T} = \frac{\partial(\boldsymbol{Q}, \boldsymbol{P})}{\partial(\boldsymbol{q}, \boldsymbol{p})} \tag{1.4-8}$$

为正则变换的 Jacobi 矩阵,则有

$$\boldsymbol{T}^{\mathrm{T}} \boldsymbol{J} \boldsymbol{T} = \boldsymbol{J} \tag{1.4-9}$$

若变换是可逆的,则其逆变换亦为正则变换,从而有

$$\boldsymbol{T} \boldsymbol{J}^{-1} \boldsymbol{T}^{\mathrm{T}} = \boldsymbol{J}^{-1} \tag{1.4-10}$$

由于 $\boldsymbol{J}^{-1} = -\boldsymbol{J}$,(1.4-10)变成

$$\boldsymbol{T} \boldsymbol{J} \boldsymbol{T}^{\mathrm{T}} = \boldsymbol{J} \tag{1.4-11}$$

3. 正则变换下 Poincaré 相对积分不变量不变,即对任一封闭曲线

$$\oint_{T\gamma} P_i \mathrm{d} Q_i = \oint_{\gamma} p_i \mathrm{d} q_i \tag{1.4-12}$$

4. 正则变换下相空间体积不变,即

$$\iint_{TD} \mathrm{d}\boldsymbol{Q} \mathrm{d}\boldsymbol{P} = \iint_{D} \mathrm{d}\boldsymbol{q} \mathrm{d}\boldsymbol{p} \tag{1.4-13}$$

此称关于正则变换的 Liouville 定理。从而,正则变换的 Jacobi 矩阵行列式之值为 1,即

$$\det(\boldsymbol{T}) = \det(\boldsymbol{T}^{-1}) = 1 \tag{1.4-14}$$

5. 正则变换下 Hamilton 方程的形式不变,即,以 $\boldsymbol{q}$、$\boldsymbol{p}$ 为正则变量的 Hamilton 方程(1.1-9),变成以 $\boldsymbol{Q}$、$\boldsymbol{P}$ 为正则变量的 Hamil-

ton 方程

$$\dot{Q}_i = \frac{\partial K}{\partial P_i}, \dot{P}_i = -\frac{\partial K}{\partial Q_i}, i = 1, 2, \cdots, n \qquad (1.4\text{-}15)$$

注意,这一性质不能作为正则变换的定义[4]。例如,变换 $P=2p$,$Q=q$ 能使 Hamilton 方程形式保持不变,但它不是上述意义上的正则变换。

例 1.4-1 作为正则变换的一个应用,现将定常线性陀螺系统的 Hamilton 函数(1.1-44)与 Hamilton 方程(1.1-45)通过正则变换化为范式。齐二次 Hamilton 函数(1.1-44)可改成如下内积形式:

$$H = (\boldsymbol{Az}, \boldsymbol{z})/2 \qquad (1.4\text{-}16)$$

式中

$$\boldsymbol{A} = \begin{bmatrix} \boldsymbol{K} - \boldsymbol{gM}^{-1}\boldsymbol{g}/4 & \boldsymbol{gM}^{-1}/2 \\ -\boldsymbol{M}^{-1}\boldsymbol{g}/2 & \boldsymbol{M}^{-1} \end{bmatrix} \qquad (1.4\text{-}17)$$

是一个对称矩阵,$\boldsymbol{M}$,$\boldsymbol{K}$,$\boldsymbol{g}$ 分别为质量、刚度及陀螺矩阵。相应地,Hamilton 方程(1.1-45)可改写成

$$\dot{\boldsymbol{z}} = \boldsymbol{JAz} \qquad (1.4\text{-}18)$$

对一般线性 Hamilton 系统,若 λ 是其特征值,则 $-\lambda$,$\pm\lambda^*$(* 表示共轭)也是它的特征值。因此,可能有四种类型特征值:实对($-a$,a),纯虚对($\mathrm{j}b$,$-\mathrm{j}b$),复共轭对($\pm a \pm \mathrm{j}b$),零(其重数必为偶数)。只有当所有特征值为纯虚数时,线性 Hamilton 系统才可能是稳定的。

假定线性陀螺系统(1.4-18)是稳定的,它的特征值,即矩阵 $\boldsymbol{JA}$ 的特征值成纯虚对出现,并假定它们的值均不相同,即

$$\lambda_i = \mathrm{j}\omega_i, \lambda_{n+i} = -\mathrm{j}\omega_i, \omega_i \neq \omega_k, i \neq k, i, k = 1, 2, \cdots, n \qquad (1.4\text{-}19)$$

对应的特征矢量为 Φ_i 与 $\Phi_{n+i} = \Phi_i^*$,可将它们组成一个 $2n \times 2n$ 的特征矩阵

$$\Phi = [\Phi_1 \ \Phi_2 \cdots \Phi_{2n}] \qquad (1.4\text{-}20)$$

可证，Φ 是辛正交的，即

$$\Phi^{\mathrm{T}} \boldsymbol{J} \Phi = \boldsymbol{J}, \quad \Phi^{\mathrm{T}} \boldsymbol{A} \Phi = \Lambda \boldsymbol{J} \tag{1.4-21}$$

式中 $\Lambda = \mathrm{diag}(\lambda_1 \cdots \lambda_n - \lambda_1 \cdots - \lambda_n)$。进一步令

$$\boldsymbol{T} = \Phi \Psi \tag{1.4-22}$$

式中

$$\Psi = \frac{1}{\sqrt{2\mathrm{j}}} \begin{bmatrix} \boldsymbol{I}_n & -\mathrm{j} \boldsymbol{I}_n \\ \boldsymbol{I}_n & \mathrm{j} \boldsymbol{I}_n \end{bmatrix} \tag{1.4-23}$$

可证，$\boldsymbol{T}$ 也是辛正交的，即

$$\boldsymbol{T}^{\mathrm{T}} \boldsymbol{J} \boldsymbol{T} = \boldsymbol{J}, \quad \boldsymbol{T}^{\mathrm{T}} \boldsymbol{A} \boldsymbol{T} = \Omega \tag{1.4-24}$$

式中 $\Omega = \mathrm{diag}(\omega_1 \cdots \omega_n \omega_1 \cdots \omega_n)$，且有

$$\det(\boldsymbol{T}) = 1 \tag{1.4-25}$$

因此，$\boldsymbol{T}$ 是辛矩阵，可作为正则变换矩阵。作变换

$$\boldsymbol{z} = \boldsymbol{T} \boldsymbol{u} \tag{1.4-26}$$

式中 $\boldsymbol{u} = [\boldsymbol{Q}^{\mathrm{T}} \ \boldsymbol{P}^{\mathrm{T}}]^{\mathrm{T}}$。变换后的 Hamilton 函数为

$$K(\boldsymbol{Q}, \boldsymbol{P}) = \sum_{i=1}^{n} K_i(Q_i, P_i) \tag{1.4-27}$$

式中

$$\begin{aligned} K_i &= \omega_i (Q_i^2 + P_i^2)/2 \\ &= \omega_i \left[(T_{i,k}^{-1} q_k + T_{i,n+k}^{-1} p_k)^2 \right. \\ &\quad \left. + (T_{n+i,k}^{-1} q_k + T_{n+i,n+k}^{-1} p_k)^2 \right] /2 \end{aligned} \tag{1.4-28}$$

变换后的 Hamilton 方程为

$$\dot{\boldsymbol{u}} = \boldsymbol{J} \Omega \boldsymbol{u} \tag{1.4-29}$$

或

$$\dot{Q}_i = \omega_i P_i, \dot{P}_i = -\omega_i Q_i, \quad i = 1, 2, \cdots, n \tag{1.4-30}$$

1.5 Hamilton-Jacobi 方程

寻求正则变换的目的，在于通过变换使 Hamilton 函数与 Hamilton 方程具有最简单形式，以便于求解该方程。最简单的 Hamilton 函数莫过于恒为零。(1.4-4)中令 $K=0$，$F=F_2$，有

$$H(\boldsymbol{q},\boldsymbol{p},t)+\frac{\partial F_2}{\partial t}=0 \tag{1.5-1}$$

由变换后的 Hamilton 方程(1.4-15),有

$$Q_i=\alpha_i, P_i=\beta_i \tag{1.5-2}$$

α_i 与 β_i 是 $2n$ 个积分常数。几何上,该正则变换将原相空间中的每一条相轨线都变成新相空间中的一个点(α,β),这个特殊的变换称为化零正则变换。于是,$F_2=F_2(\boldsymbol{q},\beta,t)$,(1.4-6)变成

$$p_i=\frac{\partial F_2}{\partial q_i}, \quad \alpha_i=\frac{\partial F_2}{\partial \beta_i} \tag{1.5-3}$$

而(1.5-1)变成

$$H\left(\boldsymbol{q},\frac{\partial F_2}{\partial \boldsymbol{q}},t\right)+\frac{\partial F_2}{\partial t}=0 \tag{1.5-4}$$

由于 H 是 p_i 的二次式,(1.5-4)是一个一阶二次非线性偏微分方程,称为 Hamilton-Jacobi(H-J)方程,生成函数 $F_2(\boldsymbol{q},\beta,t)$是它的解。

改用 S 表示生成函数,(1.5-4)变成

$$H\left(\boldsymbol{q},\frac{\partial S}{\partial \boldsymbol{q}},t\right)+\frac{\partial S}{\partial t}=0 \tag{1.5-5}$$

这是 H-J 方程的常用形式,$S(\boldsymbol{q},\beta,t)$称为 Hamilton 主函数,而(1.5-3)变成

$$p_i=\frac{\partial S}{\partial q_i}, \alpha_i=\frac{\partial S}{\partial \beta_i} \tag{1.5-6}$$

注意,β为常矢量,S 只是 $\boldsymbol{q},t$ 的函数,于是

$$\frac{\mathrm{d}S}{\mathrm{d}t}=\frac{\partial S}{\partial q_i}\frac{\mathrm{d}q_i}{\mathrm{d}t}+\frac{\partial S}{\partial t}=p_i\dot{q}_i-H \tag{1.5-7}$$

即

$$S=\int_{t_0}^{t}(p_i\dot{q}_i-H)\mathrm{d}t \tag{1.5-8}$$

它就是(1.1-10)中作用泛函。

对自治 Hamilton 系统,H 不显含 t,且为常数。(1.5-5)化为

$$h+\frac{\partial S}{\partial t}=0 \tag{1.5-9}$$

式中 h 为总机械能值。(1.5-9)之解形为

$$S(\boldsymbol{q},\beta,t)=-ht+W(\boldsymbol{q},\beta) \tag{1.5-10}$$

式中 W 称为 Hamilton 特征函数。(1.5-10)中含 $n+1$ 个常数,去掉一个不起作用的常数 β_n,(1.5-10)变成

$$S=-ht+W(q_1,\cdots,q_n;\beta_1,\cdots,\beta_{n-1};h) \tag{1.5-11}$$

由(1.5-10),有

$$\frac{\partial S}{\partial q_i}=\frac{\partial W}{\partial q_i},\frac{\partial S}{\partial \beta_i}=\frac{\partial W}{\partial \beta_i} \tag{1.5-12}$$

于是得到如下简化的 H-J 方程:

$$H\left(\boldsymbol{q},\frac{\partial W}{\partial \boldsymbol{q}}\right)=h \tag{1.5-13}$$

其解形为

$$W=W(q_1,\cdots,q_n;\beta_1,\cdots,\beta_{n-1};h) \tag{1.5-14}$$

由(1.5-6)与(1.5-12),有

$$p_i=\frac{\partial W}{\partial q_i},\quad \alpha_i=\frac{\partial W}{\partial \beta_i} \tag{1.5-15}$$

设 $S=S(\boldsymbol{q},\beta,t)$为 H-J 方程(1.5-5)之解,且

$$\det\left(\frac{\partial^2 S}{\partial \boldsymbol{q}\partial \beta}\right)\neq 0 \tag{1.5-16}$$

则 S 称为 H-J 方程(1.5-5)的全积分。将它代入(1.5-6),由隐函数定理,可得 $\boldsymbol{q}$ 与 $\boldsymbol{p}$ 的 $2n$ 个关系式,它们将是原 Hamilton 方程以 α、β 为参数的通解,此称 Hamilton-Jacobi(H-J)定理,参数 α,β 由初始条件确定。引入 H-J 方程的目的,正是为了通过求解 H-J 方程得到 Hamilton 方程之解。反之,有了 Hamilton 方程之解,可用特征线法确定 H-J 方程之解[6]。因此,H-J 方程与 Hamilton 方程是等价的。

H-J 方程与 H-J 定理构成了 H-J 法。能用 H-J 法解 Hamilton 方程的主要是可分离变量系统。在自治情形,所谓可分离变量系统是指对应 H-J 方程存在如下形式全积分的 Hamilton 系统:

$$W=\sum_{i=1}^{n} W_i(q_i,\beta_1,\cdots,\beta_{n-1},h) \qquad (1.5\text{-}17)$$

且

$$\det\left(\frac{\partial^2 W}{\partial \boldsymbol{q}\partial \beta}\right)\neq 0,\beta_n=h \qquad (1.5\text{-}18)$$

此时,H-J 方程化为 n 个关于 W_i 的常微分方程。顺便指出,系统是否有可分离变量性质,与坐标的选取有关(见 1.6.5)。在一给定的坐标系统中,能用分离变量法积分 Hamilton 方程的充要条件是,它的 Hamilton 函数满足下列方程组[7]:

$$\frac{\partial H}{\partial p_j}\frac{\partial H}{\partial p_k}\frac{\partial^2 H}{\partial q_j\partial q_k}-\frac{\partial H}{\partial p_j}\frac{\partial H}{\partial q_k}\frac{\partial^2 H}{\partial q_j\partial p_k}$$

$$-\frac{\partial H}{\partial q_j}\frac{\partial H}{\partial p_k}\frac{\partial^2 H}{\partial p_j\partial q_k}+\frac{\partial H}{\partial q_j}\frac{\partial H}{\partial q_k}\frac{\partial^2 H}{\partial p_j\partial p_k}=0 \qquad (1.5\text{-}19)$$

$$1\leqslant j<k\leqslant n$$

上式中重复下标不求和。这个条件应用起来很困难。

对正交系统(保守的完整系统,其动能仅含 p_i 的平方项,而无它们的交叉项,即无惯性耦合项),Hamilton 函数形为 $H=(1/2)\sum a_i p_i^2+U$,a_i,U 皆为 q_j 的函数,且 $a_i\geqslant 0$,该系统可分离变量的充要条件是存在非奇异矩阵 Φ 及列阵 $\boldsymbol{W}=[W_1(q_1)\cdots W_n(q_n)]^{\mathrm{T}}$,使得 $\Phi^{\mathrm{T}}\boldsymbol{a}=[0\cdots01]^{\mathrm{T}}$ 及 $\boldsymbol{W}^{\mathrm{T}}\boldsymbol{a}=U$,$\boldsymbol{a}=[a_1\ a_2\cdots a_n]^{\mathrm{T}}$,此称 Stäckel 定理[2]。

例 1.5-1 作为一个可分离变量系统的例子,考虑两自由 Liouville 系统,该系统的动能与势能分别为

$$T=\frac{1}{2}(X+Y)\left(\frac{\dot{q}_1^2}{A}+\frac{\dot{q}_2^2}{B}\right),\quad U=\frac{\xi+\eta}{X+Y} \qquad (\mathrm{a})$$

式中 X,A,ξ 仅为 q_1 的函数,Y,B,η 仅为 q_2 的函数,且 $X+Y>0$。为应用 H-J 法,先求广义动量与 Hamilton 函数,它们是

$$p_1=\frac{\partial T}{\partial \dot{q}_1}=\frac{X+Y}{A}\dot{q}_1,\ p_2=\frac{\partial T}{\partial \dot{q}_2}=\frac{X+Y}{B}\dot{q}_2 \qquad (\mathrm{b})$$

$$H=T+U=\frac{1}{X+Y}\left(\frac{1}{2}Ap_1^2+\frac{1}{2}Bp_2^2+\xi+\eta\right) \qquad (\mathrm{c})$$

再按(1.5-13)建立 H-J 方程

$$\frac{1}{X+Y}\left[\frac{1}{2}A\left(\frac{\partial W}{\partial q_1}\right)^2+\frac{1}{2}B\left(\frac{\partial W}{\partial q_2}\right)^2+\xi+\eta\right]=h \tag{d}$$

设其解形为

$$W=W_1(q_1)+W_2(q_2) \tag{e}$$

代入(d),得

$$\left[\frac{1}{2}A\left(\frac{\mathrm{d}W_1}{\mathrm{d}q_1}\right)^2+\xi-hX\right]=-\left[\frac{1}{2}B\left(\frac{\mathrm{d}W_2}{\mathrm{d}q_2}\right)^2+\eta-hY\right] \tag{f}$$

上式左边为 q_1 的函数,右边为 q_2 的函数,为使上式成立,必有

$$\frac{1}{2}A\left(\frac{\mathrm{d}W_1}{\mathrm{d}q_1}\right)^2+\xi-hX=a \tag{g}$$

$$\frac{1}{2}B\left(\frac{\mathrm{d}W_2}{\mathrm{d}q_2}\right)^2+\eta-hY=-a \tag{h}$$

式中 a 为常数,(g)与(h)为非线性常微分方程。积分它们,然后代入(e),得到 H-J 方程的全积分

$$W=\int[2A^{-1}(hX-\xi+a)]^{1/2}\mathrm{d}q_1+\int[2B^{-1}(hY-\eta-a)]^{1/2}\mathrm{d}q_2 \tag{i}$$

将它代入(1.5-15)可得以 h 与 a 为参数的 Liouville 系统的通解。上述结果可推广于 n 个自由度 Liouville 系统。

对 Hamilton 函数形为

$$H=(ap_1^2+bp_2^2)/2+U(q_1,q_2) \tag{1.5-20}$$

的两自由度正交 Hamilton 系统,式中 a,b 分别为 q_1,q_2 的函数,可证,可分离变量的必要条件是它为 Liouville 系统[2]。因此,两自由度正交系统可分离变量的充要条件是它为 Liouville 系统。此结论不能推广于 $n(>2)$自由度 Liouville 系统,即 $n(>2)$自由度 Liouville 系统不是正交系统可分离变量的必要条件,而只是充分条件[2]。

1.6 可积 Hamilton 系统

微分方程习惯于分成可积与不可积的。为积分 $2n$ 维一般常微分方程组,需知 $2n-1$ 个独立的单值首次积分。但为积分 $2n$ 维 Hamilton 方程,则只需 n 个独立、对合的首次积分(运动常数或守恒量),每个首次积分可使 Hamilton 方程减小 2 维,这是 Hamilton 方程的一个特点。这一结论由下面关于可积 Hamilton 系统的 Liouville 定理得出。

1.6.1 Liouville 定理

考虑一个 Hamilton 函数为 $H(\boldsymbol{q},\boldsymbol{p},t)$的 n 自由度 Hamilton 系统。1.2 中指出,一个函数 $F=F(\boldsymbol{q},\boldsymbol{p},t)$,若 $\mathrm{d}F/\mathrm{d}t=0$,则它称为系统的一个首次积分。对自治 Hamilton 系统,若$[F,H]=0$,就称 F 为首次积分。同一自治 Hamilton 系统的两个首次积分,若它们的 Poisson 括号为零,就称它们是对合的。Liouville 证明,对一个 n 自由度 Hamilton 系统,若存在 n 个独立、两两对合的首次积分,则可通过求积(有限次代数运算与求已知函数的积分)得到该系统的积分,这种系统称为在 Liouville 意义上(完全)可积的 Hamilton 系统。这里所说首次积分 F_i 独立,是指 $\mathrm{d}F_i$ 线性无关。对可积 Hamilton 系统,代替研究系统状态的变化,可研究这 n 个首次积分随时间的进化,系统的全局性态完全由这 n 个首次积分确定。

对自治 Hamilton 系统,Liouville 定理可更精确地表述如下。设在 $2n$ 维相空间中存在 n 个对合首次积分 $H=H_1,H_2,\cdots,H_n$,

$$[H_i,H_j]=0,\quad i,j=1,2,\cdots,n \tag{1.6-1}$$

考虑 H_i 为常值的坐标集合(等值面)

$$M_h=\{(\boldsymbol{q},\boldsymbol{p})\,|\,H_i(\boldsymbol{q},\boldsymbol{p})=h_i,\quad i=1,2,\cdots,n\} \tag{1.6-2}$$

假定 H_i 在 M_h 上独立,则

1. M_h 是一个光滑的流形,它在以 $H=H_1$ 为 Hamilton 函数的相流下不变,即从 M_h 上一点出发的相轨线保持在 M_h 上;

2．若 M_h 是紧连通的，则它同胚于 n 维环面 $T^n=\{(\theta_1,\theta_2,\cdots,\theta_n),\text{mod}2\pi\}$；

3．M_h 上的 Hamilton 相流是概周期的，即

$$\frac{\mathrm{d}\theta}{\mathrm{d}t}=\omega,\quad \omega=\omega(\boldsymbol{h}) \tag{1.6-3}$$

式中 $\theta=[\theta_1\ \theta_2\cdots\ \theta_n]^{\mathrm{T}}$，$\omega=[\omega_1\ \omega_2\cdots\ \omega_n]^{\mathrm{T}}$，$\boldsymbol{h}=[h_1\ h_2\cdots\ h_n]^{\mathrm{T}}$；

4．具有 Hamilton 函数 $H=H_1$ 的 Hamilton 方程可用求积方法求解。

上述定理中首次积分对合的要求可放松为$[H_1,H_i]=c_{1i}H_i$，c_{1i}为常数，$1\leqslant i\leqslant n$。对非自治 Hamilton 系统，存在关于 n 个独立、对合首次积分导致 Hamilton 系统可积的更一般定理[5]。

1.6.2 作用-角变量

按 Liouville 定理，一个 n 自由度自治 Hamilton 系统，若存在 n 个独立、对合的首次积分，则该系统可积，在 $\boldsymbol{H},\theta$ 坐标中，其相流可用下列 $2n$ 维常微分方程描述：

$$\frac{\mathrm{d}\boldsymbol{H}}{\mathrm{d}t}=0,\quad \frac{\mathrm{d}\theta}{\mathrm{d}t}=\omega(\boldsymbol{H}) \tag{1.6-4}$$

式中 $\boldsymbol{H}=[H_1\ H_2\cdots\ H_n]^{\mathrm{T}}$，其积分为

$$\boldsymbol{H}(t)=\boldsymbol{H}(0),\quad \theta(t)=\theta(0)+\omega(\boldsymbol{H}(0))t \tag{1.6-5}$$

因此，为求解原 Hamilton 方程，只需找到 $\theta(t)$的显式。

$\boldsymbol{H},\theta$ 一般不是正则坐标，但可证明[5]，存在 $\boldsymbol{H}$ 的函数 $\boldsymbol{I}=[I_1\ I_2\cdots\ I_n]^{\mathrm{T}}=\boldsymbol{I}(\boldsymbol{H})$，使得 $\boldsymbol{I},\theta$ 为正则坐标，I_i 称为作用变量，θ_i 称为角变量，它们构成作用-角正则坐标系。I_i 也是首次积分，Hamilton 函数 $H=H_1$ 可用 $\boldsymbol{I}$ 表示。于是，代替(1.6-4)，Hamilton 方程可表为

$$\frac{\mathrm{d}\boldsymbol{I}}{\mathrm{d}t}=-\frac{\partial H(\boldsymbol{I})}{\partial\theta}=0,\quad \frac{\mathrm{d}\theta}{\mathrm{d}t}=\frac{\partial H(\boldsymbol{I})}{\partial\boldsymbol{I}}=\omega(\boldsymbol{I}) \tag{1.6-6}$$

其解为

$$\boldsymbol{I}(t)=\boldsymbol{I}(0),\quad \theta(t)=\theta(0)+\omega(\boldsymbol{I}(0))t \tag{1.6-7}$$

可用 H-J 法构造正则坐标 $\boldsymbol{I},\theta$。首先考虑单自由度 Hamilton

系统，目的是寻求正则变换 $q、p\to\theta、I$，使得在 $H=h$ 上有(见 Liouville 定理结论 3)

$$I=I(h),\quad \oint_{M_h}\mathrm{d}\theta=2\pi \tag{1.6-8}$$

令 $W=W(q,I)$为 Hamilton 特征函数，按(1.5-13)与(1.5-15)，

$$H\left(q,\frac{\partial W}{\partial q}\right)=h(I) \tag{1.6-9}$$

$$p=\frac{\partial W}{\partial q},\quad \theta=\frac{\partial W}{\partial I} \tag{1.6-10}$$

假定 $h(I)$已知且可逆，则可由 I 之值确定 M_h。对一固定 I 值，W 只是 q 的函数，(1.6-10)的第一式给出

$$\mathrm{d}W\mid_{I=\text{常数}}=p\mathrm{d}q \tag{1.6-11}$$

积分(1.6-11)，得

$$W(q,I)=\int_{q_0}^{q}p\mathrm{d}q \tag{1.6-12}$$

这是 $I=$常数邻域的特征函数，(1.6-8)的第一式自动满足，为满足第二式，沿闭合曲线 M_h 积分(1.6-12)，得

$$\Delta W(I)=\oint_{M_{h(I)}}p\mathrm{d}q \tag{1.6-13}$$

它等于曲线 $M_{h(I)}$所围面积 Π。因此，W 是一个 $M_{h(I)}$上的多值函数，它确定到 Π 的倍数，这对导数$\partial W/\partial q=p$ 无影响，但它导致 $\theta=\partial W/\partial I$ 的多值性，这个导数只确定到 $\mathrm{d}\Delta W(I)/\mathrm{d}I$ 的倍数。为满足(1.6-8)的第二式，需有

$$\frac{\mathrm{d}}{\mathrm{d}I}\Delta W(I)=2\pi,\quad \text{即 } I=\frac{\Delta W}{2\pi}=\frac{\Pi}{2\pi} \tag{1.6-14}$$

于是，在 Hamilton 函数为 $H(q,p)$的单自由度 Hamilton 系统中，作用变量为

$$I(h)=\frac{\Pi(h)}{2\pi}=\frac{1}{2\pi}\oint_{M_h}p\mathrm{d}q \tag{1.6-15}$$

例 1.6-1 线性振子，Hamilton 函数为 $H=(p^2+\omega^2q^2)/2$，M_h 是椭圆，它所围的面积 $\Pi(h)=\pi(\sqrt{2h})(\sqrt{2h}/\omega)=2\pi h/\omega$。

按(1.6-15),作用变量为能量与频率之比,即

$$I = H/\omega \tag{a}$$

由(1.6-6),得

$$\dot{\theta} = \mathrm{d}H/\mathrm{d}I = \omega \tag{b}$$

对本例,(1.6-12)为

$$W(q, I) = \int_{q_0}^{q} (2\omega I - \omega^2 q^2)^{1/2} \mathrm{d}q \tag{c}$$

再由(1.6-10)的第二式,

$$\theta = \omega \int_{q_0}^{q} (2\omega I - \omega^2 q^2)^{-1/2} \mathrm{d}q \tag{d}$$

完成积分可得

$$q = (2I/\omega)^{1/2} \sin(\theta + \theta_0) \tag{e}$$

式中 $\theta_0 = \arcsin(q_0 \omega/(2h)^{1/2})$,再由(1.6-10)的第一式与(c)得

$$p = (2\omega I)^{1/2} \cos(\theta + \theta_0) \tag{f}$$

例 1.6-2 非线性振子,Hamilton 函数为 $H = p^2/2 + \alpha q^4/4$,按(1.6-15),作用变量为

$$I(H) = \frac{1}{2\pi} \oint_{M_h} \pm \sqrt{2H - \alpha q^4/2}\, \mathrm{d}q = \frac{\sqrt{2}\Gamma^2(1/4)}{3\pi^{3/2}\alpha^{1/4}} H^{3/4} \tag{g}$$

式中 $\Gamma(\cdot)$为 gamma 函数,其逆为

$$H(I) = \left(\frac{81\pi^6 \alpha}{4\Gamma^8(1/4)} \right)^{1/3} I^{4/3} \tag{h}$$

频率为

$$\omega(I) = \frac{\mathrm{d}H(I)}{\mathrm{d}I} = \left(\frac{48\pi^6 \alpha}{\Gamma^8(1/4)} \right)^{1/3} I^{1/3} \tag{i}$$

按(1.6-12),

$$W(q, I) = \int_{q_0}^{q} \sqrt{2H(I) - \alpha q^4/2}\, \mathrm{d}q \tag{j}$$

由(1.6-10)第二式,

$$\theta = \partial W/\partial I = \omega(I) \int_{q_0}^{q} [2H(I) - \alpha q^4/2]^{-1/2} \mathrm{d}q \tag{k}$$

由此可解出 q 作为 θ, I 的函数，再由(1.6-10)的第一式与(j)得 p 作为 θ, I 的函数。

例 1.6-3 单摆，Hamilton 函数为 $H = Gp^2/2 - F\cos\phi$，其中，$G = 1/ml^2$，$F = mgl$，m 为质量，l 为摆长。按(1.6-15)，作用变量为

$$I(H) = \frac{2}{\pi}\int_0^{\phi_{\max}} [(2/G)(H + F\cos\phi)]^{1/2} \mathrm{d}\phi \tag{l}$$

式中

$$\phi_{\max} = \begin{cases} \pi/2, & \text{对转动}(H > F) \\ \arccos(-H/F), & \text{对摆动}(H < F) \end{cases} \tag{m}$$

由(1.6.12)与(1.6-10)，得角变量

$$\theta(\phi, I(H)) = (G\mathrm{d}I/\mathrm{d}H)^{-1} \times \int_0^{\phi} [(2/G)(H + F\cos\phi)]^{-1/2} \mathrm{d}\phi \tag{n}$$

利用半角公式，(l)与(m)可改用椭圆积分表示

$$I = \frac{8}{\pi} R \begin{cases} E(k) - (1 - k^2)K(k), & k < 1 \\ (1/2)kE(k^{-1}), & k > 1 \end{cases} \tag{o}$$

$$\theta = \frac{\pi}{2} \begin{cases} [K(k)]^{-1} \zeta(\eta, k), & k < 1 \\ 2[K(k^{-1})]^{-1} \zeta(\phi/2, k^{-1}), & k > 1 \end{cases} \tag{p}$$

式中 $R = (F/G)^{1/2}$，$K(k)$与 $E(k)$分别是第一、二类完全椭圆积分

$$E(k) = \int_0^{\pi/2} (1 - k^2 \sin^2 \xi)^{1/2} \mathrm{d}\xi$$

$$K(k) = \int_0^{\pi/2} (1 - k^2 \sin^2 \xi)^{-1/2} \mathrm{d}\xi \tag{q}$$

$2k^2 = 1 + H/F$，$k\sin\eta = \sin(\phi/2)$，ζ 是第一类不完全椭圆积分，即 $\zeta(\pi/2, k) = K(k)$，k 是归一化能量，$k < 1$ 对应摆动，$k > 1$ 对应转动。由 $\omega = \mathrm{d}H/\mathrm{d}I$ 得频率

$$\omega(k) = \omega_0 \frac{\pi}{2} \begin{cases} [K(k)]^{-1}, & k < 1 \\ 2k/K(k^{-1}), & k > 1 \end{cases} \tag{r}$$

式中 $\omega_0=(FG)^{1/2}$为线性化固有频率。$k\to1$ 时,$\omega(k)\to0$。

上述构造单自由度 Hamilton 系统作用-角变量的方法可推广于 n 自由度 Hamilton 系统。设 γ_j 为环面 M_h 上的一维环基,角变量 θ_i 在 γ_j 上绕行一周的增量为 $2\pi\delta_{ij}$,作用量定义为

$$I_i(\boldsymbol{h})=\frac{1}{2\pi}\oint_{\gamma_i}p_i\mathrm{d}q_i \tag{1.6-16}$$

假定对给定 n 个首次积分 H_i 的值 h_i,n 个作用变量 I_i 是独立的:$\det(\partial\boldsymbol{I}/\partial\boldsymbol{h})\neq0$,则在 M_h 的邻域上可取 θ、$\boldsymbol{I}$ 为坐标,且 $\boldsymbol{q}$、$\boldsymbol{p}\to\theta$、$\boldsymbol{I}$ 为正则变换。特别地,对可分离变量系统(1.5-17),由(1.5-15)与(1.6-16),有

$$I_i=\frac{1}{2\pi}\oint_{\gamma_i}\frac{\partial}{\partial q_i}W_i(q_i,\boldsymbol{h})\mathrm{d}q_i,\quad i=1,2,\cdots,n \tag{1.6-17}$$

上式右边不对 i 求和。从(1.6-17)中消去 $\boldsymbol{h}$,得

$$W=\sum_{i=1}^{n}\overline{W}_i(q_i,\boldsymbol{I}) \tag{1.6-18}$$

按(1.5-15),

$$\theta_i=\frac{\partial W}{\partial I_i}=\sum_{i=1}^{n}\frac{\partial}{\partial I_i}\overline{W}_i(q_i,\boldsymbol{I}) \tag{1.6-19}$$

例 1.6-4 n 自由度线性振子,Hamilton 函数

$$H=\sum_{i=1}^{n}H_i=\sum_{i=1}^{n}(p_i^2+\omega_i^2q_i^2)/2 \tag{s}$$

令

$$H_i=h_i$$

$$I_i=\frac{1}{2\pi}\oint_{\gamma_i}\pm\sqrt{2h_i-\omega_i^2q_i^2}\mathrm{d}q_i=h_i/\omega_i \tag{t}$$

从而

$$H=\omega_iI_i \tag{u}$$

θ_i 的表达类似于例 1.6-1 中(d)。

例 1.6-5 中心力场中运动的质点,在极坐标 r,φ 中 Hamilton 函数形为

$$H=\frac{p_r^2}{2m}+\frac{p_\varphi^2}{2mr^2}+U(r) \tag{v}$$

m 为质点质量，φ 为循环坐标，角动量 p_φ 守恒。因此，本例的两个独立、对合首次积分为

$$H(p_r,p_\varphi,r)=h_1,\quad p_\varphi=h_2 \tag{w}$$

从而，两个作用变量为

$$I_2=\frac{1}{2\pi}\oint_{\gamma_2}p_\varphi\mathrm{d}\varphi=p_\varphi=h_2$$

$$I_1=\frac{1}{2\pi}\oint_{\gamma_1}p_r\mathrm{d}r=\frac{1}{2\pi}\oint_{\gamma_1}\pm\sqrt{2m(h_1-h_2^2/2mr^2-U(r))}\mathrm{d}r \tag{x}$$

I_1 的具体形式取决于 $U(r)$。对本例，还可用循环积分 $p_\varphi=h_2$ 将系统降维成单自由度 Hamilton 系统，然后求作用-角变量。

顺便指出，除了 Euclid 空间，还可在辛流形上构造作用-角变量，例如，可取单摆的相空间为相柱面，分别在摆动区与转动区引入作用-角变量。对某些首次积分值 h_i，$H_i=h_i$ 不独立，M_h 也不是流形，这些 h_i 值对应于分界线，不能定义作用-角变量。

1.6.3 环面上相流

在作用-角变量坐标系统中，可积 Hamilton 系统的运动由(1.6-6)与(1.6-7)描述。该系统的任一动力学量可表为下列多重 Fourier 级数：

$$f(\theta,\boldsymbol{I})=f_0(\boldsymbol{I})+\sum_{r=1}^{\infty}\sum_{|\boldsymbol{k}|=r}^{\infty}\left[f_{\boldsymbol{k}}^c(\boldsymbol{I})\cos(\boldsymbol{k},\theta)+f_{\boldsymbol{k}}^s\sin(\boldsymbol{k},\theta)\right] \tag{1.6-20}$$

式中，$\boldsymbol{k}=[k_1\ k_2\cdots k_n]^{\mathrm{T}}$ 为整数矢量，$|\boldsymbol{k}|=\sum_{i=1}^{n}|k_i|$，$(\boldsymbol{k},\theta)=k_i\theta_i$。当 $\boldsymbol{I}$ 为常矢量时，系统坐标的集合为一个 n 维环面 T^n，系统在该环面上的运动由(1.6-7)第二式描述，其中 ω 为对应于该环面上频率矢量。当 ω 满足(弱)非共振条件

$$(\boldsymbol{k}, \omega) \neq 0, \boldsymbol{k} \in Z^n \setminus \{0\}, Z^n \text{ 为 } n \text{ 维整数矢量空间} \tag{1.6-21}$$

时，各 ω_i 独立，称对应 Hamilton 系统为非共振的，系统的运动是概周期的。对 T^n 上任一 Rieman 可积的函数 $f(\theta)$，

$$\bar{f} = \frac{1}{(2\pi)^n}\int_0^{2\pi} f(\theta)\mathrm{d}\theta \tag{1.6-22}$$

称为 f 在 T^n 上的空间平均，而

$$f^*(\theta_0) = \lim_{T\to\infty}\frac{1}{T}\int_0^T f(\theta_0 + \omega t)\mathrm{d}t \tag{1.6-23}$$

称为 f 上的时间平均。令 $\boldsymbol{I}$ 为常矢量，将(1.6-20)分别代入(1.6-22)与(1.6-23)，并完成积分，可证，当 ω 满足条件(1.6-21)时，$\bar{f} = f^*$，即空间平均等于时间平均，此称平均定理。换言之，可积 Hamilton 系统在非共振环面上的运动具有遍历性。此时，系统的任一相轨线在环面上密集，均匀地分布在环面上。

n 个频率满足的关系

$$(\boldsymbol{k}^u, \omega) = 0 \text{ 或 } k_i^u\omega_i = 0,$$
$$\boldsymbol{k}^u \in Z^n \setminus \{0\}, \quad u = 1,2,\cdots,\alpha \tag{1.6-24}$$

称为共振关系，$|\boldsymbol{k}^u| = \sum_{i=1}^n |k_i^u|$ 称为共振阶数。对 n 自由度可积 Hamilton 系统，最多可有 $n-1$ 个共振关系，此时，系统称为完全共振的。可积 Hamilton 系统在完全共振的环面上，相轨线是闭合的，运动是周期的。当共振关系数 α 满足关系 $1 \leqslant \alpha < n-1$ 时，称系统为部分共振的。此时，有 $n-\alpha$ 个频率是独立的，可认为系统在 α 维子环面上的运动是周期的，在其补子环面上的运动是概周期的。

在共振情形，可引入角变量组合

$$\psi_u = k_i^u\theta_i = k_i^u\theta_i(0), u = 1,2,\cdots,\alpha \tag{1.6-25}$$

运动方程(1.6-6)变成

$$\frac{\mathrm{d}\boldsymbol{I}}{\mathrm{d}t} = 0, \quad \frac{\mathrm{d}\psi_u}{\mathrm{d}t} = 0, \quad \frac{\mathrm{d}\theta_j}{\mathrm{d}t} = \omega_j(\boldsymbol{I})t \tag{1.6-26}$$

$$u = 1, 2, \cdots, \alpha; \quad j = \alpha + 1, \cdots, n$$

其解为

$$\begin{gathered} \boldsymbol{I}(t) = \boldsymbol{I}(0), \quad \psi_u(t) = \psi_u(0) \\ \theta_j(t) = \omega_j(\boldsymbol{I})t + \theta_j(0) \\ u = 1, 2, \cdots, \alpha; \quad j = \alpha + 1, \cdots, n \end{gathered} \tag{1.6-27}$$

可知,共振时有 $n+u$ 个运动常数。

对两自由度可积 Hamilton 系统,两个频率之比

$$\mu = \omega_1 / \omega_2 \tag{1.6-28}$$

称为转动数。当 μ 为有理数时,即 $\mu = r/s$, r, s 为互质整数时,环面 T^2 上的相轨线在 θ_1 方向转了 r 圈,在 θ_2 方向上转了 s 圈之后回到原地。此周期轨线对应于 Poincaré 截面 $I_1 - \theta_1$ 上的映射为不动点,s 称为不动点的周期数。当 μ 为无理数时,环面 T^2 上布满概周期轨线,在 Poincaré 截面 $I_1 - \theta_1$ 上的映射形成闭合曲线,称为不变曲线。

一个完全可积的 n 自由度 Hamilton 系统,若其频率满足条件

$$\det\left(\frac{\partial \boldsymbol{\omega}(\boldsymbol{I})}{\partial \boldsymbol{I}}\right) = \det\left(\frac{\partial^2 H(\boldsymbol{I})}{\partial \boldsymbol{I}^2}\right) \neq 0 \tag{1.6-29}$$

则称该系统为非退化的。对非退化系统,对应于不同 $\boldsymbol{I}$ 的环面有不同的 ω,即系统是非线性的。随着 $\boldsymbol{I}$ 变化,有无穷多个环面,其中一些环面被周期轨线或部分周期轨线覆盖,为共振环面,其余环面被概周期轨线覆盖,为非共振环面。虽然共振环面有无穷多个,但比非共振环面要少得多,如同有理数比无理数少得多一样,前者测度为零,后者则有全测度。若其频率满足条件

$$\det\left(\frac{\partial \boldsymbol{\omega}(\boldsymbol{I})}{\partial \boldsymbol{I}}\right) = \det\left(\frac{\partial^2 H(\boldsymbol{I})}{\partial \boldsymbol{I}^2}\right) = 0 \tag{1.6-30}$$

则称对应的可积 Hamilton 系统为固有退化的,例如,线性 Hamilton 系统。

在条件(1.6-29)中,并未限定系统 Hamilton 函数之值。现假定 $H=$常数,系统的一个频率不为零,且其余 $n-1$ 个频率与它之比独立,则称该系统为等能量非退化的。等能量非退化的条件

是[5]

$$\det\begin{bmatrix}\dfrac{\partial^2 H}{\partial \boldsymbol{I}^2} & \dfrac{\partial H}{\partial \boldsymbol{I}} \\ \dfrac{\partial H}{\partial \boldsymbol{I}} & 0\end{bmatrix} \neq 0 \tag{1.6-31}$$

在等能量非退化的系统中，在每个能量水平上，非共振与共振环面的集合都是稠密的，但前者有全测度，后者测度为零。如果在相空间中随机地选取初始点，那么落在共振环面上的概率为零。

注意，非退化与等能量非退化的条件，(1.6-29)与(1.6-31)，是独立的。非退化系统可以是等能量退化的，等能量非退化系统可以是退化的。

对 n 自由度可积 Hamilton 系统，相空间维数为 $2n$，等能量面维数为 $2n-1$，环面维数为 n。从这些维数间的关系，可得出如下重要结论。首先，$n=1$ 时，等能量面与环面为同一个一维流形，它总是遍历的。其次，$n=2$ 时，二维环面镶嵌在三维等能量面之中，前者将后者分成内、外两个区，环面是这两个区的边界。最后，$n\geqslant 3$时，等能量面与环面的维数之差大于 1，环面不再能将等能量面分成闭域的集合。下节将指出，等能量面与环面之间关系的这一差别将导致二个与三个及三个以上自由度近可积 Hamilton 系统的不同混沌运动。

1.6.4 Hamilton 系统的积分方法

由上可知，对 n 自由度 Hamilton 系统，除 Hamilton 函数外，若能再找到 $n-1$ 个独立、对合的首次积分，那么该系统是可积的，系统的运动是周期或概周期的。近百年来，许多学者曾致力于有效的可积性准则，以便判定在什么条件下系统是可积的或是不可积的，如果系统是可积的，如何找出系统的首次积分或解析解。然而，这是一个十分困难的问题，迄今无一般的方法，但也发展了不少方法，此处简要介绍其中几种。

1. H-J 法　如 1.5 所述，H-J 法主要适用于可分离变量情形，

因此,又称它为变量分离法。若 Hamilton 函数形为

$$H = f_n(f_{n-1}(\cdots f_2(f_1(q_1, p_1), q_2, p_2), \cdots, q_{n-1}, p_{n-1}), q_n, p_n) \tag{y}$$

或

$$H = \sum_s f_s(q_s, p_s) \Big/ \sum_s g_s(q_s, p_s) \tag{z}$$

则函数

$$F_1 = f_1(q_1, p_1), F_2 = f_2(f_1(q_1, p_1), q_2, p_2), \cdots, F_n = H \tag{aa}$$

或

$$F_0 = H, F_s = f_s(q_s, p_s) - Hg_s(q_s, p_s), 1 \leqslant s \leqslant n \tag{bb}$$

分别形成一组完全独立、对合的首次积分[5]。

例如,情形(z)中,由(1.5-13),

$$\sum_s \left[hg_s\left(q_s, \frac{\partial W}{\partial q_s} \right) - f_s\left(q_s, \frac{\partial W}{\partial q_s} \right) \right] = 0 \tag{cc}$$

令

$$W = \sum_s W_s(q_s, h, \beta_s) \tag{dd}$$

则 W_s,作为 q_s 的函数,满足常微分方程

$$hg_s\left(q_s, \frac{\mathrm{d}W_s}{\mathrm{d}q_s} \right) - f_s\left(q_s, \frac{\mathrm{d}W_s}{\mathrm{d}q_s} \right) = \beta_s, \quad \sum_s \beta_s = 0 \tag{ee}$$

$h, \beta_1, \cdots, \beta_n$ 为对合首次积分,它们中的任意 n 个是独立的。

2. Lax 对法[5] 如果 Hamilton 方程 $\dot{z} = f(z), z \in R^{2n}$,可以表示成下列 $2n \times 2n$ 矩阵方程:

$$\frac{\mathrm{d}\boldsymbol{L}}{\mathrm{d}t} = [\boldsymbol{A}, \boldsymbol{L}] = \boldsymbol{AL} - \boldsymbol{LA} \tag{1.6-32}$$

式中矩阵 $\boldsymbol{A}, \boldsymbol{L}$ 的元素为 z_i 的函数,称 $\boldsymbol{A}$ 与 $\boldsymbol{L}$ 为 Lax 对。可证,矩阵 $\boldsymbol{L}$ 的特征值是方程(1.6-32)的首次积分,但这些首次积分是否独立并形成一组完全首次积分需具体研究。如果存在 n 个独立、对合的首次积分,则系统可积。

例如,N 质点的 Toda 格子,其 Hamilton 函数为

$$H(\boldsymbol{q},\boldsymbol{p}) = \sum_{i=1}^{N} p_i^2/2 + \sum_{i=1}^{N} \exp(q_i - q_{i+1}) \tag{ff}$$

式中 $q_{N+1} = q_1$(周期边界条件)。引入新变量

$$a_i = (1/2)\exp[(q_i - q_{i+1})/2], b_i = -p_i/2 \tag{gg}$$

若定义如下 $2N \times 2N$ 维矩阵 $\boldsymbol{L}$ 与 $\boldsymbol{A}$:

$$\boldsymbol{L} = \begin{bmatrix} b_1 & a_1 & 0 & \cdots & 0 & a_N \\ a_1 & b_2 & a_2 & \cdots & 0 & 0 \\ 0 & a_2 & b_3 & \cdots & 0 & 0 \\ \cdots & \cdots & \cdots & & \cdots & \cdots \\ 0 & 0 & 0 & \cdots & b_{N-1} & a_{N-1} \\ a_N & 0 & 0 & \cdots & a_{N-1} & b_N \end{bmatrix}$$

$$\boldsymbol{A} = \begin{bmatrix} 0 & a_1 & 0 & \cdots & 0 & a_N \\ -a_1 & 0 & a_2 & \cdots & 0 & 0 \\ 0 & -a_2 & 0 & \cdots & 0 & 0 \\ \cdots & \cdots & \cdots & & \cdots & \cdots \\ 0 & 0 & 0 & \cdots & 0 & a_{N-1} \\ a_N & 0 & 0 & \cdots & -a_{N-1} & 0 \end{bmatrix} \tag{hh}$$

则以 a_i、b_i 为变量的 Hamilton 方程可表成(1.6-32)形式。因此,该系统可积,$\boldsymbol{L}$ 的特征值为该系统独立、对合的首次积分。

该法原为积分非线性偏微分方程如 Kdv 方程提出[8]。对古典力学中凡先前已用别的方法得到积分的几乎所有问题,都已找到 Lax 对。Lax 对的存在不仅可用于寻求首次积分,还可明显积分运动方程。

3. Painlevé 奇性分析法 将时间 t 看成复变量,在复 t 平面上考虑运动方程之解,若解的 Laurent 展式的所有可去奇点(复平面上的位置取决于初始条件的奇点)为简单极点,则称该方程具有 Painlevé 性质。虽然已知 Liouville 可积性与 Painlevé 性质并无直接关系[9],但对仅含广义动量二次项而无交叉项的 Hamilton 函数的两、三个自由度 Hamilton 系统,有很多证据说明两者存在相应

关系[10]。该法最早由 Kovalevskaya 用于找到定点转动的 Euler-Poisson 方程的第四种可积情形。一个成功应用的例子是从具有可调系数的 Hénon-Heiles 振子

$$H = (p_1^2 + p_2^2 + Aq_1^2 + Bq_2^2)/2 + Cq_1^2 q_2 - Dq_2^3/3 \qquad \text{(ii)}$$

中确定三个可积情形：$A = B, C/D = -1$；A, B 任意，$C/D = -1/6$；$B = 16A, D = -16C$[10,11]。呈现孤立子解的可积偏微分方程可化为具有 Painlevé 性质的常微分方程[11]。

4. Whittaker 可积势[12]　设两自由度 Hamilton 系统具有下列形式 Hamilton 函数：

$$H = (p_1^2 + p_2^2)/2 + U(q_1, q_2) \qquad (1.6\text{-}33)$$

Whittaker 研究了使系统具有如下 p_1, p_2 二次式首次积分的 U 的形式：

$$H_2(\boldsymbol{q}, \boldsymbol{p}) = ap_1^2 + bp_2^2 + cp_1 p_2 + ep_1 + fp_2 + g \qquad (1.6\text{-}34)$$

式中各系数为 q_1, q_2 的函数。为使 H_2 成为首次积分并与 H 对合，它要满足方程

$$[H_2, H] = 0 \qquad (1.6\text{-}35)$$

(1.6-33)与(1.6-34)代入(1.6-35)，由 p_1, p_2 的一次项，得

$$\frac{\partial e}{\partial q_1} = 0, \quad \frac{\partial f}{\partial q_2} = 0, \quad \frac{\partial f}{\partial q_1} + \frac{\partial e}{\partial q_2} = 0 \qquad (1.6\text{-}36)$$

及

$$e\frac{\partial U}{\partial q_1} + f\frac{\partial U}{\partial q_2} = 0 \qquad (1.6\text{-}37)$$

由 p_1, p_2 的零次与二次项，得

$$\frac{\partial a}{\partial q_1} = 0, \quad \frac{\partial b}{\partial q_2} = 0, \quad \frac{\partial b}{\partial q_1} + \frac{\partial c}{\partial q_2} = 0$$

$$\frac{\partial c}{\partial q_1} + \frac{\partial a}{\partial q_2} = 0 \qquad (1.6\text{-}38)$$

与

$$\frac{\partial g}{\partial q_1} - 2a\frac{\partial U}{\partial q_1} - c\frac{\partial U}{\partial q_2} = 0 \qquad (1.6\text{-}39)$$

$$\frac{\partial g}{\partial q_2}-2b\frac{\partial U}{\partial q_2}-c\frac{\partial U}{\partial q_1}=0$$

从(1.6-36)与(1.6-37)可解出

$$H_2 = q_1 p_2 - q_2 p_1$$

对应于对称势

$$U = U(q_1^2 + q_2^2) \tag{1.6-40}$$

H_2 正是角动量。为寻求与此对称性无关的首次积分,令 $e=f=0$,由(1.6-38)与(1.6-39)得 U 的二阶偏微分方程

$$c\left(\frac{\partial^2 U}{\partial q_1^2}-\frac{\partial^2 U}{\partial q_2^2}\right)+2(b-a)\frac{\partial^2 U}{\partial q_1\partial q_2}+\left(\frac{\partial c}{\partial q_1}-2\frac{\partial a}{\partial q_2}\right)\frac{\partial U}{\partial q_1}$$

$$+\left(2\frac{\partial b}{\partial q_1}-\frac{\partial c}{\partial q_2}\right)\frac{\partial U}{\partial q_2}=0 \tag{1.6-41}$$

式中 a,b,c 由(1.6-38)解得。Whittaker 证明,下列势满足方程(1.6-41):

$$U=\frac{\psi(\alpha)-\phi(\beta)}{\alpha^2-\beta^2} \tag{1.6-42}$$

式中 α 与 β 为(1.6-41)的积分常数,ψ,ϕ 是其变量的任意函数。Whittaker 之解是不完全的,因为在约束中未明显地考虑到能量守恒,但可用此法确定具有可调系数的 Hénon-Heiles 振子的可积情形,并与用 Painlevé 奇性分析法得到的结果相同。

5. Poincaré 截面　对具有如下 Hamilton 函数的两自由度 Hamilton 系统:

$$H=(p_1^2+p_2^2)/2+U(q_1,q_2) \tag{1.6-43}$$

可从 Poincaré 截面 q_2,p_2 上的图形看出是否存在第二个独立首次积分。设已知平面 q_2,p_2 上一点 w_1,它确定了该点的 q_2,p_2 坐标值,$q_1=0$,而 p_1 之值由(1.6-43)确定,用这四个值作初始条件,向前积分 Hamilton 方程

$$\begin{aligned}\dot{q}_1 &= p_1,\ \dot{p}_1=-\partial U/\partial q_1\\ \dot{q}_2 &= p_2,\ \dot{p}_2=-\partial U/\partial q_2\end{aligned} \tag{1.6-44}$$

直至 q_1 再次为零,且 $p_1>0$,此时 q_2,p_2 之值决定了点 w_2。如此

继续，可得无穷点列 $w_i, i=1,2,\cdots$。若限定 $H=h$，所有这些点将在下列区域之内：

$$U(0,q_2)+p_2^2/2\leqslant h \tag{1.6-45}$$

若这点列在某曲线上，说明存在第二个独立首次积分，否则，就没有第二个独立的首次积分。该法首先被成功地应用在 Hénon-Heiles 振子上[13]。

1.6.5 可积 Hamilton 系统之例

虽经长期努力，找到的可积 Hamilton 系统还是不多。当然，所有单自由度自治 Hamilton 系统与线性 Hamilton 系统都是可积的。在古典力学中，典型的可积例子，一是重刚体绕固定点转动方程，有四种可积情形：完全对称情形；Euler 情形；Lagrange 情形；Kovalevskaya 情形。二是刚体在理想流体中的运动方程，有三种可积情形：Kirchhoff 情形；Clebsh 情形；Lyapunov-Steklov -Kolosov 情形[4,5]。在无限多自由度 Hamilton 系统中，可积的例子有著名的 Kdv 与修正的 Kdv 方程等，它们有无穷多个独立、对合的首次积分(守恒量)，它们的解是孤立子[14]。下面列出与力学研究有关的几个可积 Hamilton 系统例子。

例 1.6-6 耦合的 Duffing 振子[10]，其 Hamilton 函数为

$$\begin{aligned}H=&(p_1^2+p_2^2+Aq_1^2+Bq_2^2)/2\\&+(q_1^4+\sigma q_2^4+2\rho q_1^2q_2^2)/4\end{aligned} \tag{1.6-46}$$

除平凡可积情形 $\rho=0$ 外，还有两种可积情形：

1. $A=B,\sigma=\rho=1$，在极坐标 $q_1=r\cos\varphi, q_2=r\sin\varphi$ 中，H 与 φ 无关，φ 为循环坐标，角动量守恒，即 $r^2\dot{\varphi}=q_1p_2-q_2p_1=$常数，从 H 中消去 $\dot{\varphi}$ 后，变成单自由度 Hamilton 系统，因而可积。

2. $A=B,\sigma=1,\rho=3$，与 H 独立、对合的首次积分为

$$H_2=p_1p_2+Aq_1q_2+q_1q_2(q_1^2+q_2^2) \tag{1.6-47}$$

作变换

$$Q_1=(q_1+q_2), Q_2=(q_1-q_2)$$

$$P_1 = p_1, P_2 = p_2 \tag{1.6-48}$$

在 $\boldsymbol{Q},\boldsymbol{P}$ 坐标中,Hamilton 函数可分离

$$H = H_1 + H_2$$

$$H_1 = P_1^2/2 + AQ_1^2/4 + Q_1^4/8 \tag{1.6-49}$$

$$H_2 = P_2^2/2 + AQ_2^2/4 + Q_2^4/8$$

最近,Yoshida[15]已将此结果推广于更为一般的齐次势

$$U(q_1, q_2) = (q_1^k + q_2^k)/k + e(q_1^{k-2}q_2^2 + \cdots + q_1^2 q_2^{k-2})/2 \tag{1.6-50}$$

式中,$k=2n$,$e=0,1,k-1$。(1.6-50)可在直角坐标($e=0,k-1$)或极坐标($e=1$)中可分离。

例 1.6-7 非线性扩散耦合振子,其 Hamilton 函数为

$$H = (p_1^2 + p_2^2 + Aq_1^2 + Aq_2^2)/2 + C(q_1 - q_2)^2/2 + D(q_1 - q_2)^4/4 \tag{1.6-51}$$

作变换(1.6-48)后,Hamilton 函数可分离

$$H = H_1 + H_2$$

$$H_1 = P_1^2/2 + AQ_1^2/4 \tag{1.6-52}$$

$$H_2 = P_2^2/2 + AQ_2^2/4 + CQ_2^2/2 + DQ_2^4/4$$

例 1.6-8 具有可调系数的 Hénon-Heiles 振子,其 Hamilton 函数为

$$H = (p_1^2 + p_2^2 + Aq_1^2 + Bq_2^2)/2 + Cq_1^2 q_2 - Dq_2^3/3 \tag{1.6-53}$$

有四种完全可积的情形:

1. A, B 任意,$C/D=0$,Hamilton 函数可分离,属平凡情形;

2. $A=B$,$C/D=-1$,作变换(1.6-48),Hamilton 函数可分离

$$H = H_1 + H_2$$

$$H_1 = P_1^2/2 + AQ_1^2/4 + CQ_1^3/6 \tag{1.6-54}$$

$$H_2 = P_2^2/2 + AQ_2^2/4 - CQ_2^3/6$$

3．A，B 任意，$C/D=-1/6$，此时存在另一个与 H 独立、对合的首次积分

$$H_2=q_1^4+4q_1^2q_2^2+4p_1(p_1q_2-p_2q_1)-4Aq_1^2q_2$$
$$+(4A-B)(p_1^2+Aq_1^2) \qquad (1.6\text{-}55)$$

在抛物线坐标中运动方程可分离；

4．$B=16A$，$D=-16C$，此时存在另一个与 H 独立、对合首次积分

$$H_2=p_1^4/4+(q_1^2/2+4q_1^2q_2)p_1^2-4q_1^3p_1p_2/3+q_1^4/4$$
$$-4q_1^4q_2/3-8q_1^6/9-16q_1^4q_2^2/3 \qquad (1.6\text{-}56)$$

例 1.6-9 在抛物线坐标中可分离的 Hamilton 系统[15]，其 Hamilton 函数形为

$$H=(p_1^2+p_2^2)/2+U_k(q_1,q_2) \qquad (1.6\text{-}57)$$

式中

$$U_k=\frac{1}{kr}\left[\left(\frac{r+q_2}{2}\right)^{k+1}+(-1)^k\left(\frac{r-q_2}{2}\right)^{k+1}\right]$$
$$r=\sqrt{q_1^2+q_2^2} \qquad (1.6\text{-}58)$$

为齐次多项式势函数，前几个 U_k 的显式为

$$U_2=(q_1^2+4q_2^2)/8$$
$$U_3=(4q_1^2q_2+8q_2^3)/24$$
$$U_4=(q_1^4+12q_1^2q_2^2+16q_2^4)/64 \qquad (1.6\text{-}59)$$
$$U_5=(6q_1^4q_2+32q_1^2q_2^3+32q_2^5)/160$$
$$U_6=(q_1^6+24q_1^4q_2^2+80q_1^2q_2^4+64q_2^6)/384$$

除 H 外，另一个首次积分为

$$H_2=p_1(q_1p_2-q_2p_1)+(k-1)q_1^2U_{k-1}/2k$$
$$(1.6\text{-}60)$$

Hamilton 系统(1.6-57)在下列抛物线坐标中可分离变量

$$Q_1=(r+q_2)/2,\ Q_2=(r-q_2)/2 \qquad (1.6\text{-}61)$$

例 1.6-10 具有不可分离变量的齐次多项式势函数的可积

Hamilton 系统[15]，一个例子是在(1.6-57)中，

$$U_3 = q_1^2 q_2 + 16 q_2^3/3 \tag{1.6-62}$$

另一个与 H 独立的首次积分为

$$H_2 = 9 p_1^4 + 36 q_1^2 q_2 p_1^2 - 12 q_1^3 p_1 p_2 - 2 q_1^6 - 12 q_1^4 q_2^4 \tag{1.6-63}$$

再一个例子是在(1.6-57)中，

$$U_4 = q_1^4 + 6 q_1^2 q_2^2 + 8 q_2^4 \tag{1.6-64}$$

另一个与 H 独立的首次积分为

$$H_2 = p_1^4 + (24 q_1^2 q_2^2 + 4 q_1^4) p_1^2 - 16 q_1^3 q_2 p_1 p_2 + 4 q_1^4 p_2^2 + 4 q_1^8 + 16 q_1^6 q_2^2 + 16 q_1^4 q_2^4 \tag{1.6-65}$$

1.6.6 Hamilton 系统在平衡位置邻域的可积性

上面所述的 Hamilton 系统可积性是指整个相空间中的全局可积性。本小节考虑在平衡位置邻域 Hamilton 系统的局部可积性。

1.4 中已证明，若 n 自由度自治 Hamilton 系统在某平衡位置上的线性化方程的所有特征值为纯虚数，且其值不同，则该线性化 Hamilton 系统的齐二次 Hamilton 函数可通过正则变换化为范式

$$H = \sum_{i=1}^{n} \omega_i (q_i^2 + p_i^2)/2 = \sum_{i=1}^{n} \omega_i I_i \tag{1.6-66}$$

平衡位置稳定，系统中的每个运动为 n 个主振动之和。

在该平衡位置邻域，原非线性 Hamilton 系统的 Hamilton 函数可表为

$$H(\boldsymbol{q}, \boldsymbol{p}) = \sum_{i=1}^{n} \omega_i (q_i^2 + p_i^2)/2 + H_3 + H_4 + \cdots \tag{1.6-67}$$

式中 H_m 是正则变量 q_i, p_i 的 m 次齐次式。Birkhoff 定理称，假定频率 ω_i 不满足小于或等于 s 阶共振关系(1.6-24)，则在该平衡位置邻域存在一个正则变换 $\boldsymbol{q}, \boldsymbol{p} \to \boldsymbol{Q}, \boldsymbol{P}$，将 Hamilton 函数化成如下

形式

$$H(\boldsymbol{q},\boldsymbol{p}) = H_s(\boldsymbol{Q},\boldsymbol{P}) + R, R = o(|\boldsymbol{Q}| + |\boldsymbol{P}|)^s \tag{1.6-68}$$

式中 H_s 为 $\tau_l = (Q_l^2 + P_l^2)/2$ 的$[s/2]$次多项式,称为 s 阶 Birkhoff 范式。例如,对单自由度 Hamilton 系统,

$$H_{2m} = H_{2m+1} = a_1\tau + a_2\tau^2 + \cdots + a_m\tau^m$$

$$\tau = (Q^2 + P^2)/2 \tag{1.6-69}$$

对两自由度 Hamilton 系统,

$$H_4 = a_1\tau_1 + a_2\tau_2 + a_{11}\tau_1^2 + a_{12}\tau_1\tau_2 + a_{22}\tau_2^2 \tag{1.6-70}$$

式中 a_l, a_{ij}表示频率对幅值的依赖。(1.6-68)中略去 R 所余的 s 阶 Birkhoff 范式仅与作用变量 τ_l 有关,因此是一个可积的 Hamilton 系统。

当频率精确或近似满足共振关系(1.6-24),$\boldsymbol{k}^u \in \boldsymbol{K}$ 时,需改用在 $\boldsymbol{K}$ 共振下 s 次共振范式或 s 次 $\boldsymbol{K}$ 共振范式,它是 Q_i, P_i 的 s 次多项式,当用作用-角变量 I_i, θ_i 表示时,它对相位的依赖乃通过组合$(\boldsymbol{k}^u, \theta)$,$\boldsymbol{k}^u \in \boldsymbol{K}$ 来实现。若除了可能的共振关系$(\boldsymbol{k}^u, \omega) = 0$,$\boldsymbol{k}^u \in \boldsymbol{K}$,频率不满足小于或等于 s 阶共振关系,则在平衡点邻域存在一个正则变换 $\boldsymbol{q},\boldsymbol{p} \to \boldsymbol{Q},\boldsymbol{P}$,使得在新正则坐标中 Hamilton 函数表为(1.6-68),其中 $H_s(\boldsymbol{Q},\boldsymbol{P})$为 s 次 $\boldsymbol{K}$ 共振范式[4,5]。

对具有 α 个共振关系的 n 自由度 Hamilton 系统,若其 Hamilton 函数化成共振范式,则除 H 外,系统有 $n-\alpha$ 个独立、对合的首次积分,它们是 $I_i = (Q_i^2 + P_i^2)/2$ 的线性组合。特别地,当 $\alpha = 1$ 时化成范式的 Hamilton 系统是可积的。同理,任何化成共振范式的二自由度 Hamilton 系统是可积的[5]。关于 Hamilton 系统中的共振现象的更深入地讨论可以参看文献[10]。应注意,可积性对 Hamilton 函数的微小变化十分敏感。例如,Hénon-Heiles 振子的 Hamilton 函数((1.6-53)中 $A = B = C = D = 1$)乃从三质点 Toda 格子的 Hamilton 函数的 Taylor 展式中略去三阶以上的项而得,Toda 格子是一个完全可积 Hamilton 系统,而 Hénon-Heiles 振

子则不可积。又如,虽然 Hénon-Heiles 振子不可积,而它的任何有限次范式皆是可积的。因此,在(1.6-68)中,即使范式 $H_s(\boldsymbol{Q},\boldsymbol{P})$ 可积,H 也不一定可积,还需进一步考察其收敛性或收敛半径问题。这也是一个困难问题,对二自由度 Hamilton 系统,可借用 Poincaré 截面来考察。

1.7 不可积 Hamilton 系统

一个 $n(\geqslant 2)$自由度 Hamilton 系统,若不存在与 Hamilton 函数 H 独立、对合的首次积分,就称它为(完全)不可积 Hamilton 系统。对这种系统的研究十分困难。一种较为可行的办法是研究近可积 Hamilton 系统,即研究小的不可积 Hamilton 扰动对可积 Hamilton 系统的影响。Poincaré 称这种研究为动力学的基本问题。这种研究导致了正则摄动理论,该理论的基本思想是,寻求可积部分精确解与不可积部分的小的修正之和形式的整个 Hamilton 系统的近似解。例如,将三体问题的近似解表示成二体问题的精确解加上第三体影响所产生的修正解的形式。然而,对两个及两个以上自由度的 Hamilton 系统,正则摄动理论遇到了“小分母”这个难以克服的困难。这个困难直到上世纪 60 年代初才得到基本解决,这就是 KAM 理论。

设 $\boldsymbol{I},\theta$ 为未扰可积 Hamilton 系统的作用-角矢量,系统的 Hamilton 函数 H_0 只依赖于作用矢量 $\boldsymbol{I}$。未扰系统的运动方程为

$$\dot{\boldsymbol{I}}=0,\ \dot{\theta}=\omega(\boldsymbol{I}_0),\quad \omega(\boldsymbol{I}_0)=\partial H_0(\boldsymbol{I})/\partial \boldsymbol{I}\big|_{\boldsymbol{I}=\boldsymbol{I}_0} \tag{1.7-1}$$

它受到一个小的 Hamilton 扰动 $\varepsilon H_1(\theta,\boldsymbol{I})$,其中 H_1 是 θ 以 2π 为周期的周期函数。受扰 Hamilton 系统的运动方程为

$$\dot{\boldsymbol{I}}=-\varepsilon\frac{\partial H_1}{\partial\theta},\quad \dot{\theta}=\omega(\boldsymbol{I})+\varepsilon\frac{\partial H_1}{\partial \boldsymbol{I}} \tag{1.7-2}$$

上式中,$\boldsymbol{I}$ 与 θ 分别为慢变量与快变量。相应地,系统的运动由渐进运动与小的快速振动组成。应用中,通常只对慢变量即渐进运动感兴趣,可用平均法达到此目的。所谓平均法,就是通过对快变量的平均得到关于慢变量的方程。而平均原理,则说明在什么条

件下可用平均后的系统近似代替原系统。设未扰系统是非共振的，则可对(1.7-2)应用空间平均(1.6-22)或时间平均(1.6-23)，所得结果相同，即平均后的作用变量方程为

$$\dot{\boldsymbol{J}}=0 \tag{1.7-3}$$

意为受扰系统无渐进运动。

平均原理只是一个物理断言。然而，这种断言往往是数学定理的富有成果的源泉。事实上，上述用平均法得到的关于受扰 Hamilton 系统的作用变量无渐进运动的结论已为 KAM 理论严格地证明。KAM 理论的核心是经典 KAM 定理，该定理于 20 世纪 50 年代中由 Kolmogorov 提出，于 20 世纪 60 年代由 Arnold 与 Moser 独立证明。

KAM 定理　设受扰 Hamilton 系统(1.7-2)的 Hamilton 函数

$$H(\theta,\boldsymbol{I})=H_0(\boldsymbol{I})+\varepsilon H_1(\theta,\boldsymbol{I}) \tag{1.7-4}$$

满足如下条件：

1．$H(\theta,\boldsymbol{I})$在下列区域上实解析：

$$\Sigma_0:\ |\operatorname{Im}\theta|\leqslant t,\quad |\boldsymbol{I}_0-\boldsymbol{I}|\leqslant s$$

2．未扰系统(1.7-1)满足非退化条件(1.6-29)；

3．$\omega(\boldsymbol{I})$满足 Diophantine 条件(强非共振条件)：

$$|(\boldsymbol{k},\omega)|\geqslant D|\boldsymbol{k}|^{-\mu},\boldsymbol{k}\in Z^n\setminus\{\boldsymbol{0}\},$$
$$D=D(\omega)>0,\mu>n-1 \tag{1.7-5}$$

对任意的 $\varepsilon>0$，存在 $d=d(\varepsilon,D,\mu,s,t)>0$，如果在 Σ_0 内 $|H|<d$，那么(1.7-2)定义的 Hamilton 系统相流具有一个 n 维不变环面

$$\boldsymbol{I}=\boldsymbol{I}_0+v(\xi,\varepsilon),\theta=\xi+\boldsymbol{u}(\xi,\varepsilon) \tag{1.7-6}$$

式中 v，$\boldsymbol{u}$ 是在复域 $|\operatorname{Im}(\xi)|\leqslant t/2$ 上周期为 2π 的实解析函数，此不变环面上的相流由下式描述：

$$\xi=\xi_0+t\partial H/\partial\boldsymbol{I}|_{\boldsymbol{I}=\boldsymbol{I}_0} \tag{1.7-7}$$

而且，这不变环面充分接近于未扰可积系统(1.7-1)的相应不变环面，即

$$|v|+|u|<s$$

上述定理说明,若受扰 Hamilton 函数光滑,未扰 Hamilton 系统非退化且不精确或近似满足共振条件,则对充分小的 Hamilton 扰动,未扰 Hamilton 系统的非共振环面不消失,只有少许变形,这些不变环面称为 KAM 环面。随着 KAM 理论的发展,上述定理的条件已逐步放松[17]。

未扰 Hamilton 系统中的有理(共振)环面,在不可积 Hamilton 扰动下将被破坏。这些被破坏的环面是不可积 Hamilton 系统发生混沌运动的"种子"。下面以两个自由度近可积 Hamilton 系统为例说明未扰 Hamilton 系统运动轨线的拓扑结构在受到不可积 Hamilton 扰动后发生的变化。

考虑一个两自由度近可积 Hamilton 系统,其 Hamilton 函数为

$$H = H_0(I_1, I_2) + \varepsilon H_1(\theta_1, \theta_2, I_1, I_2) \qquad (1.7\text{-}8)$$

在未扰可积 Hamilton 系统发生共振时,即

$$\mu = \omega_1/\omega_2 = r/s, \quad r, s \text{ 为整数} \qquad (1.7\text{-}9)$$

未扰系统的 Poincaré 映射为周期 s 的不动点。由于不可积 Hamilton 扰动的存在,μ 稍微偏离 r/s 而成为无理数,从而近可积 Hamilton 系统的 Poincaré 映射变成连续的闭曲线。按照 Poincaré-

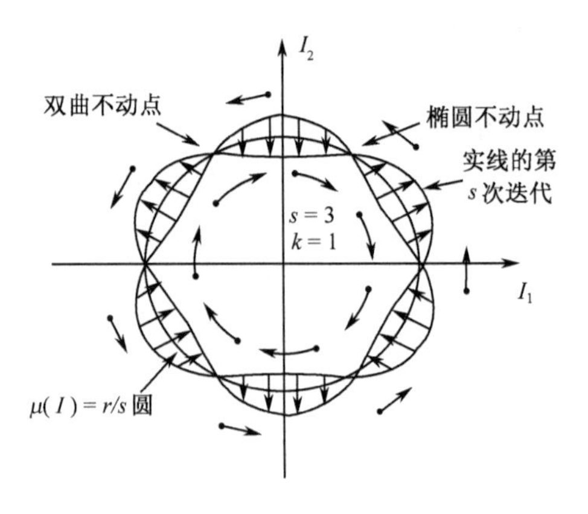

图 1.7-1

Birkhoff 不动点定理,在这闭曲线上存在着未扰可积系统不动点个数 s 的偶数倍 $2ks(k=1,2,\cdots)$的不动点,这些不动点交替地为稳定的椭圆不动点与不稳定的双曲不动点,见图 1.7-1。在椭圆不动点邻域,$\mu\neq r/s$ 的点围绕不动点形成闭圈,在双曲不动点邻域的点则在逐次变换后远离不动点。在更小的尺度上,对椭圆不动点邻域的闭圈又可依次应用 KAM 定理与 Poincaré-Birkhoff 定理,这导致不同尺度上的自相似结构,见图 1.7-2。

在双曲不动点处,有两条稳定流形 H^+ 与两条不稳定流形 H^-,H^+ 上的点按指数律缓慢地趋向不动点,H^- 上的点则按指数律缓慢地离开不动点。对可积 Hamilton 系统,从同一个双曲不动点出发的 H^+ 与 H^- 光滑连成同宿轨,或从不同双曲点出发的 H^+ 与 H^- 形成光滑的异宿轨。在不可积 Hamilton 扰动下,从同一双曲不动点或同一族的不同双曲不动点出发的 H^+ 与 H^- 相交,交点称为同宿点,从不同族的双曲不动点出发的 H^+ 与 H^- 相交,交点称为异宿点,见图 1.7-3。同宿点与异宿点一旦出现必有无穷多个。鉴于 Hamilton 系统相流的保积性,H^+ 与 H^- 相交形成的正负面积相等。在双曲不动点邻域,同宿点或异宿点越来越密,H^+ 与 H^- 交织形成的回线越来越窄长,分布也越来越紊乱,系统的运动十分复杂,变成混沌。双曲不动点邻域的混沌区为 KAM 环面(曲线)所分离,成为混沌层(或随机层)。通常此层很薄,称为局部混沌。随着不可积性的增大,混沌层不复为 KAM 环面所分隔而连成片,称为全局混沌,而未被破坏的 KAM 环面所在的区域就成为混沌海中规则的岛屿。

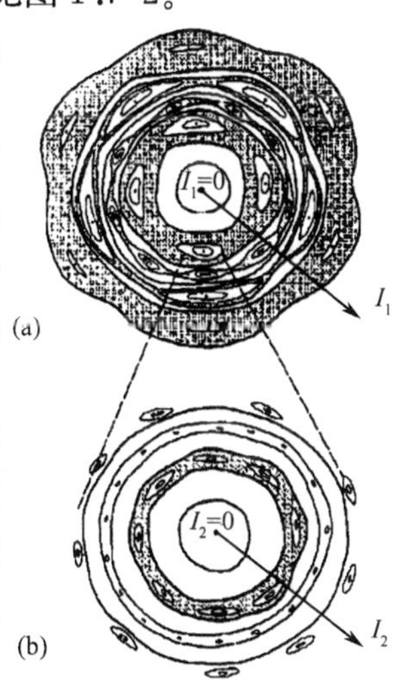

图 1.7-2 较大扰动下 Hamilton 系统的规则与随机轨迹

(a)近基本固定点;(b)近二级固定点(放大)

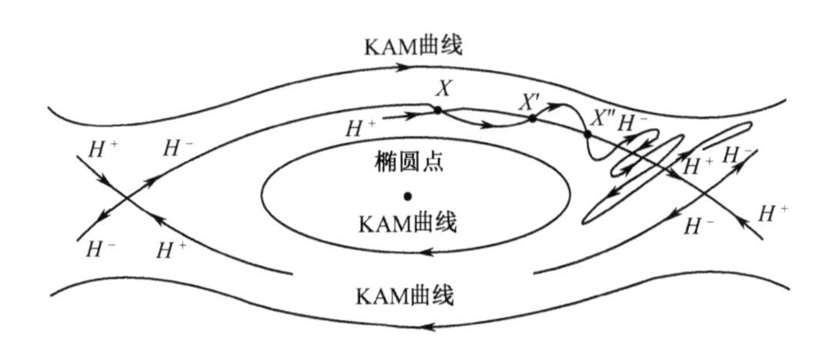

图 1.7-3　异宿点

上述随不可积性增大从规则运动过渡到混沌运动的过程可以 Hénon-Heiles 振子为例说明。该系统的 Hamilton 函数由(1.6-53)中令 $A=B=C=D=1$ 给出,其势函数 $U(q_1, q_2)$在小于等于1/6时运动有界。Hénon 与 Heiles[13]计算了该系统的 Poincaré 截面。在系统总能量 $H\leqslant 1/12$ 时,系统基本上可积,所有初始条件导致曲线,其中自交曲线为分界线。$H=1/8$ 时,一些光滑曲线保留着,其余则已破裂,右边出现由单个轨线产生的 5 个岛屿组成的链,原 $H=1/12$ 时的自交结构消失,变成随机散布的点(由同一轨线产生)。$H=1/6$ 时,除了少量小岛外,所有光滑曲线消失,由单个轨线产生的点充满绝大部分等能量面。详见图 1.7-4。

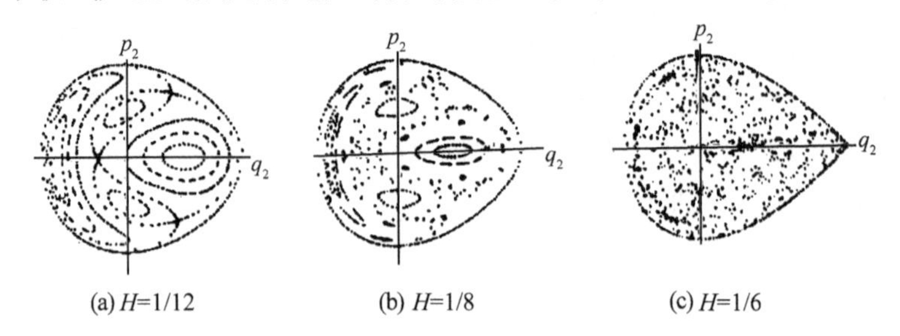

图 1.7-4　Hénon-Heiles 振子的 Poincaré 截面

1.6.3 末曾指出,两个与两个以上自由度 Hamilton 系统有很

大不同。对两个自由度 Hamilton 系统，在二维作用变量平面上，假设未扰 Hamilton 系统的等能量面是椭圆

$$H_0 = I_1^2 + (6I_2)^2 \tag{1.7-10}$$

共振面

$$k_1 I_1 + k_2 36 I_2 = 0 \tag{1.7-11}$$

是一族交于原点的直线，各共振面与等能量面只交于一点。因此，各共振态仅与一个点相对应，各共振态互不相通，只有在较大的不可积扰动下才能从混沌层变成混沌海。

对三个及三个以上自由度 Hamilton 系统，KAM 环面不能将等能量面分成闭域的集合，各共振面与等能量面的交线可连结成复杂的网，布满整个等能量面，自网上一点开始，随机的运动可以很慢的速度到达该能量面上每个有限的区域，这个网称为 Arnold 网，这种运动称为 Arnold 扩散，这是三个与三个以上自由度近可积 Hamilton 系统中各混沌层发生内在扩散的基本机理。例如，对三个自由度可积 Hamilton 系统，在三维作用空间中，假设等能量面是一个球面

$$H_0 = (I_1^2 + I_2^2 + I_3^2)/2 \tag{1.7-12}$$

共振面

$$k_1 I_1 + k_2 I_2 + k_3 I_3 = 0 \tag{1.7-13}$$

是一族通过原点的平面。等能量面与各共振面的交线是一些球面

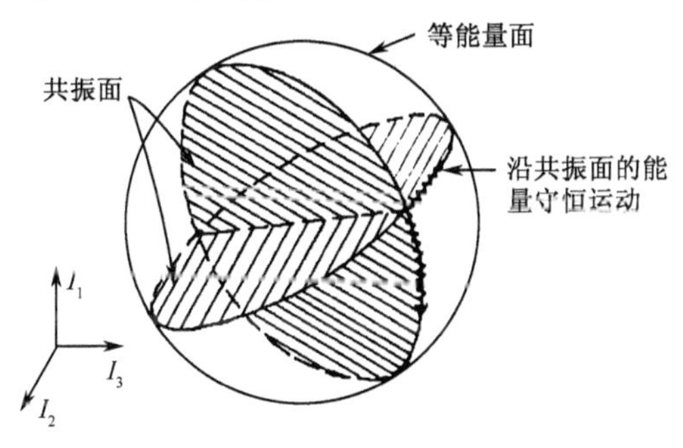

图 1.7-5　三自由度 Hamilton 系统的 Arnold 扩散

上的大圆弧，各大圆弧相交。当系统运动至交点处时，可以不再沿原来的共振面与等能量面的交线运动，而随机地转入另一交线(如图 1.7-5 中粗波纹线所示)。由于交线与交点皆为无穷多，系统运动可到达等能量面上的任一有限区域。当可积 Hamilton 系统变成近可积 Hamilton 系统时，各共振面变成混沌层，就出现弥漫的 Arnold扩散，各混沌层连成 Arnold 网。因此，与两个自由度 Hamilton 系统相比，在三个与三个以上自由度 Hamilton 系统中，较小的不可积扰动就可导致全局混沌。

关于 Hamilton 系统中的混沌动力学的更深入讨论见文献[11,18～20]。关于 Hamilton 系统的不可积性判别参看文献[5,21]。

1.8 部分可积 Hamilton 系统

在三个与三个以上自由度 Hamilton 系统中，常有这样的情形：除了(广义)能量积分 $H=$常数，还有其他独立、对合的首次积分，但独立、对合的首次积分的总数小于系统的自由度数。例如，例 1.1.2 中所述陀螺摆，原是一个三自由度 Hamilton 系统，除了能量积分，尚有一个循环积分。又如，具有下列 Hamilton 函数的三自由度 Hamilton 系统：

$$H=(p_1^2+p_2^2+p_3^3)/2+(q_1q_3^2+q_2q_3^2)+\varepsilon(\mu_1q_1^2+\mu_2q_2^2+\mu_3q_3^2) \tag{1.8-1}$$

$\varepsilon=0$ 时，有如下第二个首次积分：

$$H_2=p_1-p_2 \tag{1.8-2}$$

而 $\varepsilon\neq0$、$\mu_1=\mu_2$ 时，有如下第二个首次积分[9]：

$$H_2=(p_1^2+\mu_1q_1^2)+(p_2^2+\mu_1q_2^2)-2(p_1p_2+\mu_1q_1q_2) \tag{1.8-3}$$

设 Hamilton 系统的自由度数为 n，而独立、对合的首次积分总数为 $r(1<r<n)$，原则上，可以利用除能量积分外的 $r-1$ 个首次积分，将原系统简化为 $n-r+1$ 自由度不可积 Hamilton 系

统。例如,例 1.1.2 中,利用循环积分将陀螺摆简化为两自由度 Hamilton 系统。因此,在 Hamilton 动力学中,只有(完全)可积与(完全)不可积 Hamilton 系统。

然而,在本书所述的随机激励的耗散的 Hamilton 系统中,当相应的 n 自由度 Hamilton 系统具有 $r(1<r<n)$个独立、对合的首次积分时,一般不能再利用除能量积分外的 $r-1$ 个首次积分将系统降维,而是必须保留原来 Hamilton 系统的形式。于是,我们必须处理这样的随机激励的耗散的 Hamilton 系统,与它相应的 Hamilton 系统的独立、对合的首次积分个数大于 1 而小于系统的自由度数,我们称这种 Hamilton 系统为部分可积的 Hamilton 系统。

从上可知,绝大部分已知的可积 Hamilton 系统皆是可分离变量的系统。因此,原则上,我们可将一个部分可积的 Hamilton 系统表示成一个可积与一个不可积 Hamilton 子系统之和的形式,其中一个特殊情形是具有如下 Hamilton 函数的系统:

$$H=\sum_{\eta=1}^{r-1}H_\eta(q_\eta,p_\eta)+H_r(q_r,\cdots,q_n;p_r,\cdots,p_n) \qquad (1.8\text{-}4)$$

或

$$H=\sum_{\eta=1}^{r-1}H_\eta(I_\eta)+H_r(q_r,\cdots,q_n;p_r,\cdots,p_n) \qquad (1.8\text{-}5)$$

式中 $H_1,\cdots,H_{r-1}$是除能量积分外的 $r-1$ 个独立、对合的首次积分,$I_1,\cdots,I_{r-1}$是其对应的作用变量,而第 r 个首次积分可取为 H,亦可取为 H_r。如同完全可积 Hamilton 系统,设可积 Hamilton 子系统的频率为 $\omega_1,\cdots,\omega_{r-1}$,可按频率是否满足共振关系(1.6-24)而将该部分可积 Hamilton 系统分成非共振与共振情形。

1.9 Hamilton 系统的遍历性

古典统计力学中有一个遍历假设:一般多维非线性 Hamilton 系统是遍历的,即系统的进化以等概率通过在能量为常数的约束下所有可能到达的状态。为证明这假设,发展了遍历理论(不限于

Hamilton 系统)。

设 z 为状态矢量,g^t表示系统相流,$f(z)$为某动力学量,类似于(1.6-22)与(1.6-23),称

$$f^*(z_0) = \lim_{T\to\infty} \frac{1}{T}\int_0^T f(g^t(z_0))\mathrm{d}t \tag{1.9-1}$$

为 f 在系统上的时间平均,称

$$\bar{f} = \int_\Omega f(z)\mathrm{d}\mu, \quad \mathrm{d}\mu = p(z)\mathrm{d}z \tag{1.9-2}$$

为 f 在系统上的空间平均,式中 Ω 为系统的状态空间或其子流形,μ 为不变测度,p 为不变测度的密度。对 Hamilton 系统,$p(z)=1$。称系统在 Ω 上遍历,若

$$f^*(z_0) = \bar{f} \tag{1.9-3}$$

对几乎所有 z 成立。由此可知,一个遍历系统的时间平均应与初值 z_0 无关。因初值可任选,所以,只有当系统的相轨可到达所考虑的状态空间或其子流形的所有部分时它才可能是遍历的。

由上述定义知,一个系统是否遍历乃相对于所考虑的状态空间或其子流形而言的。单自由度自治 Hamilton 系统的等能量面与环面同为一个一维流形,因此,它在等能量面与环面上都是遍历的。可积多自由度 Hamilton 系统在等能量面上非遍历,因为除 Hamilton 函数外的 $n-1$ 个独立、对合的首次积分使系统的相轨不能到达等能量面的所有部分,但它在非共振环面上遍历(有时称该环面为遍历分量)。在部分共振时,则只在其某个子环面上遍历。在完全共振时,则在环面上非遍历。对近可积 Hamilton 系统,当存在 KAM 环面时,它在 KAM 环面上遍历,而在等能量面上非遍历。当 KAM 环面都消失以后,近可积 Hamilton 系统是否在等能量面上遍历?

为回答上述问题,需考虑 Hamilton 系统在全局混沌区的运动性态。此时,系统的一般运动只能作统计描述。定性来说,按随机性的大小可有如下不同的系统类型[11,19]。

1. 遍历系统　如上所述,遍历性并不一定意味着随机性,但

随机运动中可有遍历性。

2．混合系统　混合意味着

$$\lim_{t\to\infty} f(g^t(z_0)) = \bar{f} \tag{1.9-4}$$

即达到“平衡”无需时间平均。显然，混合性是比遍历性强得多的随机性。混合性本身还有强弱之分。

3．K 系统　具有正 Kolmogorov 熵的系统，相邻轨线以正的平均指数率发散。

4．C 系统（Anosov 系统）　全局不稳定系统，每一相轨有一个正的 Lyapunov 指数，猫变换是其一例。

5．Bernoulli 系统 系统的运动像掷钱币一样随机，面包师变换为其一例。

在这确定性系统中运动随机性的等级序列中，任一后一种随机性都比前一种大，遍历性是其中最弱的一种。对近可积 Hamilton 系统如 Hénon-Heiles 振子，在混沌区，近同宿点的运动局部等价于面包师变换，在连接随机区如分界线层，Kolmgorov 熵为正。因此，可直观地预期，在近可积 Hamilton 系统的运动变成全局混沌后，可在等能量面上作遍历假设。

以上关于 Hamilton 系统遍历性的结论将是随机平均法中以空间平均代替时间平均的依据。

参考文献

[1] 张启仁．经典力学．北京：科学出版社，2002

[2] 陈滨．分析动力学．北京：北京大学出版社，1987

[3] 李继彬，赵晓华，刘正荣．广义哈密顿系统理论及其应用．北京：科学出版社，1994

[4] Arnold V I．Mathematical Methods of Classical Mechanics，2nd edition，New York：Springer-Verlag，1989

[5] Arnold V I，Kozlov V V，Neishtadt A I．Mathematical aspect of classical and celestial mechanics．Dynamical Systems Ⅲ，Arnold Ⅵ．(Ed.)．Berlin：Springer-Verlag，1988

[6] Jiongmin Yong，Xun Yu Zhou．Stochastic Controls，Hamiltonian Systems and HJB

Equations. New York: Springer-Verlag, 1999

[7] Dubrovin B A, Krichever I M, Novikov S P. Integrable systems I, Dynamical Systems Ⅳ, Arnold Ⅵ, Novikov S P. (Eds.). Berlin: Springer-Verlag, 1990

[8] Lax P D. Integrals of nonlinear equations of evolution and solitary waves. Communications on Pure and Applied Mathematics, 1968, 21: 467-490

[9] Goriely A. Integrability, partially integrability, and nonintegrability for systems of ordinary differential equations. Journal of Mathematical Physics, 1996, 37 (4): 1871-1893

[10] Bountis T, Segar H, Vivaldi F. Integrable Hamiltonian systems and the Painlevé property. Physical Review A, Third Series, 1982,25(3): 1257-1264

[11] Tabor M. Chaos and Integrability in Nonlinear Dynamics, An Introduction. New York: John Wiley & Sons, 1989

[12] Whittaker E T. A Treatise on the Analytical Dynamics of Particles and Rigid Bodies. Cambridge: Cambridge University Press, 1964

[13] Hénon M, Heiles C. The applicability of the third integral of motion; some numerical experiments. Astronomy Journal, 1964, 69: 73-79

[14] Das A. Integrable Models. Singapore: World Scientific, 1989

[15] Yoshida H. A new necessary condition for the integrability of Hamiltonian systems with two-dimensional homogeneous potential. Physical D, 1999,128: 53-69

[16] Haller G. Chaos Near Resonance. New York: Springer-Verlag, 1999

[17] 程崇庆,孙义燧.哈密顿系统中的有序与无序运动.上海:上海科技教育出版社,1996

[18] 汪秉宏.弱混沌与准规则斑图.上海:上海科技教育出版社,1996

[19] Lichtenberg A J, Lieberman M A. Regular and Stochastic Motion. New York: Springer-Verlag, 1983

[20] Dankowicz H. Chaotic Dynamics in Hamiltonian Systems, With Applications to Celestial Mechanics. Singapore: World Scientific, 1997

[21] Ziglin S L. Branching of solutions and non-existence of first integrals in Hamiltonian mechanics. Functional Analysis and It's Applications, 1983,part I, 16:181-189; part Ⅱ, 17: 6-17

第二章　扩散过程

非线性系统在 Gauss 白噪声激励下的响应是扩散的 Markov 过程,简称扩散过程。系统的运动微分方程可模型化为 Itô 或 Stratonovich 随机微分方程。响应的转移概率密度服从 Kolmogorov 方程。可以求解 Itô 或 Stratonovich 随机微分方程得响应的样本轨道,也可以求解 Kolmogorov 方程得转移概率密度,进而求其他响应统计量,这就是扩散过程理论方法。本书中广泛应用这一方法。本章较深入地介绍扩散过程、Kolmogorov 方程及 Itô 与 Stratonovich 随机微分方程。

2.1　扩散过程及其概率描述

2.1.1　Markov 过程

一个连续参数连续状态的 m 维矢量随机过程 $\boldsymbol{X}(t), t\in T$,对于任意 n 与 $t_i\in T, t_1<t_2<\cdots<t_n$,若其条件概率密度满足下列关系

$$p(\boldsymbol{x}_n, t_n \mid \boldsymbol{x}_{n-1}, t_{n-1};\cdots;\boldsymbol{x}_1, t_1) = p(\boldsymbol{x}_n, t_n \mid \boldsymbol{x}_{n-1}, t_{n-1}) \tag{2.1-1}$$

则称它为 Markov 过程,而条件概率密度 $p(\boldsymbol{x}_n, t_n \mid \boldsymbol{x}_{n-1}, t_{n-1})$称为转移概率密度。若把 t_{n-1}看成现在,t_n 看成将来,$t_1,\cdots,t_{n-2}$ 看成过去,(2.1-1)意味着,Markov 过程将来的概率特性只取决于现在的状态,而与过去的状态无关,此称无后效性。

利用联合概率密度与条件概率密度关系可证,Markov 过程的 n 维概率密度可表示为

$$p(\boldsymbol{x}_n, t_n;\cdots;\boldsymbol{x}_1, t_1) = p(\boldsymbol{x}_1, t_1)\prod_{i=2}^{n} p(\boldsymbol{x}_i, t_i \mid \boldsymbol{x}_{i-1}, t_{i-1}) \tag{2.1-2}$$

可知，若已知 $p(\boldsymbol{x}_1, t_1)$，则 Markov 过程 $\boldsymbol{X}(t)$的任一有限维概率密度由其转移概率密度完全确定。因此，可用(2.1-1)来定义 Markov 过程。

类似地，Markov 过程的 n 维概率密度还可表为

$$p(\boldsymbol{x}_n, t_n; \cdots; \boldsymbol{x}_1, t_1)$$

$$= \prod_{i=2}^{n} p(\boldsymbol{x}_i, t_i; \boldsymbol{x}_{i-1}, t_{i-1}) \Big/ \prod_{i=2}^{n-1} p(\boldsymbol{x}_i, t_i) \qquad (2.1\text{-}3)$$

可见，Markov 过程的概率结构也可由其二维概率密度完全确定。

由(2.1-2)可看出，一个 Markov 过程为严格平稳的充要条件是，初始概率密度与时间无关，转移概率密度只依赖于时差，即，若令 $\tau = t - t_0$，则有

$$p(\boldsymbol{x}, t \mid \boldsymbol{x}_0, t_0) = p(\boldsymbol{x}, \tau \mid \boldsymbol{x}_0) \qquad (2.1\text{-}4)$$

凡其转移概率密度仅依赖于时差的 Markov 过程，称为时齐 Markov 过程，或具有平稳增量的 Markov 过程。显然，平稳的 Markov 过程必是时齐的，反之则不一定。

一个时齐 Markov 过程，t_0 时刻上具有确定性值 $\boldsymbol{x}_0$，并满足条件

$$\lim_{\tau \to \infty} p(\boldsymbol{x}, \tau \mid \boldsymbol{x}_0) = p(\boldsymbol{x}) \qquad (2.1\text{-}5)$$

则其一维概率密度

$$p(\boldsymbol{x}, t) = \int p(\boldsymbol{x}, \tau \mid \boldsymbol{x}') \delta(\boldsymbol{x}' - \boldsymbol{x}_0)$$

$$= p(\boldsymbol{x}, \tau \mid \boldsymbol{x}_0) \to p(\boldsymbol{x}) \qquad (2.1\text{-}6)$$

意即，该 Markov 过程随 $\tau \to \infty$趋于平稳，与初始状态无关。因此，平稳 Markov 过程可看成时齐 Markov 过程在时差 $\tau \to \infty$时的极限。平稳 Markov 过程的概率测度称为不变测度，$p(\boldsymbol{x})$是它的密度。

对时齐 Markov 过程，(2.1-5)不仅是平稳的充分条件，也是关于均值、相关函数及概率密度遍历的充分条件[1]。

对一般随机过程与任意 $t_{i-1} < t_i < t_{i+1}$，由概率密度的相容性，有

$$\int p(\boldsymbol{x}_{i+1}, t_{i+1}; \boldsymbol{x}_i, t_i; \boldsymbol{x}_{i-1}, t_{i-1}) \mathrm{d}\boldsymbol{x}_i = p(\boldsymbol{x}_{i+1}, t_{i+1}; \boldsymbol{x}_{i-1}, t_{i-1}) \tag{2.1-7}$$

对 Markov 过程,利用(2.1-2),则有

$$\int p(\boldsymbol{x}_{i+1}, t_{i+1} \mid \boldsymbol{x}_i, t_i) p(\boldsymbol{x}_i, t_i \mid \boldsymbol{x}_{i-1}, t_{i-1}) \mathrm{d}\boldsymbol{x}_i = p(\boldsymbol{x}_{i+1}, t_{i+1} \mid \boldsymbol{x}_{i-1}, t_{i-1}) \tag{2.1-8}$$

对时齐 Markov 过程,则有

$$\int p(\boldsymbol{x}_{i+1}, \Delta\tau \mid \boldsymbol{x}_i) p(\boldsymbol{x}_i, \tau \mid \boldsymbol{x}_{i-1}) \mathrm{d}\boldsymbol{x}_i = p(\boldsymbol{x}_{i+1}, \tau + \Delta\tau \mid \boldsymbol{x}_{i-1}) \tag{2.1-9}$$

(2.1-8)与(2.1-9)称为 Chapman-Kolmogorov 方程,它是一个描述概率密度从 t_{i-1} 时刻经由 t_i 转移到 t_{i+1} 时刻的积分方程。

注意,矢量 Markov 过程的分量不一定是 Markov 过程。此外,Markov 过程在现实中并不存在,它只是一个数学模型。但是,一方面,关于 Markov 过程的数学理论内容丰富,另一方面,现实中有许多过程,它们的记忆时间足够短,以致在我们观察的时间尺度上,可以用 Markov 过程来近似。因此,Markov 理论已被广泛地应用。

2.1.2 扩散过程与 Fokker-Planck-Kolmogorov 方程

Markov 过程中,理论上最成熟、应用最广泛的是扩散过程。表征与分析扩散过程有两条基本途径:一是用 Kolmogorov 方程研究它的转移概率密度,二是用随机微分方程研究它的随机轨道。本节介绍前一途径,后一途径将在 2.4～2.7 中叙述。

一个 m 维矢量 Markov 过程 $\boldsymbol{X}(t), t \in T$ 称为扩散过程,若对任意 $\varepsilon > 0$,其转移概率密度对 $\boldsymbol{x}$ 一致地满足下列三个条件:

1. $$\lim_{\Delta t \to 0} \frac{1}{\Delta t} \int_{\|\boldsymbol{y} - \boldsymbol{x}\| \geqslant \varepsilon} p(\boldsymbol{y}, t + \Delta t \mid \boldsymbol{x}, t) \mathrm{d}\boldsymbol{y} = 0 \tag{2.1-10}$$

2. 存在矢量函数 $\boldsymbol{a} = [a_1, a_2, \cdots, a_m]^{\mathrm{T}}, a_i = a_i(\boldsymbol{x}, t)$,使得

$$\lim_{\Delta t\to 0}\frac{1}{\Delta t}\int_{\|\boldsymbol{y}-\boldsymbol{x}\|<\varepsilon}(y_i-x_i)p(\boldsymbol{y},t+\Delta t\mid \boldsymbol{x},t)\mathrm{d}\boldsymbol{y}$$
$$=a_i(\boldsymbol{x},t) \tag{2.1-11}$$

3．存在矩阵函数 $\boldsymbol{b}=[b_{ij}]_{m\times m}$，$b_{ij}=b_{ij}(\boldsymbol{x},t)$，使得

$$\lim_{\Delta t\to 0}\frac{1}{\Delta t}\int_{\|\boldsymbol{y}-\boldsymbol{x}\|<\varepsilon}(y_i-x_i)(y_j-x_j)$$
$$\times p(\boldsymbol{y},t+\Delta t\mid \boldsymbol{x},t)\mathrm{d}\boldsymbol{y}=b_{ij}(\boldsymbol{x},t) \tag{2.1-12}$$

式中 $\|\boldsymbol{y}-\boldsymbol{x}\|$ 表示矢量的 Euclid 范数。(2.1-10)表明，在无穷小时间区间 Δt 上扩散过程的状态有有限变化的概率比 Δt 更快地趋于零，这表明扩散过程的样本函数以概率 1 连续。(2.1-11)与(2.1-12)中的积分分别表示在 $\boldsymbol{x}$，t 处过程 $\boldsymbol{X}(t)$的截断均值与截断协方差的局部变化率，a_i 与 b_{ij}分别称为漂移系数与扩散系数，$\boldsymbol{a}$ 与 $\boldsymbol{b}$ 分别称为漂移矢量与扩散矩阵，$\boldsymbol{b}$ 是对称正半定矩阵。可以证明，所有形如(2.1-12)的更高阶系数必然为零。

条件(2.1-10)～(2.1-12)可代之以

$$\lim_{\Delta t\to 0}\frac{1}{\Delta t}E\left[\|\boldsymbol{X}(t+\Delta t)-\boldsymbol{X}(t)\|^{2+\alpha}\mid \boldsymbol{X}(t)=\boldsymbol{x}\right]=0,\alpha>0 \tag{2.1-13}$$

$$\lim_{\Delta t\to 0}\frac{1}{\Delta t}E\left[(X_i(t+\Delta t)-X_i(t)]\mid \boldsymbol{X}(t)=\boldsymbol{x}\right]=a_i(\boldsymbol{x},t) \tag{2.1-14}$$

$$\lim_{\Delta t\to 0}\frac{1}{\Delta t}E\left[(X_i(t+\Delta t)-X_i(t))(X_j(t+\Delta t)\right.$$
$$\left.-X_j(t))\mid \boldsymbol{X}(t)=\boldsymbol{x}\right]=b_{ij}(\boldsymbol{x},t) \tag{2.1-15}$$

扩散过程又可定义为满足条件(2.1-13)～(2.1-15)的 Markov 过程。注意，(2.1-14)与(2.1-15)中为全矩的局部变化率，称为导数矩。关于扩散过程定义的更详细讨论见[2]。对时齐扩散过程，(2.1-11)、(2.1-14)中的 a_i 与(2.1-12)、(2.1-15)中的 b_{ij}将不显含时间 t。

下面从 Chapman-Kolmogorov 积分方程出发推导扩散过程的转移概率密度所满足的偏微分方程。设 $\boldsymbol{X}(t)$是一个 m 维矢量扩

散过程，考虑积分

$$I=\int R(\boldsymbol{y})\frac{\partial}{\partial t}p(\boldsymbol{y},t\mid \boldsymbol{x}_0,t_0)\mathrm{d}\boldsymbol{y},\quad t>t_0 \tag{2.1-16}$$

式中积分域为扩散过程的整个状态空间，$R(\boldsymbol{y})$为 y_i，$i=1,2,\cdots,m$ 的任意函数，当 y_i 趋于上、下积分限时，$R(\boldsymbol{y})$足够快地趋于零，特别地，对任意 $s=k+l+\cdots+r$，当 $y_i\rightarrow$上，下积分限时

$$\frac{\partial^s}{\partial y_1^k\partial y_2^l\cdots\partial y_m^r}R(\boldsymbol{y})\rightarrow 0 \tag{2.1-17}$$

此外，$R(\boldsymbol{y})$可在 $\boldsymbol{x}$ 点展成 Taylor 级数

$$\begin{aligned}R(\boldsymbol{y})=&R(\boldsymbol{x})+(y_i-x_i)\frac{\partial R(\boldsymbol{x})}{\partial x_i}\\&+\frac{1}{2!}(y_i-x_i)(y_j-x_j)\frac{\partial^2 R(\boldsymbol{x})}{\partial x_i\partial x_j}\\&+\frac{1}{3!}(y_i-x_i)(y_j-x_j)(y_k-x_k)\frac{\partial^3 R(\boldsymbol{x})}{\partial x_i\partial x_j\partial x_k}+\cdots\end{aligned} \tag{2.1-18}$$

(2.1-16)可改写为

$$\begin{aligned}I&=\int R(\boldsymbol{y})\lim_{\Delta t\to 0}\frac{1}{\Delta t}[p(\boldsymbol{y},t+\Delta t\mid \boldsymbol{x}_0,t_0)-p(\boldsymbol{y},t\mid \boldsymbol{x}_0,t_0)]\mathrm{d}\boldsymbol{y}\\&=\lim_{\Delta t\to 0}\frac{1}{\Delta t}\int R(\boldsymbol{y})[p(\boldsymbol{y},t+\Delta t\mid \boldsymbol{x}_0,t_0)-p(\boldsymbol{y},t\mid \boldsymbol{x}_0,t_0)]\mathrm{d}\boldsymbol{y}\end{aligned} \tag{2.1-19}$$

只要后一式中积分对 t 均匀收敛，上述积分与极限运算可交换次序。利用 Chapman-Kolmogorov 方程(2.1-8)，(2.1-19)可改写成

$$\begin{aligned}I=&\lim_{\Delta t\to 0}\frac{1}{\Delta t}\int \mathrm{d}\boldsymbol{y}R(\boldsymbol{y})\int p(\boldsymbol{y},t+\Delta t\mid \boldsymbol{x},t)p(\boldsymbol{x},t\mid \boldsymbol{x}_0,t_0)\mathrm{d}\boldsymbol{x}\\&-\int R(\boldsymbol{y})p(\boldsymbol{y},t\mid \boldsymbol{x}_0,t_0)\mathrm{d}\boldsymbol{y}\end{aligned} \tag{2.1-20}$$

(2.1-18)代入(2.1-20)，并对 $\boldsymbol{y}$ 积分，得

$$I=\int\Big[a_i(\boldsymbol{x},t)\frac{\partial R(\boldsymbol{x})}{\partial x_i}+\frac{1}{2!}b_{ij}(\boldsymbol{x},t)\frac{\partial^2 R(\boldsymbol{x})}{\partial x_i\partial x_j}$$

$$+\frac{1}{3!}c_{ijk}(\boldsymbol{x},t)\frac{\partial^3 R(\boldsymbol{x})}{\partial x_i\partial x_j\partial x_k}+\cdots\Big]\,p(\boldsymbol{x},t\mid \boldsymbol{x}_0,t_0)\mathrm{d}\boldsymbol{x}$$

(2.1-21)

式中

$$a_i(\boldsymbol{x},t)=\lim_{\Delta t\to 0}\frac{1}{\Delta t}\int(y_i-x_i)p(\boldsymbol{y},t+\Delta t\mid \boldsymbol{x},t)\mathrm{d}\boldsymbol{y}$$

$$b_{ij}(\boldsymbol{x},t)=\lim_{\Delta t\to 0}\frac{1}{\Delta t}\int(y_i-x_i)(y_j-x_j)\times p(\boldsymbol{y},t+\Delta t\mid \boldsymbol{x},t)\mathrm{d}\boldsymbol{y}$$

$$c_{ijk}(\boldsymbol{x},t)=\lim_{\Delta t\to 0}\frac{1}{\Delta t}\int(y_i-x_i)(y_j-x_j)\times(y_k-x_k)p(\boldsymbol{y},t+\Delta t\mid \boldsymbol{x},t)\mathrm{d}\boldsymbol{y}$$

$$\cdots$$

(2.1-22)

推导(2.1-21)中还用到归一化条件：

$$\int p(\boldsymbol{y},t+\Delta t\mid \boldsymbol{x},t)\mathrm{d}\boldsymbol{y}=1 \qquad (2.1\text{-}23)$$

注意,(2.1-22)中 a_i、b_{ij}分别与(2.1-14)中的 a_i、(2.1-15)中的 b_{ij}相同,按定义,c_{ijk}等于零。对(2.1-21)进行分部积分,并利用 $R(\boldsymbol{y})$的性质(2.1-17),得

$$I=\int R(\boldsymbol{x})\left[-\frac{\partial}{\partial x_i}(a_i p)+\frac{1}{2}\frac{\partial^2}{\partial x_i\partial x_j}(b_{ij}p)\right]\mathrm{d}\boldsymbol{x}$$

(2.1-24)

式中 $a_i=a_i(\boldsymbol{x},t)$, $b_{ij}=b_{ij}(\boldsymbol{x},t)$, $p=p(\boldsymbol{x},t\mid\boldsymbol{x}_0,t_0)$。比较(2.1-16)与(2.1-24),得

$$\int R(\boldsymbol{x})\left[\frac{\partial}{\partial t}p+\frac{\partial}{\partial x_i}(a_i p)-\frac{1}{2}\frac{\partial^2}{\partial x_i\partial x_j}(b_{ij}p)\right]\mathrm{d}\boldsymbol{x}=0$$

(2.1-25)

由于 $R(\boldsymbol{y})$的任意性,就有

$$\frac{\partial p}{\partial t}=-\frac{\partial}{\partial x_i}(a_i p)+\frac{1}{2}\frac{\partial^2}{\partial x_i\partial x_j}(b_{ij}p) \qquad (2.1\text{-}26)$$

Fokker 与 Planck 首先从物理考虑导出了上述方程,Kolmogorov 则使该方程的理论更为一般与抽象，因此，(2.1-26)常称为 Fokker-Planck 方程，或 Fokker-Planck-Kolmogorov 方程，简称 FPK 方程。

FPK 方程(2.1-26)是一个抛物型线性变系数偏微分方程，它描述了扩散过程的转移概率密度 $p(\boldsymbol{x},t\,|\,\boldsymbol{x}_0,t_0)$的进化或流动。当 $b_{ij}=0$ 时，(2.1-26)描述过程的确定性变化；$a_i=0$ 时，(2.1-26)描述纯扩散运动；一般地，(2.1-26)同时描述扩散过程的确定性变化与扩散运动。

当 a_i 与 b_{ij}不显含时间 t 时，(2.1-26)之解是时齐扩散过程的转移概率密度 $p(\boldsymbol{x},\tau\,|\,\boldsymbol{x}_0)$，$\tau=t-t_0$。当条件(2.1-5)满足时，随 $\tau\rightarrow\infty$，$\partial p/\partial t\rightarrow 0$，从而，(2.1-26)化为：

$$0=-\frac{\partial}{\partial x_i}(a_i p)+\frac{1}{2}\frac{\partial^2}{\partial x_i\partial x_j}(b_{ij}p) \qquad (2.1\text{-}27)$$

式中 $a_i=a_i(\boldsymbol{x})$，$b_{ij}=b_{ij}(\boldsymbol{b})$，(2.1-27)是一个椭圆型线性变系数偏微分方程，常称为简化或平稳 FPK 方程，它的解将是平稳概率密度 $p(\boldsymbol{x})$。要惟一确定 FPK 方程(2.1-26)之解，除了漂移系数 a_i 与扩散系数 b_{ij}外，尚需初始条件、边界条件及归一化条件。对平稳 FPK 方程(2.1-27)，则需边界条件与归一化条件。(2.1-26)的初始条件形为

$$p(\boldsymbol{x},t\,|\,\boldsymbol{x}_0,t_0)=\delta(\boldsymbol{x}-\boldsymbol{x}_0),\quad t=t_0 \qquad (2.1\text{-}28)$$

它表示在 $t=t_0$ 时，系统以概率 1 处于初始状态 $\boldsymbol{x}_0$。

为讨论 FPK 方程(2.1-26)与(2.1-27)的边界条件，宜将(2.1-26)改写为

$$\frac{\partial}{\partial t}p+\frac{\partial}{\partial x_i}G_i=0 \qquad (2.1\text{-}29)$$

$$G_i=a_i p-\frac{1}{2}\frac{\partial}{\partial x_j}(b_{ij}p) \qquad (2.1\text{-}30)$$

(2.1-29)形同流体力学中的连续性方程，可解释为概率守恒方程，而 G_i 则为概率流矢量 $\boldsymbol{G}(\boldsymbol{x},t\,|\,\boldsymbol{x}_0,t_0)$的第 i 个分量。

FPK 方程的边界条件颇为复杂，首先，边界有奇异与规则之

分,其次,奇异边界与规则边界又各有许多不同情形。在扩散过程的状态空间中,凡使所有 b_{ij} 为零或至少有一个 a_i 为无限的点,分别称为第一类与第二类奇异点,而由奇异点或奇异点组组成的边界称为奇异边界。迄今,只有对一维扩散过程的奇异边界已有清楚了解,将在 2.8 中介绍。下面考虑常用的几种规则边界。

1. 反射边界　凡不能使概率流通过的边界称为反射边界,即

$$\boldsymbol{n}\cdot\boldsymbol{G}(\boldsymbol{x},t\mid\boldsymbol{x}_0,t_0)=0,\quad \boldsymbol{x}\in S \tag{2.1-31}$$

式中 S 表示扩散过程的状态空间的边界,$\boldsymbol{n}$ 为边界的单位外法线矢量,扩散过程的样本函数到达反射边界后立即返回域内。

2. 吸收边界　扩散过程的样本函数一旦到达吸收边界就被从集合中去掉,因此吸收边界上的概率为零,即

$$p(\boldsymbol{x},t\mid\boldsymbol{x}_0,t_0)=0,\quad \boldsymbol{x}\in S \tag{2.1-32}$$

吸收边界亦称为越出边界。

3. 周期边界　当漂移系数 a_i 与扩散系数 b_{ij} 为 x_k 以 L 为周期的周期函数时,FPK 方程将有周期边界条件

$$p(\boldsymbol{x},t\mid\boldsymbol{x}_0,t_0)\big|_{x_k}=p(\boldsymbol{x},t\mid\boldsymbol{x}_0,t_0)\big|_{x_k+L},\quad \boldsymbol{x}\in S \tag{2.1-33a}$$

$$\frac{\partial}{\partial x_j}p(\boldsymbol{x},t\mid\boldsymbol{x}_0,t_0)\big|_{x_k}=\frac{\partial}{\partial x_j}p(\boldsymbol{x},t\mid\boldsymbol{x}_0,t_0)\big|_{x_k+L},\quad \boldsymbol{x}\in S \tag{2.1-33b}$$

4. 无穷边界　它同时可为反射边界与吸收边界,即

$$\lim_{|x_j|\to\pm\infty}\boldsymbol{G}(\boldsymbol{x},t\mid\boldsymbol{x}_0,t_0)=0 \tag{2.1-34}$$

此时,由于总概率为 1,无穷远边界上概率密度必须为零

$$\lim_{|x_j|\to\pm\infty}p(\boldsymbol{x},t\mid\boldsymbol{x}_0,t_0)=0 \tag{2.1-35}$$

同时,它必须至少以 $|x_i|^{-\alpha}(\alpha>1)$ 趋近于零。

(2.1-26)两边同乘以 $p(\boldsymbol{x}_0,t_0)$,然后在扩散过程的状态空间上对 $\boldsymbol{x}_0$ 积分,利用分部积分公式与边界条件(2.1-34)与(2.1-35),可证(2.1-26)也是一维概率密度 $p(\boldsymbol{x},t)$所满足的 FPK 方程,此时,代替(2.1-28),初始条件为

$$p(\boldsymbol{x},t)_0 = p(\boldsymbol{x}_0), \quad t = t_0 \tag{2.1-36}$$

在随机振动理论中,FPK 方程(2.1-26)与(2.1-27)常用来预测响应。当一动态系统受高斯白噪声激励时,其响应为扩散过程,可用 FPK 方程确定它的转移概率密度或一维概率密度。运用该法的第一步是由给定动态系统的运动方程确定 FPK 方程的漂移系数与扩散系数,在受 Gauss 白噪声外激时,这可运用公式(2.1-14)与(2.1-15)。当受 Gauss 白噪声参激时,运用(2.1-14)有可能导致错误的漂移系数,原因在于 Gauss 白噪声同响应及其函数之间的相关性难以估计。另一种不会导致错误的计算漂移系数与扩散系数的步骤将在 2.7 中给出。

2.1.3 后向 Kolmogorov 方程

在推导 FPK 方程时,转移概率密度 $p(\boldsymbol{x},t|\boldsymbol{x}_0,t_0)$被看成 $\boldsymbol{x}$,t 的函数,而把 $\boldsymbol{x}_0$,t_0 看成参数,因此,FPK 方程又称为前向 Kolmogorov 方程。然而,在诸如首次穿越与随机控制等问题中,给定的是最终状态,此时,需将转移概率密度看成 $\boldsymbol{x}_0$,t_0 的函数,而把 $\boldsymbol{x}$,t 看成参数。下面证明,$p(\boldsymbol{x},t|\boldsymbol{x}_0,t_0)$作为 $\boldsymbol{x}_0$,t_0 的函数将满足后向 Kolmogorov 方程。

考虑

$$\frac{\partial p}{\partial t_0} = \lim_{\Delta t_0 \to 0} \frac{1}{\Delta t_0}[p(\boldsymbol{x},t \mid \boldsymbol{x}_0,t_0) - p(\boldsymbol{x},t \mid \boldsymbol{x}_0,t_0-\Delta t_0)] \tag{2.1-37}$$

应用 Chapman-Kolmogorov 方程于上式右边第二项

$$\begin{aligned} &p(\boldsymbol{x},t \mid \boldsymbol{x}_0,t_0-\Delta t_0) \\ &\quad = \int p(\boldsymbol{x},t \mid \boldsymbol{y},t_0)p(\boldsymbol{y},t_0 \mid \boldsymbol{x}_0,t_0-\Delta t_0)\mathrm{d}\boldsymbol{y} \end{aligned} \tag{2.1-38}$$

在第一项中乘以

$$\int p(\boldsymbol{y},t_0 \mid \boldsymbol{x}_0,t_0-\Delta t_0)\mathrm{d}\boldsymbol{y} = 1 \tag{2.1-39}$$

(2.1-37)变成

$$\frac{\partial p}{\partial t_0}=\lim_{\Delta t_0\to 0}\frac{1}{\Delta t_0}\int[p(\boldsymbol{x},t\mid \boldsymbol{x}_0,t_0)-p(\boldsymbol{x},t\mid \boldsymbol{y},t_0)]$$

$$\times p(\boldsymbol{y},t_0\mid \boldsymbol{x}_0,t_0-\Delta t_0)\mathrm{d}\boldsymbol{y} \tag{2.1-40}$$

将 $p(\boldsymbol{x},t|\boldsymbol{y},t_0)$看成 $\boldsymbol{y}$ 的函数,并将它在 $\boldsymbol{x}_0$ 处展成 Taylor 级数

$$\begin{aligned}
&p(\boldsymbol{x},t\mid \boldsymbol{y},t_0)\\
=&p(\boldsymbol{x},t\mid \boldsymbol{x}_0,t_0)+(y_i-x_{i0})\frac{\partial p(\boldsymbol{x},t\mid \boldsymbol{x}_0,t_0)}{\partial x_{i0}}\\
&+\frac{1}{2!}(y_i-x_{i0})(y_j-x_{j0})\frac{\partial^2 p(\boldsymbol{x},t\mid \boldsymbol{x}_0,t_0)}{\partial x_{i0}\partial x_{j0}}\\
&+\frac{1}{3!}(y_i-x_{i0})(y_j-x_{j0})(y_k-x_{k0})\frac{\partial^3 p(\boldsymbol{x},t\mid \boldsymbol{x}_0,t_0)}{\partial x_{i0}\partial x_{j0}\partial x_{k0}}+\cdots
\end{aligned} \tag{2.1-41}$$

(2.1-41)代入(2.1-40),完成积分,并考虑到扩散过程的定义,得后向 Kolmogorov 方程

$$\frac{\partial p}{\partial t_0}=-a_i(\boldsymbol{x}_0,t_0)\frac{\partial p}{\partial x_{i0}}-\frac{1}{2}b_{ij}(\boldsymbol{x}_0,t_0)\frac{\partial^2 p}{\partial x_{i0}\partial x_{j0}} \tag{2.1-42}$$

式中

$$a_i(\boldsymbol{x}_0,t_0)=\lim_{\Delta t_0\to 0}\frac{1}{\Delta t_0}\int(y_i-x_{i0})p(\boldsymbol{y},t_0\mid \boldsymbol{x}_0,t_0-\Delta t_0)\mathrm{d}\boldsymbol{y}$$

$$b_{ij}(\boldsymbol{x}_0,t_0)=\lim_{\Delta t_0\to 0}\frac{1}{\Delta t_0}\int(y_i-x_{i0})(y_j-x_{j0})$$

$$\times p(\boldsymbol{y},t_0\mid \boldsymbol{x}_0,t_0-\Delta t_0)\mathrm{d}\boldsymbol{y} \tag{2.1-43}$$

当漂移系数 a_i 与扩散系数 b_{ij}不显含时间 t_0 时,作变换 $\tau=t-t_0$,可将(2.1-42)改写成

$$\frac{\partial p}{\partial \tau}=a_i(\boldsymbol{x}_0)\frac{\partial p}{\partial x_{i0}}+\frac{1}{2}b_{ij}(\boldsymbol{x}_0)\frac{\partial^2 p}{\partial x_{i0}\partial x_{j0}} \tag{2.1-44}$$

此乃为时齐扩散过程的后向 Kolmogorov 方程。

FPK 方程(2.1-26)可更简洁地写成算子形式

$$\frac{\partial p}{\partial t}-L^* p=0 \tag{2.1-45}$$

式中 $L^{*}p=-\frac{\partial}{\partial x_i}(a_i p)+\frac{1}{2}\frac{\partial^2}{\partial x_i\partial x_j}(b_{ij}p)$，$L^{*}$ 是如下椭圆算子 L 的伴随算子：

$$L=a_i(\boldsymbol{x}_0,t_0)\frac{\partial}{\partial x_{i0}}+\frac{1}{2}b_{ij}(\boldsymbol{x}_0,t_0)\frac{\partial^2}{\partial x_{i0}\partial x_{j0}} \tag{2.1-46}$$

而后向 Kolmogorov 方程可表为

$$\frac{\partial p}{\partial t_0}+Lp=0 \tag{2.1-47}$$

后向 Kolmogorov 方程(2.1-42)或(2.1-47)的终时条件形同 FPK 方程的初始条件(2.1-28)。对后向 Kolmogorov 方程两边同乘以 $p(\boldsymbol{x},t)$，并在扩散过程的状态空间上积分，可证

$$p(\boldsymbol{x}_0,t_0)=\int p(\boldsymbol{x},t\mid\boldsymbol{x}_0,t_0)p(\boldsymbol{x},t)\mathrm{d}\boldsymbol{x} \tag{2.1-48}$$

也满足后向 Kolmogorov 方程同，此时，终时条件为

$$p(\boldsymbol{x}_0,t_0)=p(\boldsymbol{x},t),\quad t_0\to t \tag{2.1-49}$$

FPK 方程与后向 Kolmogorov 方程都描述扩散过程的转移概率密度的进化，在相同初时(终时)条件与边界条件下将给出相同的解。与上述 FPK 方程的四种边界条件相应的后向 Kolmogorov 方程的边界条件如下。

1. 反射边界　设 V 为扩散过程的状态空间，S 为其边界，t' 是 t 与 t_0 之间的时间，应用 Chapman-Kolmogorov 方程(2.1-8)，有

$$\begin{aligned}&\frac{\partial p}{\partial t'}p(\boldsymbol{x},t\mid\boldsymbol{x}_0,t_0)\\&=\frac{\partial}{\partial t'}\int_V p(\boldsymbol{x},t\mid\boldsymbol{y},t')p(\boldsymbol{y},t'\mid\boldsymbol{x}_0,t_0)\mathrm{d}\boldsymbol{y}=0\end{aligned} \tag{2.1-50}$$

记

$$p_1=p(\boldsymbol{y},t'\mid\boldsymbol{x}_0,t_0),\quad p_2=p(\boldsymbol{x},t\mid\boldsymbol{y},t')$$

由 FPK 方程与后向 Kolmogorov 方程，

$$\frac{\partial p_1}{\partial t'}=-\frac{\partial}{\partial y_i}(a_i p_1)+\frac{1}{2}\frac{\partial^2}{\partial y_i\partial y_j}(b_{ij}p_1) \tag{2.1-51}$$

$$\frac{\partial p_2}{\partial t'} = -a_i \frac{\partial p_2}{\partial y_i} - \frac{1}{2} b_{ij} \frac{\partial^2 p_2}{\partial y_i \partial y_j} \tag{2.1-52}$$

式中 a_i 与 b_{ij} 为 $\boldsymbol{y}, t'$ 的函数。交换(2.1-50)中的求导与积分的次序，再将(2.1-51)与(2.1-52)代入(2.1-50)，得

$$\begin{aligned}&\int_V \left[-a_i \frac{\partial p_2}{\partial y_i} - \frac{1}{2} b_{ij} \frac{\partial^2 p_2}{\partial y_i \partial y_j} \right] p_1 \mathrm{d}\boldsymbol{y} \\ &\quad + \int_V \left[-\frac{\partial}{\partial y_i}(a_i p_1) + \frac{1}{2} \frac{\partial^2}{\partial y_i \partial y_j}(b_{ij} p_1) \right] p_2 \mathrm{d}\boldsymbol{y} = 0\end{aligned} \tag{2.1-53}$$

上式可改写为

$$\begin{aligned}&\int_V \frac{\partial}{\partial y_i} \left\{ p_2 \left[-a_i p_1 + \frac{1}{2} \frac{\partial}{\partial y_i}(b_{ij} p_1) \right] \right\} \mathrm{d}\boldsymbol{y} \\ &\quad - \frac{1}{2} \int_V \frac{\partial}{\partial y_i} \left(p_1 b_{ij} \frac{\partial p_2}{\partial y_j} \right) \mathrm{d}\boldsymbol{y} = 0\end{aligned} \tag{2.1-54}$$

应用 Gauss 定理，上式中体积分可变为

$$\begin{aligned}&\int_S p_2 \left[-a_i p_1 + \frac{1}{2} \frac{\partial}{\partial y_i}(b_{ij} p_1) \right] n_i \mathrm{d}S \\ &\quad - \frac{1}{2} \int_S p_1 b_{ij} \frac{\partial p_2}{\partial y_i} n_i \mathrm{d}S = 0\end{aligned} \tag{2.1-55}$$

由于 S 可任选，上式被积函数在 S 上每点必须为零。设 S 为反射边界，由(2.1-31)，上式第一项为零，由第二项，将 $\boldsymbol{y}, t'$ 换成 $\boldsymbol{x}_0$，t_0，得后向 Kolmogorov 反射边界条件

$$n_i b_{ij}(\boldsymbol{x}_0, t_0) \frac{\partial}{\partial x_{j0}} p(\boldsymbol{x}, t \mid \boldsymbol{x}_0, t_0) = 0, \quad \boldsymbol{x}_0 \in S \tag{2.1-56}$$

对一维扩散过程，在非奇点边界上 $b(x_0, t_0) \neq 0$，有

$$\frac{\partial}{\partial x_0} p(x, t \mid x_0, t_0) = 0, \quad x_0 \in S \tag{2.1-57}$$

注意，(2.1-56)等价于(2.1-31)。

2. 吸收边界　类似于(2.1-32)

$$p(\boldsymbol{x}, t \mid \boldsymbol{x}_0, t_0) = 0, \quad \boldsymbol{x}_0 \in S \tag{2.1-58}$$

3．周期边界　若 a_i 与 b_{ij} 为 x_{k0} 以 L 为周期的周期函数，则有

$$p(\boldsymbol{x},t\mid\boldsymbol{x}_0,t_0)\Big|_{x_{k0}}=p(\boldsymbol{x},t\mid\boldsymbol{x}_0,t_0)\Big|_{x_{k0}+L} \tag{2.1-59a}$$

$$\frac{\partial}{\partial x_{i0}}p(\boldsymbol{x},t\mid\boldsymbol{x}_0,t_0)\Big|_{x_{k0}}=\frac{\partial}{\partial x_{i0}}p(\boldsymbol{x},t\mid\boldsymbol{x}_0,t_0)\Big|_{x_{k0}+L} \tag{2.1-59b}$$

4．无穷远边界　无穷远处可以同是反射边界与吸收边界，类似于(2.1-57)的推导，当无穷远处为非奇异边界时，有

$$\lim_{x_{i0}\to\pm\infty}\frac{\partial}{\partial x_{j0}}p(\boldsymbol{x},t\mid\boldsymbol{x}_0,t_0)=0 \tag{2.1-60}$$

类似于(2.1-58)，有

$$\lim_{x_{i0}\to\pm\infty}p(\boldsymbol{x},t\mid\boldsymbol{x}_0,t_0)=0 \tag{2.1-61}$$

2.2　Wiener 过程

2.2.1　独立增量过程

一个随机过程 $X(t),t\in T=[0,\infty)$称为独立增量过程，若对 T 的任意子集$\{t_0<t_1<\cdots<t_n\}$，随机变量 $X(t_0),X(t_1)-X(t_0),\cdots,X(t_n)-X(t_{n-1})$独立，即对 R 上的任意 Borel 集合族 $B_0,B_1,\cdots,B_n$，

$$\begin{aligned}&P\{X(t_0)\in B_0,X(t_1)-X(t_0)\in B_1,\cdots,\\&\qquad X(t_n)-X(t_{n-1})\in B_n\}\\&=P\{X(t_0)\in B_0\}\prod_{i=1}^{n}P\{X(t_i)-X(t_{i-1})\in B_i\}\end{aligned} \tag{2.2-1}$$

上述定义表明，独立增量过程 $X(t)$的所有有限维分布由对每个 t 随机变量 $X(t)$的分布与对所有可能 $t_1,t_2,t_2>t_1$，增量 $X(t_2)-X(t_1)$的分布完全确定。

设 $X(t)$为独立增量过程，记 $\phi(\theta)=E[\exp(\mathrm{j}\theta X(t))]$，$\phi_{t_1,t_2}(\theta)=E[\exp(\mathrm{j}\theta(X(t_2)-X(t_1)))]$，利用增量的独立性，可

得如下 $X(t)$的有限维特征函数表达式：

$$\phi_{t_1,t_2,\cdots,t_n}(\theta_1,\theta_2,\cdots,\theta_n) = E[\exp(\mathrm{j}\,\theta_j X(t_j))]$$

$$= E[\exp(j(\theta_1+\theta_2+\cdots+\theta_n)X(t_1)+j(\theta_2+\cdots+\theta_n)$$

$$\times(X(t_2)-X(t_1))+\cdots+j\theta_n(X(t_n)-X(t_{n-1})))]$$

$$= \phi_{t_1}(\theta_1+\theta_2+\cdots+\theta_n)\phi_{t_1,t_2}(\theta_2+\cdots+\theta_n)\cdots\phi_{t_{n-1},t_n}(\theta_n) \tag{2.2-2}$$

任取两个时刻 $t_1<t_2$,显然,$X(t_2)=X(t_1)+(X(t_2)-X(t_1))$,即 $X(t_2)$是两个独立随机变量之和,由此得到下列特征函数关系式：

$$\phi_{t_2}(\theta) = \phi_{t_1,t_2}(\theta)\phi_{t_1}(\theta)$$

即

$$\phi_{t_1,t_2}(\theta) = \phi_{t_2}(\theta)/\phi_{t_1}(\theta) \tag{2.2-3}$$

这表明,独立增量过程的增量特征函数由一维特征函数确定。将此结论应用于(2.2-2),可得到如下结论:独立增量过程的所有有限维分布由一维分布确定。应注意,独立增量过程的一维分布不能任意给定,它所对应的一维特征函数必须能按(2.2-3)给出增量的特征函数。

设 $X(t),t\geqslant 0$ 为独立增量过程,$P(X(t_0)=0)=1$,对每个 t_n,$X(t_n)$可表为如下互相独立的随机变量之和：

$$X(t_n) = \sum_{i=1}^{n}[X(t_i)-X(t_{i-1})] \tag{2.2-4}$$

这表明,任何连续参数的独立增量过程为 Markov 过程。

设 $X(t)$为独立增量过程,f 为定义在同一参数集 T 上的函数,则 $X(t)-f(t)$也是独立增量过程。$X(t)$常更方便地代之以 $X(t)-f(t)$,取 $f(t)$使新过程具有简单的连续性。若 a 为 T 的最小元素,则常以 $Y(t)=X(t)-X(a)$代 $X(t)$,这样,$Y(t)$与 $X(t)$具有相同增量,并使 $P(X(a)=0)=1$。因此,可假设 $P(X(a)=0)=1$。

2.2.2 Wiener 过程

独立增量过程的最重要例子之一是 Wiener 过程，它可定义为具有下列性质的随机过程 $B(t)$，$t\in[0,\infty)$：

1. $P(B(0)=0)=1$；

2. 具有独立增量；

3. 对任意 t 与 $h>0$，增量 $B(t+h)-B(t)$ 具有 Gauss 分布，其均值与方差为

$$\begin{aligned}&E[B(t+h)-B(t)]=0\\&E[(B(t+h)-B(t))^2]=Dh\end{aligned}\tag{2.2-5}$$

当 $D=1$ 时，$B(t)$称为标准 Wiener 过程或单位强度维纳过程。

Wiener 过程具有下列基本性质：

1. 协方差函数　设 $t>s$，

$$\begin{aligned}C_B(s,t)&=E[B(s)B(t)]\\&=E[B(s)(B(t)-B(s)+B(s))]\\&=E[B^2(s)]+E[B(s)(B(t)-B(s))]\\&=E[B^2(s)]=Ds\end{aligned}$$

同理，若 $s>t$，则 $C_B(s,t)=Dt$，因此，

$$C_B(s,t)=D\min(s,t)\tag{2.2-6}$$

2. 正交增量　令 $t_1<t_2<t_3<t_4$，由(2.2-6)可得

$$\begin{aligned}&E[(B(t_2)-B(t_1))(B(t_4)-B(t_3))]\\&\quad=D(t_2-t_2-t_1+t_1)=0\end{aligned}\tag{2.2-7}$$

可知，Wiener 过程具有正交增量。

令

$$B(t)=\int_0^t \mathrm{d}B(\tau)\tag{2.2-8}$$

$$E[B(t_1)B(t_2)]=D\min(t_2,t_1)=\int_0^{\min(t_1,t_2)}\mathrm{d}\psi(\tau)\tag{2.2-9}$$

上式中用了如下具有正交增量过程的性质：

$$E[B(\tau_1)B(\tau_2)] = \begin{cases} 0, & \tau_1 \neq \tau_2 \\ d\psi(\tau), & \tau_1 = \tau_2 = \tau \end{cases} \tag{2.2-10}$$

(2.2-9)只有在

$$d\psi(\tau) = D d\tau \tag{2.2-11}$$

时才满足。

3. Gauss 时齐扩散过程　Wiener 过程具有独立增量，因此，它是 Markov 过程。由(2.2-5)代入(2.1-14)与(2.1-15)可知，它的一阶导数矩为零，二阶导数矩为 D，再由增量的高斯性可知，所有高阶导数矩为零。因此，Wiener 过程是时齐扩散过程，它的转移概率密度 $p(z,t|z_0,t_0)$满足 FPK 方程

$$\frac{\partial p}{\partial t} - \frac{D}{2}\frac{\partial^2 p}{\partial z^2} = 0 \tag{2.2-12}$$

在初始条件

$$p(z,t \mid z_0,t_0) = \delta(z - z_0), \quad t = t_0$$

与边界条件

$$p, \quad \partial p/\partial z \to 0, \quad z \to \pm\infty$$

下，用 Fourier 变换可得(2.2-12)之解

$$p(z,t \mid z_0,t_0) = \frac{1}{\sqrt{2\pi D(t - t_0)}}\exp\left[-\frac{(z - z_0)^2}{2D(t - t_0)}\right] \tag{2.2-13}$$

可知，$B(t)$的转移概率密度是 Gauss 的。

设 $\Delta \boldsymbol{B} = [B(t_1) - B(t_0) \quad B(t_2) - B(t_1) \cdots B(t_n) - B(t_{n-1})]^{\mathrm{T}}$为 n 维增量矢量，由于增量的独立性，$\Delta \boldsymbol{B}$ 的概率密度为

$$p_{\Delta \boldsymbol{B}}(z_1,z_2,\cdots,z_n) = \prod_{i=1}^{n}\frac{1}{\sqrt{2\pi D(t_i - t_{i-1})}}\exp\left[-\frac{z_i^2}{2D(t_i - t_{i-1})}\right] \tag{2.2-14}$$

随机矢量 $\boldsymbol{B} = [B(t_1)B(t_2)\cdots B(t_n)]^{\mathrm{T}}$ 是 Gauss 矢量 $\Delta \boldsymbol{B}$ 的非

退化线性变换，因此，Wiener 过程的有限维概率密度也是 Gauss 的

$$
\begin{aligned}
& p_B(z_1, z_2, \cdots, z_n) \\
= & \prod_{i=1}^{n} \frac{1}{\sqrt{2\pi D(t_i - t_{i-1})}} \exp\left[-\sum_{i=1}^{n} \frac{(z_i - z_{i-1})^2}{2D(t_i - t_{i-1})}\right]
\end{aligned}
\tag{2.2-15}
$$

容易计算证明

$$
\begin{aligned}
& E[(B(t+h) - B(t))^{2n}] \\
= & \frac{1}{\sqrt{2\pi Dh}} \int_{-\infty}^{+\infty} z^{2n} \exp\left(-\frac{z^2}{2Dh}\right) \mathrm{d}z \\
= & (2n-1)!!D^n h^n = 1 \cdot 3 \cdot \cdots \cdot (2n-1) D^n h^n
\end{aligned}
\tag{2.2-16}
$$

特别地，

$$
\begin{aligned}
E[(B(t+h) - B(t))^2] &= Dh \\
E[(B(t+h) - B(t))^4] &= 3D^2 h^2
\end{aligned}
\tag{2.2-17}
$$

4．连续性　由(2.2-6)，$C_B(t,t) = Dt$，它在所有 t 上连续，因此，Wiener 过程均方连续。由(2.2-17)第二式知，$B(t)$以 $p=4$，$c=3D^2$，$r=1$ 满足随机过程以概率 1 样本函数连续的 Kolmogorov 条件 $E[|X(t+h) - X(t)|^p] \leqslant c|h|^{1+r}$。因此，Wiener 过程样本函数以概率 1 连续。

5．不可微性　对协方差函数(2.2-6)求导

$$
\frac{\partial}{\partial s} C_B(s,t) = Du(t-s) = \begin{cases} D, & s < t \\ 0, & s > t \end{cases}
\tag{2.2-18}
$$

$$
\frac{\partial^2}{\partial t \partial s} C_B(s,t) = D\delta(t-s)
\tag{2.2-19}
$$

在 $s \to t$ 时，(2.2-19)→∞，因此，Wiener 过程非均方可微。由(2.2-5)知，$[B(t+h) - B(t)]/h$ 为 Gauss 随机变量，方差为 D/h，$h \to 0$ 时，方差→∞，因此随 $h \to 0$，上述随机变量系列不可能以概率 1 收敛于一个有限的随机变量，即 Wiener 过程以概率 1 不可微。

6．Lévy 振荡性　设 $B(t)$为定义于$[a,b]$的标准 Wiener 过程，将$[a,b]$分成 n 个子区间 $a = t_0 < t_1 < \cdots < t_n = b$，记 $\Delta t_i = t_i$

$-t_{i-1}$，$\Delta_n=\max\limits_i \Delta t_i$。可证，$B(t)$有如下 Lévy 均方振荡性：

$$\underset{\substack{n\to\infty\\ \Delta_n\to 0}}{\text{l.i.m.}}\sum_{i=1}^{n}[B(t_i)-B(t_{i-1})]^2=b-a \quad (2.2\text{-}20)$$

为证明(2.2-20)，令

$$X_i=B(t_i)-B(t_{i-1}) \quad (2.2\text{-}21)$$

$$Y_i=X_i^2-(t_i-t_{i-1})=X_i^2-\Delta t_i \quad (2.2\text{-}22)$$

$$S_n=\sum_{i=1}^{n}Y_i \quad (2.2\text{-}23)$$

由(2.2-5)、(2.2-21)～(2.2-23)，有

$$E[S_n]=\sum_{i=0}^{n}\Delta t_i-(b-a)=0 \quad (2.2\text{-}24)$$

由于 X_i 为独立 Gauss 随机变量，

$$E[Y_iY_j]=E[(X_i^2-\Delta t_i)(X_j^2-\Delta t_j)]=0,\ i\neq j \quad (2.2\text{-}25)$$

$$\begin{aligned}E[Y_i^2]&=E[X_i^4]-2\Delta t_iE[X_i^2]+\Delta t_i^2\\&=3\Delta t_i^2-2\Delta t_i^2+\Delta t_i^2=2\Delta t_i^2\end{aligned} \quad (2.2\text{-}26)$$

从而

$$\begin{aligned}E[S_n^2]&=E\left[\left(\sum_{i=1}^{n}Y_i\right)^2\right]\\&=2\sum_{i=1}^{n}\Delta t_i^2\leqslant 2\Delta_n\sum_{i=1}^{n}\Delta t_i=2\Delta_n(b-a)\end{aligned} \quad (2.2\text{-}27)$$

随 $n\to\infty$ 与 $\Delta_n\to 0$，$E[S_n^2]\to 0$，这就证明了(2.2-20)。

还可以证明 Lévy 振荡性以概率 1 成立，即以概率 1 有[4]

$$\lim_{\substack{n\to\infty\\ \Delta_n\to 0}}\sum_{i=1}^{n}[B(t_i)-B(t_{i-1})]^2=b-a \quad (2.2\text{-}28)$$

这表明

$$\mathrm{d}B(t_1)\mathrm{d}B(t_2)=\begin{cases}0, & t_1\neq t_2\\ \mathrm{d}t, & t_1=t_2=t\end{cases} \quad (2.2\text{-}29)$$

这是比(2.2-10)强得多的陈述。

对每一 n，

$$\sum_{i=1}^{n}[B(t_i)-B(t_{i-1})]^2$$

$$\leqslant[\max_{1\leqslant j\leqslant n}|B(t_j)-B(t_{j-1})|]\sum_{i=1}^{n}|B(t_i)-B(t_{i-1})|$$

(2.2-30)

上式左边趋于 $b-a$，而右边，由于 $B(t)$以概率 1 连续，$\max_{1\leqslant j\leqslant n}|B(t_j)-B(t_{j-1})|$以概率 1 趋于零，从而，随 $n\to\infty$与 $\Delta_n\to 0$，以概率 1 有

$$\sum_{i=1}^{n}|B(t_i)-B(t_{i-1})|\to\infty \tag{2.2-31}$$

这意味着，$B(t)$在任一有限时间区间 $b-a$ 内有无界变化，因此，Wiener 过程只是一个理想化的数学模型。

7．渐近性　考虑 t 很大和很小时 $B(t)$的性态。设 $X_1, X_2, \cdots, X_n$ 为独立并具有同一分布的随机变量，$E[X_i]=\mu$，$\mathrm{Var}[X_i]=\sigma^2$，令

$$Z_n=X_1+X_2+\cdots+X_n \tag{2.2-32}$$

可证[5]，以概率 1 有

$$\limsup_{n\to\infty}\frac{Z_n-n\mu}{\sqrt{2n\ln(\ln n)}}=\sigma \tag{2.2-33}$$

式中 lim sup 表示上极限。以 $-X_i$ 代替 X_i，则有

$$\liminf_{n\to\infty}\frac{Z_n-n\mu}{\sqrt{2n\ln(\ln n)}}=-\sigma \tag{2.2-34}$$

式中 lim inf 表示下极限。

应用(2.2-33)与(2.2-34)于

$$X_i=B(t_i)-B(t_{i-1}) \tag{2.2-35}$$

式中 $B(t)$为标准 Wiener 过程，此时，

$$Z_n=B(t_n)-B(0)=B(t_n) \tag{2.2-36}$$

$$\limsup_{n\to\infty}\frac{B(t_n)}{\sqrt{2n\ln(\ln n)}}=1 \tag{2.2-37}$$

$$\liminf_{n\to\infty}\frac{B(t_n)}{\sqrt{2n\ln(\ln n)}}=-1 \tag{2.2-38}$$

或者

$$\limsup_{t\to\infty}\frac{B(t)}{\sqrt{2t\ln(\ln t)}}=1 \tag{2.2-39}$$

$$\liminf_{t\to\infty}\frac{B(t)}{\sqrt{2t\ln(\ln t)}}=-1 \tag{2.2-40}$$

上两式表明，$B(t)$按$\sqrt{2t\ln(\ln t)}$增长，它比 t 慢得多。

再应用(2.2-33)与(2.2-34)于

$$X_i = iB\left(\frac{1}{i}\right)-(i-1)B\left(\frac{1}{i-1}\right) \tag{2.2-41}$$

可证，$E[X_i]=0$，$E[X_i^2]=1$，$E[X_iX_j]=0$，$i\neq j$。此时，

$$Z_n = nB\left(\frac{1}{n}\right) \tag{2.2-42}$$

与

$$\limsup_{n\to\infty}\frac{nB(1/n)}{\sqrt{2n\ln(\ln n)}}=1 \tag{2.2-43}$$

(2.2-43)可改写成

$$\limsup_{n\to\infty}\frac{B(1/n)}{\sqrt{2(1/n)\ln|\ln(1/n)|}}=1 \tag{2.2-44}$$

或者

$$\limsup_{t\to 0^+}\frac{B(t)}{\sqrt{2t\ln|\ln t|}}=1 \tag{2.2-45}$$

$$\liminf_{t\to 0^+}\frac{B(t)}{\sqrt{2t\ln|\ln t|}}=-1 \tag{2.2-46}$$

由 m 个相互独立的标准 Wiener 过程构成的矢量，称为 m 维标准矢量 Wiener 过程，记以 $\boldsymbol{B}(t)=[B_1(t)B_2(t)\cdots B_m(t)]^{\mathrm{T}}$，它的平均矢量为零，协方差矩阵 $\boldsymbol{C}_B(t,s)=\boldsymbol{I}\min(t,s)$。

Wiener 过程乃在 20 世纪初由 Einstein 开始的对 Brown 运动的研究中提出，因此，又称 Brown 运动过程。Wiener 与 Lévy 首先对该过程作出严格的数学论述，因此，称为 Wiener 过程，有时也称

为 Wiener-Lévy 过程。它是最基本的扩散过程,在下面介绍的随机微分方程中将用它构成一般扩散过程。

2.3 广义随机过程与 Gauss 白噪声

在随机振动理论中,常常将宽带或记忆时间很短的激励模型化为白噪声,将具有有理谱特性的激励用过滤白噪声来近似,使随机振动分析大为简化,因此,白噪声模型十分流行。通常白噪声定义为具有常数谱密度或 Dirac δ 协方差函数的零均值平稳随机过程,由于它的方差为无穷,白噪声在均方意义上不存在。在随机过程理论中,常将 Gauss 白噪声定义为 Wiener 过程的形式导数,这也只是形式上的,缺乏严格性。事实上,白噪声只有在广义随机过程空间中才能严格地定义[6,7]。

广义随机过程可看成是广义函数如 δ 函数的推广。设 $X(t)$, $t\in T$ 是一个随机过程,$\{\varphi(t)\}$是定义在 T 上的无限次可微并在闭区间外恒等于零的函数族,称为试验函数族,$D(T)$为$\{\varphi(t)\}$的空间,定义在该函数空间中线性连续地依赖于 $\varphi(t)$的积分

$$\psi_X(\varphi)=\int_T\varphi(t)X(t)\mathrm{d}t \tag{2.3-1}$$

称为广义随机过程,它完全规定了 $X(t)$,$X(t)$的性质可由其对应的广义函数 $\psi_X(\varphi)$的特性确定。采用广义随机过程定义的一个优点是,即使原来随机过程本身不可微,它也是无限次可导的。广义随机过程的求导法则是

$$\dot{\psi}_X(\varphi)=-\psi_X(\dot{\varphi})=-\int_T\dot{\varphi}(t)X(t)\mathrm{d}t \tag{2.3-2}$$

当 $X(t)$可微时,

$$\dot{\psi}_X(\varphi)=-\psi_{\dot{X}}(\varphi) \tag{2.3-3}$$

广义随机过程 $\psi_X(\varphi)$的均值与相关泛函为

$$m_X(\varphi)=E[\psi_X(\varphi)]=\int_T\varphi(t)E[X(t)]\mathrm{d}t \tag{2.3-4}$$

$$R_X(\varphi_1,\varphi_2)=E[\psi_X(\varphi_1)\psi_X(\varphi_2)]$$

$$=\int_T\int_T \varphi_1(t)\varphi_2(s)E[X(t)X(s)]\mathrm{d}t\mathrm{d}s \tag{2.3-5}$$

类似地,还可以定义 $\psi_X(\varphi)$的高阶矩。一个广义随机过程称为广义(弱)平稳的,若

$$m_X(\Lambda_\tau\varphi)=m_X(\varphi) \tag{2.3-6}$$

$$R_X(\Lambda_\tau\varphi_1,\Lambda_\tau\varphi_2)=R_X(\varphi_1,\varphi_2) \tag{2.3-7}$$

式中 Λ_τ 称为移位算子,即

$$\Lambda_\tau\varphi=\varphi(t+\tau) \tag{2.3-8}$$

广义随机过程 $\psi_X(\varphi)$的导数过程 $\dot{\psi}_X(\varphi)$的均值与相关函数为

$$m_{\dot{X}}(\varphi)=E[\dot{\psi}_X(\varphi)]=-E[\psi_X(\dot{\varphi})]=-m_X(\dot{\varphi}) \tag{2.3-9}$$

$$\begin{aligned}R_{\dot{X}}(\varphi_1,\varphi_2)&=E[\dot{\psi}_X(\varphi_1)\dot{\psi}_X(\varphi_2)]\\&=E[\psi_X(\dot{\varphi}_1)\psi_X(\dot{\varphi}_2)]=R_X(\dot{\varphi}_1,\dot{\varphi}_2)\end{aligned} \tag{2.3-10}$$

平稳广义随机过程的一个典型例子是 Gauss 白噪声。设 $B(t),t\in[0,\infty)$为标准 Wiener 过程,$B(t)\equiv 0,t<0$,

$$\psi_B(\varphi)=\int_0^\infty \varphi(t)B(t)\mathrm{d}t \tag{2.3-11}$$

称为广义 Wiener 过程。对任意 n 与线性独立的试验函数族 $\varphi_1,\varphi_2,\cdots,\varphi_n$,$\{\psi_B(\varphi_1),\psi_B(\varphi_2),\cdots,\psi_B(\varphi_n)\}$为联合 Gauss 分布。因此,$\psi_B(\varphi)$是一个 Gauss 过程,它的均值与相关函数为

$$m_B=0 \tag{2.3-12}$$

$$R_B(\varphi_1,\varphi_2)=\int_0^\infty\int_0^\infty \mathrm{d}t\mathrm{d}s\varphi_1(t)\varphi_2(s)\min(t,s) \tag{2.3-13}$$

广义 Wiener 过程的导数的均值与相关函数为

$$\begin{aligned}m_{\dot{B}}&=0\\R_{\dot{B}}(\varphi_1,\varphi_2)&=\int_0^\infty\int_0^\infty \mathrm{d}t\mathrm{d}s\dot{\varphi}_1(t)\dot{\varphi}_2(s)\min(t,s)\\&=\int_0^\infty \mathrm{d}t\dot{\varphi}_1(t)\int_0^t \mathrm{d}s\dot{\varphi}_2(s)s+\int_0^\infty \mathrm{d}t\dot{\varphi}_1(t)t\int_t^\infty \mathrm{d}s\dot{\varphi}_2(s)\end{aligned} \tag{2.3-14}$$

进行分部积分,注意 φ_1,φ_2 在无穷远处为零,得

$$R_{\dot{B}}(\varphi_1,\varphi_2)=\int_0^\infty \varphi_1(t)\varphi_2(t)\mathrm{d}t$$

$$=\int_0^\infty\int_0^\infty \mathrm{d}t\mathrm{d}s\delta(t-s)\varphi_1(t)\varphi_2(s) \quad (2.3\text{-}15)$$

因为 Gauss 白噪声的均值为零,相关函数为 δ 函数,所以广义 Gauss 白噪声与广义 Wiener 过程的导数一致,且无其他普通随机过程与 $\dot{\psi}_B(\varphi)$可用(2.3-14)与(2.3-15)相联系。因此,在广义随机过程意义上,$\mathrm{d}B/\mathrm{d}t$ 称为 Gauss 白噪声。由(2.3-14)与(2.3-15)可知,$\mathrm{d}B/\mathrm{d}t$ 具有零均值与 δ 相关函数。

2.4 Itô 随机微分方程

2.4.1 Itô 随机积分

考虑受 Guass 白噪声扰动的一维动态系统,其运动微分方程形为

$$\mathrm{d}X(t)=m(X,t)\mathrm{d}t+\sigma(X,t)W(t)\mathrm{d}t$$

$$X(t_0)=X_0 \quad (2.4\text{-}1)$$

式中 $m(X,t)=m[X(t),t]$,$\sigma(X,t)=\sigma[X(t),t]$,$W(t)$为单位强度 Guass 白噪声。(2.4-1)等价于下列积分方程:

$$X(t)=X_0+\int_{t_0}^t m[X(s),s]\mathrm{d}s$$

$$+\int_{t_0}^t \sigma[X(s),s]W(s)\mathrm{d}s \quad (2.4\text{-}2)$$

上式右边第一个积分可解释为均方或样本 Riemann 积分,而第二个积分,利用在广义随机过程意义上 Guass 白噪声为 Wiener 过程的导数的性质,可改写成

$$\int_{t_0}^t \sigma[X(s),s]\mathrm{d}B(s) \quad (2.4\text{-}3)$$

式中 $B(s)$为标准 Wiener 过程。积分(2.4-3)是否存在取决于 $\sigma(X,s)$的性质。

首先考虑下列定积分：

$$I(G)=\int_a^b G(t)\mathrm{d}B(t) \tag{2.4-4}$$

式中 a,b 为常数。若 $G(t)=G_0$ 为常数，则

$$I(G_0)=G_0\int_a^b \mathrm{d}B(t)=G_0[B(b)-B(a)] \tag{2.4-5}$$

若 $G(t)$是一个连续可微的确定性函数，则可对(2.4-4)应用分部积分公式，

$$\begin{aligned}I(G)&=\int_a^b G(t)\mathrm{d}B(t)\\&=G(b)B(b)-G(a)B(a)-\int_a^b B(t)G'(t)\mathrm{d}t\end{aligned} \tag{2.4-6}$$

(2.4-6)也适用于样本函数关于 t 绝对连续的随机过程 $G(t)$，此时，它的样本函数关于 t 几乎处处可微。若 $G(t)$为与 $B(t)$独立的随机过程，则(2.4-4)可解释为普通均方 Riemann-Stieltjes 积分。若 $G(t)$与 $B(t)$不独立，则需特殊解释。

将(2.4-4)定义为和式

$$S_n=\sum_{i=1}^{n} G(t_i')[B(t_i)-B(t_{i-1})] \tag{2.4-7}$$

在 $n\to\infty$与 $\Delta n=\max\limits_{1\leqslant i\leqslant n}(t_i-t_{i-1})\to 0$ 时的均方极限，式中 $t_0=a$，$t_n=b$。令 $G(t)=B(t)$，按均方 Riemann-Stieltjes 积分性质[6]，应有

$$I(B)=\int_a^b B(t)\mathrm{d}B(t)=(1/2)[B^2(b)-B^2(a)] \tag{2.4-8}$$

(2.4-8)只在(2.4-7)趋于惟一极限时才成立。然而，实际上，(2.4-7)的极限值取决于 t_i' 在$[t_{i-1},t_i]$上的选取。例如，取 $t_i'=t_{i-1}$，

$$S_n=\sum_{i=1}^{n} B(t_{i-1})[B(t_i)-B(t_{i-1})]$$

$$=(1/2)\sum_{i=1}^{n}\{[B(t_i)+B(t_{i-1})]$$

$$-[B(t_i)-B(t_{i-1})]\}[B(t_i)-B(t_{i-1})]$$

$$=(1/2)\left\{\sum_{i=1}^{n}[B^2(t_i)-B^2(t_{i-1})]-\sum_{i=1}^{n}[B(t_i)-B(t_{i-1})]^2\right\}$$

$$=(1/2)\left\{[B^2(b)-B^2(a)]-\sum_{i=1}^{n}[B(t_i)-B(t_{i-1})]^2\right\}$$

利用(2.2-28),得

$$I(B)=(1/2)\{[B^2(b)-B^2(a)]-(b-a)\} \tag{2.4-9}$$

类似地,若取 $t_i'=t_i$,则

$$I(B)=(1/2)\{[B^2(b)-B^2(a)]+(b-a)\} \tag{2.4-10}$$

若取 $t_i'=(1-\lambda)t_{i-1}+\lambda t_i$,$0\leqslant\lambda\leqslant1$,则

$$I(B)=(1/2)\{[B^2(b)-B^2(a)]+(\lambda-1/2)(b-a)\} \tag{2.4-11}$$

特别的,令 $\lambda=1/2$,则

$$I(B)=(1/2)[B^2(b)-B^2(a)] \tag{2.4-12}$$

(2.4-12)与普通均方 Riemann-Stieltjes 积分(2.4-8)相同。$I(B)$之值依赖于 t_i' 的选取,是因为 Wiener 过程不可微,几乎所有它的样本函数在有限时间区间内有无界的变化。积分 $I(B)$之值的不惟一,说明 $I(B)$不是普通的均方 Riemann-Stieltjes 积分。一般,当 $G(t)$为与 $B(t)$不独立的随机过程时,积分(2.4-4)也取决于 t_i' 的选取。从而,通过 t_i' 的不同选取,可有无穷多个方式定义随机积分(2.4-4)。然而,实际上,只有两种定义具有重要的理论与实际意义,即取 $t_i'=t_{i-1}$,或 $t_i'=(t_{i-1}+t_i)/2$,相应的随机积分分别称为 Itô 随机积分与 Stratonovich 随机积分.

Itô 随机积分构造的本质特点是被积函数 $G(t)$应是非可料随机过程,即对所有 s、t,$t<s$,$G(t)$统计独立于 Wiener 过程的增量 $B(s)-B(t)$。换言之,$G(t)$最多只能依赖于 $B(\tau)$的过去与现在,即 $\tau\leqslant t$,而不能依赖于 $B(\tau)$的将来,即 $\tau>t$。对非可料随

机过程 $G(t)$,Itô 随机积分定义为如下均方积分：

$$I(G)=\int_a^b G(t)\mathrm{d}B(t)$$

$$=\underset{\substack{n\to\infty\\ \Delta n\to 0}}{\mathrm{l.i.m.}}\sum_{i=1}^{n} G(t_{i-1})[B(t_i)-B(t_{i-1})]=\underset{\substack{n\to\infty\\ \Delta n\to 0}}{\mathrm{l.i.m.}}S_n \tag{2.4-13}$$

Itô 随机积分具有下列性质。

1. Itô 随机积分均值为零,即

$$E[I(G)]=E\left[\int_a^b G(t)\mathrm{d}B(t)\right]=0 \tag{2.4-14}$$

因为

$$E[S_n]=E\left[\sum_{i=1}^{n} G(t_{i-1})[B(t_i)-B(t_{i-1})]\right]$$

$$=\sum_{i=1}^{n} E[G(t_{i-1})]E[B(t_i)-B(t_{i-1})]$$

且对$[a,b]$的任一组分点,$E[B(t_i)-B(t_{i-1})]=0$。上述第二个等式成立是因为 $G(t)$是非可料函数,$G(t_{i-1})$与 $B(t_i)-B(t_{i-1})$独立。

2. Itô 随机积分的方差

$$E[I^2(G)]=E\left[\left(\int_a^b G(t)\mathrm{d}B(t)\right)^2\right]$$

$$=\int_a^b E[G^2(t)]\mathrm{d}t \tag{2.4-15}$$

令

$$\Delta B_i=B(t_i)-B(t_{i-1})$$

$$E[S_n^2]=E\left[\sum_{i=1}^{n} G^2(t_{i-1})(\Delta B_i)^2\right]$$

$$+E\left[\sum_{i=1}^{n}\sum_{j<i} G(t_{i-1})G(t_{j-1})\Delta B_i\Delta B_j\right]$$

$$+E\left[\sum_{i=1}^{n}\sum_{j>i} G(t_{i-1})G(t_{j-1})\Delta B_i\Delta B_j\right]$$

$$= \sum_{i=1}^{n} E[G^2(t_{i-1})](t_i - t_{i-1})$$

$$+ \sum_{i=1}^{n} \sum_{j<i} E[G(t_{i-1})G(t_{j-1})\Delta B_j]E[\Delta B_i]$$

$$+ \sum_{i=1}^{n} \sum_{j>i} E[G(t_{i-1})G(t_{j-1})\Delta B_i]E[\Delta B_j]$$

注意到 $E[\Delta B_i]=0$，$E[\Delta B_j]=0$，取 $E[S_n^2]$在 $n\to\infty$与 $\Delta n\to 0$ 时之极限，即得(2.4-15)

3. Itô 随机积分是一线性运算，设 $G(t)$与 $H(t)$为两个不同的非可料随机过程，α与 β为随机变量，则有

$$\int_a^b [\alpha G(t) + \beta H(t)]\mathrm{d}B(t)$$

$$= \alpha\int_a^b G(t)\mathrm{d}B(t) + \beta\int_a^b H(t)\mathrm{d}B(t) \quad (2.4\text{-}16)$$

4. Itô 随机积分是可加的，即

$$\int_a^b G(t)\mathrm{d}B(t) = \int_a^c G(t)\mathrm{d}B(t) + \int_c^b G(t)\mathrm{d}B(t),$$

$$a \leqslant c \leqslant b \quad (2.4\text{-}17)$$

5. 设 $G(t)$与 $H(t)$为两个不同的非可料随机过程，则有

$$E\left[\int_a^b G(t)\mathrm{d}B(t)\int_a^b H(t)\mathrm{d}B(t)\right]$$

$$= \int_a^b E[G(t)H(t)]\mathrm{d}t \quad (2.4\text{-}18)$$

6. 对非可料随机过程，有

$$\int_a^b G(t)[\mathrm{d}B(t)]^{2+N} = \begin{cases} \int_a^b G(t)\mathrm{d}t, & N = 0 \\ 0, & N \text{ 为正整数} \end{cases}$$

(2.4-19)

类似地，

$$\int_a^b G(t)\mathrm{d}t\mathrm{d}B(t) = 0 \quad (2.4\text{-}20)$$

这是由于 $G(t)$为非可料随机过程，同时，由(2.2-29)，$(\mathrm{d}B(t))^2=\mathrm{d}t$，$\mathrm{d}B(t)\propto(\mathrm{d}t)^{1/2}$。

其次考虑作为积分上限函数的 Itô 随机积分

$$I(t)=\int_{t_0}^{t}G(s)\mathrm{d}B(s),\quad t\geqslant t_0 \tag{2.4-21}$$

常称它为 $G(t)$的 Itô 不定积分，对每个 t，$I(t)$只以概率 1 定义。$I(t)$具有与 Itô 定积分(它是一个随机变量)类似的性质，例如

$$E[I(t)]=0 \tag{2.4-22}$$

$$E[I^2(t)]=\int_{t'}^{t}E[G^2(s)]\mathrm{d}s \tag{2.4-23}$$

对 $a\leqslant t'\leqslant t\leqslant b$，用(2.4-15)、(2.4-17)及(2.4-21)可证，

$$E[|I(t)-I(t')|^2]=\int_{t'}^{t}E[G^2(s)]\mathrm{d}s \tag{2.4-24}$$

这说明 $I(t)$是均方连续的随机过程。还可证明，$I(t)$几乎肯定有连续的样本函数。类似于(2.4-15)与(2.4-24)，可证

$$E\left[\int_{t_0}^{t}G(s)\mathrm{d}B(s)\int_{t_0}^{t'}G(s)\mathrm{d}B(s)\right]$$
$$=\int_{t_0}^{\min(t,t')}E[G^2(s)]\mathrm{d}s \tag{2.4-25}$$

上述标量 Itô 随机积分可推广于矢量 Itô 随机积分。设 $\boldsymbol{B}(t)$为 m 维矢量 Wiener 过程，$\boldsymbol{G}(t)=[G_{ij}(t)]$为 $n\times m$ 非可料随机矩阵，n 维矢量 Itô 随机积分定义为

$$\int_{a}^{b}\boldsymbol{G}(t)\mathrm{d}\boldsymbol{B}(t)=\left[\int_{a}^{b}G_{ij}(t)\mathrm{d}B_j(t)\right]_{i=1,2,\cdots,n} \tag{2.4-26}$$

上式右边的每个积分为标量 Itô 随机积分。矢量 Itô 积分具有类似于标量 Itô 积分的性质，例如，

$$E\left[\left|\int_{a}^{b}\boldsymbol{G}(t)\mathrm{d}\boldsymbol{B}(t)\right|^2\right]=\int_{a}^{b}E[|\boldsymbol{G}(t)|^2]\mathrm{d}t \tag{2.4-27}$$

式中

$$|\boldsymbol{G}|^2=\sum_{i,j=1}^{n}G_{ij}^2 \tag{2.4-28}$$

2.4.2 Itô 随机微分与 Itô 微分公式

Itô 随机微分与 Itô 随机积分密切相关。设 $X(t), t\in[a,b]$ 为一随机过程,若存在已知函数 $m(t)$与 $\sigma(t)$,使得对任意 s、$t(a\leqslant s\leqslant t\leqslant b)$,有

$$X(t)-X(s)=\int_s^t m(u)\mathrm{d}u+\int_s^t \sigma(u)\mathrm{d}B(u) \quad (2.4\text{-}29)$$

则说 $X(t)$有随机微分

$$\mathrm{d}X(t)=m(t)\mathrm{d}t+\sigma(t)\mathrm{d}B(t) \quad (2.4\text{-}30)$$

按上述定义,Itô 随机微分是一种线性运算,但其乘积与复合函数的微分公式同古典微积分不一样。例如,按(2.4-9),

$$\int_0^t B(s)\mathrm{d}B(s)=(B^2(t)-t)/2$$

对上式求微分,得

$$\mathrm{d}(B^2(t))=\mathrm{d}t+2B(t)\mathrm{d}B(t)$$

而按古典微积分,

$$\mathrm{d}(B^2(t))=2B(t)\mathrm{d}B(t)$$

设 $X(t)$具有 Itô 随机微分(2.4-30),$f(X,t)$及其偏导数$\partial f/\partial t, \partial f/\partial X, \partial^2 f/\partial X^2$ 对 t 与 x 连续,则随机过程 $f(X,t)$(关于同一 Wiener 过程)具有 Itô 随机微分

$$\mathrm{d}f(X,t)=\left[\frac{\partial f}{\partial t}(X,t)+m(t)\frac{\partial f}{\partial X}(X,t)+\frac{1}{2}\sigma^2(t)\frac{\partial^2 f}{\partial X^2}(X,t)\right]\mathrm{d}t$$
$$+\frac{\partial f}{\partial X}(X,t)\sigma(t)\mathrm{d}B(t) \quad (2.4\text{-}31)$$

此称标量 Itô 微分公式。注意,(2.4-31)与普通复合函数微分公式差一项$(1/2)\sigma^2(\partial^2 f/\partial X^2)\mathrm{d}t$,这一项常可导致随机微分方程的变换的错误。

Itô 微分公式可大致证明如下。$f(X(t),t)$在区间 $\Delta=[s,t]$ 上的增量

$$f(X(t),t)-f(X(s),s)$$

$$= \sum_{i=0}^{n-1}[f(X(t_{i+1}),t_{i+1})-f(X(t_i),t_i)]$$

式中 $s=t_0<t_1<\cdots<t_n=t$ 为 Δ 的一组分点，随 $n\to\infty$，$\Delta_n=\max_{0\leqslant i\leqslant n-1}(t_{i+1}-t_i)\to 0$。记 $\Delta t_i=t_{i+1}-t_i$，$\Delta X(t_i)=X(t_{i+1})-X(t_i)$，应用 Taylor 展式，有

$$\begin{aligned}
&f(X(t_{i+1}),t_{i+1})-f(X(t_i),t_i)\\
&=\frac{\partial f}{\partial t}(X(t_i),t_i)\Delta t_i+\frac{\partial f}{\partial X}(X(t_i),t_i)\Delta X(t_i)\\
&\quad+\frac{1}{2}\frac{\partial^2 f}{\partial X^2}(X(t_i),t_i)[\Delta X(t_i)]^2+R_i
\end{aligned}$$

式中 R_i 为余项。容易证明

$$\sum_{i=0}^{n-1}\frac{\partial f}{\partial t}(X(t_i),t_i)\Delta t_i,$$

$$\sum_{i=0}^{n-1}\frac{\partial f}{\partial X}(X(t_i),t_i)\Delta X(t_i)$$

分别收敛于积分

$$\int_s^t\frac{\partial f}{\partial t}(X(\tau),\tau)\mathrm{d}\tau$$

与

$$\begin{aligned}
&\int_s^t\frac{\partial f}{\partial X}(X(\tau),\tau)\mathrm{d}X(\tau)\\
&=\int_s^t m(\tau)\frac{\partial f}{\partial X}(X(\tau),\tau)\mathrm{d}\tau+\int_s^t\sigma(\tau)\frac{\partial f}{\partial X}(X(\tau),\tau)\mathrm{d}B(\tau)
\end{aligned}$$

还可证，$\sum_{i=0}^{n-1}R_i$ 依概率趋于零，而

$$I_n=\frac{1}{2}\sum_{i=0}^{n-1}\frac{\partial^2 f}{\partial X^2}(X(t_i),t_i)[\Delta X(t_i)]^2$$

与

$$\widetilde{I}_n=\frac{1}{2}\sum_{i=0}^{n-1}\sigma^2(t_i)\frac{\partial^2 f}{\partial X^2}(X(t_i),t_i)[\Delta B(t_i)]^2$$

具有相同的渐近性态，因为

$$[\Delta X(t_i)]^2\approx m^2(t)[\Delta t_i]^2+2m(t_i)\sigma(t_i)\Delta t_i\Delta B(t_i)$$

$$+\sigma^2(t_i)[\Delta B(t_i)]^2$$

而前两项与 Δt 相比为高阶无穷小,又因$[\Delta B(t_i)]^2=\Delta t_i$。$\widetilde{I}_n$ 趋于极限

$$\frac{1}{2}\int_s^t \sigma^2(\tau)\frac{\partial^2 f}{\partial X^2}(X(\tau),\tau)\mathrm{d}\tau$$

最后,有

$$\begin{aligned}&f(X(t),t)-f(X(s),s)\\&=\int_s^t\left[\frac{\partial f}{\partial \tau}(X(\tau),\tau)+m(\tau)\frac{\partial f}{\partial X}(X(\tau),\tau)\right.\\&\quad\left.+\frac{1}{2}\sigma^2(\tau)\frac{\partial^2 f}{\partial X^2}(X(\tau),\tau)\right]\mathrm{d}\tau+\int_s^t\sigma(\tau)\frac{\partial f}{\partial X}(X(\tau),\tau)\mathrm{d}B(\tau)\end{aligned}$$

这等价于 Itô 微分公式(2.4-31)。

上述标量 Itô 随机微分与 Itô 微分公式可分别推广于矢量 Itô 随机微分与 Itô 微分公式。设 $\boldsymbol{X}(t)$为 n 维矢量随机过程,$t\in[a,b]$,对任意 $s,t(a\leqslant s\leqslant t\leqslant b)$,

$$\boldsymbol{X}(t)-\boldsymbol{X}(s)=\int_s^t\boldsymbol{m}(t)\mathrm{d}t+\int_s^t\sigma(t)\mathrm{d}\boldsymbol{B}(t)\quad(2.4\text{-}32)$$

式中 $\boldsymbol{m}(t)$为 n 维矢量,$\sigma(t)$为 $n\times m$ 矩阵,$\boldsymbol{B}(t)$为 m 维矢量 Wiener 过程,则说 $\boldsymbol{X}(t)$有矢量 Itô 随机微分

$$\mathrm{d}\boldsymbol{X}(t)=\boldsymbol{m}(t)\mathrm{d}t+\sigma(t)\mathrm{d}\boldsymbol{B}(t)\qquad(2.4\text{-}33)$$

进一步设 $f(\boldsymbol{X},t)$及其偏导数$\partial f/\partial t$、$\partial f/\partial X_i$、$\partial^2 f/\partial X_i\partial X_j$ 关于 t 与 X_i 连续,则过程 $Y(t)=f(\boldsymbol{X},t)$有 Itô 随机微分

$$\begin{aligned}\mathrm{d}Y(t)=&\left[\frac{\partial f}{\partial t}(\boldsymbol{X},t)+m_i(t)\frac{\partial f}{\partial X_i}(\boldsymbol{X},t)\right.\\&\left.+\frac{1}{2}\sigma_{il}(t)\sigma_{jl}(t)\frac{\partial^2 f}{\partial X_i\partial X_j}(\boldsymbol{X},t)\right]\mathrm{d}t\\&+\sigma_{il}(t)\frac{\partial f}{\partial X_i}(\boldsymbol{X},t)\mathrm{d}B_l(t)\end{aligned}\qquad(2.4\text{-}34)$$

此为矢量 Itô 随机微分公式。

作为标量 Itô 微分公式之例,设 $X(t)=B(t)$,即 $m(t)=0$,$\sigma(t)=1$。(2.4-31)给出 Wiener 过程的光滑函数 $f(B(t))$的 Itô

随机微分

$$\mathrm{d}f(B(t)) = \frac{1}{2}\frac{\partial^2 f}{\partial B^2}(B(t))\mathrm{d}t + \frac{\partial f}{\partial B}(B(t))\mathrm{d}B(t) \tag{a}$$

其等价的积分形式为

$$f(B(t)) = f(0) + \frac{1}{2}\int_0^t \frac{\partial^2 f}{\partial B^2}(B(s))\mathrm{d}s + \int_0^t \frac{\partial f}{\partial B}(B(s))\mathrm{d}B(s) \tag{b}$$

例如,

$$\mathrm{d}(B^n(t)) = nB^{n-1}(t)\mathrm{d}B(t) + [n(n-1)/2]B^{n-2}(t)\mathrm{d}t \tag{c}$$

$$\mathrm{d}(\mathrm{e}^{B(t)}) = \mathrm{e}^{B(t)}\mathrm{d}B(t) + (1/2)\mathrm{e}^{B(t)}\mathrm{d}t \tag{d}$$

作为矢量 Itô 微分公式之例,设

$$\mathrm{d}X_i(t) = m_i(t)\mathrm{d}t + \sigma_i(t)\mathrm{d}B_i(t), \quad i = 1,2 \tag{e}$$

变换 $Y(t) = X_1(t)X_2(t)$的 Itô 随机微分取决于 $B_1(t)$与 $B_2(t)$是否独立。若他们独立,则(e)可写成

$$\mathrm{d}\begin{bmatrix} X_1(t) \\ X_2(t) \end{bmatrix} = \begin{bmatrix} m_1(t) \\ m_2(t) \end{bmatrix}\mathrm{d}t + \begin{bmatrix} \sigma_1(t) & 0 \\ 0 & \sigma_2(t) \end{bmatrix}\mathrm{d}\begin{bmatrix} B_1(t) \\ B_2(t) \end{bmatrix} \tag{f}$$

而变换后 Itô 微分为

$$\mathrm{d}Y(t) = [m_1(t)X_2(t) + m_2(t)X_1(t)]\mathrm{d}t + \sigma_1(t)X_2(t)\mathrm{d}B_1(t) + \sigma_2(t)X_1(t)\mathrm{d}B_2(t) \tag{g}$$

若 $B_1(t) = B_2(t) = B(t)$,则(e)式可写成

$$\mathrm{d}\begin{bmatrix} X_1(t) \\ X_2(t) \end{bmatrix} = \begin{bmatrix} m_1(t) \\ m_2(t) \end{bmatrix}\mathrm{d}t + \begin{bmatrix} \sigma_1(t) \\ \sigma_2(t) \end{bmatrix}\mathrm{d}B(t) \tag{h}$$

而变换后 Itô 微分为

$$\mathrm{d}Y(t) = [m_1(t)X_2(t) + m_2(t)X_1(t) + \sigma_1(t)\sigma_2(t)]\mathrm{d}t + [\sigma_1(t)X_2(t) + \sigma_2(t)X_1(t)]\mathrm{d}B(t) \tag{i}$$

注意,(i)比(g)多一项 $\sigma_1(t)\sigma_2(t)\mathrm{d}t$。

2.4.3 Itô 随机微分方程

回到(2.4-1),设 $X(t)$定义于$[t_0, T]$,初值 $X(t_0) = X_0$,

$m(X,t)$与 $\sigma(X,t)$定义于$(-\infty,\infty)\times[t_0,T]$。按 2.4.1,(2.4-1)等价于 Itô 随机积分

$$X(t)=X_0+\int_{t_0}^{t} m[X(s),s]\mathrm{d}s$$
$$+\int_{t_0}^{t}\sigma[X(s),s]\mathrm{d}B(s) \qquad (2.4\text{-}35)$$

(2.4-35)与(2.4-29)及(2.4-36)上式右边第二个积分理解为 Itô 随机积分,要求 $\sigma[X(s),s]$为非可料随机过程,即对每个 t',$\sigma[X(t'),t']$是独立于随机增量$\{B(t)-B(s),s>t'\}$的随机变量。按 2.4.2,有如下 Itô 随机微分:

$$\begin{aligned}&\mathrm{d}X(t)=m(X,t)\mathrm{d}t+\sigma(X,t)\mathrm{d}B(t)\\&X(t_0)=X_0\end{aligned} \qquad (2.4\text{-}36)$$

(2.4-35)与(2.4-29)及(2.4-36)与(2.4-30)不同之处在于,此处 $X(t)$乃为未知过程。因此,(2.4-35)称为标量过程 $X(t)$的 Itô 随机积分方程,而(2.4-36)称为标量过程 $X(t)$的 Itô 随机微分方程,$m(X,t)$与$\sigma(X,t)$分别称为该方程的漂移系数与扩散系数。

若 $X(t)$为非可料随机过程,(2.4-35)中两个积分都存在,(2.4-35)对每个 $t\in[t_0,T]$以概率 1 成立,则说过程 $X(t),t\in[t_0,T]$满足 Itô 随机微分方程(2.4-36),或者说,$X(t)$是 Itô 随机微分方程(2.4-36)之解。

(2.4-36)是下列 n 维矢量过程$\boldsymbol{X}(t)$的 Itô 随机微分方程的特殊情形:

$$\begin{aligned}&\mathrm{d}\boldsymbol{X}(t)=\boldsymbol{m}(\boldsymbol{X},t)\mathrm{d}t+\sigma(\boldsymbol{X},t)\mathrm{d}\boldsymbol{B}(t)\\&\boldsymbol{X}(t_0)=\boldsymbol{X}_0\end{aligned} \qquad (2.4\text{-}37)$$

式中 n 维矢量$\boldsymbol{m}(\boldsymbol{X},t)$与 $n\times m$ 矩阵 $\sigma(\boldsymbol{X},t)$分别称为该方程的漂移矢量与扩散矩阵,它们在 $R^n\times[t_0,T]$上定义并可测,$\boldsymbol{B}(t)$为 m 维矢量 Wiener 过程。(2.4-37)可表示成如下分量形式:

$$\begin{aligned}&\mathrm{d}X_i(t)=m_i(\boldsymbol{X},t)\mathrm{d}t+\sigma_{ik}(\boldsymbol{X},t)\mathrm{d}B_k(t)\\&X_i(t_0)=X_{i0} \qquad (2.4\text{-}38)\\&i=1,2,\cdots,n;\quad k=1,2,\cdots,m\end{aligned}$$

(2.4-37)等价于下列 Itô 随机积分方程：

$$\boldsymbol{X}(t)=\boldsymbol{X}_0+\int_{t_0}^{t}\boldsymbol{m}[\boldsymbol{X}(s),s]\mathrm{d}s+\int_{t_0}^{t}\sigma[\boldsymbol{X}(s),s]\mathrm{d}\boldsymbol{B}(s) \qquad (2.4\text{-}39)$$

下面是关于 Itô 随机微分方程之解过程的存在、惟一及重要性质的基本定理[6]。设

1. 矢量 $\boldsymbol{m}(\boldsymbol{x},t)$与矩阵 $\sigma(\boldsymbol{x},t)$在 $R^n\times[t_0,T]$上定义并可测；

2. 存在常数 K 使对 $t\in[t_0,T]$与 $\boldsymbol{x}\in R^n$ 满足下列条件：

(1) 均匀 Lipschitz 条件

$$|\boldsymbol{m}(\boldsymbol{x}_1,t)-\boldsymbol{m}(\boldsymbol{x}_2,t)|+|\sigma(\boldsymbol{x}_1,t)-\sigma(x_2,t)|\leqslant K|\boldsymbol{x}_1-\boldsymbol{x}_2| \qquad (2.4\text{-}40)$$

(2) 线性增长条件

$$|\boldsymbol{m}(\boldsymbol{x},t)|+|\sigma(\boldsymbol{x},t)|\leqslant K(1+|\boldsymbol{x}|) \qquad (2.4\text{-}41)$$

$|\boldsymbol{m}(\boldsymbol{x},t)|$表示 R^n 中范数，$|\sigma(\boldsymbol{x},t)|=\mathrm{trace}\,\sigma\sigma^{\mathrm{T}}$；

3. $\boldsymbol{X}(t_0)=\boldsymbol{X}_0$ 为独立于 $\boldsymbol{B}(t)-\boldsymbol{B}(t_0)(t\geqslant t_0)$的随机变量。

则：

1. 在$[t_0,T]$上(2.4-37)有一个解 $\boldsymbol{X}(t)$满足初始条件 $\boldsymbol{X}(t_0)=\boldsymbol{X}_0$；

2. 几乎所有 $\boldsymbol{X}(t)$的样本函数在$[t_0,T]$上连续；

3. 解 $\boldsymbol{X}(t)$是惟一的，即若 $\boldsymbol{X}_1(t)$与 $\boldsymbol{X}_2(t)$是(2.4-37)两个以概率 1 连续之解，满足相同初始条件，则

$$P\left[\sup_{t_0\leqslant t\leqslant T}|\boldsymbol{X}_1(t)-\boldsymbol{X}_2(t)|=0\right]=1$$

4. 惟一解 $\boldsymbol{X}(t)$是在$[t_0,T]$上的 Markov 过程，它在 $t=t_0$ 上的初始概率分布就是 $\boldsymbol{X}_0$ 的分布，它的转移概率由下式给出

$$P(A,t|\boldsymbol{x},s)=P(\boldsymbol{X}(t)\in A|\boldsymbol{X}(s)=\boldsymbol{x})$$

5. 若 $m_i(\boldsymbol{X},t)$与 $\sigma_{ik}(\boldsymbol{X},t)$对 $\boldsymbol{X},t$ 连续，则解 $\boldsymbol{X}(t)$是在$[t_0,T]$上的扩散 Markov 过程，其漂移系数 $a_i(\boldsymbol{x},t)$与扩散系数

$b_{ij}(x, t)$为

$$
\begin{aligned}
a_i(\boldsymbol{x}, t) &= m_i(\boldsymbol{X}, t)\mid_{\boldsymbol{X}=\boldsymbol{x}} \\
b_{ij}(\boldsymbol{x}, t) &= \sigma_{ik}(\boldsymbol{X}, t)\sigma_{jk}(\boldsymbol{X}, t)\mid_{\boldsymbol{X}=\boldsymbol{x}}
\end{aligned}
\tag{2.4-42}
$$

特别地,若(2.4-37)的系数不显含 t,则其解为时齐扩散过程。

上述定理的证明见[9,10]。定理中的条件只是充分而非必要的,是颇为限制性的,有可能放松[6]。例如,定理中的全局 Lipschitz 条件(2.4-40)可代之以局部 Lipschitz 条件:对每个 $N>0$,存在常数 K_N,使得对所有 $t\in[t_0, T]$与 $|\boldsymbol{x}_1|<N$, $|\boldsymbol{x}_2|<N$,

$$
\begin{aligned}
&|\boldsymbol{m}(\boldsymbol{x}_1, t)-\boldsymbol{m}(\boldsymbol{x}_2, t)|+|\sigma(\boldsymbol{x}_1, t)-\sigma(\boldsymbol{x}_2, t)| \\
&\leqslant K_N|\boldsymbol{x}_1-\boldsymbol{x}_2|
\end{aligned}
$$

定理中的增长条件意味着,$\boldsymbol{m}(\boldsymbol{x}, t)$与 $\sigma(\boldsymbol{x}, t)$必须关于 $t\in[t_0, T]$均匀有界,随 $\boldsymbol{x}$ 至多线性地增长。此条件保证在$[t_0, T]$内解以概率 1 不会逃逸至无穷。一般地,若违反此条件,则解只在随机时间区间$[t_0, \tau]$内确定,τ 称为逃逸时间,在此时刻上,解趋向于∞或$-\infty$。凡 $P[\tau=\infty]=1$ 的过程称为规则 Markov 过程。在上述定理条件下解的规则性源自它的连续性。Khasminskii[11]给出(2.4-37)之解的规则性的更一般的充分条件。

按上述定理,解过程的几乎所有样本函数连续。然而,若 $\sigma(\boldsymbol{X}, t)$不为零,则 Itô 方程之解像 $\boldsymbol{B}(t)$一样不可微并有无界的变化。

2.5 Itô 随机微分方程之解

2.5.1 强解与弱解

上节所述 Itô 随机微分方程之解乃在一给定的概率空间中定义,并与给定的 Wiener 过程 $\boldsymbol{B}(t)$由该方程相联系。在任一时刻 t 上,这样一个解由给定 Wiener 过程在所有早于 t 时刻上 $\boldsymbol{B}(s)$ $(t_0\leqslant s\leqslant t)$之值与初始条件完全确定。按照上节所述定理,对每时刻 $t\in[t_0, T]$,解是非可料过程。Itô 随机微分方程这种解,称为该 Itô 随机微分方程的强解。上节所述定理中解的惟一性,通常称为强解意义上的惟一性，或样本惟一性。

虽然上节所述定理中的条件可放松，它们仍是太严厉，从许多实际问题中导出的随机微分方程的系数不能满足这些条件，此时，可引入 Itô 随机微分方程的弱解的概念。把一个 Itô 随机微分方程看成只给出方程的漂移矢量与扩散矩阵，由研究者自己构造一个概率空间与定义于该空间的过程 $\boldsymbol{B}(t)$及 $\boldsymbol{X}(t)$，使它们以给定系数的 Itô 随机微分方程联系起来，并使 $\boldsymbol{X}(s)$，$s\leqslant t$ 与增量$[\boldsymbol{B}(t+\tau)-\boldsymbol{B}(t)]$($\tau>0$)独立，这样的过程 $\boldsymbol{X}(t)$称为该 Itô 随机微分方程的弱解。强解与弱解的根本区别是，对强解，概率空间与 Wiener 过程是事先规定的，而对弱解，概率空间与 Wiener 过程是解的一部分。对 Itô 随机微分方程(2.4-37)，若 $\boldsymbol{m}(\boldsymbol{x},t)$与 $\sigma(\boldsymbol{x},t)$有界且连续，则它有弱解[12]。显然，一个 Itô 随机微分方程的强解也是它的弱解，反之则不然。

例如，一维 Itô 随机微分方程

$$\mathrm{d}X(t)=\operatorname{sgn}X\mathrm{d}t+\mathrm{d}B(t)$$

式中 $\operatorname{sgn}x=1$，若 $x\geqslant 0$；$\operatorname{sgn}x=-1$，若 $x<0$。对初始值 $X_0=0$，只有弱解而无强解。事实上，若 $X(t)$是与 Wiener 过程 $B(t)$相联系的弱解，则 $-X(t)$为与 $-B(t)$相联系的弱解。这两个解具有相同的概率分布，但它们样本函数不同。

若一个 Itô 随机微分方程的任意两个弱解具有相同的有限维概率分布，就说该弱解具有惟一性，因此，弱解意义上的惟一性是一种分布意义上的惟一性。对于同一概率空间与同一 Wiener 过程并具有初始条件 $P(X(t_0)=\widetilde{X}(t_0))=1$ 的两个弱解，若有 $P(X(t)=\widetilde{X}(t),t_0<t<T)=1$，则说该弱解具有路径惟一性。弱惟一性并不意味着路径惟一性，也不意味着强惟一性，但若 Itô 随机微分方程的弱解具有路径惟一性，则它有惟一的强解[12]。

2.5.2 稳态解

考虑 Itô 随机微分方程

$$\mathrm{d}\boldsymbol{X}(t)=\boldsymbol{m}(\boldsymbol{X})\mathrm{d}t+\sigma(\boldsymbol{X})\mathrm{d}\boldsymbol{B}(t)$$

$$\boldsymbol{X}(0)=\boldsymbol{X}_0 \tag{2.5-1}$$

由于 $\boldsymbol{m}$,σ 不显含 t,在满足 2.4.3 中相应条件时,$\boldsymbol{X}(t)$是时齐扩散过程,不受初始时刻选取的影响,从而可令 $t_0=0$。考虑(2.5-1)之解在 $t\to\infty$之性态。Khasminskii[11]证明,若对每个 R,在域 $U_R=\{\boldsymbol{x}\,|\,|\boldsymbol{x}|<R\}$中,$\boldsymbol{m}$,$\sigma$ 满足 2.4.3 中所述条件,并在 R^n 中存在二次连续可微 Lyapunov 函数 $V(\boldsymbol{x})$,使得

$$\begin{aligned}&V(\boldsymbol{x})\geqslant 0\\&\sup_{|\boldsymbol{x}|>R}LV(\boldsymbol{x})=-A_R\to-\infty \text{ 随 } R\to\infty\end{aligned} \tag{2.5-2}$$

式中

$$LV(\boldsymbol{x})=m_i(\boldsymbol{x})\frac{\partial V(\boldsymbol{x})}{\partial x_i}+\frac{1}{2}\sigma_{ik}(\boldsymbol{x})\sigma_{jk}(\boldsymbol{x})\frac{\partial^2 V(\boldsymbol{x})}{\partial x_i\partial x_j}$$

则(2.5-1)存在一个平稳 Markov 过程之解。注意,这是一个充分而非必要的条件。

若 Itô 随机微分方程(2.5-1)之解有惟一的不变概率律 μ 使得 $\lim\limits_{t\to\infty}\dfrac{1}{t}\int_0^t f(\boldsymbol{X}(s))\mathrm{d}s=\int_{R^n}f(x)\mathrm{d}\mu(x)$ 对任一 μ 可积的函数 $f:R^n\to R$ 与任一确定性初始条件 $\boldsymbol{X}_0=\boldsymbol{x}_0$ 以概率 1($w.p.1$)成立,就称它为遍历的。Khasminskii[11]给出了(2.5-1)之解遍历的很强的充分条件:$\boldsymbol{m}$、σ 光滑,有任意阶有界偏导数,σ 有界,存在常数 $\beta>0$ 与一稠密子集 $K\subset R^n$,使得所有 $\boldsymbol{x}\in R^n\setminus K$,

$$\boldsymbol{x}^{\mathrm{T}}\boldsymbol{m}(\boldsymbol{x})\leqslant-\beta|\boldsymbol{x}|^2 \tag{2.5-3}$$

例如,一维情形,若 $m(x)=1-x$,$\sigma(x)=1$,则 Itô 方程之解遍历。

再考虑 Itô 随机微分方程的周期解。设(2.4-37)的系数是 t 以 T 为周期的周期函数,满足 2.4.3 中所述条件,并存在 Lyapunov 函数 $V(\boldsymbol{x},t)$,它对 $\boldsymbol{x}$ 二次连续可导,是 t 以 T 为周期的周期函数,满足条件

$$\inf_{|\boldsymbol{x}|>R}V(\boldsymbol{x},t)\to\infty \quad \text{随 } R\to\infty \tag{2.5-4}$$

与(2.5-2)中第二式,则(2.4-37)之解存在,它是以 T 为周期的周

期 Markov 过程。

2.5.3 精确解析解

可求精确解析解的 Itô 随机微分方程主要有两类,一类是线性 Itô 随机微分方程,另一类是可用 Itô 微分公式化为线性 Itô 随机微分方程的非线性 Itô 随机微分方程,并且主要是标量 Itô 随机微分方程。

一、线性 Itô 随机微分方程

标量线性 Itô 随机微分方程的一般形式为

$$\begin{aligned} \mathrm{d}X(t)=&[m_1(t)X(t)+m_2(t)]\mathrm{d}t\\ &+[\sigma_1(t)X(t)+\sigma_2(t)]\mathrm{d}B(t) \end{aligned} \tag{2.5-5}$$

假定满足 2.4.3 中强解的存在与惟一的条件。当 $m_2=\sigma_2=0$ 时,(2.5-5)化为对应齐次线性 Itô 随机微分方程

$$\mathrm{d}X(t)=m_1(t)X(t)\mathrm{d}t+\sigma_1(t)X(t)\mathrm{d}B(t) \tag{2.5-6}$$

显然,$X(t)\equiv 0$ 是(2.5-6)之解。$\sigma_1=0$ 时,(2.5-5)化为

$$\mathrm{d}X(t)=[m_1(t)X(t)+m_2(t)]\mathrm{d}t+\sigma_2(t)\mathrm{d}B(t) \tag{2.5-7}$$

称为狭义线性 Itô 随机微分方程。与之相应的齐次方程为

$$\mathrm{d}x(t)=m_1(t)x(t)\mathrm{d}t \tag{2.5-8}$$

其基本解为

$$\Phi(t_0,t)=\exp\left[\int_{t_0}^{t}m_1(s)\mathrm{d}s\right] \tag{2.5-9}$$

令 $f(X(t),t)=\Phi^{-1}(t_0,t)X(t)$,$X(t)$为(2.5-7)之解,应用 Itô 微分公式(2.4-31),注意到 $\mathrm{d}\Phi^{-1}(t_0,t)/\mathrm{d}t=-\Phi^{-1}(t_0,t)\times m_1(t)$,得

$$\begin{aligned} &\mathrm{d}[\Phi^{-1}(t_0,t)X(t)]\\ &\quad=\{[\mathrm{d}\Phi^{-1}(t_0,t)/\mathrm{d}t]X(t)\\ &\qquad+[m_1(t)X(t)+m_2(t)]\Phi^{-1}(t_0,t)\}\mathrm{d}t\\ &\qquad+\sigma_2(t)\Phi^{-1}(t_0,t)\mathrm{d}B(t) \end{aligned}$$

$$= m_2(t)\Phi^{-1}(t_0,t)\mathrm{d}t + \sigma_2(t)\Phi^{-1}(t_0,t)\mathrm{d}B(t)$$

末式都是已知的时间函数,注意 $\Phi(t_0,t_0)=1$,积分得(2.5-7)之解

$$X(t)=\Phi(t_0,t)\left[X(t_0)+\int_{t_0}^{t} m_2(s)\Phi^{-1}(t_0,s)\mathrm{d}s + \int_{t_0}^{t}\sigma_2(s)\Phi^{-1}(t_0,s)\mathrm{d}B(s)\right] \tag{2.5-10}$$

若 $X(t_0)$为常数或 Gauss 随机变量,则上述解为 Gauss 过程。

现设 $\Phi(t_0,t)$是齐次方程(2.5-6)的基本解,它是一个随机过程,把 $\ln\Phi(t_0,t)$看成(2.5-6)中 $X(t)$之一个变换,应用 Itô 微分公式(2.4-31),得

$$\begin{aligned}
&\mathrm{d}[\ln\Phi(t_0,t)]\\
&\quad=[m_1(t)\Phi(t_0,t)\Phi^{-1}(t_0,t)\\
&\qquad-(1/2)\sigma_1^2(t)\Phi^2(t_0,t)\Phi^{-2}(t_0,t)]\mathrm{d}t\\
&\qquad+\sigma_1(t)\Phi(t_0,t)\Phi^{-1}(t_0,t)\mathrm{d}B(t)\\
&\quad=[m_1(t)-\sigma_1^2(t)/2]\mathrm{d}t+\sigma_1(t)\mathrm{d}B(t)
\end{aligned}$$

积分上式,注意 $\Phi(t_0,t_0)=1$,得(2.5-6)的基本解

$$\Phi(t_0,t)=\exp\left\{\int_{t_0}^{t}\left[m_1(s)-\frac{1}{2}\sigma_1^2(s)\right]\mathrm{d}s + \int_{t_0}^{t}\sigma_1(s)\mathrm{d}B(s)\right\} \tag{2.5-11}$$

类似地,应用 Itô 微分公式于 $\Phi^{-1}(t_0,t)$,得

$$\mathrm{d}[\Phi^{-1}(t_0,t)]=[-m_1(t)+\sigma_1^2(t)]\Phi^{-1}(t_0,t)\mathrm{d}t - \sigma_1(t)\Phi^{-1}(t_0,t)\mathrm{d}B(t) \tag{2.5-12}$$

将(2.5-12)中之 $\Phi^{-1}(t_0,t)$与(2.5-5)中之 $X(t)$分别看成 2.4.2(h)中之 $X_1(t)$与 $X_2(t)$,由 2.4.2(i),得

$$\mathrm{d}[\Phi^{-1}(t_0,t)X(t)]=[m_2(t)-\sigma_1(t)\sigma_2(t)]\Phi^{-1}(t_0,t)\mathrm{d}t + \sigma_2(t)\Phi^{-1}(t_0,t)\mathrm{d}B(t)$$

积分上式,注意 $\Phi(t_0,t_0)=1$,可得(2.5-5)之解

$$X(t)=\Phi(t_0,t)\left\{X(t_0)+\int_{t_0}^{t}[m_2(s)-\sigma_1(s)\sigma_2(s)]\Phi^{-1}(t_0,s)\mathrm{d}s\right.$$
$$\left.+\int_{t_0}^{t}\sigma_2(s)\Phi^{-1}(t_0,s)\mathrm{d}B(s)\right\} \tag{2.5-13}$$

式中 $\Phi(t_0,t)$由(2.5-11)给出。

n 维线性 Itô 随机微分方程的一般形式为

$$\mathrm{d}\boldsymbol{X}(t)=[\boldsymbol{m}_1(t)\boldsymbol{X}(t)+\boldsymbol{m}_2(t)]\mathrm{d}t$$
$$+[\sigma_k^{(1)}(t)\boldsymbol{X}(t)+\sigma_k^{(2)}(t)]\mathrm{d}B_k(t),k=1,2,\cdots,m \tag{2.5-14}$$

式中 $\boldsymbol{m}_1,\sigma_k^1$ 为 $n\times n$ 矩阵函数,$\boldsymbol{m}_2,\sigma_k^{(2)}$ 为 n 维矢量函数。当所有 $\sigma_k^{(1)}=0$ 时,(2.5-14)称为狭义线性 Itô 随机微分方程。当 $\boldsymbol{m}_2=0,\sigma_k^{(2)}=0$ 时,(2.5-14)化为对应齐次线性 Itô 方程。应用上述一维情形推导步骤,可得(2.5-14)形同(2.4-13)之解

$$\boldsymbol{X}(t)=\Phi(t_0,t)\left\{\boldsymbol{X}(t_0)+\int_{t_0}^{t}\Phi^{-1}(t_0,s)\right.$$
$$\times[\boldsymbol{m}_2(s)-\sigma_k^{(1)}(s)\sigma_k^{(2)}(s)]\mathrm{d}s$$
$$\left.+\int_{t_0}^{t}\Phi^{-1}(t_0,s)\sigma_k^{(2)}(s)\mathrm{d}B_k(s)\right\} \tag{2.5-15}$$

式中 $\Phi(t_0,t)$为基解矩阵,它是下列齐次矩阵 Itô 随机微分方程之解:

$$\mathrm{d}\Phi(t_0,t)=\boldsymbol{m}_1(t)\Phi(t_0,t)\mathrm{d}t+\sigma_k^{(1)}\Phi(t_0,t)\mathrm{d}B_k(t) \tag{2.5-16}$$

且满足初始条件 $\Phi(t_0,t_0)=\boldsymbol{I}$。一般无法得到(2.5-16)之显式解,即使所有系数矩阵为常数阵。但在 $\boldsymbol{m}_1,\sigma_k^{(1)}$ 为常数阵且对易,即

$$\boldsymbol{m}_1\sigma_k^{(1)}=\sigma_k^{(1)}\boldsymbol{m}_1,\sigma_k^{(1)}\sigma_l^{(1)}=\sigma_l^{(1)}\sigma_k^{(1)}$$

时,可得(2.5-16)之显示解

$$\Phi(t_0,t)=\exp[(\boldsymbol{m}_1-\sigma_k^{(1)}\sigma_k^{(1)}/2)(t-t_0)$$

$$+\sigma_k^{(1)}(B_k(t)-B_k(t_0))\Big] \tag{2.5-17}$$

对狭义 n 维线性 Itô 随机微分方程,(2.5-17)退化为

$$\Phi(t_0,t)=\exp[\boldsymbol{m}_1(t-t_0)] \tag{2.5-18}$$

它是下列 n 维确定性线性常微分方程的基解矩阵:

$$\dot{\boldsymbol{x}}=\boldsymbol{m}_1\boldsymbol{x}$$

二、可化为线性 Itô 随机微分方程的非线性 Itô 随机微分方程

考虑标量非线性 Itô 随机微分方程

$$\mathrm{d}Y(t)=m(Y,t)\mathrm{d}t+\sigma(Y,t)\mathrm{d}B(t) \tag{2.5-19}$$

作变换 $X(t)=f(Y,t)$,由 Itô 微分公式(2.4-31),有

$$\mathrm{d}f(Y,t)=\left(\frac{\partial f}{\partial t}+m\frac{\partial f}{\partial Y}+\frac{1}{2}\sigma^2\frac{\partial^2 f}{\partial Y^2}\right)\mathrm{d}f$$

$$+\sigma\frac{\partial f}{\partial Y}\mathrm{d}B(t)$$

设逆变换 $Y(t)=f^{-1}(X,t)=g(X,t)$存在,要使上式具有(2.5-5)之形式,需有

$$\frac{\partial f}{\partial t}(Y,t)+m(Y,t)\frac{\partial f}{\partial Y}(Y,t)+\frac{1}{2}\sigma^2(Y,t)\frac{\partial^2 f}{\partial Y^2}(Y,t)$$

$$=m_1(t)f(Y,t)+m_2(t) \tag{2.5-20}$$

$$\sigma(Y,t)\frac{\partial f}{\partial Y}(Y,t)$$

$$=\sigma_1(Y,t)f(Y,t)+\sigma_2(t) \tag{2.5-21}$$

一般很难由此确定所需变换 f。考虑特殊情形 $m_1=\sigma_1=0$,并令 $m_2(t)=\alpha(t)$,$\sigma_2(t)=\beta(t)$,由(2.5-20),得

$$\frac{\partial^2 f}{\partial t\partial Y}(Y,t)=-\frac{\partial}{\partial Y}\Big[m(Y,t)\frac{\partial f}{\partial Y}(Y,t)$$

$$+\frac{1}{2}\sigma^2(Y,t)\frac{\partial^2 f}{\partial Y^2}(Y,t)\Big]$$

由(2.5-21),得

$$\frac{\partial}{\partial Y}\left[\sigma(Y,t)\frac{\partial f}{\partial Y}(Y,t)\right]=0$$

与

$$\sigma(Y,t)\frac{\partial^2 f}{\partial t\partial Y}(Y,t)+\frac{\partial \sigma}{\partial t}(Y,t)\frac{\partial f}{\partial Y}(Y,t)=\beta'(t)$$

设 $\sigma(Y,t)\neq 0$,从上三式中消去 f 及其导数,得

$$\beta'(t)=\beta(t)\sigma(Y,t)\left[\frac{1}{\sigma^2(Y,t)}\frac{\partial \sigma}{\partial t}(Y,t)\right.$$
$$\left.-\frac{\partial}{\partial y}\left(\frac{m(Y,t)}{\sigma(Y,t)}\right)+\frac{1}{2}\frac{\partial^2 \sigma}{\partial Y^2}(Y,t)\right]$$

要满足上式,上式右边需与 Y 无关,即$\partial\gamma/\partial Y=0$,式中

$$\gamma(Y,t)=\frac{1}{\sigma(Y,t)}\frac{\partial \sigma}{\partial t}(Y,t)$$
$$-\sigma(Y,t)\frac{\partial}{\partial y}\left[\frac{m(Y,t)}{\sigma(Y,t)}-\frac{1}{2}\frac{\partial \sigma}{\partial Y}(Y,t)\right] \tag{2.5-22}$$

而 $\beta(t)=C\exp\left[\int_0^t\gamma(Y(s),s)\mathrm{d}s\right]$。

(2.5-22)中 γ 与 Y 无关,是(2.5-19)可藉变换 $X=f(Y,t)$ 化为明显可解线性 Itô 随机微分方程

$$\mathrm{d}X(t)=\alpha(t)\mathrm{d}t+\beta(t)\mathrm{d}B(t) \tag{2.5-23}$$

的一个充分条件。此时,(2.5-20)与(2.5-21)化为

$$\frac{\partial f}{\partial t}(Y,t)+m(Y,t)\frac{\partial f}{\partial Y}(Y,t)+\frac{1}{2}\sigma^2(Y,t)\frac{\partial^2 f}{\partial Y^2}(Y,t)$$
$$=\alpha(t)\sigma(y,t)\frac{\partial f}{\partial Y}(Y,t)=\beta(t)$$

由此得变换

$$f(Y,t)=C\exp\left[\int_0^t\gamma(Y,s)\mathrm{d}s\right]\int_0^Y\sigma^{-1}(z,t)\mathrm{d}z \tag{2.5-24}$$

式中 C 为任意常数。顺便说明,上述步骤也可将某些线性 Itô 随机微分方程化为(2.5-23)形式。

在自治情形,(2.5-20)与(2.5-21)化为

$$m(Y)\frac{\mathrm{d}f}{\mathrm{d}y}(Y)+\frac{1}{2}\sigma^2(Y)\frac{\mathrm{d}^2 f}{\mathrm{d}y^2}(Y)$$

$$= m_1 f(Y) + m_2 \tag{2.5-25}$$

$$\sigma(Y)\frac{df}{dy}(Y) = \sigma_1 f(Y) + \sigma_2 \tag{2.5-26}$$

设 $\sigma(Y) \neq 0$ 并且 $\sigma_1 \neq 0$，由(2.5-26)，得

$$f(Y) = C\exp[\sigma_1 B(Y)] - \sigma_2/\sigma_1 \tag{2.5-27}$$

式中 C 为任意常数，

$$B(Y) = \int_0^Y \sigma^{-1}(s)\mathrm{d}s$$

(2.5-27)代入(2.5-25)，得

$$[\sigma_1 A(Y) + \sigma_1^2/2 - m_1]C\exp[\sigma_1 B(Y)] = m_2 - m_1\sigma_2/\sigma_1 \tag{2.5-28}$$

式中

$$A(Y) = \frac{m(Y)}{\sigma(Y)} - \frac{1}{2}\frac{\mathrm{d}\sigma(Y)}{\mathrm{d}Y}$$

对(2.5-28)求导，再乘以 $\sigma(Y)\exp[-\sigma_1 B(Y)]/\sigma_1$，再次求导，得

$$\sigma_1\frac{\mathrm{d}A}{\mathrm{d}Y} + \frac{\mathrm{d}}{\mathrm{d}Y}\left(\sigma\frac{\mathrm{d}A}{\mathrm{d}Y}\right) = 0 \tag{2.5-29}$$

若 $\mathrm{d}A/\mathrm{d}Y = 0$，或

$$\frac{\mathrm{d}}{\mathrm{d}Y}\left[\frac{\mathrm{d}}{\mathrm{d}Y}\left(\sigma\frac{\mathrm{d}A}{\mathrm{d}Y}\right)\bigg/\frac{\mathrm{d}A}{\mathrm{d}Y}\right] = 0 \tag{2.5-30}$$

并选取

$$\sigma_1 = -\frac{\mathrm{d}}{\mathrm{d}Y}\left(\sigma\frac{\mathrm{d}A}{\mathrm{d}Y}\right)\bigg/\frac{\mathrm{d}A}{\mathrm{d}Y}$$

(2.5-29)将满足。若 $\sigma_1 \neq 0$，所需变换为

$$f(Y) = C\exp[\sigma_1 B(Y)] \tag{2.5-31}$$

若 $\sigma_1 = 0$，则所需变换为

$$f(Y) = \sigma_2 B(Y) + C \tag{2.5-32}$$

并取 σ_2 使(2.5-26)满足

例如，非线性 Itô 随机微分方程

$$\mathrm{d}Y(t) = -(1/2)\exp(-2Y(t))\mathrm{d}t + \exp(-Y(t))\mathrm{d}B(t)$$

对本例，$A(Y) = 0$，对任意 σ_1，(2.5-29)恒满足。对 $\sigma_1 = 0$ 与 σ_2

$=1$,按(2.5-32),(2.5-26)之解为 $f(Y)=\exp(Y)$。将它代入(2.5-25),得 $m_1=m_2=0$。因此,变换 $X(t)=\exp(Y(t))$将上述非线性 Itô 随机微分方程化为线性随机微分方程 $\mathrm{d}X(t)=\mathrm{d}B(t)$,后者之解为 $X(t)=B(t)+X_0=B(t)+\exp(Y_0)$,而原 Itô 方程之解为 $Y(t)=\ln[B(t)+\exp(Y_0)]$。此解在下列逃逸时间前有效:

$$\tau(Y_0)=\min\{t\geqslant 0: B(t)+\exp(Y_0)=0\}$$

文献[8]中列出了许多已求得精确解析解的 Itô 随机微分方程及其解。

2.5.4 数值解

从上小节知,Itô 随机微分方程的解析解只在一些较简单情形才能得到。实用中较复杂的 Itô 随机微分方程常需用数值解法。Itô 随机微分方程数值解法与普通常微分方程数值解法的主要区别在于,前者必须考虑与 Wiener 过程及 Itô 随机积分有关的特殊性。近 20 年来,Itô 随机微分方程的数值解法虽已有很快发展[8,13],但仍处于发展初期。求解 Itô 随机微分方程的最有效、使用最广泛的数值方法,是在计算机上模拟样本轨道的时间离散近似。该法的一个优点是,计算机时与存储量随问题的维数只按多项式增加,而方差减少法可使计算样本数大大地减少。

一、收敛准则

当要求 Itô 随机微分方程的数值计算所得的样本轨道接近它的解轨道时,需要某种强收敛准则判别计算误差。数学上,常用下列终时 T 上的绝对误差的数学期望值来度量:

$$\varepsilon(\delta)=E[|X_T-Y_N|] \tag{2.5-33}$$

式中 $\delta=\tau_{n+1}-\tau_n$ 为时间步长,X_T 是 Itô 随机微分方程之解在 T 时刻上之值,Y_N 是相应的计算值。应用 Lyapunov 不等式 $E[|X|]\leqslant(E[X^2])^{1/2}$,

$$\varepsilon(\delta)=E[|X_T-Y_N|]\leqslant(E[|X_T-Y_N|^2])^{1/2} \tag{2.5-34}$$

上述误差可用均方根误差估计。若存在一个有限常数 K 与一个正常数 δ_0，使得对任意最大时间步长为 $\delta\in(0,\delta_0)$的时间离散化，有

$$E[|X_T-Y_N|]\leqslant K\delta^{\gamma} \tag{2.5-35}$$

则说近似过程 Y 以 $\gamma\in(0,\infty)$阶强收敛。在扩散系数为零时，这个强收敛准则化为通常常微分方程近似的确定性准则。随机情形的计算方案有时比相应确定性情形收敛阶次低，主要是因为 Wiener 过程的增量 ΔB_n 为 $\delta^{1/2}$阶而非 δ阶。

当只对 Itô 随机微分方程在最终时刻 T 上之值的某个函数，例如一、二阶矩或某个函数的期望 $E[g(X_T)]$感兴趣时，不必要求计算的样本近似 Itô 随机微分方程的解样本，而只要对随机微分变量 X_T 的概率分布有良好近似即可。若对任一多项式 g，存在一个有限常数 K 与一个正常数 δ_0，使得对任意最大时间步长为 $\delta\in(0,\delta_0)$的时间离散化，有

$$|E[g(X_T)]-E[g(Y_N)]|\leqslant K\delta^{\beta} \tag{2.5-36}$$

则称时间离散近似 Y 以 $\beta\in(0,\infty)$阶弱收敛。当扩散系数为零时，$g(x)=x$ 的弱收敛准则化为通常常微分方程近似的确定性准则。

二、随机 Euler 近似

考虑标量 Itô 随机微分方程

$$\begin{aligned} dX(t)&=m(X)dt+\sigma(X)dB(t)\\ X(0)&=X_0 \end{aligned} \tag{2.5-37}$$

其等价的 Itô 随机积分方程为

$$X(t)=X_0+\int_0^t m(X(s))ds+\int_0^t \sigma(X(s))dB(s) \tag{2.5-38}$$

解过程 $X(t),t\in[0,T]$称为 Itô 过程。对 Itô 过程的最简单时间离散近似为下列随机 Euler 近似，或 Euler-Maruyama 近似：

$$\begin{gathered} Y_{n+1}=Y_n+m(Y_n)\Delta_n+\sigma(Y_n)\Delta B_n\\ n=0,1,\cdots,N-1 \end{gathered} \tag{2.5-39}$$

式中 $0=\tau_0<\tau_1<\cdots<\tau_n=T$，$\Delta_n=\tau_{n+1}-\tau_n=\delta$，$Y_0=X_0$，$Y_n=Y(\tau_n)$，$\Delta B_n=B(\tau_{n+1})-B(\tau_n)$。$\Delta B_n$ 是独立的 Gauss 随机变量 $N(0,\Delta_n)$，即

$$E[\Delta B_n]=0,\quad E[(\Delta B_n)^2]=\Delta_n \tag{2.5-40}$$

计算中，它可由[0,1]上均匀分布的独立随机变量 U_1 与 U_2 按下式产生(Box-Muller 法)：

$$\begin{aligned} N_1 &= \sqrt{-2\ln U_1}\cos(2\pi U_2) \\ N_2 &= \sqrt{-2\ln U_1}\sin(2\pi U_2) \end{aligned} \tag{2.5-41}$$

N_1 与 N_2 为两个独立的标准 Gauss 随机变量。

一个可避免费时三角函数运算的 Box-Muller 法的变种是 Polar-Marsaglia 法。若 U 是[0,1]上均匀分布的随机变量 $U[0,1]$，则 $V=2U-1$ 是在[-1,1]上均匀分布的随机变量 $V[-1,1]$，而 $W=V_1^2+V_2^2\leqslant 1$ 是 $U[0,1]$，$\theta=\arctan(V_1/V_2)$是 $U[0,2\pi]$。由于内接单位圆有正方形$[-1,1]^2$ 面积的 $\pi/4$ 倍，点$[V_1,V_2]$落在这单位圆内的概率为 $\pi/4\approx 0.7864816\cdots$，只取这些点，丢弃其他点，利用 $\cos\theta=V_1/\sqrt{W}$，$\sin\theta=V_2/\sqrt{W}$，(2.5-41)可改写成

$$\begin{aligned} N_1 &= V_1\sqrt{-2\ln W/W} \\ N_2 &= V_2\sqrt{-2\ln W/W} \end{aligned} \tag{2.5-42}$$

在产生大量随机数时，Polar Marsaglia 法常比 Box-Muller 法效率更高。

Euler 近似为 1.0 阶，而随机 Euler 近似为强 $\gamma=0.5$ 阶，或弱 $\beta=1.0$ 阶。

三、随机 Taylor 近似

Itô 过程(2.5-38)在 t_0 处的 Taylor 展开式为

$$X(t)=X_0+m(X_0)\int_{t_0}^{t}\mathrm{d}s+\sigma(X_0)\int_{t_0}^{t}\mathrm{d}B(s)$$

$$+\sigma(X_0)\sigma'(X_0)\int_{t_0}^{t}\int_{t_0}^{s_2}\mathrm{d}B(s_1)\mathrm{d}B(s_2)+R \tag{2.5-43}$$

式中余数 R 由多重随机积分组成。截断在相继离散点上的随机

Taylor 展式,可形成时间离散的 Taylor 近似。最简单的强 Taylor 近似即 Euler 近似(2.5-39)。包括下一项的随机 Taylor 近似称为 Milstein 方案

$$Y_{n+1} = Y_n + m\Delta_n + \sigma\Delta B_n + \frac{1}{2}\sigma\sigma'[(\Delta B_n)^2 - \Delta_n] \tag{2.5-44}$$

上式中 $m = m(Y_n)$, $\sigma = \sigma(Y_n)$,最后一项由(2.5-43)中双重积分项导出。当 $E[X_0^2] < \infty$, m, σ 为两次连续可微, m, m', σ, σ', σ'' 满足 Lipschitz 条件时,(2.5-44)以强 $\gamma = 1.0$ 阶收敛。

在 Itô 过程的弱 Taylor 近似中,可用一个与 ΔB_n 具有相同矩性质的更方便的近似 $\Delta\hat{B}_n$ 代替 ΔB_n。例如,在 $\beta = 1.0$ 阶弱近似中,可取具有下列矩性质的 $\Delta\hat{B}_n$:

$$E[(\Delta\hat{B}_n)^r] = \begin{cases} 0, & r = 1, 3 \\ \Delta_n, & r = 2 \\ Z_r(\Delta_n), & r = 4, 5, \cdots \end{cases} \tag{2.5-45}$$

式中

$$|Z_r(\Delta_n)| \leqslant K\Delta_n^2, \quad K > 0 \tag{2.5-46}$$

这意味着可用以等概率取 $\pm\sqrt{\Delta_n}$ 的两点分布随机变量为 $\Delta\hat{B}_n$,即

$$P(\Delta\hat{B}_n = \pm\sqrt{\Delta_n}) = 1/2 \tag{2.5-47}$$

最简单的弱 Taylor 近似是弱 Euler 方案

$$Y_{n+1} = Y_n + m\Delta_n + \sigma\Delta\hat{B}_n \tag{2.5-48}$$

若 m, σ 为四次连续可导,且导数满足某个增长界,则(2.5-48)为弱 $\beta = 1.0$ 阶收敛。

四、随机 Runge-Kutta 近似

强 Taylor 近似的一个缺点是,除了漂移与扩散系数本身,还必须确定它们的各阶导数并在每一步上计算它们的值,而强 Runge-Kutta 近似可避免这种麻烦。强 $\gamma = 1.0$ 阶 Runge-Kutta 近似为

$$Y_{n+1} = Y_n + m\Delta_n + \sigma\Delta B_n + \frac{1}{2}[\sigma(\hat{Y}_n) - \sigma]$$

$$\times[(\Delta B_n)^2 - \Delta_n]\Delta_n^{-1/2} \tag{2.5-49}$$

式中

$$\hat{Y}_n = Y_n + \sigma\Delta_n^{1/2}$$

(2.5-49)可由(2.5-44)以有限差分代替导数而得。

类似地,还有避免计算漂移与扩散系数的导数的弱 Runge-Kutta 近似。

关于 Itô 随机微分方程的数值解法更深入而详尽的讨论见[8,13]。

2.6 Itô 随机微分方程与 Kolmogorov 方程

2.4.3 中指出,在一定条件下 Itô 随机微分方程(2.4-37)之解为扩散过程,该过程的漂移系数 $a_i(\boldsymbol{x},t)$与扩散系数 $b_{ij}(\boldsymbol{x},t)$同 Itô 随机微分方程的漂移系数 $m_i(\boldsymbol{X},t)$与扩散系数 $\sigma_{ik}(\boldsymbol{X},t)$之间的关系由(2.4-42)给出。这一关系可用 Itô 公式推导如下:

对 Itô 随机微分方程(2.4-37),Itô 微分公式(2.4-34)应改写成

$$\begin{aligned} \mathrm{d}f(\boldsymbol{X},t) = & \left[\frac{\partial f}{\partial t}(\boldsymbol{X},t) + m_i(\boldsymbol{X},t)\frac{\partial f}{\partial X_i}(\boldsymbol{X},t)\right. \\ & \left. + \frac{1}{2}\sigma_{il}(\boldsymbol{X},t)\sigma_{jl}(\boldsymbol{X},t)\frac{\partial^2 f}{\partial X_i \partial X_j}(\boldsymbol{X},t)\right]\mathrm{d}t \\ & + \sigma_{il}(\boldsymbol{X},t)\frac{\partial f}{\partial X_i}(\boldsymbol{X},t)\mathrm{d}B_l(t) \end{aligned} \tag{2.6-1}$$

(2.6-1)可简写为

$$\mathrm{d}f(\boldsymbol{X},t) = \left(\frac{\partial f}{\partial t} + L_X f\right)\mathrm{d}t + \sigma_{il}\frac{\partial f}{\partial X_i}\mathrm{d}B_l(t) \tag{2.6-2}$$

式中

$$L_X = m_i\frac{\partial}{\partial X_i} + \frac{1}{2}\sigma_{il}\sigma_{jl}\frac{\partial^2}{\partial X_i \partial X_j} \tag{2.6-3}$$

称为扩散过程 $\boldsymbol{X}(t)$生成微分算子,它与(2.1-46)中椭圆算子 L 具有类似的形式,但两者意义不同。

设 $G(\boldsymbol{x})$是 $\boldsymbol{x}$ 的任意连续并具有连续二阶偏导数的函数,且

$$G(\boldsymbol{x})=\frac{\partial G}{\partial x_i}(\boldsymbol{x})=0 \quad 当\ x_j=\pm\infty 时 \tag{2.6-4}$$

考虑 $E[G(\boldsymbol{X})]$的时间变化率,应用 Itô 公式(2.6-1),有

$$\begin{aligned}\frac{\mathrm{d}}{\mathrm{d}t}E[G(\boldsymbol{X})]&=E\left[\frac{\mathrm{d}}{\mathrm{d}t}G(\boldsymbol{X})\right]\\&=E\left[m_i(\boldsymbol{X}(t),t)\frac{\partial G}{\partial X_i}+\frac{1}{2}\sigma_{il}(\boldsymbol{X}(t),t)\sigma_{jl}(\boldsymbol{X}(t),t)\frac{\partial^2 G}{\partial X_i\partial X_j}\right]\end{aligned} \tag{2.6-5}$$

注意到

$$E[G(\boldsymbol{X})]=\int_{-\infty}^{\infty}G(\boldsymbol{x})p(\boldsymbol{x},t\mid\boldsymbol{x}_0,t_0)\mathrm{d}\boldsymbol{x} \tag{2.6-6}$$

(2.6-5)又可写成

$$\begin{aligned}&\frac{\mathrm{d}}{\mathrm{d}t}\int_{-\infty}^{\infty}G(\boldsymbol{x})p(\boldsymbol{x},t\mid\boldsymbol{x}_0,t_0)\mathrm{d}\boldsymbol{x}\\&=\int_{-\infty}^{\infty}\left[m_i(\boldsymbol{x},t)\frac{\partial G}{\partial x_i}+\frac{1}{2}\sigma_{il}(\boldsymbol{x},t)\sigma_{jl}(\boldsymbol{x},t)\frac{\partial^2 G}{\partial x_i\partial x_j}\right]\\&\quad\times p(\boldsymbol{x},t\mid\boldsymbol{x}_0,t_0)\mathrm{d}\boldsymbol{x}\end{aligned} \tag{2.6-7}$$

应用分部积分公式,并考虑到(2.6-4),上式化为

$$\begin{aligned}&\int_{-\infty}^{\infty}G(\boldsymbol{x})\frac{\partial p}{\partial t}\mathrm{d}\boldsymbol{x}\\&=\int_{-\infty}^{\infty}\left\{-\frac{\partial}{\partial x_i}[m_i(\boldsymbol{x},t)p]\right.\\&\qquad\left.+\frac{1}{2}\frac{\partial^2}{\partial x_i\partial x_j}[\sigma_{il}(\boldsymbol{x},t)\sigma_{jl}(\boldsymbol{x},t)p]\right\}G(\boldsymbol{x})\mathrm{d}\boldsymbol{x}\end{aligned} \tag{2.6-8}$$

由于 $G(\boldsymbol{x})$的任意性,得如下 FPK 的方程

$$\frac{\partial p}{\partial t}=-\frac{\partial}{\partial x_i}[a_i(\boldsymbol{x},t)p]+\frac{1}{2}\frac{\partial^2}{\partial x_i\partial x_j}[b_{ij}(\boldsymbol{x},t)p] \tag{2.6-9}$$

式中

$$
\begin{aligned}
a_i(\boldsymbol{x}, t) &= m_i(\boldsymbol{X}, t)\mid_{\boldsymbol{X}=\boldsymbol{x}} \\
b_{ij}(\boldsymbol{x}, t) &= \sigma_{il}(\boldsymbol{X}, t)\sigma_{jl}(\boldsymbol{X}, t)\mid_{\boldsymbol{X}=\boldsymbol{x}}
\end{aligned}
\tag{2.6-10}
$$

(2.6-9)同(2.1-26),而(2.6-10)同(2.4-42)。(2.6-10)还可由 Itô 随机微分方程(2.4-37)应用(2.1-14)与(2.1-15)导得。注意,设 $\boldsymbol{Q}=\boldsymbol{Q}(\boldsymbol{X}, t)$为任意正交矩阵,即 $\boldsymbol{Q}\boldsymbol{Q}^{\mathrm{T}}=\boldsymbol{I}$,若 Itô 随机微分方程的扩散矩阵 σ 代之以 $\sigma\boldsymbol{Q}$,由 $\sigma\boldsymbol{Q}(\sigma\boldsymbol{Q})^{\mathrm{T}}=\sigma\sigma^{\mathrm{T}}$ 可知,从 Itô 随机微分方程到 FPK 方程的转换是惟一的,反之则不然。对应于同一 FPK 方程,可有无穷多个 Itô 随机微分方程,它们的扩散矩阵相差一个任意的正交矩阵因子。Itô 随机微分方程描述系统在相空间中的随机轨道,而 FPK 方程描述系统的转移概率密度的进化,不同的相轨道可有相同的转移概率密度,这是可以理解的。

应用 Itô 微分公式(2.6-1),还可以从 Itô 随机微分方程(2.4-37)导出后向 Kolmogorov 方程(2.1-42)。也可以证明 Kolmogorov 公式

$$
u(\boldsymbol{x}_0, t_0) = E[f(\boldsymbol{X}(t)) \mid \boldsymbol{X}(t_0) = \boldsymbol{x}_0] \tag{2.6-11}
$$

是后向 Kolmogorov 方程

$$
\frac{\partial u}{\partial t_0} + Lu = 0, \quad 0 \leqslant t_0 \leqslant t \tag{2.6-12}
$$

之解。还可以证明 Feynman-Kac 公式,即

$$
u(\boldsymbol{x}_0, t_0) = E\left[f(\boldsymbol{X}(t))\exp\left(\int_{t_0}^{t} g(\boldsymbol{X}(u))\mathrm{d}u\right) \,\middle|\, \boldsymbol{X}(t_0) = \boldsymbol{x}_0\right] \tag{2.6-13}
$$

是偏微分方程

$$
\frac{\partial u}{\partial t_0} + Lu + gu = 0 \tag{2.6-14}
$$

之解,式中 g 是一个有界函数。(2.6-12)与(2.6-14)中 L 为由(2.1-46)定义的椭圆算子。(2.6-12)与(2.6-14)的终时条件为

$$
u(\boldsymbol{x}, t) = f(\boldsymbol{x}) \tag{2.6-15}
$$

最后,令(2.6-1)中 $f(\boldsymbol{X}, t)$为 X_i 的幂,对(2.6-1)两边求期望,可得 Itô 随机微分方程解的各阶矩所满足的确定性方程。从

Itô 随机微分方程导出(2.6-12)、(2.6-14)及矩方程是惟一的,反之则不然。显然,只要原 Itô 随机微分方程(2.4-37)有惟一的弱解,由它导出的 FPK 方程(2.6-9)、后向 Kolmogorov 方程(2.6-12)、偏微分方程(2.6-14)及矩方程就有惟一解。

2.7 Stratonovich 随机微分方程

2.4.1 中曾提到 Stratonovich 随机积分及其与 Itô 随机积分的区别。本节较详细地考察 Stratonovich 随机积分、随机微分及随机微分方程。

设 $X(t)$为一个扩散过程,$G(X(t),t)$是它的一个函数。标量 Stratonovich 随机积分定义为

$$\int_a^b G(X(t),t)\circ \mathrm{d}B(t)$$
$$=\underset{\substack{n\to\infty\\ \Delta n\to 0}}{\mathrm{l.i.m.}}\sum_{i=1}^{n} G\{[X(t_{i-1})+X(t_i)]/2,t_{i-1}\}[B(t_i)-B(t_{i-1})] \tag{2.7-1}$$

Stratonovich 随机积分与 Itô 随机积分的关系如下:

$$\int_a^b G(X(t),t)\circ \mathrm{d}B(t)$$
$$=\int_a^b G(X(t),t)\mathrm{d}B(t)+\frac{1}{2}\int_a^b \sigma(X(t),t)\frac{\partial G}{\partial X}(X(t),t)\mathrm{d}t \tag{2.7-2}$$

式中 $\sigma(X(t),t)$是扩散过程 $X(t)$的 Itô 随机微分方程的扩散系数。(2.7-2)可证明如下。由 Taylor 展式与中值定理,有

$$G((X(t_{i-1})+X(t_i))/2,t_{i-1})-G(X(t_{i-1}),t_{i-1})$$
$$=\frac{1}{2}\frac{\partial G}{\partial X}(((2-\lambda_{i-1})X(t_{i-1})+\lambda_{i-1}X(t_{i-1}))/2,t_{i-1})$$
$$\times[X(t_i)-X(t_{i-1})]$$

式中 $\lambda_{i-1}\in[0,1]$。由于 $X(t)$是扩散过程,

$$\Delta X(t_{i-1})=X(t_i)-X(t_{i-1})$$

$$= m(X(t_{i-1}),t_{i-1})\Delta t_{i-1} + \sigma(X(t_{i-1}),t_{i-1})\Delta B(t_{i-1}) + \text{高阶项}$$

式中 $\Delta t_{i-1} = t_i - t_{i-1}$，$\Delta B(t_{i-1}) = B(t_i) - B(t_{i-1})$。从而，(2.7-1)右边和式中任一项为

$$G(X(t_{i-1}),t_{i-1})\Delta B(t_{i-1}) + \frac{1}{2}\frac{\partial G}{\partial X}\bigg|_{\lambda_{i-1}}\Delta X(t_{i-1})\Delta B(t_{i-1})$$

$$= G(X(t_{i-1}),t_{i-1})\Delta B(t_{i-1})$$

$$+ \frac{1}{2}\frac{\partial G}{\partial X}\bigg|_{\lambda_{i-1}}\sigma(X(t_{i-1}),t_{i-1})(\Delta B(t_{i-1}))^2$$

$$+ \frac{1}{2}\frac{\partial G}{\partial X}\bigg|_{\lambda_{i-1}}m(X(t_{i-1}),t_{i-1})\Delta t_{i-1}\Delta B(t_{i-1}) + \text{高阶项}$$

式中

$$\frac{\partial G}{\partial X}\bigg|_{\lambda_{i-1}} = \frac{\partial G}{\partial X}(((2-\lambda_{i-1})X(t_{i-1}) + \lambda_{i-1}X(t_{i-1}))/2, t_{i-1})$$

考虑到系数的连续性，$E[(\Delta B(t_{i-1}))^2] = \Delta t_{i-1}$ 及 $E[\Delta t_{i-1}\Delta B(t_{i-1})]=0$，取均方极限后可得(2.7-2)。

对(2.7-2)两边求期望，注意到(2.4-14)，有

$$E\left[\int_a^b G(X(t),t)\circ \mathrm{d}B(t)\right]$$

$$= \frac{1}{2}\int_a^b E\left[\sigma(X(t),t)\frac{\partial G}{\partial X}(X(t),t)\right]\mathrm{d}t \quad (2.7\text{-}3)$$

因此，若扩散系数 σ 为 $X(t)$的函数，Stratonovich 随机积分的期望不为零。

(2.7-2)的等价微分形式为

$$G(X(t),t)\circ \mathrm{d}B(t)$$

$$= G(X(t),t)\mathrm{d}B(t) + \frac{1}{2}\sigma(X(t),t)\frac{\partial G}{\partial X}(X(t),t)\mathrm{d}t \quad (2.7\text{-}4)$$

这是 Stratonovich 随机微分与 Itô 随机微分之间的关系式。(2.7-4)右边第二项称为 Wong-Zakai 修正项[14]。因此，当扩散过程 $X(t)$ 满足 Itô 随机微分方程（2.4-36）时，它也是下列 Stratonovich 随机微分方程之解：

$$
\begin{aligned}
&\mathrm{d}X(t) = \overline{m}(X(t),t)\mathrm{d}t + \sigma(X(t),t) \circ \mathrm{d}B(t) \\
&X(t_0) = X_0
\end{aligned}
\tag{2.7-5}
$$

式中

$$
\overline{m}(X(t),t) = m(X(t),t) - \frac{1}{2}\sigma(X(t),t)\frac{\partial \sigma}{\partial X}(X(t),t) \tag{2.7-6}
$$

注意,当扩散过程 $X(t)$的扩散系数 σ不依赖于 $X(t)$时,Wong-Zakai 修正项为零,Itô 与 Stratonovich 随机微分方程具有相同的形式。

上述关于标量 Stratonovich 随机积分、微分同 Itô 随机积分、微分之间的关系可推广到矢量情形。(2.7-2)的矢量形式为

$$
\begin{aligned}
&\int_a^b \boldsymbol{G}(\boldsymbol{X}(t),t) \circ \mathrm{d}\boldsymbol{B}(t) \\
&= \int_a^b \boldsymbol{G}(\boldsymbol{X}(t),t)\mathrm{d}\boldsymbol{B}(t) + \frac{1}{2}\int_a^b \sigma(\boldsymbol{X}(t),t)\frac{\partial \boldsymbol{G}}{\partial \boldsymbol{X}}(\boldsymbol{X}(t),t)\mathrm{d}t
\end{aligned}
\tag{2.7-7}
$$

分量形式为

$$
\begin{aligned}
&\int_a^b G_{ik}(\boldsymbol{X}(t),t) \circ \mathrm{d}B_k \\
&\quad = \int_a^b G_{ik}(\boldsymbol{X}(t),t)\mathrm{d}B_k(t) \\
&\quad\quad + \frac{1}{2}\int_a^b \sigma_{jk}(\boldsymbol{X}(t),t)\frac{\partial G_{ik}}{\partial X_j}(\boldsymbol{X}(t),t)\mathrm{d}t
\end{aligned}
\tag{2.7-8}
$$

(2.7-4)的矢量形式为

$$
\begin{aligned}
&\boldsymbol{G}(\boldsymbol{X}(t),t) \circ \mathrm{d}\boldsymbol{B}(t) \\
&= \boldsymbol{G}(\boldsymbol{X}(t),t)\mathrm{d}\boldsymbol{B}(t) \\
&\quad + \frac{1}{2}\sigma(\boldsymbol{X}(t),t)\frac{\partial \boldsymbol{G}}{\partial \boldsymbol{X}}(\boldsymbol{X}(t),t)\mathrm{d}t
\end{aligned}
\tag{2.7-9}
$$

分量形式为

$$
G_{ik}(\boldsymbol{X}(t),t) \circ \mathrm{d}B_k(t)
$$

$$= G_{ik}(\boldsymbol{X}(t),t)\mathrm{d}B_k(t)$$
$$+\frac{1}{2}\sigma_{jk}(\boldsymbol{X}(t),t)\frac{\partial G_{ik}}{\partial X_j}(\boldsymbol{X}(t),t)\mathrm{d}t \qquad (2.7\text{-}10)$$

与矢量 Itô 随机积分方程(2.4-39)相应的矢量 Stratonovich 随机积分方程为

$$\boldsymbol{X}(t) = \boldsymbol{X}_0 + \int_{t_0}^{t}\overline{\boldsymbol{m}}[\boldsymbol{X}(s),s]\mathrm{d}s$$
$$+\int_{t_0}^{t}\sigma[\boldsymbol{X}(s),s]\circ\mathrm{d}\boldsymbol{B}(s) \qquad (2.7\text{-}11)$$

与矢量 Itô 随机微分方程(2.4-37)相应的矢量 Stratonovich 随机微分方程为

$$\mathrm{d}\boldsymbol{X}(t) = \overline{m}[\boldsymbol{X}(t),t]\mathrm{d}t + \sigma[\boldsymbol{X}(t),t)]\circ\mathrm{d}\boldsymbol{B}(t)$$
$$\boldsymbol{X}(t_0) = \boldsymbol{X}_0 \qquad (2.7\text{-}12)$$

(2.7-11)与(2.7-12)中，

$$\overline{\boldsymbol{m}}[X(t),t)] = \boldsymbol{m}[\boldsymbol{X}(t),t]$$
$$-\frac{1}{2}\sigma[\boldsymbol{X}(t),t]\frac{\partial\sigma}{\partial\boldsymbol{X}}[\boldsymbol{X}(t),t] \qquad (2.7\text{-}13)$$

与分量形式 Itô 随机微分方程(2.4-38)相应的分量形式 Stratonovich 随机微分方程为

$$\mathrm{d}X_i(t) = \overline{m}_i[\boldsymbol{X}(t),t]\mathrm{d}t + \sigma_{ik}[\boldsymbol{X}(t),t)]\circ\mathrm{d}B_k(t)$$
$$X_i(t_0) = X_{i0} \qquad (2.7\text{-}14)$$
$$i = 1,2,\cdots,n;k = 1,2,\cdots,m;$$

式中

$$\overline{m}_i[\boldsymbol{X}(t),t] = m_i[\boldsymbol{X}(t),t]$$
$$-\frac{1}{2}\sigma_{jk}[\boldsymbol{X}(t),t]\frac{\partial}{\partial X_j}\sigma_{ik}[\boldsymbol{X}(t),t] \qquad (2.7\text{-}15)$$

应用 Itô 微分公式(2.6-1)及 Itô 与 Stratonovich 随机微分方程的漂移系数之间关系(2.7-15)可导出 Stratonovich 随机微分公式。例如，对一维情形，设 $X(t)$服从 Itô 随机微分方程(2.4-36)，$Y=f(X,t)$，由 Itô 随机微分公式

$$dY = \left(\frac{\partial f}{\partial t} + m\frac{\partial f}{\partial X} + \frac{1}{2}\sigma^2\frac{\partial^2 f}{\partial X^2}\right)dt + \sigma\frac{\partial f}{\partial X}dB(t)$$

利用(2.7-4)及(2.4-36)与(2.7-5)之间的关系(2.7-6),可得

$$dY = \left(\frac{\partial f}{\partial t} + \bar{m}\frac{\partial f}{\partial X}\right)dt + \sigma\frac{\partial f}{\partial X}\circ dB(t)$$

它与普通微积分中复合函数的微分公式及均方微分公式一致。这一性质说明 Stratonovich 随机微分方程与物理系统的动力学方程密切相关。

Itô 随机微分运算服从 Itô 微分公式,而 Stratonovich 随机微积分的运算服从普通微积分规则,这一差别乃源于 Itô 随机积分与 Stratonovich 随机积分定义的不同。两种随机积分都是源于计算由 Gauss 白噪声激励产生的系统响应,它们的定义的不同相当于对 Gauss 白噪声作了两种不同的解释。在 Itô 随机积分中,Gauss 白噪声被看成理想的白噪声,它在某一时刻上之值与它在此时刻之前的任一时刻上之值以及由此时刻之前白噪声激励产生的响应皆不相关。而在 Stratonovich 随机积分中,Gauss 白噪声被看成平稳高斯过程在相关时间趋近于零时的极限过程,它在某一时刻上之值与它在此时刻之前的那些时刻上之值以及由这些时刻上该过程产生的响应相关。理想白噪声具有无限大的"功率",因而现实中并不存在,现实中的 Gauss 白噪声往往是相关时间极短的平稳 Gauss 过程的一个理想化模型。因此,Stratonovich 随机积分的定义更符合现实情形,在处理实际动态系统对 Gauss 白噪声的响应时,运动微分方程应模型化为 Stratonovich 随机微分方程。

另一方面,Itô 随机微积分在数学上有一系列良好的性质,特别是,Itô 随机微分方程与 Kolmogrov 方程有着直接而简单的关系,数学家们处理随机微分方程(包括解的存在与惟一性,随机稳定性及随机控制等)时几乎都用 Itô 随机微分方程,为充分利用这方面的数学研究成果,常将由实际问题导出的 Stratonovich 随机微分方程化为等价的 Itô 随机微分方程,再作进一步处理。

离散系统的动力学方程一般可表示为

$$\dot{X}_i = g_i(\boldsymbol{X}, t) + f_{ir}(\boldsymbol{X}, t)\xi_r(t)$$

$$X_i(t_0) = X_{i0} \tag{2.7-16}$$

$$i = 1, 2, \cdots, n; r = 1, 2, \cdots, s$$

式中 X_i 是 n 维矢量随机响应的第 i 个分量；"·"表示对 t 的导数；$\xi_r(t)$是 s 维矢量随机激励 $\xi(t)$的第 r 个分量；g_i，f_{ir}为 $\boldsymbol{X}$，t 的确定性函数。设 $\xi(t)$是零均值 Gauss 白噪声矢量，一般情形下，它的各个分量之间可以是相关的，即

$$\begin{aligned} &E[\xi(t)] = 0, \\ &E[\xi(t)\xi(t)^{\mathrm{T}}(t+\tau)] = 2\boldsymbol{D}\delta(\tau) \end{aligned} \tag{2.7-17}$$

式中 $2\boldsymbol{D}$ 为该矢量 Gauss 白噪声的强度矩阵，一般 $\boldsymbol{D}$ 为对称但非对角矩阵。为将(2.7-16)模型化为 Stratonovich 随机微分方程，需先将 $\xi(t)$用独立的单位强度 Gauss 白噪声矢量 $\boldsymbol{W}(t)$表示，即

$$\xi(t) = \boldsymbol{LW}(t), \boldsymbol{LL}^{\mathrm{T}} = 2\boldsymbol{D} \tag{2.7-18}$$

式中 $\boldsymbol{L}$ 为 $s \times m$ 维常数矩阵。这样，(2.7-16)变成

$$\dot{X}_i = g_i(\boldsymbol{X}, t) + \sigma_{ik}(\boldsymbol{X}, t)W_k(t)$$

$$X_i(t_0) = X_{i0} \tag{2.7-19}$$

$$i = 1, 2, \cdots, n; k = 1, 2, \cdots, m$$

式中 $W_k(t)$为独立的单位强度 Gauss 白噪声，$\sigma_{ik} = (\boldsymbol{fL})_{ik}$。将 $W_k(t)$看成广义 Gauss 过程，并用广义 Wiener 过程的导数代替，(2.7-19)变成

$$\mathrm{d}X_i = g_i(\boldsymbol{X}, t)\mathrm{d}t + \sigma_{ik}(\boldsymbol{X}, t) \circ \mathrm{d}B_k(t)$$

$$X_i(t_0) = X_{i0} \tag{2.7-20}$$

$$i = 1, 2, \cdots, n; k = 1, 2, \cdots, m$$

按上面讨论，(2.7-20)应理解为 Stratonovich 随机微分方程。类似于(2.4-38)与(2.7-14)，与(2.7-20)相应的 Itô 随机微分方程为

$$\mathrm{d}X_i = m_i(\boldsymbol{X}, t)\mathrm{d}t + \sigma_{ik}(\boldsymbol{X}, t)\mathrm{d}B_k(t)$$

$$X_i(t_0) = X_{i0}$$

$$i = 1, 2, \cdots, n; k = 1, 2, \cdots, m \tag{2.7-21}$$

式中

$$m_i(\boldsymbol{X}, t) = g_i(\boldsymbol{X}, t) + \frac{1}{2}\sigma_{jk}(\boldsymbol{X}, t)\frac{\partial \sigma_{ik}}{\partial X_j}(\boldsymbol{X}, t) \tag{2.7-22}$$

必要时,还可进一步按关系式(2.6-10),导得相应的 FPK 方程

$$\frac{\partial p}{\partial t} = -\frac{\partial}{\partial x_i}[a_i(\boldsymbol{x}, t)p] + \frac{1}{2}\frac{\partial^2}{\partial x_i \partial x_j}[b_{ij}(\boldsymbol{x}, t)p] \tag{2.7-23}$$

式中

$$\begin{aligned} a_i(\boldsymbol{x}, t) &= m_i(\boldsymbol{X}, t)\big|_{\boldsymbol{X}=\boldsymbol{x}} \\ b_{ij}(\boldsymbol{x}, t) &= \sigma_{ik}(\boldsymbol{X}, t)\sigma_{jk}(\boldsymbol{X}, t)\big|_{\boldsymbol{X}=\boldsymbol{x}} \\ &\quad - 2D_{kl}f_{ik}(\boldsymbol{X}, t)f_{jl}(\boldsymbol{X}, t)\big|_{\boldsymbol{X}=\boldsymbol{x}} \end{aligned} \tag{2.7-24}$$

于是,除了按(2.1-14)与(2.1-15)推导 FPK 方程的漂移系数与扩散系数外,从(2.7-16)到(2.7-24)给出了建立 FPK 方程的另一种步骤。这种步骤同时适用于 Gauss 白噪声外激与参激,运用这个步骤可以保证所建立 FPK 方程的正确性,而用(2.1-14)与(2.1-15)推导受 Gauss 白噪声参激的动态系统的 FPK 方程往往容易导致错误的 FPK 方程漂移系数。因此,(2.1-14)与(2.1-15)常只用于 Gauss 白噪声外激情形。

2.8 一维扩散过程的边界

扩散过程在边界上的性态在很大程度上决定整个扩散过程的性质。例如,一维扩散过程的概率渐近稳定性与平稳概率密度的存在性完全由该过程在边界上的性态确定。迄今,只对一维扩散过程的边界有较清楚的了解,Lin 与 Cai 对此作出了很好的总结[15],本节即取材于该专著。

2.8.1 边界的分类

按照 Feller[16],扩散过程的边界可分类如下:

规则边界　过程既可以从内部到达边界，也可以从边界进入内部；

越出边界　过程可以从内部到达边界，但不能从边界进入内部；

进入边界　过程可以从边界进入内部，但不能从内部到达边界；

自然边界　过程既不能从内部到达边界，也不能从边界进入内部。自然边界又可分为吸引自然边界，排斥自然边界及严格自然边界。

对用 Itô 随机微分方程

$$dX = m(X)dt + \sigma(X)dB(t) \tag{2.8-1}$$

描述的一维时齐扩散过程 $X(t)$，其边界可用下列四个函数来分类：

尺度函数

$$l(x) = \int_{x_0}^{x} \psi^{-1}(u)du \tag{2.8-2}$$

速度函数

$$v(x) = \int_{x_0}^{x} \frac{\psi(u)}{b(u)}du \tag{2.8-3}$$

从 x_0 到达 x 的时间

$$\Sigma(x) = \int_{x_0}^{x} v(u)dl(u) \tag{2.8-4}$$

从 x 到达 x_0 的时间

$$N(x) = \int_{x_0}^{x} l(u)dv(u) \tag{2.8-5}$$

式中 $x_0 \in (x_l, x_r)$ 为内点，x_l 与 x_r 分别为左右边界，$a(x) = m(X)|_{X=x}$，$b(x) = \sigma^2(X)|_{X=x}$，

$$\psi(x) = \exp\left[\int \frac{2a(x)}{b(x)}dx\right] \tag{2.8-6}$$

上述四个函数之间有如下关系[2]：

1. $l(x)=\infty$意味着 $\Sigma(x)=\infty$；
2. $\Sigma(x)<\infty$意味着 $l(x)<\infty$；
3. $v(x)=\infty$意味着 $N(x)=\infty$；
4. $N(x)<\infty$意味着 $v(x)<\infty$；
5. $\Sigma(x)+N(x)=l(x)v(x)$。

表 2.8-1　边界分类

准则				分类	
$l(x_b)$	$v(x_b)$	$\Sigma(x_b)$	$N(x_b)$		
$<\infty^*$	$<\infty^*$	$<\infty$	$<\infty$	规　则	可到达
$<\infty$	$=\infty^*$	$<\infty^*$	$=\infty$	越　出	
$<\infty^*$	$=\infty^*$	$=\infty^*$	$=\infty$	吸引自然	不可到达
$=\infty^*$	$<\infty^*$	$=\infty$	$=\infty^*$	排斥自然	
$=\infty^*$	$=\infty^*$	$=\infty$	$=\infty$	严格自然	
$=\infty^*$	$<\infty$	$=\infty$	$<\infty^*$	进　入	

边界 x_b 可用上述函数在该点之值按表 2.8-1 进行分类。表中 * 表示每一类边界的最少充分条件。例如，规则边界的最少充分条件是 $l(x_b)<\infty$与 $v(x_b)<\infty$。

2.8.2　奇异边界

使扩散系数 $\sigma(x_s)=0$ 与使漂移系数 $m(x_s)$无界之 x_s 分别称为第一类与第二类奇异边界。经常会出现奇异边界，特别是在受随机参激时。对奇异边界，(2.8-2)～(2.8-5)中的积分常遇到困难。然而，对边界分类来说，只需要这些积分的可积性，即漂移与扩散系数在边界邻域的极限性态。下面给出基于这种极限性态的奇异边界分类准则。

一、第一类奇异边界

设 $\sigma(x_s)=0$。若 $m(x_s)\neq 0$，则称 x_s 为流动点(shunt)，若

$m(x_s)=0$,则称 x_s 为套点(trap)。引入如下定义:

1. 若随 $x \to x_s$,

$$\sigma^2(x) = O|x - x_s|^{\alpha_s}, \quad \alpha_s \geqslant 0 \tag{2.8-7}$$

则称 α_s 为 x_s 的扩散指数。

2. 若随 $x \to x_s$,

$$m(x) = O|x - x_s|^{\beta_s}, \quad \beta_s \geqslant 0 \tag{2.8-8}$$

则称 β_s 为 x_s 的漂移指数。

3. 若随 $x \to x_l^+$ 或 $x \to x_r^-$,

$$c_l = \lim_{x \to x_l^+} \frac{2m(x)(x - x_l)^{\alpha_l - \beta_l}}{\sigma^2(x)} \tag{2.8-9}$$

$$c_r = -\lim_{x \to x_r^-} \frac{2m(x)(x_r - x)^{\alpha_r - \beta_r}}{\sigma^2(x)} \tag{2.8-10}$$

则称 c_l 与 c_r 为特征标值(character value)。(2.8-7)与(2.8-8)中,$O|\cdot|$表示$|\cdot|$值的阶。第一类奇异边界 x_s 的进一步分类可用 α_s,β_s,c_s 确定,见表 2.8-2。

表 2.8-2 第一类奇异边界分类

<table>
<tr><th>系数</th><th colspan="3">条 件</th><th>类别</th></tr>
<tr><td rowspan="6">$\sigma(x_s)=0$
$(\alpha_s>0)$
$m(x_s)\neq 0$
$(\beta_s=0)$
(流动点)</td><td>$\alpha_s<1$</td><td></td><td></td><td>规则</td></tr>
<tr><td rowspan="3">$\alpha_s=1$</td><td>$m(x_l)<0$
或 $m(x_r)>0$</td><td></td><td>越出</td></tr>
<tr><td rowspan="2">$m(x_l)>0$
或 $m(x_r)<0$</td><td>$0<c_s<1$</td><td>规则</td></tr>
<tr><td>$c_s\geqslant 1$</td><td>进入</td></tr>
<tr><td rowspan="2">$\alpha_s>1$</td><td>$m(x_l)<0$
或 $m(x_r)>0$</td><td></td><td>越出</td></tr>
<tr><td>$m(x_l)>0$
或 $m(x_r)<0$</td><td></td><td>进入</td></tr>
</table>

续表

系数	条件				类别
$\sigma(x_s)=0$ ($\alpha_s>0$) $m(x_s)=0$ ($\beta_s>0$) (套点)	$\alpha_s<1+\beta_s$	$\alpha_s<1$			规则
		$1\leqslant\alpha_s<2$			越出
		$\alpha_s\geqslant2$			吸引自然
	$\alpha_s>1+\beta_s$	$\beta_s<1$	$m(x_l^+)<0$ 或 $m(x_r^-)>0$		越出
			$m(x_l^+)>0$ 或 $m(x_r^-)<0$		进入
		$\beta_s\geqslant1$	$m(x_l^+)<0$ 或 $m(x_r^-)>0$		吸引自然
			$m(x_l^+)>0$ 或 $m(x_r^-)<0$		排斥自然
	$\alpha_s=1+\beta_s$	$\beta_s<1$	$c_s>\beta_s$	$c_s\geqslant1$	进入
				$c_s<1$	规则
			$c_s\leqslant\beta_s$		越出
		$\beta_s\geqslant1$	$c_s>\beta_s$		排斥自然
			$c_s\leqslant\beta_s$	$c_s\geqslant1$	严格自然
				$c_s<1$	吸引自然

二、第二类奇异边界

设 $m(x_s)$无界而$|x_s|<\infty$。

1. 若随 $x\to x_s$,

$$\sigma^2(x)=O\,|x-x_s|^{-\alpha_s},\quad \alpha_s\geqslant0 \tag{2.8-11}$$

则称 α_s 为 x_s 的扩散指数。

2. 若随 $x\to x_s$,

$$m(x)=O\,|x-x_s|^{-\beta_s},\quad \beta_s\geqslant0 \tag{2.8-12}$$

则称 β_s 为 x_s 的漂移指数。

3．若随 $x \to x_l^+$ 或 $x \to x_r^-$，

$$c_l = \lim_{x \to x_l^+} \frac{2m(x)(x - x_l)^{\beta_l - \alpha_l}}{\sigma^2(x)} \tag{2.8-13}$$

$$c_r = -\lim_{x \to x_l^-} \frac{2m(x)(x_r - x)^{\beta_r - \alpha_r}}{\sigma^2(x)} \tag{2.8-14}$$

则称 c_l 与 c_r 为 x_s 的特征标值。$|x_s|<\infty$情形第二类奇异边界 x_s 按 α_s、β_s 及 c_s 的分类列于表 2.8-3。

表 2.8-3　第二类奇异边界分类（$|x_s|<\infty$）

<table>
<tr><th>系数</th><th colspan="3">条　件</th><th>类别</th></tr>
<tr><td rowspan="6">$|m(x_s)|=\infty$
($\beta_s>0$)
$\sigma(x_s)<\infty$
($\alpha_s=0$)</td><td>$\beta_s<1$</td><td></td><td></td><td>规则</td></tr>
<tr><td rowspan="3">$\beta_s=1$</td><td>$c_s\leqslant-1$</td><td></td><td>越出</td></tr>
<tr><td>$-1<c_s<1$</td><td></td><td>规则</td></tr>
<tr><td>$c_s\geqslant1$</td><td></td><td>进入</td></tr>
<tr><td rowspan="2">$\beta_s>1$</td><td>$m(x_l^+)<0$
或 $m(x_r^-)>0$</td><td></td><td>越出</td></tr>
<tr><td>$m(x_l^+)>0$
或 $m(x_r^-)<0$</td><td></td><td>进入</td></tr>
<tr><td rowspan="6">$|m(x_s)|=\infty$
($\beta_s>0$)
$\sigma(x_s)=\infty$
($\alpha_s>0$)</td><td>$\beta_s<1+\alpha_s$</td><td></td><td></td><td>规则</td></tr>
<tr><td rowspan="2">$\beta_s>1+\alpha_s$</td><td>$m(x_l^+)<0$
或 $m(x_r^-)>0$</td><td></td><td>越出</td></tr>
<tr><td>$m(x_l^+)>0$
或 $m(x_r^-)<0$</td><td></td><td>进入</td></tr>
<tr><td rowspan="3">$\beta_s=1+\alpha_s$</td><td rowspan="2">$c_s\geqslant-\beta_s$</td><td>$c_s\geqslant1$</td><td>进入</td></tr>
<tr><td>$c_s<1$</td><td>规则</td></tr>
<tr><td>$c_s<-\beta_s$</td><td></td><td>越出</td></tr>
</table>

三、无穷远处第二类奇异边界

设 $m(x_s)$无界而$|x_s|=\infty$。

1．若随$|x|\to\infty$，

$$\sigma^2(x) = O|x|^{\alpha_s}, \quad \alpha_s \geqslant 0 \tag{2.8-15}$$

则称 α_s 为 x_s 的扩散指数。

2. 若随 $|x| \to \infty$，

$$m(x) = O|x|^{\beta_s}, \quad \beta_s \geqslant 0 \tag{2.8-16}$$

则称 β_s 为 x_s 的漂移指数。

3. 若随 $x \to -\infty$ 或 $x \to +\infty$，

$$c_l = \lim_{x \to \pm\infty} \frac{2m(x)|x|^{\alpha_l - \beta_l}}{\sigma^2(x)} \tag{2.8-17}$$

表 2.8-4 无穷远处第二类奇异边界分类

<table>
<tr><th>系数</th><th colspan="4">条 件</th><th>类别</th></tr>
<tr><td rowspan="2">$|m(\infty)|=\infty$
$(\beta_s>0)$</td><td rowspan="2">$m(-\infty)<0$
或
$m(+\infty)>0$</td><td>$\beta_s>1$</td><td colspan="2"></td><td>越出</td></tr>
<tr><td>$\beta_s\leqslant 1$</td><td colspan="2"></td><td>吸引
自然</td></tr>
<tr><td rowspan="2">$\sigma(\infty)<\infty$
$(\alpha_s=0)$</td><td rowspan="2">$m(-\infty)>0$
或
$m(+\infty)<0$</td><td>$\beta_s>1$</td><td colspan="2"></td><td>进入</td></tr>
<tr><td>$\beta_s\leqslant 1$</td><td colspan="2"></td><td>排斥
自然</td></tr>
<tr><td rowspan="4">$|m(x_s)|=\infty$
$(\beta_s>0)$</td><td rowspan="4">$\beta_s>\alpha_s-1$</td><td rowspan="2">$m(-\infty)<0$
或
$m(+\infty)>0$</td><td colspan="2">$\beta_s>1$</td><td>越出</td></tr>
<tr><td colspan="2">$\beta_s\leqslant 1$</td><td>吸引
自然</td></tr>
<tr><td rowspan="2">$m(-\infty)>0$
或
$m(+\infty)<0$</td><td colspan="2">$\beta_s>1$</td><td>进入</td></tr>
<tr><td colspan="2">$\beta_s\leqslant 1$</td><td>排斥
自然</td></tr>
<tr><td rowspan="7">$\sigma(x_s)=\infty$
$(\alpha_s>0)$</td><td>$\beta_s<\alpha_s-1$</td><td colspan="3"></td><td>规则</td></tr>
<tr><td rowspan="6">$\beta_s=\alpha_s-1$</td><td rowspan="3">$\beta_s\leqslant 1$</td><td>$c_s>-\beta_s$</td><td></td><td>排斥
自然</td></tr>
<tr><td rowspan="2">$c_s\leqslant-\beta_s$</td><td>$c_s\geqslant-1$</td><td>严格
自然</td></tr>
<tr><td>$c_s<-1$</td><td>吸引
自然</td></tr>
<tr><td rowspan="3">$\beta_s>1$</td><td rowspan="2">$c_s>-\beta_s$</td><td>$c_s\geqslant-1$</td><td>进入</td></tr>
<tr><td>$c_s<-1$</td><td>规则</td></tr>
<tr><td>$c_s\leqslant-\beta_s$</td><td></td><td>越出</td></tr>
</table>

$$c_r = -\lim_{x \to \infty} \frac{2m(x)\,|\,x\,|^{\alpha_r - \beta_r}}{\sigma^2(x)} \tag{2.8-18}$$

则称 c_l 与 c_r 为 $|x_s| = \infty$ 特征标值。$|x_s| = \infty$ 情形第二类奇异边界 x_s 按 α_s，β_s 及 c_s 的分类列于表 2.8-4。

2.8.3 扩散过程的渐近性态与其边界类别之间的关系

定义在区间 (x_l, x_r) 上的一维时齐扩散过程 $X(t)$，其性态与边界类别密切相关[17]。若两边界皆为进入或排斥自然，则几乎所有的轨道往返于该区间上，从而方程(2.8-1)有平稳解，其平稳概率密度从求解与(2.8-1)相应的 FPK 方程求得。若一个边界为越出或吸引自然，另一个边界为进入或排斥自然，则几乎所有的轨道渐近地趋于越出或吸引自然边界点，而不在该区间上往返，从而该扩散过程的平稳概率密度为在越出或吸引自然边界点上的 delta 函数。若两个边界中的每一个为越出，吸引自然或严格自然，则该扩散过程没有平稳状态。有一个规则边界，在没有对 $X(t)$ 的样本函数到达边界后的性态作进一步假设的情况下，与(2.8-1)对应的平稳 FPK 方程之解非惟一[18]。这常常是一件幸事，在实际问题中，它允许我们作一定的补充假设。

参考文献

[1] Gadiner C W. Handbook of Stochastic Method for Physics, Chemistry and the Natural Sciences. Berlin: Springer-Verlag, 1983

[2] Karlin S, Taylor H M. A Second Course in Stochastic Processes. New York: Academic Press, 1981

[3] Fuller A T. Analysis of nonlinear stochastic systems by means of the Fokker-Planck equation. International Journal of Control, 1969, 9: 603—655

[4] Karlin S, Taylor H M. A First Course in Stochastic Processes. New York: Academic Press, 1975

[5] Feller W. An Introduction to Probability Theory and It's Applications, Vol. I, New York: John Wiley & Sons, 1957

[6] Sobczyk K. Stochastic Differential Equations, With Applications to Physics and Engineering. Dordrecht: Kluwer Academic Publishers, 1991

[7] Grigoriu M . White noise processes in random vibration . In : Nonlinear Dynamics and Stochastic Mechanics , Kliemann W , Sri Namachchivaya N . (Eds .), Boca Raton : CRC Press , 1996

[8] Kloeden P E , Platen E . Numerical Solutions of Stochastic Differential Equations . Berlin : Springer-Verlag , 1992

[9] Arnold L . Stochastic Differential Equations : Theory and Applications . New York : Wiley , 1974

[10] Gikhman I I , Skorokhod A V . Stochastic Differential Equations . Berlin : Springer-Verlag ,1972

[11] Khasminskii R Z . Stochastic Stability of Differential Equation . Alphen aan den Rijn : Sijthoff & Noordhoff , 1980

[12] Jiong Min Yong , Xun Yu Zhou . Stochastic Control , Hamiltonian Systems and HJB Equation . New York : Springer-Verlag , 1999

[13] Kloeden P E , Platen E . Numerical methods for stochastic differential equations . Nonlinear Dynamics and Stochastic Mechanics , Kliemann W , Sri Namachchivaya N . (Eds .) . Boca Raton : CRC Press , 1996

[14] Wong E , Zakai M On the relation between ordinary and stochastic equations . International Journal of Engineering Science , 3 (2) : 213—229

[15] Lin Y K , Cai G Q . Probabilistic Structural Dynamics , Advanced Theory and Applications . New York : McGraw-Hill , 1995

[16] Feller W . Diffusion process in one dimension . Transaction of American Mathematical Society , 1954 , 77 : 1—31

[17] Zhang Z Y . New developments in almost sure sample stability of nonlinear stochastic dynamical systems , Ph .D dissertation , Polytechnic University , New York , 1991

[18] Feller W . The parabolic differential equation and the associated semigroups of transformations . Annals of Mathematics : 1952 , 55 (3) : 468—519

第三章　精确平稳解

从 20 世纪 30 年代至 90 年代初所得到的非线性随机动力学系统的精确平稳解都属于能量等分解。在将非线性随机动力学系统表示成随机激励的耗散的 Hamilton 系统，并引入可积性与共振性后，得到了五类精确平稳解，其中一类是能量等分解，四类是能量非等分解，使非线性随机动力学系统的精确平稳解与线性随机动力学系统的 Gauss 解一致起来。本章中建立并证明了非线性随机动力学系统精确平稳解的泛函形式对相应 Hamilton 系统的可积性与共振性的依赖关系，给出了求精确平稳解的方法与存在精确平稳解的条件。

3.1　随机激励的耗散的 Hamilton 系统

1.1.1 中曾由 Hamilton 原理导出(广义)保守系统的 Lagrange 运动方程，进而经 Legendre 变换导出 Hamilton 方程。本节将用 Hamilton 原理导出非保守系统的 Lagrange 方程，然后用 Legendre 变换导出 Hamilton 方程，最后给出本书所研究的随机激励的耗散的 Hamilton 系统的一般运动方程。

以 $L(\boldsymbol{q},\dot{\boldsymbol{q}})$表示 **Lagrange** 函数，以 $\overline{\boldsymbol{F}}(\boldsymbol{q},\dot{\boldsymbol{q}},t)$记非保守广义力，$\delta W_{nc}=\overline{F}_i\delta q_i$ 表示非保守力之虚功，非保守系统的 Hamilton 原理可表为

$$\delta\int_{t_1}^{t_2}(L+W_{nc})\mathrm{d}t=0 \tag{3.1-1}$$

经分部积分，并注意两端广义位移变分为零

$$\delta q_i(t_1)=\delta q_i(t_2)=0 \tag{3.1-2}$$

可得非保守系统的 Lagrange 运动方程

$$\frac{\mathrm{d}}{\mathrm{d}t}\frac{\partial L}{\partial \dot{q}_i}-\frac{\partial L}{\partial q_i}=\overline{F}_i,\quad i=1,2,\cdots,n \tag{3.1-3}$$

再用 1.1.1 中所述 Legendre 变换,可得如下非保守系统的 Hamilton 方程

$$\dot{q}_i=\frac{\partial H}{\partial p_i},\dot{p}_i=-\frac{\partial H}{\partial q_i}+F_i,i=1,2,\cdots,n \tag{3.1-4}$$

式中 $H=(\boldsymbol{q},\boldsymbol{p})$由 $L(\boldsymbol{q},\dot{\boldsymbol{q}})$按(1.1-5)得到

$$F_i=F_i(\boldsymbol{q},\boldsymbol{p},t)=\overline{F}_i(\boldsymbol{q},\dot{\boldsymbol{q}},t)\mid_{\dot{\boldsymbol{q}}\to\boldsymbol{p}} \tag{3.1-5}$$

为非保守广义力,包括耗散力 F_i^d,激励力 F_i^e 及控制力 F_i^c,即

$$F_i=F_i^d+F_i^e+F_i^c \tag{3.1-6}$$

本书中,设耗散力形为

$$F_i^d=-c_{ij}(\boldsymbol{q},\boldsymbol{p})\partial H/\partial p_j \tag{3.1-7}$$

当 c_{ij}为常数时,F_i^d 为线性阻尼力。当 c_{ij}为 $\boldsymbol{q},\boldsymbol{p}$ 函数时,F_i^d 为拟线性阻尼力。(3.1-7)是一个很一般的阻尼力模型,包含了所有通常遇到的线性与非线性阻尼力。

激励力形为

$$F_i^e=f_{ik}(\boldsymbol{q},\boldsymbol{p})\xi_k(t) \tag{3.1-8}$$

式中 $\xi_k(t)$为随机过程,可以是白噪声、宽带过程或窄带过程,也可包括周期或谐和力,可以是平稳的,也可以是非平稳的。当 f_{ik}为常数时,相应的激励 $f_{ik}\xi_k(t)$(不对 k 求和)称为外激或加性激励,当 f_{ik}依赖于 $\boldsymbol{q}$、$\boldsymbol{p}$ 时,相应的激励称为参激或乘性激励。

控制力形为

$$F_i^c=u_i(\boldsymbol{q},\boldsymbol{p}) \tag{3.1-9}$$

这表明 F_i^c 为反馈控制力。当 u_i 为 $\boldsymbol{q},\boldsymbol{p}$ 的线性函数时,F_i^c 为线性反馈控制力,否则为非线性反馈控制力。

考虑到(3.1-6)~(3.1-9),(3.1-4)变成

$$\dot{Q}_i=\frac{\partial H}{\partial P_i}$$

$$\dot{P}_i=-\frac{\partial H}{\partial Q_i}-c_{ij}(\boldsymbol{Q},\boldsymbol{P})\frac{\partial H}{\partial P_j}$$

$$+ u_i(\boldsymbol{Q},\boldsymbol{P}) + f_{ik}(\boldsymbol{Q},\boldsymbol{P})\xi_k(t) \tag{3.1-10}$$
$$i, j = 1, 2, \cdots, n; k = 1, 2, \cdots, m$$

式中改用大写字母 $\boldsymbol{Q}$、$\boldsymbol{P}$ 表示广义位移与广义动量，乃因它们现在是随机过程。(3.1-10)称为受控的、随机激励的、耗散的 Hamilton 系统，将在八章中论述。当 $u_i=0$ 时，(3.1-10)称为随机激励的耗散的 Hamilton 系统，将在本章至第七章中论述。

3.2 Gauss 白噪声激励下耗散的 Hamilton 系统

3.2.1 FPK 方程

考虑 Gauss 白噪声激励下 n 自由度耗散的 Hamilton 系统，其运动微分方程形为

$$\dot{Q}_i = \frac{\partial \overline{H}}{\partial P_i}$$
$$\dot{P}_i = -\frac{\partial \overline{H}}{\partial Q_i} - c_{ij}(\boldsymbol{Q},\boldsymbol{P})\frac{\partial \overline{H}}{\partial P_j} + f_{ik}(\boldsymbol{Q},\boldsymbol{P})\xi_k(t) \tag{3.2-1}$$
$$i, j = 1, 2, \cdots, n; \quad k = 1, 2, \cdots, m$$

式中 $\overline{H} = \overline{H}(\boldsymbol{Q},\boldsymbol{P})$ 为未扰 Hamilton 系统的 Hamilton 函数，$\xi_k(t)$ 为 Gauss 白噪声，均值为零，相关函数为

$$E[\xi_k(t)\xi_l(t+\tau)] = 2D_{kl}\delta(\tau) \tag{3.2-2}$$

按照(2.7-16)至(2.7-20)的推导过程，(3.2-1)可模型化为下述 Stratonovich 随机微分方程

$$\mathrm{d}Q_i = \frac{\partial \overline{H}}{\partial P_i}\mathrm{d}t$$
$$\mathrm{d}P_i = -\left(\frac{\partial \overline{H}}{\partial Q_i} + c_{ij}(\boldsymbol{Q},\boldsymbol{P})\frac{\partial \overline{H}}{\partial P_j}\right)\mathrm{d}t + \sigma_{ik}(\boldsymbol{Q},\boldsymbol{P})\circ \mathrm{d}B_k(t)$$
$$i, j = 1, 2, \cdots, n; \quad k = 1, 2, \cdots, m \tag{3.2-3}$$

式中

$$\sigma_{ik} = (\boldsymbol{fL})_{ik}, \quad \boldsymbol{LL}^{\mathrm{T}} = 2\boldsymbol{D} \tag{3.2-4}$$

与(3.2-3)等价的 Itô 随机微分方程为

$$
\begin{aligned}
\mathrm{d}Q_i &= \frac{\partial \overline{H}}{\partial P_i}\mathrm{d}t \\
\mathrm{d}P_i &= \left(-\frac{\partial \overline{H}}{\partial Q_i} - c_{ij}(\boldsymbol{Q},\boldsymbol{P})\frac{\partial \overline{H}}{\partial P_j} + \frac{1}{2}\sigma_{jk}\frac{\partial \sigma_{ik}}{\partial P_j}\right)\mathrm{d}t \\
&\quad + \sigma_{ik}(\boldsymbol{Q},\boldsymbol{P})\mathrm{d}B_k(t)
\end{aligned} \tag{3.2-5}
$$

式中$(1/2)\sigma_{jk}\partial\sigma_{ik}/\partial P_j = D_{kl}f_{jl}\partial f_{ik}/\partial P_j$为 Wong-Zakai 修正项,它们是 $\boldsymbol{Q},\boldsymbol{P}$ 的函数,通常可分成保守与耗散两部分,其中保守部分可与$-\partial\overline{H}/\partial Q_i$合并成为$-\partial H/\partial Q_i$,而$\partial H/\partial P_i = \partial\overline{H}/\partial P_i$,$H = H(\boldsymbol{Q},\boldsymbol{P})$称为修正的 Hamilton 函数。修正项中耗散部分可与$-c_{ij}\partial\overline{H}/\partial P_j$合并成为修正的阻尼力$-m_{ij}(\boldsymbol{Q},\boldsymbol{P})\partial H/\partial P_j$。于是,(3.2-5)可改写成

$$
\begin{aligned}
\mathrm{d}Q_i &= \frac{\partial H}{\partial P_i}\mathrm{d}t \\
\mathrm{d}P_i &= -\left(\frac{\partial H}{\partial Q_i} + m_{ij}(\boldsymbol{Q},\boldsymbol{P})\frac{\partial H}{\partial P_j}\right)\mathrm{d}t + \sigma_{ik}(\boldsymbol{Q},\boldsymbol{P})\mathrm{d}B_k(t)
\end{aligned} \tag{3.2-6}
$$

显然,f_{ik}不依赖于 $\boldsymbol{P}$ 时,Wong-Zakai 修正项为零,从而 $H = \overline{H}$,$m_{ij} = c_{ij}$。由 2.5 知,一般得不到 Itô 随机微分方程(3.2-6)的解析解,只能求其数值解。

按(2.7-21)~(2.7-24),与(3.2-6)相应的 FPK 方程为

$$
\begin{aligned}
\frac{\partial p}{\partial t} &= -\frac{\partial}{\partial q_i}\left(\frac{\partial H}{\partial p_i}p\right) + \frac{\partial}{\partial p_i}\left(\frac{\partial H}{\partial q_i}p\right) + \frac{\partial}{\partial p_i}\left(m_{ij}\frac{\partial H}{\partial p_j}p\right) \\
&\quad + \frac{1}{2}\frac{\partial^2}{\partial p_i\partial p_j}(b_{ij}p)
\end{aligned} \tag{3.2-7}
$$

式中 $p = p(\boldsymbol{q},\boldsymbol{p},t\,|\,\boldsymbol{q}_0,\boldsymbol{p}_0,t_0)$为转移概率密度或 $p = p(\boldsymbol{q},\boldsymbol{p},t)$为无条件概率密度,$b_{ij} = (\sigma\sigma^{\mathrm{T}})_{ij} = 2(\boldsymbol{fDf}^{\mathrm{T}})_{ij} = 2D_{kl}f_{ik}f_{jl}$。注意到

$$
\begin{aligned}
&-\frac{\partial}{\partial q_i}\left(\frac{\partial H}{\partial p_i}p\right) + \frac{\partial}{\partial p_i}\left(\frac{\partial H}{\partial q_i}p\right) \\
&\quad = -\frac{\partial H}{\partial p_i}\frac{\partial p}{\partial q_i} + \frac{\partial H}{\partial q_i}\frac{\partial p}{\partial p_i} = [p, H]
\end{aligned} \tag{3.2-8}
$$

为 p 与 H 的 Poisson 括号,(3.2-7)可改写成

$$\frac{\partial p}{\partial t}=[p,H]+\frac{\partial}{\partial p_i}\left(m_{ij}\frac{\partial H}{\partial p_j}p\right)+\frac{1}{2}\frac{\partial^2}{\partial p_i\partial p_j}(b_{ij}p) \tag{3.2-9}$$

扩散系数 b_{ij}有时可分为两部分[1,2],即

$$b_{ij}=b_{ij}^{(i)}+b_{ji}^{(j)} \tag{3.2-10}$$

此处上下标不表示求和。分解式(3.2-10)可使扩散矩阵保持对称,即 $b_{ij}=b_{ji}$。于是,(3.2-9)又可表示为

$$\frac{\partial p}{\partial t}=[p,H]+\frac{\partial}{\partial p_i}\left(m_{ij}\frac{\partial H}{\partial p_j}p\right)+\frac{\partial^2}{\partial p_i\partial p_j}(b_{ij}^{(i)}p) \tag{3.2-11}$$

注意,(3.2-11)比(3.2-9)更为一般,因为前者对应更为广泛的随机系统。只有当 $b_{ij}^{(i)}=b_{ji}^{(j)}=b_{ij}/2$ 时,两者才完全等价。

FPK 方程(3.2-7)、(3.2-9)及(3.2-11)是 $2n$ 维的,而扩散矩阵是 $n\times n$ 维的,因此,FPK 方程是退化的抛物型偏微分方程。

当 FPK 方程(3.2-7)、(3.2-9)或(3.2-11)中 p 为转移概率密度时,初始条件形同(2.1-28),即

$$\begin{aligned}p&=p(\boldsymbol{q},\boldsymbol{p},t\mid\boldsymbol{q}_0,\boldsymbol{p}_0,t_0)\\&=\delta(\boldsymbol{q}-\boldsymbol{q}_0)\delta(\boldsymbol{p}-\boldsymbol{p}_0),t=t_0\end{aligned} \tag{3.2-12}$$

当 p 为无条件概率密度时,初始条件形同(2.1-36),即

$$p(\boldsymbol{q},\boldsymbol{p},t)=p(\boldsymbol{q}_0,\boldsymbol{p}_0),\quad t=t_0 \tag{3.2-13}$$

当系统的运动不受到附加的限制时,系统的状态可到达相空间($\boldsymbol{q},\boldsymbol{p}$)中任一点。这样,上述 FPK 方程的边界条件为无穷远处边界条件(2.1-34)与(2.1-35)。对 FPK 方程(3.2-7),反射边界条件形为

$$\left.\begin{aligned}&\frac{\partial H}{\partial p_i}p=0\\&\left(\frac{\partial H}{\partial q_i}+m_{ij}\frac{\partial H}{\partial p_j}\right)p+\frac{1}{2}\frac{\partial}{\partial p_j}(b_{ij}p)=0\end{aligned}\right\}\ |\boldsymbol{q}|+|\boldsymbol{p}|\to\infty \tag{3.2-14}$$

考虑到归一化条件,一般有

$$p = \partial p / \partial q_i = \partial p / \partial p_i = 0, \quad |\boldsymbol{q}| + |\boldsymbol{p}| \to 0 \tag{3.2-15}$$

受 Gauss 白噪声外激与线性阻尼作用的线性 Hamilton 系统,可用 Fourier 变换法求得相应 FPK 方程的精确瞬态解[3]。对 Gauss 白噪声激励下非线性耗散 Hamilton 系统,除了少数一维情形,一般得不到相应 FPK 方程的精确瞬态法,但有可能得到它的精确平稳解。

当(3.2-1)中不含周期或谐和激励时,Itô 随机微分方程(3.2-6)的漂移与扩散系数不显含时间 t。假定它们对 Q_j, P_j 是连续的,那么,$[\boldsymbol{Q}^{\mathrm{T}}\ \boldsymbol{P}^{\mathrm{T}}]^{\mathrm{T}}$ 将是一个矢量时齐扩散过程。当由随机激励输入系统的能量与由阻尼耗散的能量达到统计平衡时,系统将达到统计平衡状态。此时,FPK 方程(3.2-9)与(3.2-11)将有平稳解,从而$\partial p / \partial t = 0$,它们分别简化为

$$[p, H] + \frac{\partial}{\partial p_i}\left(m_{ij}\frac{\partial H}{\partial p_j}p\right) + \frac{1}{2}\frac{\partial^2}{\partial p_i \partial p_j}(b_{ij}p) = 0 \tag{3.2-16}$$

与

$$[p, H] + \frac{\partial}{\partial p_i}\left(m_{ij}\frac{\partial H}{\partial p_j}p\right) + \frac{\partial^2}{\partial p_i \partial p_j}(b_{ij}^{(i)}p) = 0 \tag{3.2-17}$$

(3.2-16)与(3.2-17)称为平稳或简化 FPK 方程,它们的精确解就是精确平稳解。

关于 FPK 方程(3.2-7)的平稳解的存在性可用 2.5.2 中 Khasminskii 的充分条件作如下说明。设 Hamilton 函数 $H(\boldsymbol{q}, \boldsymbol{p})$ 在$(H_{\min}, +\infty)$上变化,取 Lyapunov 函数 $V(\boldsymbol{q}, \boldsymbol{p}) = H(\boldsymbol{q}, \boldsymbol{p}) - H_0$,当 $H_{\min} \geqslant 0$ 时,取 $H_0 = 0$;当 $H_{\min} < 0$ 时,取 $H_0 = H_{\min}$。从而 $V(\boldsymbol{q}, \boldsymbol{p}) \geqslant 0$,且 $V_R = \inf\limits_{|\boldsymbol{q}|^2 + |\boldsymbol{p}|^2 > R} V(\boldsymbol{q}, \boldsymbol{p})$随 $R \to \infty$而趋于无穷。当其导数

$$LV(\boldsymbol{q},\boldsymbol{p}) = -m_{ij}\frac{\partial H}{\partial p_i}\frac{\partial H}{\partial p_j} + D_{kl}f_{ik}f_{jl}\frac{\partial^2 H}{\partial p_i \partial p_j}$$

满足(2.5-2)的第二式时(如线性系统，m_{ij}，f_{ik}为常数，且 $m_{ij}=0$，$i\neq j$)，(3.2-7)有平稳解。但若当$|\boldsymbol{q}|\to\infty$时，势能为负，例如，软弹簧 Duffing 振子，$H(q,p)$可为负无穷，上述条件不满足，(3.2-7)无平稳解。

3.2.2 求精确平稳解之方法

FPK 方程于 20 世纪初由 Fokker 与 Planck 首先提出，并应用于研究量子物理问题。20 世纪 30 年代初 Kolmogorov 将它一般化与抽象化。不久，Andronov 等将它应用于研究一般动态系统。50 年代 Stratonovich 将它应用于研究电子工程问题。50 年代末 Chuang 与 Kazda 将它应用于研究非线性控制系统。60 年代初 Ariaratnam、Lyon、Smith、Caughey 与 Dienes、Crandall 等将它应用于研究非线性随机振动问题。关于 FPK 方程直至 60 年代中期的发展参看 Fuller[4]。

FPK 方程的精确平稳解首先由 Andronov 等[5]与 Kramers[6]独立地为在 Gauss 白噪声外激下单自由度非线性弹簧系统得到。Caughey 与 Payne[7]及 Caughey 与 Ma[8,9]，将该解推广于某些类型非线性阻尼系统与多自由度非线性系统。Dimentberg[10]首先得到同时受 Gauss 白噪声外激与参激的特殊单自由度系统的 FPK 方程的精确平稳解。Zhu(朱)[11]将 Caughey 与 Ma[8,9]及 Dimentberg[10]之解推广于更为一般的几类非线性随机系统。Fuller[4]将在 Gauss 白噪声外激下的非线性系统表示成随机激励的耗散的 Hamilton 系统的形式(虽然他并未提出这一名词)，并将相应 FPK 方程的平稳解表示成 Hamilton 函数的泛函。80 年代末与 90 年代初，Soize[12~14]与 Zhu 等[5,6]独立地得到了 Gauss 白噪声外激与参激下相当一般的非线性耗散 Hamilton 系统的 FPK 方程精确平稳解。

关于求 FPK 方程精确平稳解的方法，Stratonovich[17]提出了平稳势法，Van Kampen[18]、Graham 与 Haken[19]提出了局部平衡法，对此，后来 Yong 与 Lin[20]作了进一步的阐述，Lin 与 Cai[1]提出了广义平稳势法。这些方法已在专著[2,3]中作了介绍。

FPK 方程(2.1-26)描述一个随机动力学系统的(转移)概率密度在状态空间中的进化。将 FPK 方程改写成概率守恒方程(2.1-29)，则平稳 FPK 方程可表为

$$\partial G_i/\partial x_i = 0 \tag{3.2-18}$$

式中

$$G_i = a_i p - (1/2)\partial(b_{ij}p)/\partial x_j \tag{3.2-19}$$

表示第 i 个方向概率流。在求解(3.2-18)时，通常假定边界上概率流为零，即

$$G_i = a_i(\boldsymbol{x})p(\boldsymbol{x}) - \frac{1}{2}\frac{\partial}{\partial x_j}[b_{ij}(\boldsymbol{x})p(\boldsymbol{x})] = 0, \quad \boldsymbol{x} \in S \tag{3.2-20}$$

对非振动型随机系统，概率流只含概率势流，边界上概率流为零就意味着状态空间中每点概率流为零。这样，得到表示 n 个方向概率流为零的 n 个方程

$$a_i(\boldsymbol{x})p(\boldsymbol{x}) - \frac{1}{2}\frac{\partial}{\partial x_j}[b_{ij}(\boldsymbol{x})p(\boldsymbol{x})] = 0, i = 1,2,\cdots,n \tag{3.2-21}$$

由此可确定平稳概率密度 $p(\boldsymbol{x})$。

对振动型随机系统，概率流同时包含概率环流与概率势流，边界上概率流为零并不意味着状态空间中每点概率流为零，可以是每一点上概率环流平衡而概率势流为零。将 a_i 分成对应于概率环流部分 a_i^c 与对应于概率势流部分 a_i^p，则(3.2-18)可分成两部分

$$\frac{\partial}{\partial x_i}[a_i^c(\boldsymbol{x})p(\boldsymbol{x})] = 0 \tag{3.2-22}$$

$$a_i^p(\boldsymbol{x})p(\boldsymbol{x}) - \frac{1}{2}\frac{\partial}{\partial x_j}[b_{ij}(\boldsymbol{x})p(\boldsymbol{x})] = 0 \tag{3.2-23}$$

$$i = 1,2,\cdots,n$$

(3.2-22)表示概率环流的平衡,(3.2-23)表示 n 个方向概率势流为零。由这 $n+1$ 个方程可确定平稳概率密度 $p(\boldsymbol{x})$。

对随机振动系统,a_i^c 与惯性项、弹性项及 Wong-Zakai 修正项中保守部分相联系,a_i^p 与耗散项及 Wong-Zakai 修正项中耗散部分相联系,b_{ij}则与随机激励项相联系。(3.2-22)表示动能与势能之间的交换,而(3.2-23)表示随机激励输入系统的能量与阻尼消耗的能量之间的统计平衡。对 Gauss 白噪声激励下的耗散的 Hamilton 系统,与(3.2-22)与(3.2-23)相应的方程分别形为

$$[p, H] = 0 \tag{3.2-24}$$

与

$$m_{ij}(\boldsymbol{q},\boldsymbol{p})\frac{\partial H}{\partial p_j}p(\boldsymbol{q},\boldsymbol{p}) + \frac{1}{2}\frac{\partial}{\partial p_j}[b_{ij}(\boldsymbol{q},\boldsymbol{p})p(\boldsymbol{q},\boldsymbol{p})] = 0 \tag{3.2-25}$$

$$i = 1,2,\cdots,n$$

或

$$m_{ij}(\boldsymbol{q},\boldsymbol{p})\frac{\partial H}{\partial p_j}p(\boldsymbol{q},\boldsymbol{p}) + \frac{\partial}{\partial p_j}[b_{ij}^{(i)}(\boldsymbol{q},\boldsymbol{p})p(\boldsymbol{q},\boldsymbol{p})] = 0$$

$$i = 1,2,\cdots,n \tag{3.2-25$'$}$$

通常,假设平稳概率密度具有负指数形式,即

$$p(\boldsymbol{x}) = C\exp[-\phi(\boldsymbol{x})] \tag{3.2-26}$$

这可保证概率密度的非负性,同时也容易满足无穷远处概率密度及其一阶导数为零的边界条件,C 称为归一化常数,由状态空间中总概率为 1 的条件确定,$\phi(\boldsymbol{x})$称为概率势。

将(3.2-26)代入(3.2-21),得到确定 $\phi(\boldsymbol{x})$的 n 个一阶线性偏微分方程

$$b_{ij}\frac{\partial \phi}{\partial x_j} = \frac{\partial}{\partial x_j}b_{ij} - 2a_i, \qquad i = 1,2,\cdots,n \tag{3.2-27}$$

若能找到一个 ϕ 同时满足所有方程,就说相应的随机系统属于平稳势类。若扩散矩阵 $\boldsymbol{B}=[b_{ij}]$非奇异,其逆 $\boldsymbol{B}^{-1}=\boldsymbol{G}=[g_{rs}]$存在,则(3.2-27)可改写成

$$\frac{\partial \phi}{\partial x_j} = g_{jr}\left[\frac{\partial b_{rs}}{\partial x_s} - 2a_r\right] \tag{3.2-28}$$

若 ϕ满足下列相容性条件

$$\frac{\partial^2 \phi}{\partial x_i \partial x_j} = \frac{\partial^2 \phi}{\partial x_j \partial x_i}, \quad i, j = 1, 2, \cdots, n \tag{3.2-29}$$

即

$$\frac{\partial}{\partial x_i}\left\{g_{jr}\left[\frac{\partial b_{rs}}{\partial x_s} - 2a_r\right]\right\} = \frac{\partial}{\partial x_j}\left\{g_{ir}\left[\frac{\partial b_{rs}}{\partial x_s} - 2a_r\right]\right\} \tag{3.2-29$'$}$$

则 ϕ有如下形式之解

$$\phi(\boldsymbol{x}) = \phi(0) + \int_0^{x_i} \frac{\partial \phi}{\partial x_i} \mathrm{d} x_i \tag{3.2-30}$$

上式右边第二项为线积分,对 i 从 1 到 n 求和。将(3.2-30)代入(3.2-26)就得到平稳概率密度。

将(3.2-23)中 b_{ij}表示成(3.2-10)的形式,并将(3.2-26)代入(3.2-22)与(3.2-23),得到

$$\frac{\partial}{\partial x_i} a_i^c = a_i^c \frac{\partial \phi}{\partial x_i} \tag{3.2-31}$$

$$b_{ij}^{(i)} \frac{\partial \phi}{\partial x_j} = \frac{\partial}{\partial x_j} b_{ij}^{(i)} - a_i^p, \quad i = 1, 2, \cdots, n \tag{3.2-32}$$

若能找到一个 ϕ,同时满足这 $n+1$ 个一阶线性偏微分方程,则称相应的随机动力学系统属广义平稳势类。求解时,通常先由(3.2-31)确定 ϕ的泛函形式,然后代入(3.2-32)确定具体的 ϕ。例如,对 Gauss 白噪声激励下耗散的 Hamilton 系统,由(3.2-24)推出,p 具有如下泛函形式

$$p(\boldsymbol{q}, \boldsymbol{p}) = C\exp[-\lambda(H)]\,|_{H=H(\boldsymbol{q}, \boldsymbol{p})} \tag{3.2-33}$$

将此代入(3.2-25)或(3.2-25$'$),可确定 $\lambda(\boldsymbol{H})$的具体形式。

直到 20 世纪 90 年代中期,几乎所有得到的 FPK 方程的平稳解皆具有(3.2-33)的形式。这种解与 Maxwell-Boltzmann 分布有关[4]。19 世纪 60 年代 Maxwell 与 Boltzmann 研究气体分子随机运动时,得到如下平稳概率密度:

$$p(x_1, x_2, x_3, u_1, u_2, u_3) = C\exp\left[-\frac{2A}{m}H(x_1, x_2, x_3, u_1, u_2, u_3)\right] \quad (3.2\text{-}34)$$

式中 x_i 与 u_i 分别表示气体分子三个方向位移与速度，A 是由气体温度决定的常数，m 是气体分子的质量，

$$H = m(u_1^2 + u_2^2 + u_3^2)/2 + G(x_1, x_2, x_3) \quad (3.2\text{-}35)$$

G 表示分子的势能。一种气体，若其分子具有平稳概率密度(3.2-34)，就称该气体具有 Maxwell-Boltzmann 状态分布。由(3.2-34)与(3.2-35)可推出，每个自由度的平均动能相同，即

$$mE[u_1^2]/2 = mE[u_2^2]/2 = mE[u_3^2]/2 \quad (3.2\text{-}36)$$

这一性质称为能量等分。因此，常称平稳概率密度(3.2-33)为 FPK 方程之能量等分解。

能量等分解意味着一个多自由度非线性随机动力学系统的各自由度之间的能量比值是固定的，改变随机激励与阻尼的大小，只能改变系统总能量的分布，而不能改变各自由度间的能量分配。然而，Gauss 白噪声外激下的时不变线性系统的平稳概率密度是 Gauss 的[3]，改变随机激励与阻尼的大小，可同时改变系统总能量的分布与各自由度间能量的分配，即它不是能量等分的。因此，在线性与非线性多自由度随机动力学系统的精确平稳解之间存在着不一致性。

多自由度非线性随机动力学系统的精确平稳解之所以局限于能量等分解，原因在于研究概率环流平衡方程(3.2-24)时，只考虑到其解的一种可能泛函形式，即为系统 Hamilton 函数(总能量)的泛函。然而，事实上，该方程可有数种泛函形式解，取决于相应 Hamilton 系统的可积性与共振性。下面将分五种情况讨论(3.2-24)与(3.2-25)或(3.2-25′)之解。

3.3 精确平稳解：Gauss 白噪声激励下耗散的不可积 Hamilton 系统

考虑平稳 FPK 方程(3.2-16)或(3.2-17)，它可代之以概率环

流平衡方程(3.2-24)与概率势流平衡方程(3.2-25)或(3.2-25′)。设以 H 为 Hamilton 函数的 Hamilton 系统不可积,即该 Hamilton 系统只有一个独立的首次积分或守恒量 H。由(3.2-24)知,p 可以是 H 的任意函数,因为,设 $p(\boldsymbol{q},\boldsymbol{p})=F(H)|_{H=H(\boldsymbol{q},\boldsymbol{p})}$,有

$$[p,H]=\frac{\partial p}{\partial p_k}\frac{\partial H}{\partial q_k}-\frac{\partial p}{\partial q_k}\frac{\partial H}{\partial p_k}=\frac{\partial F}{\partial H}\left[\frac{\partial H}{\partial p_k}\frac{\partial H}{\partial q_k}-\frac{\partial H}{\partial q_k}\frac{\partial H}{\partial p_k}\right]$$

$$=\frac{\partial F}{\partial H}[H,H]=0 \tag{3.3-1}$$

反之,由(3.2-24)知,若 p 为 $\boldsymbol{q}$, $\boldsymbol{p}$ 的函数,p 必为该 Hamilton 系统的守恒量,由于该 Hamilton 系统只有一个独立守恒量 H,因此,p 必为 H 的函数,即 $F(H)|_{H=H(\boldsymbol{q},\boldsymbol{p})}$。考虑到概率密度的非负性与可归一化性,设(3.2-24)之解形为

$$p(\boldsymbol{q},\boldsymbol{p})=C\exp[-\lambda(H)]|_{H=H(\boldsymbol{q},\boldsymbol{p})} \tag{3.3-2}$$

代入(3.2-25)或(3.2-25′),并考虑到边界条件(3.2-14)或(3.2-15),得

$$2m_{ij}\frac{\partial H}{\partial p_j}+\frac{\partial b_{ij}}{\partial p_j}-b_{ij}\frac{\partial H}{\partial p_j}\frac{\mathrm{d}\lambda}{\mathrm{d}H}=0,\quad i=1,2,\cdots,n \tag{3.3-3}$$

或

$$m_{ij}\frac{\partial H}{\partial p_j}+\frac{\partial b_{ij}^{(i)}}{\partial p_j}-b_{ij}^{(i)}\frac{\partial H}{\partial p_j}\frac{\mathrm{d}\lambda}{\mathrm{d}H}=0,\quad i=1,2,\cdots,n \tag{3.3-3′}$$

(3.3-3)或(3.3-3′)是确定 $\lambda(H)$的 n 个一阶线性常微分方程,只有当这 n 个方程给出同一 $\lambda(H)$时,它才是(3.2-16)或(3.2-17)之解。设(3.3-3′)有解 $\mathrm{d}\lambda/\mathrm{d}H=h(H)$,即

$$m_{ij}\frac{\partial H}{\partial p_j}+\frac{\partial b_{ij}^{(i)}}{\partial p_j}-h(H)b_{ij}^{(i)}\frac{\partial H}{\partial p_j}=0$$

$$i=1,2,\cdots,n \tag{3.3-4}$$

则(3.2-17)之解为

$$p(\boldsymbol{q},\boldsymbol{p})=C\exp\left[-\int_0^H h(u)\mathrm{d}u\right]\Big|_{H=H(\boldsymbol{q},\boldsymbol{p})} \tag{3.3-5}$$

(3.2-1)的一个特殊情形是

$$c_{ij} = f(\overline{H})\,\overline{c}_{ij}(\boldsymbol{Q}) \tag{3.3-6}$$

$$f_{ik} = g(\overline{H})\,\overline{f}_{ik}(\boldsymbol{Q}) \tag{3.3-7}$$

此时,将有

$$\sigma_{ik} = g(\overline{H})\,\overline{\sigma}_{ik}(\boldsymbol{Q}) \tag{3.3-8}$$

$$\sigma_{jk}\frac{\partial \sigma_{ik}}{\partial P_j} = \overline{\sigma}_{jk}(\boldsymbol{Q})\,\overline{\sigma}_{ik}(\boldsymbol{Q})g(\overline{H})\frac{\partial g}{\partial \overline{H}}(\overline{H})\frac{\partial \overline{H}}{\partial P_j} \tag{3.3-9}$$

(3.3-9)表明,Wong-Zakai 修正项形同阻尼项,不含保守部分,因此,$H=\overline{H}$。若进一步假定

$$\overline{c}_{ij} = \overline{c}_{ji} = \eta\overline{b}_{ij}/2,\ \eta\text{为常数},\ \overline{b}_{ij} = 2(\overline{\boldsymbol{f}}\boldsymbol{D}\overline{\boldsymbol{f}}^{\mathrm{T}})_{ij} \tag{3.3-10}$$

则可得(3.2-1)之平稳概率密度

$$p(\boldsymbol{q},\boldsymbol{p}) = Cg^{-1}(\overline{H})\exp\left[-\eta\int_0^{\overline{H}}\frac{f(u)}{g^2(u)}\mathrm{d}u\right]\Bigg|_{\overline{H}=\overline{H}(\boldsymbol{q},\boldsymbol{p})} \tag{3.3-11}$$

若进一步假定 g 为常数,则在

$$\overline{c}_{ij} = \eta\overline{b}_{ij}^{(i)} \quad \text{即} \quad \overline{c}_{ij} + \overline{c}_{ji} = \eta\overline{b}_{ij} \tag{3.3-12}$$

条件下,(3.2-1)有平稳概率密度

$$p(\boldsymbol{q},\boldsymbol{p}) = C\exp\left[-\frac{\eta}{g^2}\int_0^{\overline{H}} f(u)\mathrm{d}u\right]\Bigg|_{\overline{H}=\overline{H}(\boldsymbol{q},\boldsymbol{p})} \tag{3.3-13}$$

解(3.3-11)与(3.3-13)首先由 Zhu 等[5,6]得到。

另一个特殊情形是

$$\overline{H} = \sum_{i=1}^{n}\int_0^{p_i} h_i(u)\mathrm{d}u + U(q_1, q_2, \cdots, q_n) \tag{3.3-14}$$

$$\partial U/\partial q_i = G_i(q_1, q_2, \cdots, q_n) \tag{3.3-15}$$

系统的运动方程形为

$$\begin{aligned} &\dot{Q}_i = h_i(P_i) \\ &\dot{P}_i = -G_i(Q_1, Q_2, \cdots, Q_n) - f_i(\overline{H})h_i(P_i) + g_{ik}(\overline{H})\xi_k^{(i)}(t) \\ &\qquad i = 1, 2, \cdots, n; \quad k = 1, 2, \cdots, m \end{aligned} \tag{3.3-16}$$

式中 $g_{ik}\xi_k^{(i)}(t)$不对 i 求和，$\xi_k^{(i)}(t)$为 Gauss 白噪声，相关函数为 $E[\xi_k^{(i)}(t)\xi_l^{(j)}(t+\tau)]=2D_{kl}\delta_{ij}\delta(\tau)$。按上述步骤可推出，在

$$\frac{f_i(\overline{H})}{D_{kl}g_{ik}g_{il}}=\frac{f(\overline{H})}{D_{kl}g_kg_l},\quad i=1,2,\cdots,n \tag{3.3-17}$$

即在上列左式比值与 i 无关的条件下，(3.3-16)的精确平稳概率密度为

$$p(\boldsymbol{q},\boldsymbol{p})=C[D_{kl}g_k(\overline{H})g_l(\overline{H})]^{-1/2}\times\exp\left[-\int_0^{\overline{H}}\frac{f(u)\mathrm{d}u}{D_{kl}g_k(u)g_l(u)}\right]\Bigg|_{\overline{H}=\overline{H}(\boldsymbol{q},\boldsymbol{p})} \tag{3.3-18}$$

(3.3-18)首先由 Zhu[11]得到。当

$$f_i(\overline{H})=f(\overline{H})\text{ 与 }g_{ik}(\overline{H})\xi_k^{(i)}(t)=\xi_i(t) \tag{3.3-19}$$

时，(3.3-18)退化为 Caughey 与 Ma[9]的结果

$$p(\boldsymbol{q},\boldsymbol{p})=C\exp\left[-\frac{1}{D}\int_0^{\overline{H}}f(u)\mathrm{d}u\right]\Bigg|_{\overline{H}=\overline{H}(\boldsymbol{q},\boldsymbol{p})} \tag{3.3-20}$$

式中 $2D$ 是所有 Gauss 白噪声 $\xi_i(t)$的强度。如前所述，直至上世纪 90 年代中得到的所有精确平稳解皆具有(3.3-2)之形式，类似于(3.2-34)，它具有能量等分之性质。

注意，若随机系统的运动方程以 Lagrange 方程形式给出，为用本节方法求其精确平稳解，需先将它用 Legendre 变换变成 Hamilton 方程的形式。在求得精确平稳解 $p(\boldsymbol{q},\boldsymbol{p})$之后，再将它反变换成 Lagrange 方程的精确平稳解 $p(\boldsymbol{q},\dot{\boldsymbol{q}})$。两种形式精确平稳解之间的关系为

$$\begin{aligned}p(\boldsymbol{q},\dot{\boldsymbol{q}})&=p(\boldsymbol{q},\boldsymbol{p})\,|\,\partial(\boldsymbol{q},\boldsymbol{p})/\partial(\boldsymbol{q},\dot{\boldsymbol{q}})\,|\\&=p(\boldsymbol{q},\boldsymbol{p})\,|\,\partial\boldsymbol{p}/\partial\dot{\boldsymbol{q}}\,|=p(\boldsymbol{q},\boldsymbol{p})\det(\boldsymbol{M})\end{aligned} \tag{3.3-21}$$

式中 $|(\partial(\boldsymbol{q},\boldsymbol{p})/\partial(\boldsymbol{q},\dot{\boldsymbol{q}}))|=|(\partial\boldsymbol{p}/\partial\dot{\boldsymbol{q}})|$为 Jacobi 矩阵行列式的绝对值，$\boldsymbol{M}$ 为质量矩阵，最后等式由 (1.1-32)导得。质量不依赖于广义坐标时，$p(\boldsymbol{q},\dot{\boldsymbol{q}})$与 $p(\boldsymbol{q},\boldsymbol{p})$仅归一化常数不同，上述关系同时适用于相应 Hamilton 系统为不可积、可积及部分可积情形。

例 3.3-1 考虑一个两自由度碰撞振动系统,质量 m_1 与 m_2 分别受强度为 $2D_1$ 和 $2D_2$ 的独立 Gauss 白噪声 $\xi_1(t)$与 $\xi_2(t)$激励,质量 m_1 无约束,质量 $\boldsymbol{m}_2$ 两侧各有一个弹性壁,左、右壁距分别为 δ_l 和 δ_r,质量与壁在碰撞时的相互作用由 Hertz 接触定律支配。该系统的运动方程形为

$$\begin{aligned}\dot{Q}_1 &= \frac{\partial H}{\partial P_1},\ \dot{P}_1 = -\left(\frac{\partial H}{\partial Q_1} + c_1\frac{\partial H}{\partial P_1}\right) + \xi_1(t)\\ \dot{Q}_2 &= \frac{\partial H}{\partial P_2},\ \dot{P}_2 = -\left(\frac{\partial H}{\partial Q_2} + c_2\frac{\partial H}{\partial P_2}\right) + \xi_2(t)\end{aligned} \tag{a}$$

式中

$$\begin{aligned}&H(q_1,q_2,p_1,p_2) = p_1^2/2m_1 + p_2^2/2m_2 + U(q_1,q_2)\\ &U(q_1,q_2) = (k_1q_1^2 + k_2q_2^2)/2 + G(q_2)\\ &G(q_2) = \begin{cases}(2/5)B_l(-q_2-\delta_l)^{5/2}, & q_2 < -\delta_l\\ 0, & -\delta_l \leqslant q_2 \leqslant \delta_r\\ (2/5)B_r(q_2-\delta_r)^{5/2}, & q_2 > \delta_r\end{cases}\end{aligned} \tag{b}$$

B_l,B_r 为常数。当 m_2 与左、右壁频繁发生碰撞时,恢复力中碰撞力占重要或主导地位,(a)为受 Gauss 白噪声激励的耗散的不可积 Hamilton 系统。对本问题,Wong-Zakai 修正项为零,其平稳 FPK 方程形为(3.2-16),其中 $m_{11}=c_1$,$m_{22}=c_2$,$m_{12}=m_{21}=0$,$b_{11}=2D_1$,$b_{22}=2D_2$,$b_{12}=b_{21}=0$。其精确解形如(3.3-2),按(3.3-3),其中 λ 应满足方程

$$\begin{aligned}2c_1\frac{\partial H}{\partial p_1} - 2D_1\frac{\partial H}{\partial p_1}\frac{\mathrm{d}\lambda}{\mathrm{d}H} = 0\\ 2c_2\frac{\partial H}{\partial p_2} - 2D_2\frac{\partial H}{\partial p_2}\frac{\mathrm{d}\lambda}{\mathrm{d}H} = 0\end{aligned} \tag{c}$$

该方程在满足相容条件$\dfrac{c_1}{D_1}=\dfrac{c_2}{D_2}=\dfrac{c}{D}$时有解

$$\frac{\mathrm{d}\lambda}{\mathrm{d}H} = \frac{c}{D} \tag{d}$$

于是,(a)的精确平稳解为

$$p(q_1,q_2,p_1,p_2) = C\exp\left[-\frac{c}{D}H\right]\bigg|_{H=H(q_1,q_2,p_1,p_2)} \tag{e}$$

由此可得边缘概率密度

$$p(q_2,p_2)=\int_{-\infty}^{\infty} p(q_1,q_2,p_1,p_2)\mathrm{d}q_1\mathrm{d}p_1$$

$$= C_1\exp\left\{-\frac{c}{D}\left[\frac{p_2^2}{2m_2}+\frac{k_1k_2}{2(k_1+k_2)}q_2^2+G(q_2)\right]\right\} \tag{f}$$

$$p(q_2)=\int_{-\infty}^{\infty} p(q_2,p_2)\mathrm{d}p_2$$

$$= C_2\exp\left\{-\frac{c}{D}\left[\frac{k_1k_2}{2(k_1+k_2)}q_2^2+G(q_2)\right]\right\} \tag{g}$$

注意,在系统振动中不发生或几乎不发生碰撞时,$G(q_2)=0$,(a)为 Gauss 白噪声激励下的可积线性 Hamilton 系统,其精确平稳解可按下节方法获得。

3.4 精确平稳解:Gauss 白噪声激励下耗散的可积 Hamilton 系统[21]

3.4.1 非内共振情形

设以 H 为 Hamilton 函数的 Hamilton 系统完全可积但非共振,有 n 个独立、对合的首次积分 H_i, $i=1,2,\cdots,n$,或可求得作用-角变量 I_i、θ_i, $i=1,2,\cdots,n$。此时,按与 3.3 中类似推理知,(3.2-24)之一般解形为

$$p(\boldsymbol{q},\boldsymbol{p}) = F(H_1,H_2,\cdots,H_n)\big|_{H_i=H_i(\boldsymbol{q},\boldsymbol{p})}$$

$$= F(\boldsymbol{H})\big|_{\boldsymbol{H}=\boldsymbol{H}(\boldsymbol{q},\boldsymbol{p})} \tag{3.4-1}$$

或

$$p(\boldsymbol{q},\boldsymbol{p}) = F(I_1,I_2,\cdots,I_n)\big|_{I_i=I_i(\boldsymbol{q},\boldsymbol{p})}$$

$$= F(\boldsymbol{I})\big|_{\boldsymbol{I}=\boldsymbol{I}(\boldsymbol{q},\boldsymbol{p})} \tag{3.4-1$'$}$$

考虑到概率密度的非负性与可归一化性及边界条件(3.2-14)或

(3.2-15),设(3.2-24)之解形为

$$p(\boldsymbol{q},\boldsymbol{p}) = C\exp[-\lambda(\boldsymbol{H})]\Big|_{\boldsymbol{H}=\boldsymbol{H}(\boldsymbol{q},\boldsymbol{p})} \tag{3.4-2}$$

或

$$p(\boldsymbol{q},\boldsymbol{p}) = C\exp[-\lambda(\boldsymbol{I})]\Big|_{\boldsymbol{I}=\boldsymbol{I}(\boldsymbol{q},\boldsymbol{p})} \tag{3.4-3}$$

将(3.4-2)代入(3.2-25)或(3.2-25′),并考虑到概率流为零之边界条件,得确定 $\lambda(\boldsymbol{H})$的下列方程:

$$2m_{ij}\frac{\partial H}{\partial p_j}+\frac{\partial}{\partial p_j}b_{ij}-b_{ij}\frac{\partial H_s}{\partial p_j}\frac{\partial \lambda}{\partial H_s}=0,\quad i=1,2,\cdots,n \tag{3.4-4}$$

或

$$m_{ij}\frac{\partial H}{\partial p_j}+\frac{\partial}{\partial p_j}b_{ij}^{(i)}-b_{ij}^{(i)}\frac{\partial H_s}{\partial p_j}\frac{\partial \lambda}{\partial H_s}=0,\quad i=1,2,\cdots,n \tag{3.4-5}$$

(3.4-4)或(3.4-5)为 n 个一阶线性偏微分方程,表示 n 个方向概率势流为零,形同(3.2-27),用类似于(3.2-28)~(3.2-30)的推导可证,在满足相容性条件

$$\frac{\partial^2 \lambda}{\partial H_{s_1}\partial H_{s_2}}=\frac{\partial^2 \lambda}{\partial H_{s_2}\partial H_{s_1}},\quad s_1,s_2=1,2,\cdots,n \tag{3.4-6}$$

时,(3.4-4)或(3.4-5)之解形为

$$\lambda(\boldsymbol{H}) = \lambda(0)+\int_0^{H_s}\frac{\partial \lambda}{\partial H_s}\mathrm{d}H_s \tag{3.4-7}$$

上式右边第二项为线积分,对 $s=1,2,\cdots,n$ 求和。而(3.2-1)之精确平稳概率密度乃由(3.4-7)代入(3.4-2)得到。类似地,对(3.4-3)中的 $\lambda(\boldsymbol{I})$,也有类似于(3.4-4)或(3.4-5)之方程,在类似于(3.4-6)的条件下,也有类似于(3.4-7)之解。将此解代入(3.4-3),得(3.2-1)的精确平稳概率密度。

例 3.4-1 属于这一情形的一类系统是受非线性阻尼及 Gauss 白噪声外激与(或)参激的线性 Hamilton 系统。以两个自由度情形为例,其运动方程形为

$$\dot{Q}_1 = P_1$$

$$
\begin{aligned}
\dot{P}_1 &= -k_{11}Q_1 - k_{12}Q_2 - c_{11}P_1 - c_{12}P_2 \\
&\quad + a_{11}Q_1\xi_1(t) + a_{12}Q_2\xi_2(t) + a_{13}\xi_3(t) \\
\dot{Q}_2 &= P_2 \qquad\qquad\qquad\qquad\qquad\qquad\qquad\qquad\qquad\qquad \text{(a)} \\
\dot{P}_2 &= -k_{21}Q_1 - k_{22}Q_2 - c_{21}P_1 - c_{22}P_2 \\
&\quad + a_{21}Q_1\xi_1(t) + a_{22}Q_2\xi_2(t) + a_{23}\xi_3(t)
\end{aligned}
$$

式中 k_{ij} 与 a_{ik} 为常数，$k_{12}=k_{21}$；c_{ij} 为 Q_i、P_i 的函数；$\xi_k(t)$ 是强度矩阵为 $2\boldsymbol{D}$ 的相关 Gauss 白噪声。由于 Wong-Zakai 修正项为零，与(a)相应的 Hamilton 系统的 Hamilton 函数为

$$
H = \overline{H} = \sum_{i=1}^{2}(p_i^2 + k_{ii}q_i^2)/2 + k_{12}q_1q_2 \tag{b}
$$

如 1.4 中所述，可用模态变换将上述线性 Hamilton 系统范化，并求得作用-角变量。从而有

$$
H = \sum_{i=1}^{2}\omega_i I_i, \quad i = 1,2 \tag{c}
$$

式中

$$
\begin{aligned}
I_i &= \frac{1+u_i^2}{2\omega_i(u_1-u_2)^2}\left[(p_2-u_jp_1)^2 + \omega_i^2(q_2-u_jq_1)^2\right] \\
\omega_i^2 &= \frac{k_{11}+k_{22}}{2} \mp \frac{1}{2}\sqrt{(k_{11}-k_{22})^2+4k_{12}^2} \qquad\qquad \text{(d)} \\
u_i &= \frac{\omega_i^2 - k_{11}}{k_{12}} \\
i,j &= 1,2; \quad j \neq i
\end{aligned}
$$

设 $\omega_1/\omega_2 \neq r/s$，$r$、$s$ 为不大互质的正整数，与(a)相应的 Hamilton 系统为可积非共振。若(a)有平稳解，则它必形为(3.4-3)，其中 $\lambda(I_1, I_2)$ 满足下列一阶线性偏微分方程组：

$$
\begin{aligned}
&\frac{u_2(1+u_1^2)}{(u_1-u_2)^2\omega_1}(p_2-u_2p_1)\frac{\partial\lambda}{\partial I_1} + \frac{u_1(1+u_2^2)}{(u_1-u_2)^2\omega_2}(u_1p_1-p_2)\frac{\partial\lambda}{\partial I_2} \\
&= d_{11}p_1 + d_{12}p_2
\end{aligned}
$$

$$\frac{1+u_1^2}{(u_1-u_2)^2\omega_1}(p_2-u_2p_1)\frac{\partial\lambda}{\partial I_1}-\frac{1+u_2^2}{(u_1-u_2)^2\omega_2}(u_1p_1-p_2)\frac{\partial\lambda}{\partial I_2} \tag{e}$$

$$=d_{21}p_1+d_{22}p_2$$

式中

$$d_{ij}=2\{[b_{ij}]^{-1}[c_{ij}]\}_{ij},\quad b_{ij}=2(\boldsymbol{fDf}^{\mathrm{T}})_{ij} \tag{f}$$

而 $f_{i1}=a_{i1}q_1$, $f_{i2}=a_{i2}q_2$, $f_{i3}=a_{i3}$。由形如(3.4-6)的相容性条件导至

$$\begin{aligned} d_{21}&=d_{12}\\ d_{11}&=-[u_1u_2d_{22}+(u_1+u_2)d_{12}] \end{aligned} \tag{g}$$

及

$$\begin{aligned} &\frac{(u_1-u_2)^2\omega_1}{1+u_1^2}\frac{\partial d_{12}}{\partial I_2}-\frac{(u_1-u_2)^2\omega_2}{1+u_2^2}\frac{\partial d_{12}}{\partial I_1}=s(I_1,I_2)\\ &\frac{u_1(u_1-u_2)^2\omega_1}{1+u_1^2}\frac{\partial d_{22}}{\partial I_2}-\frac{u_2(u_1-u_2)^2\omega_2}{1+u_2^2}\frac{\partial d_{22}}{\partial I_2}=s(I_1,I_2) \end{aligned} \tag{h}$$

$s(I_1,I_2)$为 I_1 与 I_2 的任意函数。

若已知 d_{ij},并满足(g)与(h),则可由(e)解出$\partial\lambda/\partial I_i$,而(a)的平稳解概率密度为

$$\begin{aligned} &p(q_1,q_2,p_1,p_2)\\ &\quad=C\exp\left[-\left(\int_0^{I_1}\frac{\partial\lambda}{\partial I_1}dI_1+\int_0^{I_2}\frac{\partial\lambda}{\partial I_2}dI_2\right)\right]\Bigg|_{I_i=I_i(\boldsymbol{q},\boldsymbol{p})} \end{aligned} \tag{i}$$

相反地,若给定 $s(I_1,I_2)$,则可由(h)与(g)解出作为 I_1, I_2 函数的 d_{ij},代入(e),得(a)的平稳概率密度

$$\begin{aligned} &p(q_1,q_2,p_1,p_2)\\ &=C\exp\left\{-\left[\int_0^{I_1}\frac{(u_1-u_2)\omega_1}{1+u_1^2}(d_{12}+u_1d_{22})\mathrm{d}I_1\right.\right.\\ &\quad\left.\left.+\int_0^{I_2}\frac{(u_1-u_2)\omega_2}{1+u_1^2}(d_{12}+u_2d_{22})\mathrm{d}I_2)\right]\right\}\Bigg|_{I_i=I_i(\boldsymbol{q},\boldsymbol{p})} \end{aligned} \tag{j}$$

在特殊情形下，如 d_{ij} 为常数((a)可为受 Gauss 白噪声外激的线性阻尼系统，也可以是受 Gauss 白噪声参激的非线性阻尼系统)，(e)可有 $\partial\lambda/\partial I_i$ 为常数之解。由(i)与(d)知，(a)具有 Gauss 平稳概率密度。可见，形如(3.4-2)或(3.4-3)之解，可将非线性系统与线性系统的精确平稳解统一起来。同时，改变阻尼系数 c_{ij} 与(或)激励幅值 a_{ik}，可改变 d_{ij} 与 $\partial\lambda/\partial I_i$，从而可改变(i)中 I_1 与 I_2 的比值。可见，形如(3.4-2)或(3.4-3)之解，一般为能量非等分之解。

例 3.4-2 作为具有非线性恢复力的一个例子，考虑两个耦合的 Duffing 振子受线性或非线性阻尼及 Gauss 白噪声外激或参激，其运动微分方程形为

$$\begin{aligned}
\dot{Q}_1 &= P_1 \\
\dot{P}_1 &= -kQ_1 - Q_1^3 - 3Q_1Q_2^2 - c_{11}P_1 - c_{12}P_2 + \sigma_1\xi_1(t) \\
\dot{Q}_2 &= P_2 \\
\dot{P}_2 &= -kQ_2 - Q_2^3 - 3Q_1^2Q_2 - c_{21}P_1 - c_{22}P_2 + \sigma_2\xi_2(t)
\end{aligned} \tag{k}$$

式中 c_{ij} 为 $Q_{1,2}$，$P_{1,2}$ 的函数，σ_i 为 Q_i 的函数，$\xi_k(t)$ 是强度矩阵为 $2\boldsymbol{D}$ 的相关 Gauss 白噪声。由于 Wong-Zakai 修正项为零，与(k)相应的 Hamilton 系统的 Hamilton 函数为

$$\begin{aligned}
H = \overline{H} &= (p_1^2 + p_2^2 + kq_1^2 + kq_2^2)/2 \\
&\quad + (q_1^4 + q_2^4 + 6q_1^2q_2^2)/4
\end{aligned} \tag{l}$$

由例 1.6-6 知，该 Hamilton 系统完全可积。(l)中 Hamilton 函数 H 可用坐标变换分离，即

$$H = H_1 + H_2 \tag{m}$$

式中

$$\begin{aligned}
H_1 &= [(p_1 + p_2)^2 + k(q_1 + q_2)^2 + (q_1 + q_2)^4/2]/4 \\
H_2 &= [(p_1 - p_2)^2 + k(q_1 - q_2)^2 + (q_1 - q_2)^4/2]/4
\end{aligned} \tag{n}$$

为该 Hamilton 系统为两个独立、对合的运动积分。该 Hamilton 系统为非退化，因此，可认为它是非共振的。若(k)有精确平稳解，则

必有(3.4-2)之形式。对本例,(3.4-4)形为

$$\begin{bmatrix} \sigma_1^2 D_{11} & \sigma_1\sigma_2 D_{12} \\ \sigma_1\sigma_2 D_{21} & \sigma_2^2 D_{22} \end{bmatrix} \begin{bmatrix} (p_1+p_2)\dfrac{\partial\lambda}{\partial H_1}+(p_1-p_2)\dfrac{\partial\lambda}{\partial H_2} \\ (p_1+p_2)\dfrac{\partial\lambda}{\partial H_1}-(p_1-p_2)\dfrac{\partial\lambda}{\partial H_2} \end{bmatrix} \tag{o}$$

$$=2\begin{bmatrix} c_{11} & c_{12} \\ c_{21} & c_{22} \end{bmatrix}\begin{bmatrix} p_1 \\ p_2 \end{bmatrix}$$

相容性条件(3.4-6)为

$$a=d,\ b=c$$

$$\frac{\partial}{\partial H_2}\left(\frac{a+c}{\Delta}\right)=\frac{\partial}{\partial H_1}\left(\frac{a-c}{\Delta}\right) \tag{p}$$

式中

$$\begin{aligned} a &= c_{11}\sigma_2^2 D_{22}-c_{21}\sigma_1\sigma_2 D_{12} \\ b &= c_{12}\sigma_2^2 D_{22}-c_{22}\sigma_1\sigma_2 D_{12} \\ c &= c_{21}\sigma_1^2 D_{11}-c_{11}\sigma_1\sigma_2 D_{21} \\ d &= c_{22}\sigma_1^2 D_{11}-c_{12}\sigma_1\sigma_2 D_{21} \\ \Delta &= \sigma_1^2\sigma_2^2(D_{11}D_{22}-D_{12}D_{21}) \end{aligned} \tag{q}$$

若条件(p)满足,则系统(k)的平稳概率密度为

$$p(q_1,q_2,p_1,p_2)=C\exp\left\{-\left[\int_0^{H_1}\frac{a+c}{\Delta}\mathrm{d}H_1+\int_0^{H_2}\frac{a-c}{\Delta}\mathrm{d}H_2\right]\right\}\Bigg|_{H_i=H_i(\boldsymbol{q},\boldsymbol{p})} \tag{r}$$

若 c_{ij} 为常数(线性阻尼),$\sigma_1=\sigma_2=1$(外激),(r)退化为

$$p(q_1,q_2,p_1,p_2)=C\exp\left\{-\frac{1}{\Delta}\left[(a+c)H_1+(a-c)H_2\right]\right\}\Bigg|_{H_i=H_i(\boldsymbol{q},\boldsymbol{p})} \tag{s}$$

若进一步假定 $c_{21}=D_{21}=0$,从而 $c=0$,则(s)退化为

$$p(q_1,q_2,p_1,p_2)=C\exp\left[-\frac{a}{\Delta}H\right]\Bigg|_{H=H(\boldsymbol{q},\boldsymbol{p})} \tag{t}$$

注意,(t)形同不可积情形之解(3.3-2)。可见,在特殊情形下,Gauss 白噪声激励下耗散的可积 Hamilton 系统也可有能量等分之解。换言之,对这类系统,以前得到的能量等分解是不完全的,只是一种特殊情形之解。

顺便指出,形如(3.4-2)之解也曾由 Cai 与 Lin[22]为可分离的 n 自由度非线性随机振动系统用广义平稳势法得到过。

3.4.2 内共振情形

设以 H 为 Hamilton 函数的 Hamilton 系统为可积而共振,可求得 n 对作用-角变量 I_i, θ_i, n 个频率 ω_i 满足 α 个共振关系(1.6-24)。按(1.6-25)引入角变量组合 ψ_u,Hamilton 系统的运动方程形为(1.6-26),其解形为(1.6-27),系统有 $n+\alpha$ 个运动常数 $I_1, I_2, \cdots, I_n, \psi_1, \psi_2, \cdots, \psi_\alpha$。此时,(3.2-24)之一般解形为 $p=F(\boldsymbol{I},\psi)$,其中 $\boldsymbol{I}=\boldsymbol{I}(\boldsymbol{q},\boldsymbol{p})=[I_1\ I_2 \cdots I_n]^{\mathrm{T}}$, $\psi=\psi(\boldsymbol{q},\boldsymbol{p})=[\psi_1\ \psi_2 \cdots \psi_\alpha]^{\mathrm{T}}$,因为,$H=H(\boldsymbol{I})$, $\psi_u=k_i^u\theta_i$,

$$
\begin{aligned}
[p, H] &= \frac{\partial p}{\partial I_i}\frac{\partial H}{\partial \theta_i}-\frac{\partial p}{\partial \theta_i}\frac{\partial H}{\partial I_i} \\
&= -\frac{\partial F}{\partial \psi_u}\frac{\partial \psi_u}{\partial \theta_i}\frac{\partial H}{\partial I_i}=-\frac{\partial F}{\partial \psi_u}(k_i^u\omega_i)=0 \qquad (3.4\text{-}8)
\end{aligned}
$$

考虑到概率密度的非负性与可归一化性及边界条件(3.2-14)或(3.2-15),设(3.2-24)之解形为

$$
p(\boldsymbol{q},\boldsymbol{p})=C\exp[-\lambda(\boldsymbol{I},\psi)]\,|_{\boldsymbol{I}=\boldsymbol{I}(\boldsymbol{q},\boldsymbol{p}),\ \psi=\psi(\boldsymbol{q},\boldsymbol{p})} \qquad (3.4\text{-}9)
$$

将(3.4-9)代入(3.2-25)或(3.2-25′),并考虑到概率流为零的边界条件,得如下确定概率势 $\lambda(\boldsymbol{I},\psi)$之方程:

$$
2m_{ij}\frac{\partial H}{\partial p_j}+\frac{\partial b_{ij}}{\partial p_j}-b_{ij}\left(\frac{\partial I_s}{\partial p_j}\frac{\partial \lambda}{\partial I_s}+\frac{\partial \psi_u}{\partial p_j}\frac{\partial \lambda}{\partial \psi_u}\right)=0,
$$
$$
i=1,2,\cdots,n \qquad (3.4\text{-}10)
$$

或

$$m_{ij}\frac{\partial H}{\partial p_j}+\frac{\partial b_{ij}^{(i)}}{\partial p_j}-b_{ij}^{(i)}\left(\frac{\partial I_s}{\partial p_j}\frac{\partial \lambda}{\partial I_s}+\frac{\partial \psi_u}{\partial p_j}\frac{\partial \lambda}{\partial \psi_u}\right)=0$$

$$i=1,2,\cdots,n \tag{3.4-11}$$

(3.4-10)与(3.4-11)为 n 个一阶线性偏微分方程,若可从它们解出 $h_s=\partial\lambda/\partial I_s$, $h_{n+u}=\partial\lambda/\partial\psi_u$,且满足相容条件

$$\frac{\partial^2\lambda}{\partial I_{s_1}\partial I_{s_2}}=\frac{\partial^2\lambda}{\partial I_{s_2}\partial I_{s_1}},\frac{\partial^2\lambda}{\partial\psi_{u_1}\partial\psi_{u_2}}=\frac{\partial^2\lambda}{\partial\psi_{u_2}\partial\psi_{u_1}}$$
$$\frac{\partial^2\lambda}{\partial I_s\partial\psi_u}=\frac{\partial^2\lambda}{\partial\psi_u\partial I_s} \tag{3.4-12}$$

则(3.4-9)变成

$$p(\boldsymbol{q},\boldsymbol{p})=C\exp\left[-\int_0^{I_s}h_s(\boldsymbol{I},\psi)\mathrm{d}I_s\right.$$
$$\left.-\int_0^{\psi_u}h_{n+u}(\boldsymbol{I},\psi)\mathrm{d}\psi_u\right]\Bigg|_{\boldsymbol{I}=\boldsymbol{I}(\boldsymbol{q},\boldsymbol{p}),\ \psi=\psi(\boldsymbol{q},\boldsymbol{p})} \tag{3.4-13}$$

显然,p 关于 ψ_u 满足周期性边界条件,λ 为 ψ_u 以 2π 为周期的周期函数,可将 $\lambda(\boldsymbol{I},\psi)$展成 ψ_u 的 α 重 Fourier 级数

$$\lambda=\lambda_0(\boldsymbol{I})+\sum_{r=1}^{\infty}\sum_{|\mu|=r}\left[\lambda_\mu^{(c)}(\boldsymbol{I})\cos(\mu,\psi)\right.$$
$$\left.+\lambda_\mu^{(s)}(\boldsymbol{I})\sin(\mu,\psi)\right] \tag{3.4-14}$$

式中 $\mu=[\mu_1\ \mu_2\cdots\ \mu_\alpha]^{\mathrm{T}}$, μ_u 为整数, $|\mu|=\sum_{u=1}^{\alpha}|\mu_u|$, $(\mu,\psi)=\mu_u\psi_u$。类似地,m_{ij} 与 b_{ij} 或 $b_{ij}^{(i)}$ 也可展成类似于(3.4-14)的级数。为简单起见,设 m_{ij} 的 Fourier 级数的系数为 m_{ijo}, $m_{ij\mu}^{(c)}$ 及 $m_{ij\mu}^{(s)}$,而 $b_{ij}^{(i)}$不显含 ψ_u。将 λ 与 m_{ij}的 Fourier 级数代入(3.4-11),得如下无穷多个确定 λ 的 Fourier 系数的方程:

$$m_{ij0}\frac{\partial H}{\partial p_j}+\frac{\partial b_{ij}^{(i)}}{\partial p_j}-b_{ij}^{(i)}\frac{\partial I_s}{\partial p_j}\frac{\partial\lambda_0}{\partial I_s}=0$$

$$m_{ij\mu}^{(c)}\frac{\partial H}{\partial p_j}-b_{ij}^{(i)}\left(\frac{\partial I_s}{\partial p_j}\frac{\partial\lambda_\mu^{(c)}}{\partial I_s}+\frac{\partial\psi_u}{\partial p_j}\lambda_\mu^{(s)}\mu_u\right)=0$$

$$m_{ij\mu}^{(s)}\frac{\partial H}{\partial p_j}-b_{ij}^{(i)}\left(\frac{\partial I_s}{\partial p_j}\frac{\partial \lambda_\mu^{(s)}}{\partial I_s}-\frac{\partial \psi_u}{\partial p_j}\lambda_\mu^{(c)}\mu_u\right)=0 \quad (3.4\text{-}15)$$

$$i,j,s=1,2,\cdots,n;\quad u=1,2,\cdots,\alpha$$

$$|\mu|=r=1,2,\cdots,\infty$$

若不对 $b_{ij}^{(i)}$ 作上述简化假定,则(3.4-15)中方程将构成无穷连锁方程而难以求解。若能从(3.4-15)中解出$\partial\lambda_0/\partial I_s$,$\partial\lambda_\mu^{(c)}/\partial I_s$ 及 $\partial\lambda_\mu^{(s)}/\partial I_s$,且满足相容性条件

$$\frac{\partial^2\lambda_0}{\partial I_{s_1}\partial I_{s_2}}=\frac{\partial^2\lambda_0}{\partial I_{s_2}\partial I_{s_1}},\frac{\partial^2\lambda_u^{(c)}}{\partial I_{s_1}\partial I_{s_2}}=\frac{\partial^2\lambda_u^{(c)}}{\partial I_{s_2}\partial I_{s_1}}$$

$$\frac{\partial^2\lambda_u^{(s)}}{\partial I_{s_1}\partial I_{s_2}}=\frac{\partial^2\lambda_u^{(s)}}{\partial I_{s_2}\partial I_{s_1}} \quad (3.4\text{-}16)$$

则可得

$$\lambda_0=\lambda_0(0)+\int_0^{I_s}\frac{\partial\lambda_0}{\partial I_s}\mathrm{d}I_s$$

$$\lambda_\mu^{(c)}=\lambda_\mu^{(c)}(0)+\int_0^{I_s}\frac{\partial\lambda_\mu^{(c)}}{\partial I_s}\mathrm{d}I_s \quad (3.4\text{-}17)$$

$$\lambda_\mu^{(s)}=\lambda_\mu^{(s)}(0)+\int_0^{I_s}\frac{\partial\lambda_\mu^{(s)}}{\partial I_s}\mathrm{d}I_s$$

上述三式右边第二项为线积分,对 s 从 1 到 n 求和。将(3.4-17)代入(3.4-14),再代入(3.4-9),就得到系统(3.2-1)的精确平稳概率密度。显然,该密度也有能量非等分之性质。

鉴于 $\boldsymbol{H}=\boldsymbol{H}(\boldsymbol{I})$,以 $\boldsymbol{H}$ 代替 $\boldsymbol{I}$ 上述结果仍成立,见下例。

例 3.4-3 考虑如下运动方程描述的系统:

$$\dot{Q}_1=P_1$$

$$\dot{P}_1=-\omega_1^2Q_1-(c_{10}+c_{11}H_1+c_{12}\sqrt{H_1H_2})P_1$$
$$-c_{13}H_1P_2+\sqrt{H_1}\xi_1(t)$$

$$\dot{Q}_2=P_2$$

$$\dot{P}_2=-\omega_2^2Q_1-(c_{20}+c_{21}\sqrt{H_1H_2}+c_{22}H_2)P_2$$

$$-c_{23}H_2P_1+\sqrt{H_2}\,\xi_2(t) \tag{u}$$

式中 c_{ij} 为常数，$\xi_k(t)$ 是强度为 $2D_k$ 的独立 Gauss 白噪声，

$$H_i=(p_i^2+\omega_i^2q_i^2)/2,\quad i=1,2 \tag{v}$$

Wong-Zakai 修正项中无保守分量，因此

$$H=\overline{H}=H_1+H_2 \tag{w}$$

设 $\omega_1=\omega_2$，与(u)相应的 Hamilton 系统为可积而主内共振。引入作用-角变量

$$I_i=(p_i^2+\omega_i^2q_i^2)/2\omega_i,\ \theta_i=\arctan(p_i/\omega_iq_i) \tag{x}$$

与角变量组合

$$\psi=\theta_1-\theta_2 \tag{y}$$

注意，存在下列关系：

$$\begin{gathered}\sin\psi=\frac{\omega_1(p_1q_2-p_2q_1)}{2\sqrt{H_1H_2}},\cos\psi=\frac{p_1p_2+\omega_1^2q_1q_2}{2\sqrt{H_1H_2}}\\ p_1=(p_2\cos\psi+\omega_1q_2\sin\psi)\sqrt{H_1/H_2}\\ p_2=(p_1\cos\psi-\omega_1q_1\sin\psi)\sqrt{H_2/H_1}\end{gathered} \tag{z}$$

将(z)代入(u)中关于 P_1、P_2 方程的 $c_{13}H_1P_2$ 与 $c_{23}H_2P_1$ 项，可推知(3.4-14)形为

$$\lambda(H_1,H_2,\psi)=\lambda_0(H_1,H_2)+\lambda_1(H_1,H_2)\cos\psi \tag{aa}$$

(3.4-15)形为

$$\begin{gathered}\frac{\partial\lambda_0}{\partial H_1}=\frac{1}{D_1H_1}\left(c_{10}+c_{11}H_1+c_{12}\sqrt{H_1H_2}+D_1\right)\\ \frac{\partial\lambda_0}{\partial H_2}=\frac{1}{D_2H_2}\left(c_{20}+c_{22}H_2+c_{21}\sqrt{H_1H_2}+D_2\right)\\ \frac{\partial\lambda_1}{\partial H_1}=\frac{c_{13}}{D_1}\sqrt{\frac{H_2}{H_1}},\frac{\partial\lambda_1}{\partial H_2}=\frac{c_{23}}{D_2}\sqrt{\frac{H_1}{H_2}}\end{gathered} \tag{bb}$$

而(3.4-16)形为

$$c_{12}/D_1=c_{21}/D_2,\ c_{13}/D_1=c_{23}/D_2 \tag{cc}$$

若条件(cc)满足，则系统(u)的平稳概率密度为

$$p(q_1, q_2, p_1, p_2) = C H_1^{-\alpha_1} H_2^{-\alpha_2} \exp\left[-\left(\frac{c_{11}}{D_1} H_1 + \frac{c_{22}}{D_2} H_2 + \frac{2c_{12}}{D_1}\sqrt{H_1 H_2} + \frac{2c_{13}}{D_1}\sqrt{H_1 H_2}\cos\psi\right)\right] \tag{dd}$$

式中 $H_i = H_i(q_i, p_i), \psi = \psi(q_1, q_2, p_1, p_2)$,

$$\alpha_1 = 1/2 + c_{10}/D_1, \alpha_2 = 1/2 + c_{30}/D_2 \tag{ee}$$

3.5 精确平稳解:Gauss 白噪声激励下耗散的部分可积 Hamilton 系统[23]

3.5.1 非内共振情形

设以 H 为 Hamilton 函数的 Hamilton 系统为部分可积而非共振,具有 $r(1 < r < n)$ 个独立、对合的首次积分(守恒量)$H_s, s = 1, 2, \cdots, r$, Hamilton 函数形为(1.8-4)。如同可积而非共振情形,可证(3.2-24)之一般解形为

$$p(\boldsymbol{q}, \boldsymbol{p}) = C\exp\left[-\lambda(H_1, H_2, \cdots, H_r)\right]\Big|_{H_s = H_s(\boldsymbol{q}, \boldsymbol{p})} \tag{3.5-1}$$

将它代入(3.2-25′),并考虑到概率流为零的边界条件,得

$$m_{ij}\frac{\partial H}{\partial p_j} + \frac{\partial b_{ij}^{(i)}}{\partial p_j} - b_{ij}^{(i)}\frac{\partial H_s}{\partial p_j}\frac{\partial \lambda}{\partial H_s} = 0, i = 1, 2, \cdots, n \tag{3.5-2}$$

这是 n 个确定 λ 为 $H_1, H_2, \cdots, H_r$ 的函数的一阶线性偏微分方程,它们表示 n 个方向概率势流为零。若能从(3.5-2)解出$\partial\lambda/\partial H_s$,它们是 $H_1, H_2, \cdots, H_r$ 的函数或常数,且满足下列相容性条件

$$\frac{\partial^2\lambda}{\partial H_{s_1}\partial H_{s_2}} = \frac{\partial^2\lambda}{\partial H_{s_2}\partial H_{s_1}}, s_1, s_2 = 1, 2, \cdots, r \tag{3.5-3}$$

则(3.5-2)之解形为

$$\lambda = \lambda(0) + \int_0^{H_s}\frac{\partial\lambda}{\partial H_s}\mathrm{d}H_s \tag{3.5-4}$$

上式右边第二项为线积分,对 $s=1,2,\cdots,r$ 求和。将(3.5-4)代入(3.5-1),即得(3.2-1)的精确平稳概率密度。同样,解(3.5-1)也有能量非等分之性质。

例 3.5-1 考虑受独立 Gauss 白噪声外激的阻尼耦合的两个线性振子与两个非线性振子,其运动方程形为

$$
\begin{aligned}
\dot{Q}_1 &= P_1 \\
\dot{P}_1 &= -\omega_1^2 Q_1 - (c_{10} + c_{11} H_1 + c_{12} H_2 + c_{13} H_3) P_1 + \xi_1(t) \\
\dot{Q}_2 &= P_2 \\
\dot{P}_2 &= -\omega_2^2 Q_2 - (c_{20} + c_{21} H_1 + c_{22} H_2 + c_{23} H_3) P_2 + \xi_2(t) \\
\dot{Q}_3 &= P_3 \\
\dot{P}_3 &= -\frac{\partial U}{\partial Q_3} - (c_{30} + c_{31} H_1 + c_{32} H_2 + c_{33} H_3) P_3 + \xi_3(t) \\
\dot{Q}_4 &= P_4 \\
\dot{P}_4 &= -\frac{\partial U}{\partial Q_4} - (c_{40} + c_{41} H_1 + c_{42} H_2 + c_{43} H_3) P_4 + \xi_4(t)
\end{aligned}
\tag{a}
$$

式中 c_{ij} 为常数,

$$
\begin{aligned}
H_i &= (p_i^2 + \omega_i^2 q_i^2)/2, i = 1,2 \\
H_3 &= (p_3^2 + p_4^2)/2 + U(q_3, q_4)
\end{aligned}
\tag{b}
$$

设 U 不可分离,$\xi_k(t)$,$k=1,2,3,4$ 是强度为 $2D_k$ 的独立 Gauss 白噪声。对本例,Wong-Zakai 修正项为零,与(a)相应的 Hamilton 系统有三个独立、对合的首次积分 H_1、H_2、H_3,设 $\omega_1/\omega_2 \neq r:s$,$r,s$ 为不大的互质正整数,与(a)相应的 Hamilton 系统为部分可积而非共振,其 Hamilton 函数形为

$$
H = H_1 + H_2 + H_3 \tag{c}
$$

(a)若有平稳概率密度解,应形为(3.5-1),其中 $r=3$。从形如(3.5-2)方程可解出

$$
\frac{\partial \lambda}{\partial H_1} = \frac{1}{D_1}(c_{10} + c_{11} H_1 + c_{12} H_2 + c_{13} H_3)
$$

$$\frac{\partial \lambda}{\partial H_2}=\frac{1}{D_1}(c_{20}+c_{21}H_1+c_{22}H_2+c_{23}H_3) \tag{d}$$

$$\frac{\partial \lambda}{\partial H_3}=\frac{1}{D_3}(c_{30}+c_{31}H_1+c_{32}H_2+c_{33}H_3)$$

$$=\frac{1}{D_4}(c_{40}+c_{41}H_1+c_{42}H_2+c_{43}H_3)$$

由相容性条件(3.5-3),得

$$\begin{aligned}&\frac{c_{12}}{D_1}=\frac{c_{21}}{D_2},\frac{c_{30}}{D_3}=\frac{c_{40}}{D_4},\frac{c_{33}}{D_3}=\frac{c_{43}}{D_4}\\&\frac{c_{13}}{D_1}=\frac{c_{31}}{D_3}=\frac{c_{41}}{D_4},\quad \frac{c_{23}}{D_2}=\frac{c_{32}}{D_3}=\frac{c_{42}}{D_4}\end{aligned} \tag{e}$$

当条件(e)满足时,(a)的平稳概率密度为

$$\begin{aligned}p(\boldsymbol{q},\boldsymbol{p})=C\exp\Bigg[-\Bigg(&\frac{c_{10}}{D_1}H_1+\frac{c_{20}}{D_2}H_2+\frac{c_{30}}{D_3}H_3\\&+\frac{c_{11}}{2D_1}H_1^2+\frac{c_{22}}{2D_2}H_2^2+\frac{c_{33}}{2D_3}H_3^2+\frac{c_{12}}{D_1}H_1H_2\\&+\frac{c_{13}}{D_1}H_1H_3+\frac{c_{23}}{D_2}H_2H_3\Bigg)\Bigg]\end{aligned} \tag{f}$$

式中 $\boldsymbol{q}=[q_1\ q_2\ q_3\ q_4]^{\mathrm{T}}$,$\boldsymbol{p}=[p_1\ p_2\ p_3\ p_4]^{\mathrm{T}}$,$H_i$ 由(b)确定。

3.5.2 内共振情形

设以 H 为 Hamilton 函数的 Hamilton 系统部分可积而共振,具有 r 个独立、对合的首次积分(守恒量),可求得可积部分的作用-角变量,Hamilton 函数形如(1.8-5),$r-1$ 个频率 ω_i 满足 β 个形如(1.6-24)的共振关系。按(1.6-25)引入角变量组合,此时,Hamilton 系统有 $r+\beta$ 个运动常数 $I_1,\cdots,I_{r-1},H_r,\psi_1,\cdots,\psi_\beta$。类似于可积共振情形,可证,(3.2-24)的一般解形为

$$p(\boldsymbol{q},\boldsymbol{p})=C\exp[-\lambda(I_1,\cdots,I_{r-1},H_r,\psi_1,\cdots,\psi_\beta)] \tag{3.5-5}$$

式中 $I_\eta=I_\eta(q_\eta,p_\eta)$,$H_r=H_r(q_r,\cdots,q_n,p_r,\cdots,p_n)$,$\psi_u=\psi_u(q_1,\cdots,q_{r-1},p_1,\cdots,p_{r-1})$。将(3.5-5)代入(3.2-25′),并考虑到边界

条件，得

$$m_{ij}\frac{\partial H}{\partial p_j}+\frac{\partial b_{ij}^{(i)}}{\partial p_j}$$

$$-b_{ij}^{(i)}\left(\frac{\partial I_\eta}{\partial p_j}\frac{\partial\lambda}{\partial I_\eta}+\frac{\partial H_r}{\partial p_j}\frac{\partial\lambda}{\partial H_r}+\frac{\partial\psi_u}{\partial p_j}\frac{\partial\lambda}{\partial\psi_u}\right)=0 \qquad (3.5\text{-}6)$$

$$i,j=1,2,\cdots,n;\ \eta=1,2,\cdots,r-1;\ u=1,2,\cdots,\beta$$

这是 n 个确定概率势 λ 为 $I_1,\cdots,I_{r-1},H_r,\psi_1,\cdots,\psi_\beta$ 之函数的一阶线性偏微分方程，表示 n 个方向概率势流为零。若能从(3.5-6)中解得 $\partial\lambda/\partial I_\eta=h_\eta$，$\partial\lambda/\partial H_r=h_r$，$\partial\lambda/\partial\psi_u=h_{r+u}$，且满足相容条件

$$\frac{\partial^2\lambda}{\partial I_{\eta_1}\partial I_{\eta_2}}=\frac{\partial^2\lambda}{\partial I_{\eta_2}\partial I_{\eta_1}},\frac{\partial^2\lambda}{\partial\psi_{u_1}\partial\psi_{u_2}}=\frac{\partial^2\lambda}{\partial\psi_{u_2}\partial\psi_{u_1}},$$

$$\frac{\partial^2\lambda}{\partial I_\eta\partial H_r}=\frac{\partial^2\lambda}{\partial H_r\partial I_\eta},\frac{\partial^2\lambda}{\partial H_r\partial\psi_u}=\frac{\partial^2\lambda}{\partial\psi_u\partial H_r}, \qquad (3.5\text{-}7)$$

$$\frac{\partial^2\lambda}{\partial I_\eta\partial\psi_u}=\frac{\partial^2\lambda}{\partial\psi_u\partial I_\eta}$$

则(3.5-5)变成

$$p(\boldsymbol{q},\boldsymbol{p})=C\exp\left[-\int_0^{I_\eta}h_\eta dI_\eta-\int_0^{H_r}h_r dH_r-\int_0^{\psi_u}h_{r+u}d\psi_u\right] \qquad (3.5\text{-}8)$$

式中 I_η,H_r,ψ_u 为 $\boldsymbol{q},\boldsymbol{p}$ 之函数。

鉴于 λ 为 ψ_u 以 2π 为周期的周期函数，可将 λ 展成 ψ_u 的 β 重 Fourier 级数。类似于可积共振情形，可推导出该级数系数所满足的形如(3.4-15)的方程。在形如(3.4-16)相容条件下，可得形如(3.4-14)的 λ 解，代入(3.5-5)得(3.2-1)的平稳概率密度。

以 $H_1,H_2,\cdots,H_{r-1}$ 代替 $I_1,I_2,\cdots,I_{r-1}$，上述结果仍成立，见下例。

例 3.5-2 考虑如下运动微分方程所描述的系统：

$$\dot{Q}_1=P_1$$

$$\dot{P}_1=-\omega_1^2Q_1-(c_{10}+c_{11}H_1+c_{12}\sqrt{H_1H_2}+c_{13}\sqrt{H_1H_3})P_1$$

$$-c_{14}H_1P_2+\sqrt{H_1}\xi_1(t)$$

$$\dot{Q}_2=P_2$$

$$\dot{P}_2=-\omega_2^2Q_2-(c_{20}+c_{21}\sqrt{H_1H_2}+c_{22}H_2+c_{23}\sqrt{H_2H_3})P_2$$

$$-c_{24}H_2P_1+\sqrt{H_2}\xi_2(t)$$

$$\dot{Q}_3=P_3$$

$$\dot{P}_3=-\frac{\partial U}{\partial Q_3}-\Big(c_{30}+c_{31}\sqrt{H_1H_3}$$

$$+c_{32}\sqrt{H_2H_3}+c_{33}H_3\Big)P_3+\sqrt{H_3}\xi_3(t)$$

$$\dot{Q}_4=P_4$$

$$\dot{P}_4=-\frac{\partial U}{\partial Q_4}-\Big(c_{40}+c_{41}\sqrt{H_1H_3}$$

$$+c_{42}\sqrt{H_2H_3}+c_{43}H_3\Big)P_4+\sqrt{H_3}\xi_4(t)$$

(g)

式中 c_{ij}为常数,

$$H_i=(p_i^2+\omega_i^2q_i^2)/2,\quad i=1,2$$

$$H_3=(p_3^2+p_4^2)/2+U(q_3,q_4)\tag{h}$$

设 U 不可分离,$\omega_1=\omega_2$;$\xi_k(t)$是强度为 $2D_k$ 的独立 Gauss 白噪声。Wong-Zakai 修正项中无保守分量,因此,

$$H=\overline{H}=H_1+H_2+H_3\tag{i}$$

与(g)相应的 Hamilton 系统为部分可积而主内共振。本例为例 3.4-3的扩展,该例中(x)～(z)也适用于本例。因此,可设

$$\lambda(H_1,H_2,H_3,\psi)$$

$$=\lambda_0(H_1,H_2,H_3)+\lambda_1(H_1,H_2,H_3)\cos\psi\tag{j}$$

其系数满足如下方程:

$$\frac{\partial\lambda_0}{\partial H_1}=\frac{1}{D_1H_1}\Big(c_{10}+c_{11}H_1+c_{12}\sqrt{H_1H_2}+c_{13}\sqrt{H_1H_3}+D_1\Big)$$

$$\frac{\partial\lambda_0}{\partial H_2}=\frac{1}{D_2H_2}\Big(c_{20}+c_{21}\sqrt{H_1H_2}+c_{22}H_2+c_{23}\sqrt{H_2H_3}+D_2\Big)$$

$$\frac{\partial \lambda_0}{\partial H_3} = \frac{1}{D_3 H_3}\left(c_{30} + c_{31}\sqrt{H_1 H_3} + c_{32}\sqrt{H_2 H_3} + c_{33} H_3 + D_3 \right)$$

$$= \frac{1}{D_4 H_3}\left(c_{40} + c_{41}\sqrt{H_1 H_3} + c_{42}\sqrt{H_2 H_3} + c_{43} H_3 + D_4 \right)$$

$$\frac{\partial \lambda_1}{\partial H_1} = (c_{14}/D_1)\sqrt{H_2/H_1} \tag{k}$$

$$\frac{\partial \lambda_1}{\partial H_2} = (c_{24}/D_2)\sqrt{H_1/H_2}$$

$$\frac{\partial \lambda_1}{\partial H_3} = 0$$

相容性条件为

$$\begin{aligned} &\frac{c_{12}}{D_1} = \frac{c_{21}}{D_2},\frac{c_{14}}{D_1} = \frac{c_{24}}{D_2},\frac{c_{30}}{D_3} = \frac{c_{40}}{D_4},\frac{c_{33}}{D_3} = \frac{c_{43}}{D_4} \\ &\frac{c_{13}}{D_1} = \frac{c_{31}}{D_3} = \frac{c_{41}}{D_4},\frac{c_{23}}{D_2} = \frac{c_{32}}{D_3} = \frac{c_{42}}{D_4} \end{aligned} \tag{l}$$

在上述条件下,(g)的精确平稳概率密度为

$$\begin{aligned} p(\boldsymbol{q},\boldsymbol{p}) = C H_1^{-\alpha_1} H_2^{-\alpha_2} H_3^{-\alpha_3} \exp\Bigg[-\Bigg(&\frac{c_{11}}{D_1} H_1 + \frac{c_{22}}{D_2} H_2 + \frac{c_{33}}{D_3} H_3 \\ &+ \frac{2c_{12}}{D_1}\sqrt{H_1 H_2} + \frac{2c_{13}}{D_1}\sqrt{H_1 H_3} \\ &+ \frac{2c_{23}}{D_2}\sqrt{H_2 H_3} + \frac{2c_{14}}{D_1}\sqrt{H_1 H_2}\cos\psi \Bigg) \Bigg] \end{aligned} \tag{m}$$

式中 $\boldsymbol{q} = [q_1\ q_2\ q_3\ q_4]^{\mathrm{T}}$,$\boldsymbol{p} = [p_1\ p_2\ p_3\ p_4]^{\mathrm{T}}$,$\cos\psi$ 由例 3.4-3 中(z)确定,H_i 由(h)确定,而

$$\alpha_1 = \frac{1}{2} + \frac{c_{10}}{D_1},\alpha_2 = \frac{1}{2} + \frac{c_{20}}{D_2},\alpha_3 = \frac{1}{2} + \frac{c_{30}}{D_3} \tag{n}$$

3.6 Gauss 白噪声激励下耗散的陀螺系统的精确平稳解

迄今,绝大多数关于非线性随机动力学系统精确平稳解的文献皆只论及非陀螺系统,仅专著[14]涉及陀螺系统。在该专著中,作者将陀螺力看成拟线性广义力,鉴于它的反对称性,由该专著中

引理 1(p.15)与定理 4(p.127)可得出结论,陀螺力对精确平稳解无影响。文献[24]指出,陀螺力应视作 Hamilton 系统的一部分(见 1.1.2),陀螺力对精确平稳解的影响取决于包括陀螺力在内的 Hamilton 系统的可积性与共振性。

事实上,3.3～3.5 中所述关于 Gauss 白噪声激励下耗散的 Hamilton 系统的精确平稳解泛函形式的结论与求解方法同样适用于非陀螺系统与陀螺系统。当包括陀螺力在内的 Hamilton 系统不可积时,用广义位移与广义动量表示的精确平稳解形为(3.3-2)。由(3.3-21),用广义位移与广义速度表示的精确平稳解为

$$p(\boldsymbol{q},\dot{\boldsymbol{q}})=C\det(\boldsymbol{M})\exp[-\lambda(H)]\Big|_{H=H(\boldsymbol{q},\dot{\boldsymbol{q}})} \tag{3.6-1}$$

而由(1.1-32)与(1.1-34),

$$H(\boldsymbol{q},\dot{\boldsymbol{q}})=m_{ij}^{-1}(m_{ik}\dot{q}_k+b_i)(m_{jl}\dot{q}_l+b_j)/2-m_{ij}^{-1}(m_{ik}\dot{q}_k+b_i)b_j+m_{ij}^{-1}b_ib_j/2-c=m_{ij}\dot{q}_i\dot{q}_j/2-c \tag{3.6-2}$$

式中 $c=T_0-U_0$,对定常系统,$c=-U_0(\boldsymbol{q})$。由(3.6-1)与(3.6-2)知,在不可积情形,陀螺力对精确平稳解确无影响。从物理上讲,这是由于在不可积情形,精确平稳解具有能量等分之性质,系统内各自由度之间能量之比是固定的,所能改变的只是系统的总能量,而陀螺力不作功,不影响系统的总能量,因而不影响精确平稳解。

然而,当包括陀螺力在内的 Hamilton 系统可积或部分可积(非共振与共振)时,精确平稳解具有能量非等分性质,系统内各自由度之间的能量分配是可调的,陀螺力虽然不影响系统总能量的概率与统计性质,但可改变总能量在各自由度之间的分配,从而改变以广义位移与广义动量或广义速度表示的平稳概率密度及由此导出的统计量如均方位移等。例如,在可积非共振情形,精确平稳解形如(3.4-2),对线性陀螺系统,H_i 形如(1.4-28),其中变换矩阵 T 的元素取决于陀螺力,即使将广义动量变换成广义速度亦

如此。

例 3.6-1 考虑在 Gauss 白噪声激励下耗散的线性化陀螺摆,系统的运动微分方程为

$$
\begin{aligned}
&\dot{Q}_i = m_{ij}^{-1} P_j - m_{ik}^{-1} g_{kj} Q_j /2 \\
&\dot{P}_i = - k'_{ij} Q_j + m_{jk}^{-1} g_{ki} P_j /2 - F_i^d(\boldsymbol{Q},\boldsymbol{P}) + f_{ik}(\boldsymbol{Q}) \xi_k(t) \qquad \text{(a)}\\
&i,j,k = 1,2
\end{aligned}
$$

相应的 Hamilton 系统方程见(1.1-45)与例 1.1-2,

$$
\begin{aligned}
&m_{ij}^{-1} = \delta_{ik}\delta_{kj} I_k^{-1}, g_{12} = - g_{21} = \bar{g} \\
&k'_{ij} = \delta_{ij} k + \delta_{ik}\delta_{kj} I_{2-k}^{-1} \bar{g}^2 /4
\end{aligned} \qquad \text{(b)}
$$

式中 $F_i^d(\boldsymbol{Q},\boldsymbol{P})$表示阻尼力,$\xi_k(t)$为相关 Gauss 白噪声。对本例,Wong-Zakai 修正项为零。通过求解线性化 Hamilton 方程的特征值问题,得固有频率

$$
\begin{aligned}
\omega_{1,2} = \{[(I_1 k + I_2 k + \bar{g}^2) \mp (I_1 k + I_2 k + \bar{g}^2 \\
- 4 I_1 I_2 k^2)^{1/2}]/2 I_1 I_2\}^{1/2}
\end{aligned} \qquad \text{(c)}
$$

ω_1 与 ω_2 之比一般为无理数,因此,该 Hamilton 系统属于可积而非共振情形。可用例 1.4-1 中描述的方法使上述 Hamilton 系统解耦,所需变换矩阵形为

$$
\boldsymbol{T} = \begin{bmatrix}
\dfrac{2\bar{g}\omega_1^2}{\Delta_1} & \dfrac{2\bar{g}\omega_2^2}{\Delta_2} & -\dfrac{2\bar{g}\omega_1^2}{\Delta_1} & -\dfrac{2\bar{g}\omega_2^2}{\Delta_2} \\
\dfrac{2\omega_1\sigma_1}{\Delta_1} & \dfrac{2\omega_2\sigma_2}{\Delta_2} & \dfrac{2\omega_1\sigma_1}{\Delta_1} & \dfrac{2\omega_2\sigma_2}{\Delta_2} \\
\dfrac{\bar{g}\omega_1\sigma_3}{\Delta_1} & \dfrac{\bar{g}\omega_2\sigma_4}{\Delta_2} & \dfrac{\bar{g}\omega_1\sigma_3}{\Delta_1} & \dfrac{\bar{g}\omega_2\sigma_4}{\Delta_2} \\
-\dfrac{\sigma_1\sigma_5}{\Delta_1} & -\dfrac{\sigma_2\sigma_6}{\Delta_2} & -\dfrac{\sigma_1\sigma_5}{\Delta_1} & -\dfrac{\sigma_2\sigma_6}{\Delta_2}
\end{bmatrix} \qquad \text{(d)}
$$

式中

$$
\begin{aligned}
&\sigma_1 = k - I_1\omega_1^2, \sigma_2 = k - I_1\omega_2^2, \sigma_3 = k + I_1\omega_1^2 \\
&\sigma_4 = k + I_1\omega_2^2, \sigma_5 = k + I_2\omega_1^2, \sigma_6 = k + I_2\omega_2^2 \\
&\Delta_1 = [8\omega_1\sigma_1(k^2 - I_1 I_2\omega_1^4)]^{1/2}
\end{aligned}
$$

$$\Delta_2 = [8\omega_2\sigma_2(k^2 - I_1I_2\omega_2^4)]^{1/2} \tag{e}$$

为使(a)具有形如(3.4-2)的精确平稳解,阻尼力需满足(3.4-5),即

$$F_i^d = b_{ij}^{(i)}\frac{\partial H_s}{\partial p_j}\frac{\partial\lambda}{\partial H_s},\quad i,j,s = 1,2 \tag{f}$$

设 $f_{ii} = Q_i, f_{ik} = 0, i \neq k$。(f)化为

$$F_i^d = \delta_{ik}D_{kj}Q_kQ_j\frac{\partial H_s}{\partial p_j}\frac{\partial\lambda}{\partial H_s}$$

$$i,j,s = 1,2 \tag{g}$$

$\partial H_s/\partial p_j$ 可从(1.4-28)导出,

$$\frac{\partial H_s}{\partial p_j} = \omega_s(T_{s,2+j}^{-1}T_{s,i}^{-1} + T_{2+s,2+j}^{-1}T_{2+s,i}^{-1})Z_i$$

$$i = 1,2,3,4 \tag{h}$$

式中 ω_s 与 T_{ij}^{-1} 分别由(c)与(d)确定,而 $\boldsymbol{Z} = [Q_1\ Q_2\ P_1\ P_2]^{\mathrm{T}}$。设

$$\partial\lambda/\partial H_s = \beta_s \tag{i}$$

式中 β_s 为常数,则要求阻尼力形为

$$F_i^d = D\delta_{ij}\omega_s\beta_sQ_j^2(T_{s,2+j}^{-1}T_{s,k}^{-1} + T_{2+s,2+j}^{-1}T_{2+s,k}^{-1})I_k\dot{Q}_k \tag{j}$$

只要 $D_{kj} = D\delta_{kj}$,且满足下列条件

$$\beta_1\omega_1^3\sigma_1\sigma_6 + \beta_2\omega_2^3\sigma_2\sigma_5 = 0 \tag{k}$$

(a)有精确平稳概率密度

$$p(\boldsymbol{q},\boldsymbol{p}) = C\exp[-(\beta_1H_1 + \beta_2H_2)]\big|_{H_s = H_s(\boldsymbol{q},\boldsymbol{p})} \tag{l}$$

式中 $H_s(\boldsymbol{q},\boldsymbol{p})$由(1.4-28)确定。由于 $|\boldsymbol{T}| = 1$,可求得(l)中的归一化常数

$$C^{-1} = \int_{-\infty}^{\infty}\exp\left[-\frac{1}{2}\sum_{r=1}^{2}\beta_r\omega_r(\bar{q}_r^2 + \bar{p}_r^2)\right]\mathrm{d}\bar{q}_1\mathrm{d}\bar{q}_2\mathrm{d}\bar{p}_1\mathrm{d}\bar{p}_2$$

$$= 4\pi^2/\beta_1\beta_2\omega_1\omega_2 \tag{m}$$

虽然系统中含非线性阻尼与 Gauss 白噪声参激,其平稳概率密度(l)仍为 Gauss。广义位移的均方值为

$$E[Q_i^2] = \int_{-\infty}^{\infty}q_i^2p(\boldsymbol{q},\boldsymbol{p})\mathrm{d}\boldsymbol{q}\mathrm{d}\boldsymbol{p}$$

$$=(T_{i1}^2+T_{i3}^2)/\beta_1\omega_1+(T_{i2}^2+T_{i4}^2)/\beta_2\omega_2 \tag{n}$$

它对陀螺力的依赖乃通过 ω_s 与 $\boldsymbol{T}$ 体现出来。图 3.6-1 中的曲线就是 $E[Q_i^2]$随陀螺参数 $\bar{g}$ 变化之一例,图中实线乃由(n)算出,而点则是数字模拟结果。从图可看出,两者很一致。图 3.6-1 也说明,陀螺效应有控制均方响应之功能。图 3.6-2 则是系统(a)中

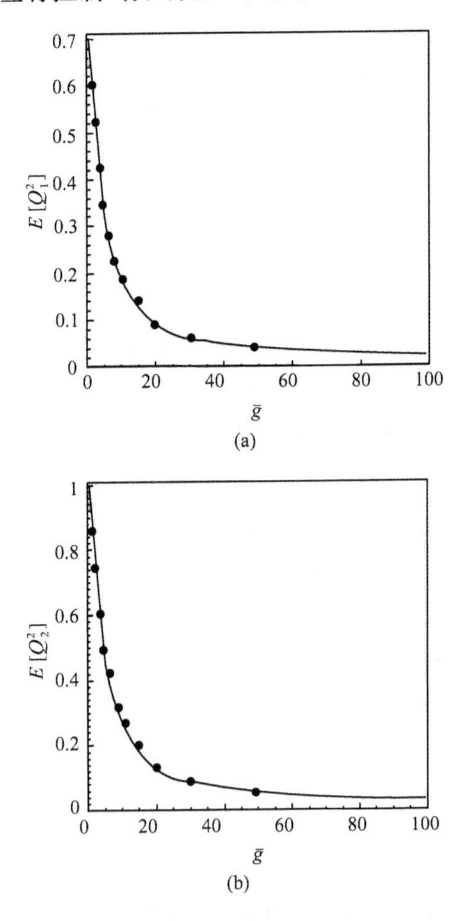

图 3.6-1　含非线性阻尼线性陀螺系统在 Gauss 白噪声激励下均方位移随陀螺参数的变化

阻尼为线性与 Gauss 白噪声外激时的数值结果。从图可知，随陀螺参数 $\bar{g}$ 的增大，$E[Q_1^2]$增大，而 $E[Q_2^2]$减小，当 $\bar{g}$ 大时，两者趋于常值。系统平均总能量则保持常值，不随 $\bar{g}$ 而变。

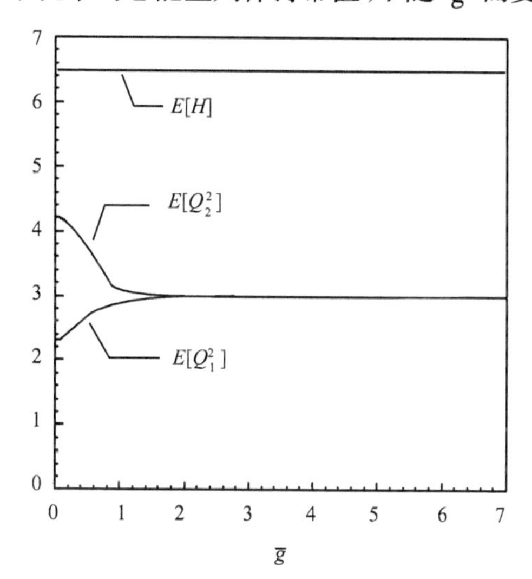

图 3.6-2 含线性阻尼线性陀螺系统在 Gauss 白噪声外激下均方位移与能量均值随陀螺参数的变化

3.7 推广

3.7.1 更一般的系统[21]

3.3～3.5 中描述的 Gauss 白噪声激励下耗散的 Hamilton 系统的精确平稳解的泛函构造与求解方法可推广于下列更为一般的系统：

$$\dot{Q}_i = D(\boldsymbol{Q})\frac{\partial H}{\partial P_i}$$

$$\dot{P}_i = -D(\boldsymbol{Q})\frac{\partial H}{\partial Q_i} - c_{ij}(\boldsymbol{Q},\boldsymbol{P})\frac{\partial H}{\partial P_j} + f_{ik}(\boldsymbol{Q},\boldsymbol{P})\xi_k(t)$$

$$i,j=1,2,\cdots,n;k=1,2,\cdots,m \tag{3.7-1}$$

式中 $D(\boldsymbol{Q})$为 $\boldsymbol{Q}$ 的任意函数,其他同(3.2-1)。当 $D(\boldsymbol{Q})=1$ 时,(3.7-1)退化为(3.2-1)。设 Wong-Zakai 修正项中无保守力分量,则其等价的 Itô 随机微分方程形为

$$\begin{aligned} \mathrm{d}Q_i &= D(\boldsymbol{Q})\frac{\partial H}{\partial P_i}\mathrm{d}t \\ \mathrm{d}P_i &= -\left[D(\boldsymbol{Q})\frac{\partial H}{\partial Q_i}+m_{ij}(\boldsymbol{Q},\boldsymbol{P})\frac{\partial H}{\partial P_j}\right]\mathrm{d}t \\ &\quad + \sigma_{ik}(\boldsymbol{Q},\boldsymbol{P})\mathrm{d}B_k(t) \end{aligned} \tag{3.7-2}$$

$$i,j=1,2,\cdots,n;\quad k=1,2,\cdots,m$$

记该系统的平稳概率密度为 $p^*=p^*(\boldsymbol{q},\boldsymbol{p})$,它满足如下平稳 FPK 方程

$$\begin{aligned} 0 =& -\frac{\partial}{\partial q_i}\left(D(\boldsymbol{Q})\frac{\partial H}{\partial p_i}p^*\right)+\frac{\partial}{\partial p_i}\left(D(\boldsymbol{Q})\frac{\partial H}{\partial q_i}p^*\right) \\ &+\frac{\partial}{\partial p_i}\left(m_{ij}\frac{\partial H}{\partial p_j}p^*\right)+\frac{\partial^2}{\partial p_i\partial p_j}(b_{ij}^{(i)}p^*) \end{aligned} \tag{3.7-3}$$

设其边界条件形同(3.2-14)或(3.2-15),由概率环流与势流平衡条件可得如下方程

$$[D(\boldsymbol{Q})p^*,H]=0 \tag{3.7-4}$$

$$m_{ij}\frac{\partial H}{\partial p_j}p^*+\frac{\partial}{\partial p_j}(b_{ij}^{(i)}p^*)=0 \tag{3.7-5}$$

由(3.7-4)知,$p=D(\boldsymbol{Q})p^*$ 的泛函形式取决于与(3.7-1)相应的 Hamilton 系统的可积性与共振性,对应于 3.3~3.5 中五种情形,它应分别具有(3.3-2)、(3.4-2)、(3.4-9)、(3.5-1)及(3.5-5)之形式。由于(3.7-5)不含对 q_i 的偏导数,

$$p^*(\boldsymbol{q},\boldsymbol{p})=\frac{p(\boldsymbol{q},\boldsymbol{p})}{D(\boldsymbol{q})} \tag{3.7-6}$$

式中 $p(\boldsymbol{q},\boldsymbol{p})$为当(3.7-1)中 $D(\boldsymbol{Q})=1$ 时系统的精确平稳概率密度。

3.7.2 Gauss 白噪声与周期或概周期激励下耗散的 Hamilton 系统的稳态解[25]

作为 3.3～3.5 中结果的再一个推广，考虑在 Gauss 白噪声与周期或概周期力激励下的耗散的 Hamilton 系统的稳态周期或概周期解。系统的运动方程形为

$$
\begin{aligned}
\dot{Q}_i &= \frac{\partial \overline{H}}{\partial P_i} \\
\dot{P}_i &= -\frac{\partial \overline{H}}{\partial Q_i} - c_{ij}(\boldsymbol{Q},\boldsymbol{P})\frac{\partial \overline{H}}{\partial P_j} - g_i(\boldsymbol{Q},\boldsymbol{P},t) \\
&\quad + f_{ik}(\boldsymbol{Q},\boldsymbol{P})\xi_k(t) \qquad (3.7\text{-}7) \\
&\quad i,j = 1,2,\cdots,n; \quad k = 1,2,\cdots,m
\end{aligned}
$$

其等价的 Itô 随机微分方程为

$$
\begin{aligned}
\mathrm{d}Q_i &= \frac{\partial H}{\partial P_i}\mathrm{d}t \\
\mathrm{d}P_i &= -\left[\frac{\partial H}{\partial Q_i} + m_{ij}(\boldsymbol{Q},\boldsymbol{P})\frac{\partial H}{\partial P_j} + g_i(\boldsymbol{Q},\boldsymbol{P},t)\right]\mathrm{d}t \\
&\quad + \sigma_{ik}(\boldsymbol{Q},\boldsymbol{P})\mathrm{d}B_k(t) \qquad (3.7\text{-}8) \\
&\quad i,j = 1,2,\cdots,n; \quad k = 1,2,\cdots,m
\end{aligned}
$$

设以 H 为 Hamilton 函数的 Hamilton 系统为可积或部分可积，而 g_i 为 $\delta_s = \theta_s - \omega_s(\boldsymbol{I})t$ 的函数，表示系统所受的周期或概周期外激或参激，θ_s 与 ω_s 为可积 Hamilton 系统或部分可积 Hamilton 系统中可积部分的角变量与频率。与(3.7-8)相应的 FPK 方程为

$$
\frac{\partial p}{\partial t} = [p, H] + \frac{\partial}{\partial p_i}\left[\left(m_{ij}\frac{\partial H}{\partial p_j} + g_i\right)p\right] + \frac{\partial^2}{\partial p_i \partial p_j}(b_{ij}^{(i)}p) \qquad (3.7\text{-}9)
$$

由于漂移系数为 δ_s 以 2π 为周期的周期函数，FPK 方程(3.7-9)在 $t\to\infty$ 时不再有平稳解而可能有稳态解。为求(3.7-9)的稳态解，将它分解为两部分

$$\frac{\partial p}{\partial t}=[p,H] \tag{3.7-10}$$

$$\frac{\partial}{\partial p_i}\left[\left(m_{ij}\frac{\partial H}{\partial p_j}+g_i\right)p\right]+\frac{\partial^2}{\partial p_i\partial p_j}(b_{ij}^{(i)}p)=0 \tag{3.7-11}$$

显然,方程组(3.7-10)与(3.7-11)之解必是(3.7-9)之解。(3.7-10)为系统的阻尼与激励为零时的 FPK 方程,其解取决于相应 Hamilton 系统的可积性与共振性。

设以 H 为 Hamilton 函数的 Hamilton 系统为完全可积而非共振,则(3.7-10)的一般解形为

$$p=F(I_1,\cdots,I_n,\delta_1,\cdots,\delta_n) \tag{3.7-12}$$

将(3.7-12)代入(3.7-10)即可证。考虑到概率密度的非负性与边界条件(3.2-14)或(3.2-15),可设(3.7-10)之解形为

$$\begin{aligned}p(\boldsymbol{q},\boldsymbol{p},t)&=C\exp[-\lambda(I_1,\cdots,I_n,\delta_1,\cdots,\delta_n)]\\&=C\exp[-\lambda(\boldsymbol{I},\delta)]\end{aligned} \tag{3.7-13}$$

式中 $I_s=I_s(\boldsymbol{q},\boldsymbol{p})$,$\delta_s=\delta_s(\boldsymbol{q},\boldsymbol{p},t)$。将(3.7-13)代入(3.7-11),并考虑到边界条件(3.2-14)或(3.2-15),得

$$\begin{gathered}m_{ij}\frac{\partial H}{\partial p_j}+g_i+\frac{\partial b_{ij}^{(i)}}{\partial p_j}-b_{ij}^{(i)}\left(\frac{\partial I_s}{\partial p_j}\frac{\partial\lambda}{\partial I_s}+\frac{\partial\delta_s}{\partial p_j}\frac{\partial\lambda}{\partial\delta_s}\right)\\i,j,s=1,2,\cdots,n\end{gathered} \tag{3.7-14}$$

这是确定概率势 λ 为 I_s、δ_s 的函数的 n 个一阶线性偏微分方程,表示 n 个方向的概率势流平衡。由于 g_i 为 δ_s 以 2π 为周期的周期函数,λ 亦应如此。将 λ 与 g_i 展成 δ_s 的 n 重 Fourier 级数

$$\begin{aligned}\lambda(\boldsymbol{I},\delta)=\lambda_0(\boldsymbol{I})+\sum_{r=1}^{\infty}\sum_{|\mu|=r}[&\lambda_\mu^{(c)}(\boldsymbol{I})\cos(\mu,\delta)\\&+\lambda_\mu^{(s)}(\boldsymbol{I})\sin(\mu,\delta)]\\g_i(\boldsymbol{I},\delta)=g_{i0}(\boldsymbol{I})+\sum_{r=1}^{\infty}\sum_{|\mu|=r}[&g_{i\mu}^{(c)}(\boldsymbol{I})\cos(\mu,\delta)\\&+g_{i\mu}^{(s)}(\boldsymbol{I})\sin(\mu,\delta)]\end{aligned} \tag{3.7-15}$$

将(3.7-15)代入(3.7-14),若能求得一组$\partial\lambda_0/\partial I_s$,$\partial\lambda_\mu^{(c)}/\partial I_s$ 及

$\partial \lambda_\mu^{(s)} / \partial I_s$,且满足相容条件

$$\frac{\partial^2 \lambda_0}{\partial I_{s_1} \partial I_{s_2}} = \frac{\partial^2 \lambda_0}{\partial I_{s_2} \partial I_{s_1}}, \frac{\partial^2 \lambda_\mu^{(c)}}{\partial I_{s_1} \partial I_{s_2}} = \frac{\partial^2 \lambda_\mu^{(c)}}{\partial I_{s_2} \partial I_{s_1}}$$

$$\frac{\partial^2 \lambda_\mu^{(s)}}{\partial I_{s_1} \partial I_{s_2}} = \frac{\partial^2 \lambda_\mu^{(s)}}{\partial I_{s_2} \partial I_{s_1}} \tag{3.7-16}$$

则有

$$\lambda_0 = \lambda_0(0) + \int_0^{I_s} (\partial \lambda_0 / \partial I_s) \mathrm{d} I_s$$

$$\lambda_\mu^{(c)} = \lambda_\mu^{(c)}(0) + \int_0^{I_s} (\partial \lambda_\mu^{(c)} / \partial I_s) \mathrm{d} I_s \tag{3.7-17}$$

$$\lambda_\mu^{(s)} = \lambda_\mu^{(s)}(0) + \int_0^{I_s} (\partial \lambda_\mu^{(s)} / \partial I_s) \mathrm{d} I_s$$

将(3.7-17)代入(3.7-15),再代入(3.7-13),即得系统(3.7-7)之稳态概率密度,它一般是 t 的概周期函数,因为相应 Hamilton 系统非共振,ω_j 不可公约。在求解过程中,虽然并未令$\partial p / \partial t = 0$,但没有计及初始条件,而且假定系统已处于统计平衡状态,因此,所得之解为稳态解(即 $t \to \infty$时之解),而非瞬态解。

设以 H 为 Hamilton 函数的 Hamilton 系统可积且共振,有 α 个形如(1.6-24)共振关系,则可类似地证明,(3.7-10)之一般解形为

$$\begin{aligned} p(\boldsymbol{q}, \boldsymbol{p}, t) &= C\exp[-\lambda(I_1, \cdots, I_n, \psi_1, \cdots, \psi_\alpha, \delta_{\alpha+1}, \cdots, \delta_n)] \\ &= C\exp[-\lambda(\boldsymbol{I}, \psi, \delta')] \end{aligned} \tag{3.7-18}$$

式中 $\psi = [\psi_1\ \psi_2 \cdots \psi_\alpha]^{\mathrm{T}}$, $\delta' = [\delta_{\alpha+1}\ \delta_{\alpha+2} \cdots \delta_n]^{\mathrm{T}}$, $I_s = I_s(\boldsymbol{q}, \boldsymbol{p})$, $\psi_u = \psi_u(\boldsymbol{q}, \boldsymbol{p}) = k_i^u \delta_i$, $\delta_v = \delta_v(\boldsymbol{q}, \boldsymbol{p}, t)$。将(3.7-18)代入(3.7-11),得

$$m_{ij} \frac{\partial H}{\partial p_j} + g_i + \frac{\partial b_{ij}^{(i)}}{\partial p_j} = b_{ij}^{(i)} \left(\frac{\partial I_s}{\partial p_j} \frac{\partial \lambda}{\partial I_s} + \frac{\partial \psi_u}{\partial p_j} \frac{\partial \lambda}{\partial \psi_u} + \frac{\partial \delta_v}{\partial p_j} \frac{\partial \lambda}{\partial \delta_v} \right)$$

$$i, j, s = 1, 2, \cdots, n;\ u = 1, 2, \cdots, \alpha;\ v = \alpha+1, \alpha+2, \cdots, n \tag{3.7-19}$$

λ 为 ψ_u 与 δ_v 以 2π 为周期的周期函数,可展成对 ψ_u 为 α 重与对 δ_v

为$(n-\alpha)$重的 Fourier 级数，例如，

$$\lambda=\lambda_0(\boldsymbol{I})+\sum_{r'=1}^{\infty}\sum_{|\mu'|=r'}[\lambda_{\mu'}^{(c)}(\boldsymbol{I})\cos(\mu',\psi)+\lambda_{\mu'}^{(s)}(\boldsymbol{I})\sin(\mu',\psi)]$$

$$\times\sum_{r''=1}^{\infty}\sum_{|\mu''|=r''}[\lambda_{\mu''}^{(c)}(\boldsymbol{I})\cos(\mu'',\delta')+\lambda_{\mu''}^{(s)}(\boldsymbol{I})\sin(\mu'',\delta')]$$

$$(3.7\text{-}20)$$

式中 $\mu'=[\mu_1\cdots\mu_\alpha]^{\mathrm{T}}$，$\mu''=[\mu_{\alpha+1}\cdots\mu_n]^{\mathrm{T}}$，$|\mu'|=\sum_{u=1}^{\alpha}|\mu_u|$，$|\mu''|=\sum_{v=\alpha+1}^{n}|\mu_v|$，$(\mu',\psi)=\mu_u'\psi_u$，$(\mu'',\delta')=\mu_v''\delta_v$。将(3.7-20)代入(3.7-19)，可得$\partial\lambda_0/\partial I_s$，$\partial\lambda_{\mu'}^{(c)}/\partial I_s$，$\partial\lambda_{\mu''}^{(c)}/\partial I_s$ 及 $\partial\lambda_{\mu''}^{(s)}/\partial I_s$，在形如(3.7-16)的相容条件下，可得形如(3.7-17)之解 λ_0，$\lambda_{\mu'}^{(c)}$，$\lambda_{\mu'}^{(s)}$，$\lambda_{\mu''}^{(c)}$及$\lambda_{\mu''}^{(s)}$，代入(3.7-20)，然后代入(3.7-18)，可得所求(3.7-7)之稳态概率密度。显然，一般情形下，该稳态概率密度为时间 t 的概周期函数，但当 $\alpha=n-1$，即完全共振时，该稳态概率密度可不显含 t，而成为平稳概率密度。

当以 H 为 Hamilton 函数的 Hamilton 系统为部分可积时，可类似地构造解的泛函形式与求稳态概率密度，只需以 $I_1,\cdots,I_{r-1},H_r,\delta_1,\cdots,\delta_{r-1}$代替 $I_1,\cdots,I_n,\delta_1,\cdots,\delta_n$，并区分非共振与共振情形即可。

例 3.7-1 考虑如下运动微分方程描述的系统：

$$\begin{aligned}
\dot{Q}_1&=P_1\\
\dot{P}_1&=-\omega_1^2Q_1-(c_{10}+c_{11}I_1+c_{12}I_2)P_1/\omega_1+g_1+\xi_1(t)\\
\dot{Q}_2&=P_2\\
\dot{P}_2&=-\mathrm{d}U/\mathrm{d}Q_2-(c_{20}+c_{21}I_1+c_{22}I_2)P_2/\\
&\quad\ \omega_2+g_2+\xi_2(t)
\end{aligned}\tag{a}$$

式中

$$I_1=(p_1^2+\omega_1^2q_1^2)/2\omega_1,H_2=p_2^2/2+U(q_2)$$

$$I_2=\frac{1}{2\pi}\oint\sqrt{2H_2-2U(q_2)}\mathrm{d}q_2$$

$$
\begin{aligned}
&\omega_2 = \omega_2(I_2) = \mathrm{d}H_2/\mathrm{d}I_2 \\
&\theta_2 = \omega_2\int_0^{q_2} \frac{\mathrm{d}q}{\sqrt{2H_2 - 2U(q)}} \\
&\delta_2 = \theta_2 - \omega_2 t, g_1 = - c_{13}\cos\omega_1 t \\
&g_2 = - c_{23}\left[\cos\delta_2 - I_2\sin\delta_2\left(\frac{\partial\theta_2}{\partial I_2} - \frac{\partial\omega_2}{\partial I_2}t\right)\right]\frac{p_2}{\omega_2}
\end{aligned}
\tag{b}
$$

$\xi_k(k=1,2)$是强度为 $2D_k$ 的独立 Gauss 白噪声。本例中 Wong-Zakai 修正项为零,$H=\bar{H}=\omega_1 I_1+H_2$,相应 Hamilton 系统可积,(a)中第一个振子有外共振,由于 ω_2 随 I_2 而变,可认为相应的 Hamilton 系统无内共振,可只考虑非内共振情形。其稳态解形为(3.7-13),其中

$$
\lambda = \lambda_0(I_1, I_2) + \lambda_{10}^{(c)}(I_1, I_2)\cos\delta_1 + \lambda_{01}^{(c)}(I_1, I_2)\cos\delta_2 \tag{c}
$$

式中

$$
\delta_1 = \theta_1 - \omega_1 t, \quad \theta_1 = \arcsin(\sqrt{2I_1/\omega_1}) \tag{d}
$$

(c)代入(3.7-14),得

$$
\begin{aligned}
&\partial\lambda_0/\partial I_1 = (c_{10} + c_{11}I_1 + c_{12}I_2)/D_1 \\
&\partial\lambda_0/\partial I_2 = (c_{20} + c_{21}I_1 + c_{22}I_2)/D_2 \\
&\lambda_{10} = c_{13}\sqrt{2\omega_1 I_1}/D_1, \lambda_{01} = c_{23}I_2/D_2
\end{aligned}
\tag{e}
$$

在相容条件

$$
c_{12}/D_1 = c_{21}/D_2 \tag{f}
$$

下,可得(a)的稳态概率密度

$$
\begin{aligned}
p(\boldsymbol{q}, \boldsymbol{p}, t) = C\exp\Big[-\Big(&\frac{c_{10}}{D_1}I_1 + \frac{c_{20}}{D_2}I_2 + \frac{c_{11}}{2D_1}I_1^2 + \frac{c_{22}}{2D_2}I_2^2 \\
&+ \frac{c_{12}}{D_1}I_1 I_2 + \frac{c_{13}}{D_1}\sqrt{2\omega_1 I_1}\cos\delta_1 + \frac{c_{23}}{D_2}I_2\cos\delta_2\Big)\Big]
\end{aligned}
\tag{g}
$$

式中 $\boldsymbol{q}=[q_1\ q_2]^{\mathrm{T}}$,$\boldsymbol{p}=[p_1\ p_2]^{\mathrm{T}}$,$I_i$ 与 δ_i 作为 $\boldsymbol{q}$,$\boldsymbol{p}$ 的函数由(b)与(d)确定。

例 3.7.2 考虑如下同时受概周期与 Gauss 白噪声参激的系统:

$$
\begin{aligned}
\dot{Q}_1 &= P_1 \\
\dot{P}_1 &= -\omega_1^2 Q_1 - (c_{10} + c_{11} I_1 + c_{12}\sqrt{I_1 I_2}) P_1 + g_1 + \sqrt{I_1}\,\xi_1(t) \\
\dot{Q}_2 &= P_2 \\
\dot{P}_2 &= -\omega_2^2 Q_2 - (c_{20} + c_{21}\sqrt{I_1 I_2} + c_{22} I_2) P_2 + g_2 + \sqrt{I_2}\,\xi_2(t)
\end{aligned} \tag{h}
$$

式中

$$
\begin{aligned}
& I_i = (p_i^2 + \omega_i^2 q_i^2)/2\omega_i,\ \theta_i = \arcsin(q_i/\sqrt{2I_i/\omega_i}) \\
& \delta_i = \theta_i - \omega_i t,\ i = 1,2 \\
& g_1 = -c_{13}\sqrt{2I_1 I_2}[(P_1/\omega_1)\cos(\delta_1 - \delta_2) + Q_1\sin(\delta_1 - \delta_2)] \\
& g_2 = -c_{23}\sqrt{2I_1 I_2}[(P_2/\omega_2)\cos(\delta_1 - \delta_2) - Q_2\sin(\delta_1 - \delta_2)]
\end{aligned} \tag{i}
$$

$\xi_k(t)$是强度为 $2D_k$ 的独立 Gauss 白噪声。本例中 Wong-Zakai 修正项无保守力分量,因此,Hamilton 函数

$$
H = \overline{H} = \omega_1 I_1 + \omega_2 I_2 \tag{j}
$$

Hamilton 系统可积。在非共振情形下,稳态概率密度形为(3.7-13),其中

$$
\lambda(I_1, I_2, \delta_1, \delta_2) = \lambda_0(I_1, I_2) + \lambda_1(I_1, I_2)\cos(\delta_1 - \delta_2) \tag{k}
$$

将(k)代入(3.7-14),得

$$
\begin{aligned}
\partial\lambda_0/\partial I_1 &= \omega_1(c_{10} + D_1/2\omega_1 + c_{11} I_1 + c_{12}\sqrt{I_1 I_2})/D_1 I_1 \\
\partial\lambda_0/\partial I_2 &= \omega_2(c_{20} + D_2/2\omega_2 + c_{21}\sqrt{I_1 I_2} + c_{22} I_2)/D_2 I_2 \\
\lambda_1 &= 2c_{13}\sqrt{2I_1 I_2}/D_1 = c_{23}\sqrt{2I_1 I_2}/D_2
\end{aligned} \tag{l}
$$

在满足相容条件

$$
c_{12}\omega_1/D_1 = c_{21}\omega_2/D_2,\quad c_{13}/D_1 = c_{23}/D_2 \tag{m}
$$

时,系统(h)的稳态概率密度为

$$
p(\boldsymbol{q}, \boldsymbol{p}, t) = C I_1^{-\beta_1} I_2^{-\beta_2} \exp\left[-\left(\frac{c_{11}\omega_1}{D_1} I_1 + \frac{c_{22}\omega_2}{D_2} I_2\right.\right.
$$

$$+\frac{2c_{12}}{D_1}\sqrt{I_1 I_2}+\frac{2c_{13}}{D_1}\sqrt{I_1 I_2}\cos(\delta_1-\delta_2)\Big)\Big] \tag{n}$$

式中 $\boldsymbol{q}=[q_1\ q_2]^{\mathrm{T}}$，$\boldsymbol{p}=[p_1\ p_2]^{\mathrm{T}}$，$I_i$，$\delta_i$ 由(i)确定为 q_i，p_i 及 t 的函数，$\beta_i=1/2+c_{i0}\omega_i/D_i$，$i=1,2$。(n)中概率密度是 t 的概周期函数。

在与(h)相应的 Hamilton 系统为主共振，即 $\omega_1=\omega_2$ 时，可求得其稳态解为

$$p(\boldsymbol{q},\boldsymbol{p})=CI_1^{-\beta_1}I_2^{-\beta_2}\exp\Big[-\Big(\frac{c_{11}\omega_1}{D_1}I_1+\frac{c_{22}\omega_2}{D_2}I_2$$

$$+\frac{2c_{12}}{D_1}\sqrt{I_1 I_2}+\frac{2c_{13}}{D_1}\sqrt{I_1 I_2}\cos\psi\Big)\Big] \tag{o}$$

式中 $\psi=\delta_1-\delta_2=\theta_1-\theta_2$。注意，(o)中不不显含 t，它表示平稳概率密度。事实上，此时(i)中 g_i 也不显含 t，即(h)中无确定性激励，只有 Gauss 白噪声激励。

例 3.7-3 考虑谐和外激与参激及 Gauss 白噪声外激的单自由系统，其运动方程为

$$\begin{aligned}\dot{Q}&=P\\ \dot{P}&=-\omega^2 Q-(c_0/\omega)P_1+g+\xi(t)\end{aligned} \tag{p}$$

式中 c_0 为常数，$\xi(t)$是强度为 2D 的 Gauss 白噪声，

$$\begin{aligned}g=&-(c_1\cos 2\omega t-c_2\sin 2\omega t)(P/\omega)\\ &-(c_2\cos 2\omega t+c_1\sin 2\omega t)Q-c_3\cos\omega t\end{aligned} \tag{q}$$

类似于上面的推导给出如下稳态概率密度

$$\begin{aligned}p(q,p,t)=C\exp[&-(c_0 I+c_1 I\cos 2\delta\\ &+c_2 I\sin 2\delta+c_3\sqrt{2\omega}I\cos\delta)/D]\end{aligned} \tag{r}$$

式中

$$I=(p^2+\omega^2 q^2)/2\omega,\ \theta=\arcsin(q/\sqrt{2I/\omega}),\ \delta=\theta-\omega t \tag{s}$$

显然(r)中稳态概率密度为 t 以 $2\pi/\omega$ 为周期的周期函数。

参考文献

[1] Lin Y K, Cai G Q. Exact stationary-response solution for second order nonlinear systems under parametric and external excitations, Part Ⅱ. ASME Journal of Applied Mechanics. 1988,55(3):702—705

[2] Lin Y K, Cai G Q. Probabilistic Structural Dynamics, Advanced Theory and Applications. New York: McGraw-Hill, 1995

[3] 朱位秋. 随机振动. 北京:科学出版社,1998

[4] Fuller A T. Analysis of nonlinear stochastic systems by means of the Fokker-Planck equation. International Journal of Control, 1969,9: 603—655.

[5] Andronov A A, Pontryagin A A, Vitt L S. On the statistical investigation of dynamical systems. Zh.Exp.Teor.Fiz. 1933, 3: 165—180 (in Russian)

[6] Kramers H A. Brownian motion in a field of force and diffusion model of chemical reactions. Physica, 1940, 7:284—304

[7] Caughey T K, Payne H J. On the response of a class of self excited oscillators to stochastic excitation. International Journal of Non-Linear Mechanics. 1967, 2:125—151

[8] Caughey T K, Ma F. The exact steady-state solution of a class of nonlinear stochastic systems. International Journal of Non-Linear Mechanics, 1982, 17 (3):137—142

[9] Caughey T K, Ma F. The steady-state response of a class of dynamical systems to stochastic excitation. ASME Journal of Applied Mechanics, 1982, 49 (3):629—632

[10] Dimentberg M F. An exact solution to a certain nonlinear random vibration problem. International Journal of Non-Linear Mechanics, 1982, 17 (4): 231—236

[11] Zhu W Q. Exact solutions for stationary responses of several classes of nonlinear systems to parametric and (or) external white noise excitations. Applied Mathematics and Mechanics, 1990, 11:165—175;朱位秋,几类非线性系统对白噪声参激与(或)外激平稳响应的精确解. 应用数学和力学,1990,11 (2):155—164.还见第17界国际理论与应用力学大会中国学者论文集锦,北京大学出版社,1991

[12] Soize C. Steady state solution of Fokker-Planck equation in higher dimension. Probabilistic Engineering Mechanics, 1988, 3 (4):196—206

[13] Soize C. Exact stationary response of multi-dimensional nonlinear Hamiltonian dynamical systems under parametric and stochastic excitations. Journal of Sound and Vibration, 1991,149 (1):1—24

[14] Soize C. The Fokker-Planck Equation for Stochastic Dynamical Systems and Its Explicit Steady State Solution. Singapore: World Scientific, 1994

[15] Zhu W Q, Cai G Q, Lin Y K. On exact stationary solutions of stochastically perturbed Hamiltonian systems. Probabilistic Engineering Mechanics, 1990, 5:84－87

[16] Zhu W Q, Cai G Q, Lin Y K. Stochastically perturbed Hamiltonian systems. Nonlinear Stochastic Mechanics, Proc. of IUTAM Symposium, Bellomo N, Casciati F. (Eds.), Springer-Verlag, 1992. 543－552

[17] Stratonovich R L. Topics in the Theory of Random Noise, Vol.1, New York: Gordon Breach, 1963

[18] Van Kampen N G. Derivation of phenomenological equations from the Master equation, Ⅱ: even and odd variables. Physica, 1957, 23: 816－829

[19] Graham R, Haken H. Generalized thermodynamic potential for Markoff systems in detailed balance and far from thermal equilibrium. Zeitschrift für Physik, 1971, 243:289－302

[20] Yong Y, Lin Y K. Exact stationary-response solution for second order nonlinear systems under parametric and external white-noise excitations. ASME Journal of Applied Mechanics, 1987, 54 (2): 414－418

[21] Zhu W Q, Yang Y Q. Exact stationary solutions of stochastically excited and dissipated integrable Hamiltonian systems. ASME Journal of Applied Mechanics, 1996, 63 (2): 493－500

[22] Cai G Q, Lin Y K. Exact and approximate solutions for randomly excited MDOF non-linear systems. International Journal of Non-Linear Mechanics, 1996, 31 (5): 647－655

[23] Zhu W Q, Huang Z L. Exact stationary solutions of stochastically excited and dissipated partially integrable Hamiltonian systems. International Journal of Non-Linear Mechanics, 2001, 36 (1): 39－48

[24] Ying Z G, Zhu W Q. Exact stationary solutions of stochastically excited and disspated gyroscopic systems. International Journal of Non-Linear Mechanics, 2000, 35: 837－848

[25] Huang Z L, Zhu W Q. Exact stationary solutions of stochastically and harmonically excited and dissipated integrable Hamiltonian systems. Journal of Sound and Vibration, 2000, 230 (3): 709－720

第四章　等效非线性系统法

等效非线性系统法是一种能保留非线性特性的求近似平稳解的解析方法。本章叙述在 Gauss 白噪声激励下多自由度耗散的 Hamilton 系统的等效非线性系统法。

4.1　引言

上一章中，建立并证明了在 Gauss 白噪声激励下多自由度耗散的 Hamilton 系统的精确平稳解的泛函形式同相应 Hamilton 系统的可积性与共振性之间的关系，给出了各种情形求精确平稳解的方法以及为存在精确平稳解而在随机激励与耗散之间必须满足的条件。然而，许多实际非线性随机动力学系统不能满足这种条件，因而得不到它们的精确平稳解。此时，只能设法求其近似解析解或数值解。

在诸多预测非线性随机动力学系统响应的近似解析方法中，等效线性化(统计线性化或随机线性化)法最为简单，工程应用最广泛。然而，除了“真正的”等效线性化法(用原非线性系统的精确概率密度求均方误差的等效线性化法)已得到数学上严格的证明外，一般的等效线性化法乃缺乏严格的理论依据[1,2]。经验表明，对受随机外激的无本质非线性现象(如极限环、跳跃等)的非线性系统，等效线性化法能给出二阶矩的较好估计，但它给出的大值上的概率密度与可靠性一般误差很大，它不适用于具有本质非线性现象的非线性系统，也不适用于随机参激系统。

克服上述缺点的一个办法是改用等效非线性系统法。该法的基本思想是，给定一个得不到精确平稳解的非线性随机动力学系统，寻求一个具有精确平稳解的等效非线性随机动力学系统，使两系统之差在某种统计意义上最小，然后，以后者之精确平稳解作为前者之近似平稳解。这里只考虑平稳解,是因为具有精确瞬态解的非线性随机动力学系统太少。

最早应用等效非线性系统法的是 Lutes[3],它用一个阻尼依赖于能量的具有精确平稳解的非线性非滞迟系统替代一个 Gauss 白噪声外激下的滞迟系统,使两方程之差在均方意义上最小。作为一般方法,等效非线系统法乃由 Caughey[4]首先提出,他所处理的是受 Gauss 白噪声外激的线性刚度非线性阻尼系统,所选取的等效系统是具有线性刚度、阻尼依赖于能量的系统,等效准则是两方程之差在均方意义上最小。此后,该法在适用的系统范围与等效准则方面得到了推广[5~8],然而仍限于单自由度非线性随机动力学系统。

提出与发展等效非线性系统法的前提是,有足够多具有精确平稳解的非线性随机动力学系统作为潜在的等效非线性系统,只有这样,才可能从它们之中挑选出一个与给定非线性随机动力学系统具有相同定性性态的等效非线性系统。因此,等效非线性系统法必然随着求得更多的精确平稳解而发展。上一章中给出了 Gauss 白噪声激励下多自由度耗散的 Hamilton 系统的精确平稳解,这就为发展 Gauss 白噪声激励下多自由度耗散的 Hamilton 系统的等效非线性系统法奠定了基础。

鉴于单自由度非线性随机动力学系统的等效非线性系统法已在专著[9]中作了介绍,本章着重叙述由作者与其合作者提出并发展的多自由度耗散的 Hamilton 系统的等效非线性系统法[10~12],这些方法也适用于单自由度非线性随机动力学系统。

设已给定一个形如(3.2-1)在 Gauss 白噪声激励下的 n 自由度耗散的 Hamilton 系统,它可模型化为形如(3.2-6)的 Itô 随机微分方程

$$\mathrm{d}Q_i = \frac{\partial H}{\partial P_i}\mathrm{d}t$$

$$\mathrm{d}P_i = -\left[\frac{\partial H}{\partial Q_i} + M_{ij}(\boldsymbol{Q},\boldsymbol{P})\frac{\partial H}{\partial P_j}\right]\mathrm{d}t + \sigma_{ik}(\boldsymbol{Q},\boldsymbol{P})\mathrm{d}B_k(t)$$

$$i,j=1,2,\cdots,n;\quad k=1,2,\cdots,m \tag{4.1-1}$$

式中 $\boldsymbol{M}_{ij}$不满足上一章中给出的存在精确平稳解的条件。目标是要寻求一个具有如下 Itô 随机微分方程的等效非线性随机动力学系统：

$$\mathrm{d}Q_i=\frac{\partial H}{\partial P_i}\mathrm{d}t$$

$$\mathrm{d}P_i=-\left[\frac{\partial H}{\partial Q_i}+m_{ij}(\boldsymbol{Q},\boldsymbol{P})\frac{\partial H}{\partial P_j}\right]\mathrm{d}t+\sigma_{ik}(Q,P)\mathrm{d}B_k(t)$$

$$i,j=1,2,\cdots,n;\quad k=1,2,\cdots,m \tag{4.1-2}$$

它具有与给定系统相同的 Hamilton 系统与随机激励，仅阻尼系数不同，它还具有精确平稳解。

(4.1-1)与(4.1-2)之差为

$$\Delta_i=(m_{ij}-M_{ij})\partial H/\partial P_j,\quad i=1,2,\cdots,n \tag{4.1-3}$$

Δ_i 表示两系统第 i 个自由度阻尼力之差。以 $\Delta=[\Delta_1\quad\Delta_2\cdots\Delta_n]^{\mathrm{T}}$ 表示残差矢量，选择等效非线性随机动力学系统的基本原则是使 Δ 的某个统计量最小或为零，即

$$E[f_r(\Delta)]=\int f_r(\delta)p(\boldsymbol{q},\boldsymbol{p})\mathrm{d}\boldsymbol{q}\mathrm{d}\boldsymbol{p}=\min\text{ 或 }0 \tag{4.1-4}$$

式中 $\delta=[\delta_1\quad\delta_2\cdots\delta_n]^{\mathrm{T}}$，$\delta_i=\delta_i(\boldsymbol{q},\boldsymbol{p})=(m_{ij}-M_{ij})\partial H/\partial p_j$；$f_r$ 为实函数；$p(\boldsymbol{q},\boldsymbol{p})$为等效系统(4.1-2)的精确平稳概率密度。不同的等效准则，f_r 的个数与形式不同。本书中将应用三种具有明确物理意义的等效准则：给定系统与等效系统阻尼力之差均方值最小；单位时间内给定系统与等效系统阻尼力耗能之差均方值最小；给定系统与等效系统的首次积分时间变化率期望相等。下面将会看到，这三种准则常可导致给定系统近似平稳解的解析表达式。

顺便指出，加权残数法[13]也可看成一种等效非线系统法。与 Itô 方程(4.1-1)及(4.1-2)相应的平稳 FPK 方程为

$$-\frac{\partial}{\partial q_i}\left(\frac{\partial H}{\partial p_i}\tilde{p}\right)+\frac{\partial}{\partial p_i}\left[\left(\frac{\partial H}{\partial q_i}+M_{ij}\frac{\partial H}{\partial p_j}\right)\tilde{p}\right]+\frac{\partial^2}{\partial p_i\partial p_j}\left(b_{ij}^{(i)}\tilde{p}\right)=0 \tag{4.1-5}$$

$$-\frac{\partial}{\partial q_i}\left(\frac{\partial H}{\partial p_i}p\right)+\frac{\partial}{\partial p_i}\left[\left(\frac{\partial H}{\partial q_i}+m_{ij}\frac{\partial H}{\partial p_j}\right)p\right]+\frac{\partial^2}{\partial p_i\partial p_j}\left(b_{ij}^{(i)}p\right)=0$$

(4.1-6)

以 p 代替(4.1-5)中之 $\widetilde{p}$ 引起残差

$$\bar{\delta}=-\frac{\partial}{\partial q_i}\left(\frac{\partial H}{\partial p_i}p\right)+\frac{\partial}{\partial p_i}\left[\left(\frac{\partial H}{\partial p_i}+M_{ij}\frac{\partial H}{\partial p_j}\right)p\right]+\frac{\partial^2}{\partial p_i\partial p_j}\left(b_{ij}^{(i)}p\right)$$

(4.1-7)

(4.1-7)减去(4.1-6),得

$$\bar{\delta}=\frac{\partial}{\partial p_i}\left[(M_{ij}-m_{ij})\frac{\partial H}{\partial p_j}p\right] \tag{4.1-8}$$

加权残数法就是选取权函数 $G(\boldsymbol{q},\boldsymbol{p})$使

$$\int G(\boldsymbol{q},\boldsymbol{p})\bar{\delta}\mathrm{d}\boldsymbol{q}\mathrm{d}\boldsymbol{p}=\int G(\boldsymbol{q},\boldsymbol{p})\frac{\partial}{\partial p_i}\left[(M_{ij}-m_{ij})\frac{\partial H}{\partial p_j}p\right]\mathrm{d}\boldsymbol{q}\mathrm{d}\boldsymbol{p}$$
$$=0$$

(4.1-9)

设权函数满足条件

$$G\left[(M_{ij}-m_{ij})\frac{\partial H}{\partial p_j}\right]p(\boldsymbol{q},\boldsymbol{p})=0,\quad |\boldsymbol{q}|+|\boldsymbol{p}|\to\infty$$

(4.1-10)

对(4.1-9)应用分部积分,得

$$\int\left[(M_{ij}-m_{ij})\frac{\partial H}{\partial p_j}\right]\frac{\partial G}{\partial p_i}p(\boldsymbol{q},\boldsymbol{p})\mathrm{d}\boldsymbol{q}\mathrm{d}\boldsymbol{p}=0 \tag{4.1-11}$$

显然,(4.1-11)是(4.1-4)的特殊情形。

Δ_i 中 m_{ij}需满足具有精确平稳解的条件,而该条件取决于与(4.1-1)相应的 Hamilton 系统的可积性与共振性。因此,下面分不可积、可积非共振、可积共振、部分可积非共振及部分可积共振五种情形叙述等效非线性系统法。

4.2 Gauss 白噪声激励下耗散的不可积 Hamilton 系统

设与给定系统(4.1-1)相应的 Hamilton 系统为不可积。此时,等效系统(4.1-2)具有形如(3.3-5)的精确平稳解

$$p(\boldsymbol{q},\boldsymbol{p}) = C\exp\left[-\int_0^H h(u)\mathrm{d}u\right]\Big|_{H=H(\boldsymbol{q},\boldsymbol{p})} \tag{4.2-1}$$

式中 $h(H)=\mathrm{d}\lambda/\mathrm{d}H$ 满足(3.3-3)或(3.3-3′)。将(3.3-3′)代入(4.1-3),得给定系统与等效系统之差

$$\Delta_i = [b_{ij}^{(i)}h(H) - M_{ij}]\partial H/\partial P_j - \partial b_{ij}^{(i)}/\partial P_j \tag{4.2-2}$$

为完全确定等效系统(4.1-2),需求 n^2 个 m_{ij}。但就求近似平稳解而言,只需确定 $h(H)$。下面用上节提出的三种等效准则确定 $h(H)$。

第一种等效准则是给定系统与等效系统阻尼力之差的均方值最小,即

$$\min_h E[\Delta_i\Delta_i] \tag{4.2-3}$$

这是一个泛函极小问题,(4.2-3)的必要条件是

$$\delta E[\Delta_i\Delta_i]/\delta h = 0 \tag{4.2-4}$$

或

$$\delta\int(\delta_i\delta_i)p(\boldsymbol{q},\boldsymbol{p})\mathrm{d}\boldsymbol{q}\mathrm{d}\boldsymbol{p}/\delta h = 2\int\delta_i(\delta\delta_i/\delta h)p(\boldsymbol{q},\boldsymbol{p})\mathrm{d}\boldsymbol{q}\mathrm{d}\boldsymbol{p} = 0 \tag{4.2-5}$$

$\delta(\cdot)/\delta h$ 表示变分,$p(\boldsymbol{q},\boldsymbol{p})$由(4.2-1)给出。将积分变量 $\boldsymbol{q}$、$\boldsymbol{p}$ 按 $H=H(\boldsymbol{q},\boldsymbol{p})$变换成 $\boldsymbol{q}, H, p_2, \cdots, p_n$,则(4.2-5)变成

$$\int_0^\infty p(H)\mathrm{d}H\int_\Omega[\delta_i(\delta\delta_i/\delta h)/(\partial H/\partial p_1)]\mathrm{d}\boldsymbol{q}\mathrm{d}p_2\cdots\mathrm{d}p_n = 0 \tag{4.2-6}$$

上式被积函数中 p_1 需按 $H=H(\boldsymbol{q},\boldsymbol{p})$代之以 $\boldsymbol{q}, H, p_2, \cdots, p_n$。积分域

$$\Omega = \{(q_1,\cdots,q_n,p_2,\cdots,p_n) \mid H(q_1,\cdots,q_n,0,p_2,\cdots,p_n) \leqslant H\} \tag{4.2-7}$$

鉴于在确定 $h(H)$之前 $p(H)$为未知,为从(4.2-6)得到 $h(H)$,(4.2-6)代之以更为严厉的条件

$$\int_\Omega[\delta_i(\delta\delta_i/\delta h)/(\partial H/\partial p_1)]\mathrm{d}\boldsymbol{q}\mathrm{d}p_2\cdots\mathrm{d}p_n = 0 \tag{4.2-8}$$

(4.2-2)代入(4.2-8),可解得

$$h(H)=\frac{\int_{\Omega}\left[\left(M_{ij}\frac{\partial H}{\partial p_j}+\frac{\partial b_{ij}^{(i)}}{\partial p_j}\right)\left(b_{ij}^{(i)}\frac{\partial H}{\partial p_j}\right)\Big/\frac{\partial H}{\partial p_1}\right]\mathrm{d}\boldsymbol{q}\mathrm{d}p_2\cdots\mathrm{d}p_n}{\int_{\Omega}\left[\left(b_{ij}^{(i)}\frac{\partial H}{\partial p_j}\right)\left(b_{ij}^{(i)}\frac{\partial H}{\partial p_j}\right)\Big/\frac{\partial H}{\partial p_1}\right]\mathrm{d}\boldsymbol{q}\mathrm{d}p_2\cdots\mathrm{d}p_n}$$

(4.2-9)

第二种等效准则是在单位时间内给定系统与等效系统阻尼力耗能之差的均方值最小。为给出相应方程,先应用 Itô 微分规则(2.6-1)从(4.1-1)、(4.1-2)导出两系统之总能量 $H(t)$所满足的 Itô 随机微分方程

$$\mathrm{d}H=\left(-M_{ij}\frac{\partial H}{\partial P_j}\frac{\partial H}{\partial P_i}+\frac{1}{2}\sigma_{ik}\sigma_{jk}\frac{\partial^2 H}{\partial P_i\partial P_j}\right)\mathrm{d}t+\frac{\partial H}{\partial P_i}\sigma_{ik}\mathrm{d}B_k(t)$$

(4.2-10)

$$\mathrm{d}H=\left(-m_{ij}\frac{\partial H}{\partial P_j}\frac{\partial H}{\partial P_i}+\frac{1}{2}\sigma_{ik}\sigma_{jk}\frac{\partial^2 H}{\partial P_i\partial P_j}\right)\mathrm{d}t+\frac{\partial H}{\partial P_i}\sigma_{ik}\mathrm{d}B_k(t)$$

(4.2-11)

(4.2-10)减去(4.2-11),得单位时间内两系统阻尼耗能之差

$$\Delta_e=\frac{\partial H}{\partial P_i}(m_{ij}-M_{ij})\frac{\partial H}{\partial P_j}=\frac{\partial H}{\partial P_i}\Delta_i \qquad (4.2\text{-}12)$$

从而第二种等效准则的数学表达式为

$$\min_h E[\Delta_e^2]=\min_h E[((\partial H/\partial P_i)\Delta_i)((\partial H/\partial P_i)\Delta_i)]$$

(4.2-13)

这也是一个泛函极小值问题,(4.2-13)的必要条件是

$$\delta E[\Delta_e^2]/\delta h=0 \qquad (4.2\text{-}14)$$

按(4.2-5)至(4.2-9)的推导,由(4.2-14)可得

$$h(H)=\frac{\int_{\Omega}\left[\frac{\partial H}{\partial p_i}\left(M_{ij}\frac{\partial H}{\partial p_j}+\frac{\partial b_{ij}^{(i)}}{\partial p_j}\right)\left(\frac{\partial H}{\partial p_i}b_{ij}^{(i)}\frac{\partial H}{\partial p_j}\right)\Big/\frac{\partial H}{\partial p_1}\right]\mathrm{d}\boldsymbol{q}\mathrm{d}p_2\cdots\mathrm{d}p_n}{\int_{\Omega}\left[\left(\frac{\partial H}{\partial p_i}b_{ij}^{(i)}\frac{\partial H}{\partial p_j}\right)\left(\frac{\partial H}{\partial p_i}b_{ij}^{(i)}\frac{\partial H}{\partial p_j}\right)\Big/\frac{\partial H}{\partial p_1}\right]\mathrm{d}\boldsymbol{q}\mathrm{d}p_2\cdots\mathrm{d}p_n}$$

(4.2-15)

第三种等效准则是给定系统与等效系统的首次积分时间变化率期望相等。对本情形，只有一个独立的首次积分，即 Hamilton 函数。两系统的 $H(t)$的变化率的期望可由(4.2-10)与(4.2-11)得到。该准则给出

$$E[\Delta_e]=E[(\partial H/\partial P_i)\Delta_i]=0 \tag{4.2-16}$$

(4.2-16)的物理意义是单位时间内两系统阻尼耗能的期望相等，即所谓能量耗散平衡。按(4.2-5)至(4.2-9)的推导，由(4.2-16)可导得

$$h(H)=\frac{\displaystyle\int_{\Omega}\left[\frac{\partial H}{\partial p_i}\left(M_{ij}\frac{\partial H}{\partial p_j}+\frac{\partial b_{ij}^{(i)}}{\partial p_j}\right)\Big/\frac{\partial H}{\partial p_1}\right]\mathrm{d}\boldsymbol{q}\mathrm{d}p_2\cdots\mathrm{d}p_n}{\displaystyle\int_{\Omega}\left[\left(\frac{\partial H}{\partial p_i}b_{ij}^{(i)}\frac{\partial H}{\partial p_j}\right)\Big/\frac{\partial H}{\partial p_1}\right]\mathrm{d}\boldsymbol{q}\mathrm{d}p_2\cdots\mathrm{d}p_n} \tag{4.2-17}$$

将(4.2-9)、(4.2-15)或(4.2-17)代入(4.2-1)，即得给定系统(4.1-1)近似平稳解。上述三式右边被积函数皆为已知，其中 $b_{ij}^{(i)}$可代之以 $b_{ij}/2$。给定一个 H 值，可按(4.2-7)确定一个积分域 Ω，完成积分即可得一个 $h(H)$值。因此，按上述步骤可以得近似解的显式，不必像在等效线性化法中那样迭代求解，这是本等效非线性系统法的一大优点。

例 4.2-1 考虑受 Gauss 白噪声参激的线性与非线性弹性耦合的两个 van der Pol 振子，其运动微分方程为

$$\begin{aligned}
\dot{Q}_1&=P_1\\
\dot{P}_1&=-\omega_1^2Q_1-aQ_2-b(Q_1-Q_2)^3\\
&\quad+\lambda_1P_1-\alpha_1Q_1^2P_1+f_1Q_1\xi_1(t)\\
\dot{Q}_2&=P_2\\
\dot{P}_2&=-\omega_2^2Q_2-aQ_1-b(Q_2-Q_1)^3\\
&\quad+(\lambda_1-\lambda_2)P_2-\alpha_2Q_2^2P_2+f_2Q_2\xi_2(t)
\end{aligned} \tag{a}$$

式中 $\omega_i,\lambda_i,\alpha_i,f_i(i=1,2)$及 a,b 为常数；$\xi_k(t)(k=1,2)$是具有谱密度 S_i 的独立 Gauss 白噪声。To 与 Lin[14]曾用标准随机平均

法研究过系统(a)的矩分岔。由于在平均过程中失去弹性耦合项，他们所得到的实际是两个非耦合 van der Pol 振子受独立 Gauss 白噪声参激的矩分岔结果。

系统(a)的 Wong-Zakai 修正项为零，与(a)相应的 Hamilton 系统的 Hamilton 函数为

$$H=(p_1^2+p_2^2)/2+U(q_1,q_2) \tag{b}$$

$$U(q_1,q_2)=(\omega_1^2q_1^2+\omega_2^2q_2^2)/2+aq_1q_2+b(q_1-q_2)^4/4 \tag{c}$$

$b=0$ 时，H 是 q_i，p_i 的齐二次式；$\omega_1=\omega_2$，$a=0$，$b\neq0$ 时，(b)是(1.6-51)的特殊情形。除这两种情形可积外，该 Hamilton 系统一般不可积。此处设该 Hamilton 系统为不可积。

系统(a)可模型化为如下 Itô 随机微分方程：

$$\begin{aligned}
&\mathrm{d}Q_1=(\partial H/\partial P_1)\mathrm{d}t\\
&\mathrm{d}P_1=-(\partial H/\partial Q_1+M_{11}\partial H/\partial P_1)\mathrm{d}t+\sigma_{11}\mathrm{d}B_1(t)\\
&\mathrm{d}Q_2=\partial H/\partial P_2\mathrm{d}t\\
&\mathrm{d}P_2=-[\partial H/\partial Q_2+M_{22}\partial H/\partial P_2]\mathrm{d}t+\sigma_{22}\mathrm{d}B_2(t)
\end{aligned} \tag{d}$$

式中

$$\begin{aligned}
&M_{11}=-\lambda_1+\alpha_1Q_1^2,\quad M_{22}=-(\lambda_1-\lambda_2)+\alpha_2Q_2^2\\
&\sigma_{11}^2=b_{11}=2\pi S_1f_1^2Q_1^2,\quad \sigma_{22}^2=b_{22}=2\pi S_2f_2^2Q_2^2
\end{aligned} \tag{e}$$

按存在精确平稳解条件(3.3-3)，与(d)等效的 Itô 随机微分方程形为

$$\begin{aligned}
&\mathrm{d}Q_1=(\partial H/\partial P_1)\mathrm{d}t\\
&\mathrm{d}P_1=-[\partial H/\partial Q_1+(b_{11}/2)h(H)\partial H/\partial P_1]\mathrm{d}t+\sigma_{11}\mathrm{d}B_1(t)\\
&\mathrm{d}Q_2=(\partial H/\partial P_2)\mathrm{d}t\\
&\mathrm{d}P_2=-[\partial H/\partial Q_2+(b_{22}/2)h(H)\partial H/\partial P_2]\mathrm{d}t+\sigma_{22}\mathrm{d}B_2(t)
\end{aligned} \tag{f}$$

(d)与(f)之差为

$$\Delta_i=\left[\frac{b_{ii}}{2}h(H)-M_{ii}\right]\frac{\partial H}{\partial P_i}=\left[\frac{b_{ii}}{2}h(H)-M_{ii}\right]P_i,\quad i=1,2 \tag{g}$$

按第一种等效准则，将(e)代入(4.2-9)，得

$$h(H)=\int_{\Omega}\{[(-\lambda_1+\alpha_1 q_1^2)\pi S_1 f_1^2 q_1^2 p_1^2 + (-\lambda_1+\lambda_2+\alpha_2 q_2^2)\pi S_2 f_2^2 q_2^2 p_2^2]/p_1\}\mathrm{d}q_1\mathrm{d}q_2\mathrm{d}p_2 \Big/ \int_{\Omega}[\pi^2(S_1^2 f_1^4 q_1^4 p_1^2+S_2^2 f_2^4 q_2^4 p_2^2)/p_1]\mathrm{d}q_1\mathrm{d}q_2\mathrm{d}p_2 \tag{h}$$

按第二种等效准则，将(e)代入(4.2-15)，得

$$h(H)=\int_{\Omega}\{[(-\lambda_1+\alpha_1 q_1^2)\pi S_1 f_1^2 q_1^2 p_1^4 + (-\lambda_1+\lambda_2+\alpha_2 q_2^2)\pi S_2 f_2^2 q_2^2 p_2^4]/p_1\}\mathrm{d}q_1\mathrm{d}q_2\mathrm{d}p_2 \Big/ \int_{\Omega}[\pi^2(S_1^2 f_1^4 q_1^4 p_1^4+S_1^2 f_2^4 q_2^4 p_2^4)/p_1]\mathrm{d}q_1\mathrm{d}q_2\mathrm{d}p_2 \tag{i}$$

按第三种等效准则，将(e)代入(4.2-17)，得

$$h(H)=\frac{\int_{\Omega}[(-\lambda_1+\alpha_1 q_1^2)p_1+(-\lambda_1+\lambda_2+\alpha_2 q_2^2)p_2^2/p_1]\mathrm{d}q_1\mathrm{d}q_2\mathrm{d}p_2}{\int_{\Omega}[\pi(S_1 f_1^2 q_1^2 p_1^2+S_2 f_2^2 q_2^2 p_2^2)/p_1]\mathrm{d}q_1\mathrm{d}q_2\mathrm{d}p_2} \tag{j}$$

在(h)～(j)中，$p_1=\pm[2H-2U(q_1,q_2)]^{1/2}$，积分域 $\Omega=\{q_1,q_2,p_2\,|\,p_2^2/2+U(q_1,q_2)\leqslant H\}$。完成(h)～(j)中积分得 $h(H)$，代入(4.2-1)并积分，得系统(a)的近似平稳概率密度 $p(q_1,q_2,p_1,p_2)$。由此可得其他统计量。例如，

$$E[Q_1^2]=\int q_1^2 p(q_1,q_2,p_1,p_2)\mathrm{d}q_1\mathrm{d}q_2\mathrm{d}p_1\mathrm{d}p_2 \tag{k}$$

利用(b)以 H 代 p_1，(k)变成

$$E[Q_1^2]=C\int_0^{\infty}\exp\left[-\int_0^H h(u)\mathrm{d}u\right]\mathrm{d}H \times\int_{\Omega}\pm q_1^2[2H-2U(q_1,q_2)-p_2^2]^{-1/2}\mathrm{d}q_1\mathrm{d}q_2\mathrm{d}p_2 \tag{l}$$

完成对 p_2 积分后，(l)变成

$$E[Q_1^2]=2\pi C\int_0^{\infty}\exp\left[-\int_0^{H}h(u)\mathrm{d}u\right]\mathrm{d}H\int_{\Omega_1}q_1^2\mathrm{d}q_1\mathrm{d}q_2 \quad \text{(m)}$$

其中积分域 $\Omega_1=\{q_1,q_2 \mid U(q_1,q_2)\leqslant H\}$。

$E[Q_1^2]$的解析结果与数字模拟结果作过比较[10]，结果表明，当非线性耦合较强时，上述方法给出较好结果。这是因为此时与(a)相应的 Hamilton 系统的不可积性较显著。

4.3 Gauss 白噪声激励下耗散的可积 Hamilton 系统

仍考虑给定系统(4.1-1)，设以 H 为 Hamilton 函数的 Hamilton 系统可积，已知 n 维独立、对合首次积分矢量 $\boldsymbol{H}$，得不到(4.1-1)的精确平稳解，现用等效非线性系统法求其近似平稳解。鉴于其等效系统的精确平稳解取决于相应 Hamilton 系统的共振性，下面分非共振与共振两种情形叙述。

4.3.1 非内共振情形

设 Hamilton 系统不存在形如(1.6-24)的内共振关系，等效系统(4.1-2)满足(3.4-4)或(3.4-5)，它有如下形式的精确平稳解

$$p(\boldsymbol{q},\boldsymbol{p})=C\exp\left[-\int_0^{H_s}h_s(\boldsymbol{H})\mathrm{d}H_s\right],\quad s=1,2,\cdots,n \tag{4.3-1}$$

式中 $h_s=h_s(\boldsymbol{H})=\partial\lambda/\partial H_s$ 满足相容条件(3.4-6)。给定系统与等效系统之差为

$$\Delta_i=b_{ij}^{(i)}\frac{\partial H_s}{\partial P_j}h_s-M_{ij}\frac{\partial H}{\partial P_j}-\frac{\partial b_{ij}^{(i)}}{\partial P_j},\quad i=1,2,\cdots,n \tag{4.3-2}$$

下面用上述三种等效准则确定 $h_s(\boldsymbol{H})$。

第一种等效准则为给定系统与等效系统阻尼力之差的均方值最小，即(4.2-3)，其必要条件是

$$\delta E[\Delta_i\Delta_i]/\delta h_s=0,\quad s=1,2,\cdots,n \tag{4.3-3}$$

即

$$\int \delta_i(\delta\delta_i/\delta h_s)p(\boldsymbol{q},\boldsymbol{p})\mathrm{d}\boldsymbol{q}\mathrm{d}\boldsymbol{p}=0,\quad s=1,2,\cdots,n \tag{4.3-4}$$

以 $\boldsymbol{H}$ 替换 $\boldsymbol{p}$，得

$$\int_0^{\infty} p(\boldsymbol{H})\mathrm{d}\boldsymbol{H}\int_{\Omega}\left[\delta_i(\delta\delta_i/\delta h_s)\Big/\left|\frac{\partial \boldsymbol{H}}{\partial \boldsymbol{p}}\right|\right]\mathrm{d}\boldsymbol{q}=0,\quad s=1,2,\cdots,n \tag{4.3-5}$$

式中 $|\partial H/\partial p|$ 表示 Jacobi 矩阵 $\partial H/\partial p$ 的行列式。(4.3-2)代入(4.3-5)，鉴于在确定 h_s 之前 $p(\boldsymbol{H})$ 为未知，(4.3-5)代之以更严厉的条件

$$\int_{\Omega}\left[\left(b_{ij}^{(i)}\frac{\partial H_s}{\partial p_j}h_s-M_{ij}\frac{\partial H}{\partial p_j}-\frac{\partial b_{ij}^{(i)}}{\partial p_j}\right)\left(b_{ij}^{(i)}\frac{\partial H_s}{\partial p_j}\right)\Big/\left|\frac{\partial \boldsymbol{H}}{\partial \boldsymbol{p}}\right|\right]\mathrm{d}\boldsymbol{q}=0$$

$$s=1,2,\cdots,n \tag{4.3-6}$$

式中对 $i,j=1,2,\cdots,n$ 求和，积分域

$$\Omega=\left\{\boldsymbol{q}\,\middle|\,\bigcap_{i=1}^{n}H_i(\boldsymbol{q},0)\leqslant H_i\right\} \tag{4.3-7}$$

若可从首次积分矢量 $\boldsymbol{H}$ 导得作用角矢量 $\boldsymbol{I},\theta$，则(4.3-1)代之以

$$p(\boldsymbol{q},\boldsymbol{p})=C\exp\left[-\int_0^{I_s}h_s(\boldsymbol{I})\mathrm{d}I_s\right],\quad s=1,2,\cdots,n \tag{4.3-8}$$

(4.3-2)中，以 I_s 代 H_s，而在(4.3-4)中，以 $\boldsymbol{I},\theta$ 替换 $\boldsymbol{q},\boldsymbol{p}$，考虑到从 $\boldsymbol{q},\boldsymbol{p}$ 到 $\boldsymbol{I},\theta$ 的变换为正则变换，其 Jacobi 行列式为 1，(4.3-4)变成

$$\int_0^{\infty} p(\boldsymbol{I})\mathrm{d}\boldsymbol{I}\int_0^{2\pi}[\delta_i(\delta\delta_i/\delta h_s)]\mathrm{d}\theta,\quad s=1,2,\cdots,n \tag{4.3-9}$$

(4.3-2)代入(4.3-9)，鉴于在确定 h_s 之前 $p(\boldsymbol{I})$ 为未知，(4.3-9)代之以更严厉条件

$$\int_0^{2\pi}\left[\left(b_{ij}^{(i)}\frac{\partial I_s}{\partial p_j}h_s-M_{ij}\frac{\partial H}{\partial p_j}-\frac{\partial b_{ij}^{(i)}}{\partial p_j}\right)\left(b_{ij}^{(i)}\frac{\partial I_s}{\partial p_j}\right)\right]\mathrm{d}\theta=0$$

$$s=1,2,\cdots,n \tag{4.3-10}$$

第二种等效准则是在单位时间内给定系统与等效系统阻尼力耗能之差均方值最小。(4.2-12)仍适用，只是现在 m_{ij} 满足条件(3.4-4)或(3.4-5)，$\partial\lambda/\partial H_s$ 代之以 h_s，而(4.2-14)则代之以

$$\delta E[\Delta_e^2]/\delta h_s = 0, \quad s = 1,2,\cdots,n \tag{4.3-11}$$

然后，类似于(4.3-4)至(4.3-6)的推导给出

$$\int_{\Omega}\left[\frac{\partial H}{\partial p_i}\left(b_{ij}^{(i)}\frac{\partial H_s}{\partial p_j}h_s - M_{ij}\frac{\partial H}{\partial p_j} - \frac{\partial b_{ij}^{(i)}}{\partial p_j}\right)\right.$$
$$\left.\times\left(\frac{\partial H}{\partial p_i}b_{ij}^{(i)}\frac{\partial H_s}{\partial p_j}\right)\Big/\left|\frac{\partial \boldsymbol{H}}{\partial \boldsymbol{p}}\right|\right]\mathrm{d}\boldsymbol{q} = 0 \tag{4.3-12}$$
$$s = 1,2,\cdots,n$$

若已知作用-角矢量 $\boldsymbol{I},\theta$，则类似于(4.3-8)至(4.3-10)的推导给出

$$\int_0^{2\pi}\left[\frac{\partial H}{\partial p_i}\left(b_{ij}^{(i)}\frac{\partial I_s}{\partial p_j}h_s - M_{ij}\frac{\partial H}{\partial p_j} - \frac{\partial b_{ij}^{(i)}}{\partial p_j}\right)\left(\left|\frac{\partial H}{\partial p_i}\right|b_{ij}^{(i)}\frac{\partial I_s}{\partial p_j}\right)\right]\mathrm{d}\theta = 0$$
$$s = 1,2,\cdots,n \tag{4.3-13}$$

第三种等效准则是给定系统与等效系统的首次积分时间变化率期望相等，即

$$E\left[\left.\frac{\mathrm{d}H_s}{\mathrm{d}t}\right|_g\right] = E\left[\left.\frac{\mathrm{d}H_s}{\mathrm{d}t}\right|_e\right], \quad s = 1,2,\cdots,n \tag{4.3-14}$$

下标 g,e 分别表示给定系统与等效系统。类似于(4.2-10)与(4.2-11)，可导得支配给定系统与等效系统首次积分的 Itô 随机微分方程

$$\mathrm{d}H_s = \left(-M_{ij}\frac{\partial H}{\partial P_j}\frac{\partial H_s}{\partial P_i} + \frac{1}{2}\sigma_{ik}\sigma_{jk}\frac{\partial^2 H_s}{\partial P_i\partial P_j}\right)\mathrm{d}t + \frac{\partial H_s}{\partial P_i}\sigma_{ik}\mathrm{d}B_k(t) \tag{4.3-15}$$

$$\mathrm{d}H_s = \left(-m_{ij}\frac{\partial H}{\partial P_j}\frac{\partial H_s}{\partial P_i} + \frac{1}{2}\sigma_{ik}\sigma_{jk}\frac{\partial^2 H_s}{\partial P_i\partial P_j}\right)\mathrm{d}t + \frac{\partial H_s}{\partial P_i}\sigma_{ik}\mathrm{d}B_k(t) \tag{4.3-16}$$

(4.3-15)、(4.3-16)代入(4.3-14)，考虑到(4.1-3)，得

$$E\left[\frac{\partial H_s}{\partial P_i}\Delta_i\right] = 0, \quad s = 1,2,\cdots,n \tag{4.3-17}$$

即

$$\int (\partial H_s / \partial p_i) \delta_i p(\boldsymbol{q}, \boldsymbol{p}) \mathrm{d}\boldsymbol{q} \mathrm{d}\boldsymbol{p} = 0, \quad s = 1, 2, \cdots, n \tag{4.3-18}$$

(4.3-2)代入(4.3-18),以 $\boldsymbol{H}$ 替换 $\boldsymbol{p}$,类似于(4.3-4)至(4.3-6)的推导给出

$$\int_{\Omega} \left[\frac{\partial H_s}{\partial p_i} \left(b_{ij}^{(i)} \frac{\partial H_s}{\partial p_j} h_s - M_{ij} \frac{\partial H}{\partial p_j} - \frac{\partial b_{ij}^{(i)}}{\partial p_j} \right) \Big/ \left| \frac{\partial \boldsymbol{H}}{\partial \boldsymbol{p}} \right| \right] \mathrm{d}\boldsymbol{q} = 0$$

$$s = 1, 2, \cdots, n \tag{4.3-19}$$

若已知作用-角矢量 $\boldsymbol{I}$、θ,则类似于(4.3-8)-(4.3-10)的推导给出

$$\int_0^{2\pi} \left[\frac{\partial H_s}{\partial p_i} \left(b_{ij}^{(i)} \frac{\partial I_s}{\partial p_j} h_s - M_{ij} \frac{\partial H}{\partial p_j} - \frac{\partial b_{ij}^{(i)}}{\partial p_j} \right) \right] \mathrm{d}\theta = 0,$$

$$s = 1, 2, \cdots, n \tag{4.3-20}$$

(4.3-6)、(4.3-10)、(4.3-12)、(4.3-13)、(4.3-19)及(4.3-20)是关于 h_s 的线性代数方程组,从它们之中任一个方程组解出 n 个 h_s,使它们满足形如(3.4-6)的相容条件,然后将它们代入(4.3-1)或(4.3-8),积分得给定系统的近似平稳解。

例 4.3-1 考虑两个线性阻尼耦合的非线性阻尼振子受 Gauss 白噪声外激,其运动方程为

$$\begin{aligned} \dot{Q}_1 &= P_1 \\ \dot{P}_1 &= -\omega_1^2 Q_1 - (\alpha_{11} + \alpha_{12} P_1^2) P_1 - \beta_1 P_2 + \xi_1(t) \\ \dot{Q}_2 &= P_2 \\ \dot{P}_2 &= -\omega_2^2 Q_2 - (\alpha_{21} + \alpha_{22} P_2^2) P_2 - \beta_2 P_1 + \xi_2(t) \end{aligned} \tag{a}$$

式中 ω_i, β_i, α_{ij} 为常数;$\xi_k(t)$是强度为 $2D_k$ 的独立 Gauss 白噪声。与(a)相应的 Hamilton 系统的 Hamilton 函数为

$$H = H_1 + H_2, \quad H_i = (p_i^2 + \omega_i^2 q_i^2)/2, \quad i = 1, 2 \tag{b}$$

系统(a)可模型化为 Itô 随机微分方程(4.1-1),其中

$$\begin{gathered} M_{11} = \alpha_{11} + \alpha_{12} P_1^2, M_{12} = \beta_1, M_{21} = \beta_2, M_{22} = \alpha_{21} + \alpha_{22} P_2^2 \\ b_{11} = \sigma_1^2 = 2D_1, b_{22} = \sigma_{22}^2 = 2D_2, b_{12} = b_{21} = \sigma_{12}\sigma_{21} = 0 \end{gathered} \tag{c}$$

非共振情形等效系统形为(4.1-2),其中 H 与 b_{ij} 分别由(b)与(c)确定,m_{ij} 满足方程(3.4-4)。两系统之差为

$$\begin{aligned}\Delta_1 &= D_1 P_1 h_1 - (\alpha_{11} + \alpha_{12} P_1^2) P_1 - \beta_1 P_2 \\ \Delta_2 &= D_2 P_2 h_2 - (\alpha_{21} + \alpha_{22} P_2^2) P_2 - \beta_2 P_1\end{aligned} \tag{d}$$

按第一种等效准则,将(b),(c)代入(4.3-6),注意 $\partial \boldsymbol{H}/\partial \boldsymbol{p} = p_1 p_2$,可解得

$$\begin{aligned}h_1 &= \alpha_{11}/D_1 + (3\alpha_{12}/2D_1) H_1 \\ h_2 &= \alpha_{21}/D_2 + (3\alpha_{22}/2D_2) H_2\end{aligned} \tag{e}$$

(e)满足相容条件(3.4-6),将它代入(4.3-1),积分得(a)之近似平稳概率密度

$$\begin{aligned}p(q_1, q_2, p_1, p_2) = C \exp[&-(\alpha_{11}/D_1) H_1 \\ &-(\alpha_{21}/D_2) H_2 - (3\alpha_{12}/4D_1) H_1^2 \\ &-(3\alpha_{22}/4D_2) H_2^2]\Big|_{H_i=(p_i^2+\omega_i^2 q_i^2)/2}\end{aligned} \tag{f}$$

按照第二种等效准则,将(b)、(c)代入(4.3-12),解得

$$\begin{aligned}h_1 &= \alpha_{11}/D_1 + (5\alpha_{12}/3D_1) H_1 \\ h_2 &= \alpha_{21}/D_2 + (5\alpha_{22}/3D_2) H_2\end{aligned} \tag{g}$$

(g)满足相容条件(3.4-6),将它代入(4.3-1),积分得(a)之近似平稳概率密度

$$\begin{aligned}p(q_1, q_2, p_1, p_2) = C \exp[&-(\alpha_{11}/D_1) H_1 \\ &-(\alpha_{21}/D_2) H_2 - (5\alpha_{12}/6D_1) H_1^2 \\ &-(5\alpha_{22}/6D_2) H_2^2]\Big|_{H_i=(p_i^2+\omega_i^2 q_i^2)/2}\end{aligned} \tag{h}$$

按第三种等效准则,将(b),(c)代入(4.3-19),再将所解得之 h_1, h_2 代入(4.3-1),得与(f)相同的结果。

用上述方法得到的一个平稳边缘概率密度 $p(q_1, p_1)$ 示于图 4.3-1(a)上,(b)中给出了相应的数字模拟结果。由图可见,两者相符甚好。

例 4.3-2 考虑两个线性阻尼耦合的非线性刚度振子受高斯

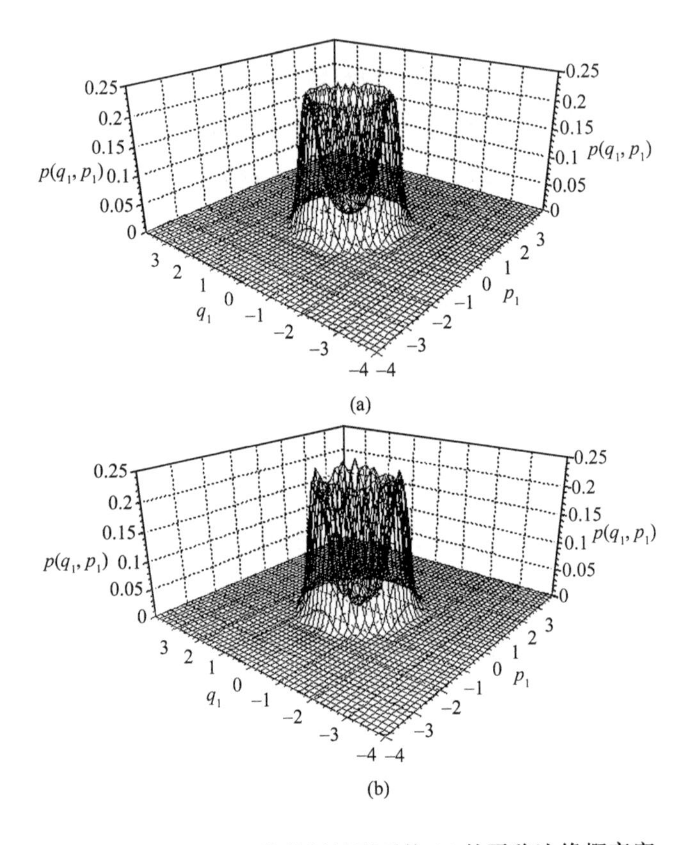

图 4.3-1 例 4.3-1 非共振情形系统(a)的平稳边缘概率密度 $p(q_1, p_1)$, $\omega_1 = 1.0$, $\omega_2 = 1.414$, $\alpha_{11} = 0.08$, $\alpha_{12} = 0.08$, $\alpha_{21} = -0.1$, $\alpha_{22} = 0.1$, $\beta_1 = 0.008$, $\beta_2 = 0.01$, $D_1 = D_2 = 0.01$

(a)按第一、三准则得到;(b)数字模拟得到

白噪声外激,其运动方程为

$$
\begin{aligned}
\dot{Q}_1 &= P_1 \\
\dot{P}_1 &= -\gamma_1 Q_1^3 - (\alpha_{11} + \alpha_{12} Q_1^2) P_1 - \beta_1 P_2 + \xi_1(t) \\
\dot{Q}_2 &= P_2 \\
\dot{P}_2 &= -\gamma_2 Q_2^3 - (\alpha_{21} + \alpha_{22} Q_2^2) P_2 - \beta_2 P_2 + \xi_2(t)
\end{aligned}
\tag{i}
$$

其中 $\alpha_{ij},\beta_i,\gamma_i$ 为常数；$\xi_k(t)$是强度为 $2D_k$ 的独立 Gauss 白噪声。与(i)相应的 Hamilton 系统的 Hamilton 函数为

$$H = H_1 + H_2, H_i = (p_i^2 + \gamma_i q_i^4/2)/2, \quad i = 1,2 \tag{j}$$

(i)可模型化为 Itô 随机微分方程(4.1-1)，其中

$$\begin{gathered} M_{11} = \alpha_{11} + \alpha_{12} Q_1^2, M_{12} = \beta_1, M_{21} = \beta_2, M_{22} = \alpha_{21} + \alpha_{22} Q_2^2 \\ b_{11} = \sigma_1^2 = 2D_1, b_{22} = \sigma_2^2 = 2D_2, b_{12} = b_{21} = \sigma_1\sigma_2 = 0 \end{gathered} \tag{k}$$

非共振情形等效系统为(4.1-2)，其中 H 与 b_{ij} 分别由(j)与(k)确定，m_{ij}满足(3.4-4)。两系统之差为

$$\begin{aligned} \Delta_1 &= D_1 P_1 h_1 - (\alpha_{11} + \alpha_{12} Q_1^2) P_1 - \beta_1 P_2 \\ \Delta_2 &= D_2 P_2 h_2 - (\alpha_{21} + \alpha_{22} Q_2^2) P_2 - \beta_2 P_1 \end{aligned} \tag{l}$$

按第一种等效准则，(j)，(k)代入(4.3-6)，解得

$$\begin{aligned} h_1 &= \frac{\alpha_{11}}{D_1} + \frac{2\alpha_{12}\Gamma(3/4)\Gamma(7/4)}{\Gamma(1/4)\Gamma(9/4)D_1}\sqrt{\frac{H_1}{\gamma_1}} \\ h_2 &= \frac{\alpha_{21}}{D_2} + \frac{2\alpha_{22}\Gamma(3/4)\Gamma(7/4)}{\Gamma(1/4)\Gamma(9/4)D_2}\sqrt{\frac{H_2}{\gamma_2}} \end{aligned} \tag{m}$$

(m)满足相容条件(3.4-6)，将它代入(4.3-1)，积分得(i)的近似平稳概率密度

$$p(q_1, q_2, p_1, p_2) = C\exp\left[-\frac{\alpha_{11}}{D_1}H_1 - \frac{\alpha_{21}}{D_2}H_2 - \frac{4\Gamma(3/4)\Gamma(7/4)}{3\Gamma(1/4)\Gamma(9/4)} \times \left(\frac{\alpha_{12}}{D_1}H_1\sqrt{\frac{H_1}{\gamma_1}} + \frac{\alpha_{22}}{D_2}H_2\sqrt{\frac{H_2}{\gamma_2}}\right)\right]\Bigg|_{H_i = (p_i^2 + \gamma_i q_i^4/2)/2} \tag{n}$$

按第二种等效准则，(j)、(k)代入(4.3-12)，解得

$$\begin{aligned} h_1 &= \frac{\alpha_{11}}{D_1} + \frac{2\alpha_{12}\Gamma(3/4)\Gamma(11/4)}{\Gamma(1/4)\Gamma(13/4)D_1}\sqrt{\frac{H_1}{\gamma_1}} \\ h_2 &= \frac{\alpha_{21}}{D_2} + \frac{2\alpha_{22}\Gamma(3/4)\Gamma(11/4)}{\Gamma(1/4)\Gamma(13/4)D_2}\sqrt{\frac{H_2}{\gamma_2}} \end{aligned} \tag{o}$$

(o)满足相容条件(3.4-6)，将它代入(4.3-1)，积分得(i)的近似平

稳概率密度

$$p(q_1,q_2,p_1,p_2)=C\exp\left[-\frac{\alpha_{11}}{D_1}H_1-\frac{\alpha_{21}}{D_2}H_2-\frac{4\Gamma(3/4)\Gamma(11/4)}{3\Gamma(1/4)\Gamma(13/4)}\right.$$

$$\left.\left.\times\left(\frac{\alpha_{12}}{D_1}H_1\sqrt{\frac{H_1}{\gamma_1}}+\frac{\alpha_{22}}{D_2}H_2\sqrt{\frac{H_2}{\gamma_2}}\right)\right]\right|_{H_i=(p_i^2+\gamma_i q_i^4/2)/2} \quad \text{(p)}$$

按第三种等效准则，将(j)，(k)代入(4.3-19)，将所解得之 h_1，h_2 代入(4.3-1)，得与(n)相同的结果。

上述两个例子中，第一种与第三种等效准则给出相同的结果，是因为在这两个例子中，$\delta_i(\partial\delta_i/\partial h_s)$与 $\delta_i(\partial H_s/\partial P_i)$成比例。在更复杂的系统中，例如多自由度受多个激励或受动量参激，第一种与第三种等效准则将给出不同的结果。

4.3.2 内共振情形

设可积 Hamilton 系统存在 α个形如(1.6-24)的内共振关系，引入 α个形如(1.6-25)的角变量组合 ψ_n，等效系统(4.1-2)满足条件(3.4-10)或(3.4-11)，它有形如(3.4-13)的精确平稳解，即

$$p(\boldsymbol{q},\boldsymbol{p})=C\exp\left[-\int_0^{I_s}h_s(\boldsymbol{I},\psi)\mathrm{d}I_s-\int_0^{\psi_u}h_{n+u}(\boldsymbol{I},\psi)\mathrm{d}\psi_u\right]$$

$$s=1,2,\cdots,n;u=1,2,\cdots,\alpha \quad (4.3\text{-}21)$$

式中 $h_s=\partial\lambda/\partial I_s$ 与 $h_{n+u}=\partial\lambda/\partial\psi_u$ 满足形如(3.4-12)的相容条件。给定系统与等效系统之差为

$$\Delta_i=b_{ij}^{(i)}\frac{\partial I_s}{\partial P_j}h_s+b_{ij}^{(i)}\frac{\partial\psi_u}{\partial P_j}h_{n+u}-M_{ij}\frac{\partial H}{\partial P_j}$$

$$-\frac{\partial b_{ij}^{(i)}}{\partial P_j},\quad i=1,2,\cdots,n \quad (4.3\text{-}22)$$

为方便计，记

$$g_\mu=\begin{cases}h_s, & \mu=s=1,2,\cdots,n\\ h_{n+u}, & \mu=n+u=n+1,n+2,\cdots,n+\alpha\end{cases} \quad (4.3\text{-}23)$$

按第一种等效准则，给定系统与等效系统阻尼力之差的均方

值最小,类似于(4.3-3),其必要条件为

$$\delta E[\Delta_i\Delta_i]/\delta g_\mu = 0,\quad \mu = 1,2,\cdots,n+\alpha \tag{4.3-24}$$

作 $\boldsymbol{p},\boldsymbol{q}$ 到 $\boldsymbol{I},\psi,\theta_1=[\theta_1\ \theta_2\cdots\theta_{n-\alpha}]^{\mathrm{T}}$ 的变换,(4.3-24)变成

$$\int p(\boldsymbol{I},\psi)\mathrm{d}\boldsymbol{I}\mathrm{d}\psi\int_0^{2\pi}\left[\delta_i(\delta\delta_i/\delta g_\mu)\Big/\left|\frac{\partial(\boldsymbol{I},\psi,\theta_1)}{\partial(\boldsymbol{q},\boldsymbol{p})}\right|\right]\mathrm{d}\theta_1 = 0$$

$$\mu = 1,2,\cdots,n+\alpha \tag{4.3-25}$$

鉴于在确定 g_μ 之前 $p(\boldsymbol{I},\psi)$ 为未知,(4.3-25)代之以下列更严厉的条件

$$\int_0^{2\pi}\left[\delta_i(\delta\delta_i/\delta g_\mu)\Big/\left|\frac{\partial(\boldsymbol{I},\psi,\theta_1)}{\partial(\boldsymbol{q},\boldsymbol{p})}\right|\right]\mathrm{d}\theta_1 = 0,\ \mu = 1,2,\cdots,n+\alpha \tag{4.3-26}$$

注意,ψ_u 是 θ_i 的整数线性组合,因此,$\partial(\boldsymbol{I},\psi,\theta_1)/\partial(\boldsymbol{q},\boldsymbol{p})$ 是 $\partial(\boldsymbol{I},\theta)/\partial(\boldsymbol{q},\boldsymbol{p})$ 的整数组合,而后者的行列式是 1。所以,(4.3-26)可更进一步简化为

$$\int_0^{2\pi}\delta_i(\delta\delta_i/\delta g_\mu)\mathrm{d}\theta_1 = 0,\quad \mu = 1,2,\cdots,n+\alpha \tag{4.3-27}$$

按第二种等效准则,单位时间内给定系统与等效系统阻尼力耗能之差的均方值最小,类似于(4.3-11),其必要条件为

$$\delta E[\Delta_e\Delta_e]/\delta g_\mu = 0,\quad \mu = 1,2,\cdots,n+\alpha \tag{4.3-28}$$

式中 Δ_e 由(4.2-12)与 m_{ij} 所满足的条件(3.4-10)或(3.4-11)确定为

$$\Delta_e = (\partial H/\partial P_i)\Delta_i \tag{4.3-29}$$

Δ_i 由(4.3-22)给出。然后,按类似于(4.3-24)至(4.3-27)的推导给出

$$\int_0^{2\pi}(\partial H/\partial p_i)\delta_i[(\partial H/\partial p_i)(\delta\delta_i/\delta g_\mu)]\mathrm{d}\theta_1 = 0$$

$$\mu = 1,2,\cdots,n+\alpha \tag{4.3-30}$$

按第三种等效准则,给定系统与等效系统的首次积分的时间变化率之期望相等,与非共振情形不同的是,除了 I_s 外,ψ_u 亦看

成首次积分。类似于(4.3-15)与(4.3-16)可导出 I_s、ψ_u 所满足的 Itô 随机微分方程，然后得如(4.3-17)的条件，即

$$
\begin{aligned}
&E[(\partial I_s/\partial P_i)\Delta_i]=0,\quad s=1,2,\cdots,n\\
&E[(\partial \Psi_u/\partial P_i)\Delta_i]=0,\quad u=1,2,\cdots,\alpha
\end{aligned}
\tag{4.3-31}
$$

再按类似于(4.3-24)至(4.3-27)的推导给出

$$
\begin{aligned}
&\int_0^{2\pi}(\partial I_s/\partial p_i)\delta_i \mathrm{d}\theta_1=0,\quad s=1,2,\cdots,n\\
&\int_0^{2\pi}(\partial \psi_u/\partial p_i)\delta_i \mathrm{d}\theta_1=0,\quad u=1,2,\cdots,\alpha
\end{aligned}
\tag{4.3-32}
$$

(4.3-27)、(4.3-30)与(4.3-32)是关于 g_μ 的线性代数方程组，若能从其中一组方程解得 $n+\alpha$ 个 g_μ，它们满足形如(3.4-12)的相容条件，则将它们代入(4.3-21)，积分得给定系统近似平稳解。

若已知首次积分 $\boldsymbol{H}$，但得不到作用矢量 $\boldsymbol{I}$，(4.3-21)～(4.3-24)中可用 $\boldsymbol{H}$ 代替 $\boldsymbol{I}$，三种准则必要条件的推导也基本有效，只是(4.3-25)中 Jacobi 矩阵行列式需代之以 $|\partial(\boldsymbol{H},\psi,\theta_1)/\partial(\boldsymbol{q},\boldsymbol{p})|$，鉴于 $\boldsymbol{H},\theta$ 一般不是正则坐标，(4.3-27)、(4.3-30)及(4.3-32)需分别代之以

$$
\int_0^{2\pi}\left[\delta_i(\delta\delta_i/\delta g_\mu)\Big/\left|\frac{\partial(\boldsymbol{H},\psi,\theta_1)}{\partial(\boldsymbol{q},\boldsymbol{p})}\right|\right]\mathrm{d}\theta_1=0,\ \mu=1,2,\cdots,n+\alpha
\tag{4.3-33}
$$

$$
\int_0^{2\pi}\left[(\partial H/\partial p_i)\delta_i[(\partial H/\partial p_i)(\delta\delta_i/\delta g_\mu)]\Big/\left|\frac{\partial(\boldsymbol{H},\psi,\theta_1)}{\partial(\boldsymbol{q},\boldsymbol{p})}\right|\right]\mathrm{d}\theta_1=0
$$

$$
\mu=1,2,\cdots,n+\alpha
\tag{4.3-34}
$$

$$
\int_0^{2\pi}\left[(\partial H_s\ /\partial p_i)\delta_i\Big/\left|\frac{\partial(\boldsymbol{H},\psi,\theta_1)}{\partial(\boldsymbol{q},\boldsymbol{p})}\right|\right]\mathrm{d}\theta_1=0,\quad s=1,2,\cdots,n
\tag{4.3-35a}
$$

$$
\int_0^{2\pi}\left[(\partial \psi_u\ /\partial p_i)\delta_i\Big/\left|\frac{\partial(\boldsymbol{H},\psi,\theta_1)}{\partial(\boldsymbol{q},\boldsymbol{p})}\right|\right]\mathrm{d}\theta_1=0,\quad a=1,2,\cdots,n
\tag{4.3-35b}
$$

例 4.3-3 考虑系统(a)的共振情形，设 $\omega_1=\omega_2$，以 H_i、θ_i 代

替 q_i、p_i，其中

$$H_i=(p_i^2+\omega_i^2q_i^2)/2,\ \theta_i=\arctan(p_i/\omega_iq_i),\ i=1,2 \tag{q}$$

引入角变量组合

$$\psi=\theta_1-\theta_2 \tag{r}$$

M_{ij}、b_{ij}仍由(c)确定。等效系统之精确平稳解形为

$$p(q_1,q_2,p_1,p_2)=C\exp\left[-\int_0^{H_1}h_1(H_1,H_2,\psi)\mathrm{d}H_1\right.$$
$$\left.-\int_0^{H_2}h_2(H_1,H_2,\psi)\mathrm{d}H_2-\int_0^{\psi}h_3(H_1,H_2,\psi)\mathrm{d}\psi\right] \tag{s}$$

其中 h_s 满足(3.4-10)及(3.4-12)。系统(a)与其等效系统之差为

$$\Delta_1=D_1P_1h_1+(D_1\omega_1Q_1/2H_1)h_3-(\alpha_{11}+\alpha_{12}P_1^2)P_1-\beta_1P_2$$
$$\Delta_2=D_2P_2h_2+(D_2\omega_2Q_2/2H_2)h_3-(\alpha_{21}+\alpha_{22}P_2^2)P_2-\beta_2P_1 \tag{t}$$

鉴于 $H_i=\omega_iI_i$，$\partial(\boldsymbol{H},\psi,\theta_1)/\partial(\boldsymbol{q},\boldsymbol{p})=\omega_1\omega_2\partial(\boldsymbol{I},\psi,\theta_1)/\partial(\boldsymbol{q},\boldsymbol{p})$，$|\partial(\boldsymbol{H},\psi,\theta_1)/\partial(\boldsymbol{q},\boldsymbol{p})|$为常数。

按第一种等效准则，将(q)、(r)、(t)代入(4.3-33)，解得

$$h_1=\frac{\alpha_{11}}{D_1}+\frac{3\alpha_{12}}{2D_1}H_1+\frac{\beta_1}{D_1}\sqrt{\frac{H_2}{H_1}}\cos\psi$$
$$h_2=\frac{\alpha_{21}}{D_2}+\frac{3\alpha_{22}}{2D_2}H_2+\frac{\beta_2}{D_2}\sqrt{\frac{H_1}{H_2}}\cos\psi \tag{u}$$
$$h_3=-\frac{2\sqrt{H_1H_2}}{D_2^2H_1+D_1^2H_2}(\beta_2D_2H_1+\beta_1D_1H_2)\sin\psi$$

相容条件要求

$$\beta_1/D_1=\beta_2/D_2 \tag{v}$$

在条件(v)下，(u)代入(s)，得系统(a)之近似平稳概率密度

$$p(q_1,q_2,p_1,p_2)=C\exp\left[-\frac{\alpha_{11}}{D_1}H_1-\frac{\alpha_{21}}{D_2}H_2-\frac{3\alpha_{12}}{4D_1}H_1^2\right.$$
$$\left.-\frac{3\alpha_{22}}{4D_2}H_2^2-\frac{6\beta_2}{D_2}\sqrt{H_1H_2}\cos\psi\right] \tag{w}$$

上式右边 H_i、ψ 需按(q)、(r)代之以 q_i、p_i。

按第二种等效准则,将(q)、(r)、(t)代入(4.3-34),解得

$$
\begin{aligned}
h_1 &= \frac{\alpha_{11}}{D_1} + \frac{5\alpha_{12}}{3D_1}H_1 + \frac{\beta_1}{D_1}\sqrt{\frac{H_2}{H_1}}\cos\psi \\
h_2 &= \frac{\alpha_{21}}{D_2} + \frac{5\alpha_{22}}{3D_2}H_2 + \frac{\beta_2}{D_2}\sqrt{\frac{H_1}{H_2}}\cos\psi \\
h_3 &= -\frac{2(\beta_1 D_1 + \beta_2 D_2)}{D_1^2 + D_2^2}\sqrt{H_1 H_2}\sin\psi
\end{aligned}
\tag{x}
$$

相容条件同(v)。在条件(v)下,(x)代入(s),得(a)之近似平稳概率密度

$$
p(q_1, q_2, p_1, p_2) = C\exp\left[-\frac{\alpha_{11}}{D_1}H_1 - \frac{\alpha_{21}}{D_2}H_2 - \frac{5\alpha_{12}}{6D_1}H_1^2 - \frac{5\alpha_{22}}{6D_2}H_2^2 - \frac{6\beta_2}{D_2}\sqrt{H_1 H_2}\cos\psi\right] \tag{y}
$$

上式右边 H_i、ψ 需按(q)、(r)代之以 q_i、p_i。

与非共振情形类似,第三种等效准则给出与第一种准则相同的结果,即(w)。

用上述方法得到的一个平稳边缘概率密度 $p(q_1, p_1)$ 示于图 4.3-2 (a)上,(b)中给出了相应的数字模拟结果。由图可知,两者颇为吻合。

比较例 4.3-1 与 4.3-3 之结果知,不同自由度之间的线性阻尼耦合只在共振情形中才起作用。

4.4 Gauss 白噪声激励下耗散的部分可积 Hamilton 系统

仍考虑给定系统(4.1-1),设相应的 Hamilton 系统为部分可积,已知 r $(1<r<n)$维独立、对合的首次积分矢量 $\boldsymbol{H}_1=[H_1\ H_2\ \cdots\ H_r]^T$,Hamilton 函数形为(1.8-4),得不到(4.1-1)的精确平稳解,现用等效非线性系统法求其近似平稳解。鉴于其等效系统的精确平稳解取决于相应 Hamilton 系统的可积部分的共振性,下面分非共振与共振两种情形叙述。

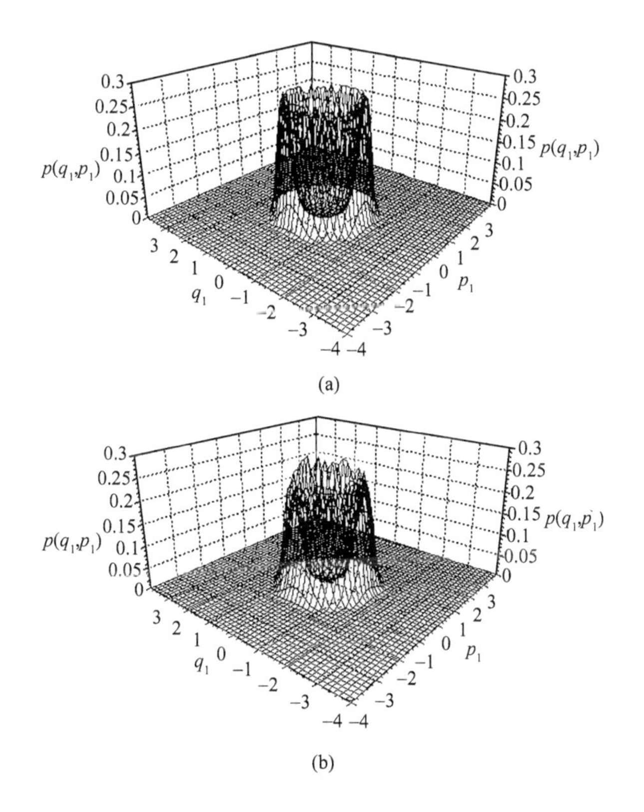

图 4.3-2　例 4.3-1 共振情形系统(a)的平稳边缘概率密度 $p(q_1,p_1)$，$\omega_1=\omega_2=1.0$，$D_1=0.008$，其他参数与图 4.3-1 中相同

(a)按第一、三准则得到；(b)由数字模拟得到

4.4.1　非内共振情形

设 Hamilton 系统的可积部分不存在形如(1.6-24)的内共振关系，等效系统满足存在精确平稳解条件(3.5-2)，具有如下形式的精确平稳解：

$$p(\boldsymbol{q},\boldsymbol{p})=C\exp\left[-\int_0^{H_s}h_s(\boldsymbol{H}_1)\,\mathrm{d}H_s\right],\quad s=1,2,\cdots,r \tag{4.4-1}$$

式中 $h_s(\boldsymbol{H}_1)=\partial\lambda/\partial H_s$ 满足相容条件(3.5-3)。给定系统与等效系统之差为

$$\Delta_i = b_{ij}^{(i)}\frac{\partial H_s}{\partial P_j}h_s - M_{ij}\frac{\partial H}{\partial P_j} - \frac{\partial b_{ij}^{(i)}}{\partial P_j}, \quad i = 1,2,\cdots,n$$

(4.4-2)

下面用三种等效准则确定 h_s。

按第一种等效准则,给定系统与等效系统的阻尼力之差的均方值最小,类似于(4.3-3),其必要条件为

$$\delta E[\Delta_i\Delta_i]/\delta h_s = 0, \quad s = 1,2,\cdots,r \tag{4.4-3}$$

即

$$\int \delta_i(\delta\delta_i/\delta h_s)p(\boldsymbol{q},\boldsymbol{p})\mathrm{d}\boldsymbol{q}\mathrm{d}\boldsymbol{p} = 0, \quad s = 1,2,\cdots,r$$

(4.4-4)

将 $p_1,\cdots,p_r$ 变换成 $\boldsymbol{H}_1$,(4.4-4)变成

$$\int p(\boldsymbol{H}_1)\mathrm{d}\boldsymbol{H}_1\int_{\Omega}\left(\delta_i\frac{\delta\delta_i}{\delta h_s}\middle/\left|\frac{\partial(H_1,\cdots,H_r)}{\partial(p_1,\cdots,p_r)}\right|\right)\mathrm{d}\boldsymbol{q}\mathrm{d}p_{r+1}\cdots\mathrm{d}p_n = 0$$

$$s = 1,2,\cdots,r \tag{4.4-5}$$

当 Hamilton 函数形如(1.8-4)时,

$$\left|\frac{\partial(H_1,\cdots,H_r)}{\partial(P_1,\cdots,P_r)}\right| = \prod_{\nu=1}^{r}\frac{\partial H_\nu}{\partial p_\nu} \tag{4.4-6}$$

而积分域 Ω 为

$$\Omega = \{(\boldsymbol{q},p_{r+1},\cdots,p_n) \mid \bigcap_{\mu=1}^{r-1}H_\mu(q_\mu,0)\leqslant H_\mu$$

$$\cap\ H_r(q_r,\cdots,q_n,0,p_{r+1},\cdots,p_n)\leqslant H_r\} \tag{4.4-7}$$

鉴于在确定 h_s 之前 $p(\boldsymbol{H}_1)$ 为未知,(4.4-5)代之以更为严厉的条件

$$\int_{\Omega}\left(\delta_i\frac{\delta\delta_i}{\delta h_s}\middle/\prod_{\nu=1}^{r}\frac{\partial H_\nu}{\partial p_\nu}\right)\mathrm{d}\boldsymbol{q}\mathrm{d}p_{r+1}\cdots\mathrm{d}p_n = 0, s = 1,2,\cdots,r$$

(4.4-8)

将(4.4-2)代入(4.4-8),得

$$\int_{\Omega}\left[\left(b_{ij}^{(i)}\frac{\partial H_s}{\partial p_j}h_s-M_{ij}\frac{\partial H}{\partial p_j}-\frac{\partial b_{ij}^{(i)}}{\partial p_j}\right)\left(b_{ij}^{(i)}\frac{\partial H_s}{\partial p_j}\right)\Big/\prod_{\nu=1}^{r}\frac{\partial H_\nu}{\partial p_\nu}\right]$$

$$\times \mathrm{d}\boldsymbol{q}\mathrm{d}p_{r+1}\cdots\mathrm{d}p_n=0,s=1,2,\cdots,r \qquad (4.4\text{-}9)$$

若可从 Hamilton 系统的可积部分导得作用-角矢量 $\boldsymbol{I}'=[I_1\ I_2\cdots I_{r-1}]^{\mathrm{T}}$,$\theta'=[\theta_1\ \theta_2\cdots\ \theta_{r-1}]^{\mathrm{T}}$,则(4.4-1)代之以

$$p(\boldsymbol{q},\boldsymbol{p})=C\exp\left[-\int_0^{I_\eta}h_\eta(\boldsymbol{I}',H_r)\mathrm{d}I_{s'}-\int_0^{H_r}h_r(\boldsymbol{I}',H_r)\mathrm{d}H_r\right]$$

$$\eta=1,2,\cdots r-1 \qquad (4.4\text{-}10)$$

式中 h_η,h_r 满足形如(3.5-3)的相容条件。(4.4-2)则代之以

$$\Delta_i=b_{ij}^{(i)}\frac{\partial I_\eta}{\partial P_j}h_\eta+b_{ij}^{(i)}\frac{\partial H_r}{\partial P_j}h_r-M_{ij}\frac{\partial H}{\partial P_j}-\frac{\partial b_{ij}^{(i)}}{\partial P_j},i=1,2,\cdots,n$$

$$(4.4\text{-}11)$$

在(4.4-4)中,将 $\boldsymbol{p},\boldsymbol{q}$ 变换成 $\boldsymbol{I}',\theta',q_r,\cdots,q_n,H_r,p_{r+1},\cdots,p_n$,注意到从 $q_1,\cdots,q_{r-1},p_1,\cdots,p_{r-1}$ 到 $\boldsymbol{I}',\theta'$ 的变换为正则变换,(4.4-5)变成

$$\int p(\boldsymbol{I}',H_r)\mathrm{d}\boldsymbol{I}'\mathrm{d}H_r\int_0^{2\pi}\int_{\Omega_1}\left(\delta_i\frac{\partial\delta_i}{\partial h_s}\Big/\frac{\partial H_r}{\partial p_r}\right)$$

$$\times\mathrm{d}q_r\cdots\mathrm{d}q_n\mathrm{d}p_{r+1}\cdots\mathrm{d}p_n\mathrm{d}\theta'=0$$

$$s=1,2,\cdots,r \qquad (4.4\text{-}12)$$

积分域

$$\Omega_1=\{(q_r,\cdots q_n,p_{r+1},\cdots,p_n)\mid H_r(q_r,\cdots q_n,0,p_{r+1},\cdots,p_n)\leqslant H_r\} \qquad (4.4\text{-}13)$$

鉴于在确定 h_s 之前 $p(\boldsymbol{I}',H_r)$ 为未知,(4.4-12)代之以更严厉的条件

$$\int_0^{2\pi}\int_{\Omega_1}\left(\delta_i\frac{\partial\delta_i}{\partial h_s}\Big/\frac{\partial H_r}{\partial p_r}\right)\mathrm{d}q_r\cdots\mathrm{d}q_n\mathrm{d}p_{r+1}\cdots\mathrm{d}p_n\mathrm{d}\theta'=0$$

$$s=1,2,\cdots,r \qquad (4.4\text{-}14)$$

按第二种等效准则,单位时间内给定系统与等效系统阻尼力

耗能之差的均方值最小，类似于(4.3-11)，其必要条件为

$$\delta E[\Delta_e\Delta_e]/\delta h_s = \delta E[((\partial H/\partial P_i)\Delta_i)^2]/\delta h_s = 0$$

$$s = 1,2,\cdots,r \qquad (4.4\text{-}15)$$

然后，类似于(4.4-4)至(4.4-9)推导给出

$$\int_{\Omega}\left[\frac{\partial H}{\partial p_i}\left(b_{ij}^{(i)}\frac{\partial H_s}{\partial p_j}h_s - M_{ij}\frac{\partial H}{\partial p_j} - \frac{\partial b_{ij}^{(i)}}{\partial p_j}\right)\left(\frac{\partial H}{\partial p_i}b_{ij}^{(i)}\frac{\partial H_s}{\partial p_j}\right)\Big/\prod_{\nu=1}^{r}\frac{\partial H_\nu}{\partial p_\nu}\right]$$

$$\times \mathrm{d}\boldsymbol{q}\mathrm{d}p_{r+1}\cdots\mathrm{d}p_n = 0, s = 1,2,\cdots,r \qquad (4.4\text{-}16)$$

或者，类似于(4.4-10)～(4.4-14)的推导给出

$$\int_0^{2\pi}\int_{\Omega_1}\left[\frac{\partial H}{\partial p_i}\delta_i\frac{\delta}{\delta h_s}\left(\frac{\partial H}{\partial p_i}\delta_i\right)\Big/\frac{\partial H_r}{\partial p_r}\right]\mathrm{d}q_r\cdots\mathrm{d}q_n\mathrm{d}p_{r+1}\cdots\mathrm{d}p_n\mathrm{d}\theta' = 0$$

$$s = 1,2,\cdots,r \qquad (4.4\text{-}17)$$

按第三种等效准则，给定系统与等效系统的首次积分时间变化率之期望相等，类似于(4.3-17)，可得

$$E\left[\frac{\partial H_s}{\partial P_i}\Delta_i\right] = 0, s = 1,2,\cdots,r \qquad (4.4\text{-}18)$$

然后，类似于(4.4-4)至(4.4-9)的推导给出

$$\int_{\Omega}\left[\frac{\partial H_s}{\partial p_i}\left(b_{ij}^{(i)}\frac{\partial H_s}{\partial p_j}h_s - M_{ij}\frac{\partial H}{\partial p_j} - \frac{\partial b_{ij}^{(i)}}{\partial p_j}\right)\Big/\prod_{\nu=1}^{r}\frac{\partial H_\nu}{\partial p_\nu}\right]$$

$$\mathrm{d}\boldsymbol{q}\mathrm{d}p_{r+1}\cdots\mathrm{d}p_n = 0$$

$$s = 1,2,\cdots,r \qquad (4.4\text{-}19)$$

若已知 $\boldsymbol{I}'$、θ'，则按(4.4-10)至(4.4-14)的推导给出

$$\int_0^{2\pi}\int_{\Omega_1}\left(\frac{\partial H_s}{\partial p_i}\delta_i\Big/\frac{\partial H_r}{\partial p_r}\right)\mathrm{d}q_r\cdots\mathrm{d}q_n\mathrm{d}p_{r+1}\cdots\mathrm{d}p_n\mathrm{d}\theta' = 0$$

$$s = 1,2,\cdots,r \qquad (4.4\text{-}20)$$

完成(4.4-9)，(4.4-16)或(4.4-19)中积分，得确定 $h_s(\boldsymbol{H}_1)$的线性代数方程组，解此方程组可得 $h_s(\boldsymbol{H}_1)$，使它们满足相容性条件(3.5-3)，再将它们代入(4.4-1)，可得原系统近似平稳解。或将(4.4-11)代入(4.4-14)，(4.4-17)或(4.4-20)，完成积分，得确定 $h_s(\boldsymbol{I}', H_r)$的线性代数方程组，解此方程组可得 $h_s(\boldsymbol{I}', H_r)$，使它

们满足类似于(3.5-3)的相容条件,再将它们代入(4.4-10),可得给定系统的近似平稳解。

例 4.4-1 考虑非线性阻尼耦合的两个线性振子与一个两自由度非线性振子受 Gauss 白噪声外激,其运动方程为

$$\begin{aligned}
\dot{Q}_1 &= P_1 \\
\dot{P}_1 &= -\omega_1^2 Q_1^2 - [\alpha_{10} + \alpha_{11} P_1^2 + \alpha_{12} P_2^2 + \alpha_{13} P_3^2 + \alpha_{14} P_4^2 \\
&\quad + \alpha_{15} U(Q_3, Q_4)] P_1 - \alpha_{16} P_2 + \xi_1(t) \\
\dot{Q}_2 &= P_2 \\
\dot{P}_2 &= -\omega_2^2 Q_2^2 - [\alpha_{20} + \alpha_{21} P_1^2 + \alpha_{22} P_2^2 + \alpha_{23} P_3^2 + \alpha_{24} P_4^2 \\
&\quad + \alpha_{25} U(Q_3, Q_4)] P_2 - \alpha_{26} P_1 + \xi_2(t) \\
\dot{Q}_3 &= P_3 \\
\dot{P}_3 &= -\partial U(Q_3, Q_4)/\partial Q_3 - [\alpha_{30} + \alpha_{31} P_1^2 + \alpha_{32} P_2^2 + \alpha_{33} P_3^2 \\
&\quad + \alpha_{34} P_4^2 + \alpha_{35} U(Q_3, Q_4)] P_3 + \xi_3(t) \\
\dot{Q}_4 &= P_4 \\
\dot{P}_4 &= -\partial U(Q_3, Q_4)/\partial Q_4 - [\alpha_{40} + \alpha_{41} P_1^2 + \alpha_{42} P_2^2 + \alpha_{43} P_3^2 \\
&\quad + \alpha_{44} P_4^2 + \alpha_{45} U(Q_3, Q_4)] P_4 + \xi_4(t)
\end{aligned} \tag{a}$$

式中 α_{ij} 为常数;$U(q_3, q_4)$不可分离;$\xi_k(t)$是强度为 $2D_k$ 的独立 Gauss 白噪声。与(a)相应的 Hamilton 系统的 Hamilton 函数为

$$H = H_1 + H_2 + H_3 \tag{b}$$

$$\begin{aligned}
H_{1,2} &= (p_{1,2}^2 + \omega_{1,2}^2 q_{1,2}^2)/2 \\
H_3 &= (p_3^2 + p_4^2)/2 + U(q_3, q_4)
\end{aligned} \tag{c}$$

H_1, H_2, H_3 为三个独立、对合的首次积分,H_1, H_2 为可积部分,作用-角变量

$$I_{1,2} = H_{1,2}/\omega_{1,2}, \theta_{1,2} = \arctan(p_{1,2}/\omega_{1,2}, q_{1,2}) \tag{d}$$

系统(a)为受 Gauss 白噪声激励的耗散的部分可积 Hamilton 系统,且得不到它的精确平稳解,现用等效非线性系统法求其近似平稳解。

(a)可模型化为 Itô 随机微分方程(4.1-1),其中

$$M_{11}=\alpha_{10}+\alpha_{11}P_1^2+\alpha_{12}P_2^2+\alpha_{13}P_3^2+\alpha_{14}P_4^2+\alpha_{15}U(Q_3,Q_4),$$

$$M_{12}=\alpha_{16},\quad M_{21}=\alpha_{26},\tag{e}$$

$$M_{22}=\alpha_{20}+\alpha_{21}P_1^2+\alpha_{22}P_2^2+\alpha_{23}P_3^2+\alpha_{24}P_4^2+\alpha_{25}U(Q_3,Q_4)$$

$$M_{33}=\alpha_{30}+\alpha_{31}P_1^2+\alpha_{32}P_2^2+\alpha_{33}P_3^2+\alpha_{34}P_4^2+\alpha_{35}U(Q_3,Q_4)$$

$$M_{44}=\alpha_{40}+\alpha_{41}P_1^2+\alpha_{42}P_2^2+\alpha_{43}P_3^2+\alpha_{44}P_4^2+\alpha_{45}U(Q_3,Q_4)$$

其余 $M_{ij}=0,i,j=1,2,3,4$

$$b_{ii}=2D_i,b_{ij}=0,j\neq i,i,j=1,2,3,4\tag{f}$$

将(d)~(f)代入(4.4-11)得 δ_i。

按第一种等效准则,将 δ_i 代入(4.4-14),在满足条件

$$\alpha_{13}+\alpha_{14}=\alpha_{15},\alpha_{23}+\alpha_{24}=\alpha_{25}$$

$$3(\alpha_{33}D_3+\alpha_{44}D_4)+\alpha_{34}D_3+D_{43}D_4=2(\alpha_{35}D_3+\alpha_{45}D_4)\tag{g}$$

时,可解得

$$h_1=(\alpha_{10}+3\alpha_{11}\omega_1I_1/2+\alpha_{12}\omega_2I_2+\alpha_{15}H_3)\omega_1/D_1$$

$$h_2=(\alpha_{20}+3\alpha_{22}\omega_2I_2/2+\alpha_{21}\omega_1I_1+\alpha_{25}H_3)\omega_2/D_2$$

$$h_3=[(\alpha_{30}D_3+\alpha_{40}D_4)+(\alpha_{31}D_3+\alpha_{41}D_4)\omega_1I_1\tag{h}$$

$$+(\alpha_{32}D_3+\alpha_{42}D_4)\omega_2I_2+(\alpha_{35}D_3+\alpha_{45}D_4)H_3]/(D_3+D_4)$$

在满足条件

$$\alpha_{12}/D_1=\alpha_{21}/D_2,\alpha_{15}/D_1=(\alpha_{31}D_3+\alpha_{41}D_4)/(D_3^2+D_4^2)$$

$$\alpha_{25}/D_2=(\alpha_{32}D_3+\alpha_{42}D_4)/(D_3^2+D_4^2)\tag{i}$$

时,(h)中 h_s 满足相容条件,将它们代入(4.4-10),积分得(a)之近似平稳解

$$p(\boldsymbol{q},\boldsymbol{p})=C\exp\left\{-\left[\frac{\alpha_{10}}{D_1}H_1+\frac{\alpha_{20}}{D_2}H_2+\frac{\alpha_{30}D_3+\alpha_{40}D_4}{D_3^2+D_4^2}H_3\right.\right.$$

$$+\frac{3\alpha_{11}}{4D_1}H_1^2+\frac{3\alpha_{22}}{4D_2}H_2^2+\frac{\alpha_{35}D_3+\alpha_{45}D_4}{2(D_3^2+D_4^2)}H_3^2$$

$$\left.\left.+\frac{\alpha_{12}}{D_1}H_1H_2+\frac{\alpha_{15}}{D_1}H_1H_3+\frac{\alpha_{25}}{D_2}H_2H_3\right]\right\}\Bigg|_{H_s=H_s(\boldsymbol{q},\boldsymbol{p})}\tag{j}$$

按第二种等效准则,将 δ_i 代入(4.4-17),在满足条件

$$\alpha_{13}+\alpha_{14}=\alpha_{15},\alpha_{23}+\alpha_{24}=\alpha_{25}$$

$$5(\alpha_{33}D_3+\alpha_{44}D_4)+(\alpha_{34}D_3+\alpha_{43}D_4)$$
$$=3(\alpha_{35}D_3+\alpha_{45}D_4) \tag{k}$$

时,可解得

$$\begin{aligned}
h_1&=(\alpha_{10}+5\alpha_{11}\omega_1I_1/3+\alpha_{12}\omega_2I_2+\alpha_{15}H_3)/D_1\\
h_2&=(\alpha_{20}+5\alpha_{22}\omega_2I_2/3+\alpha_{21}\omega_1I_1+\alpha_{25}H_3)/D_2\\
h_3&=[(\alpha_{30}D_3+\alpha_{40}D_4)+(\alpha_{31}D_3+\alpha_{41}D_4)\omega_1I_1\\
&\quad+(\alpha_{32}D_3+\alpha_{42}D_4)\omega_2I_2+(\alpha_{35}D_3+\alpha_{45}D_4)H_3]\\
&\quad/(D_3^2+D_4^2)
\end{aligned} \tag{l}$$

在满足条件(i)时,(l)中 h_s 满足相容条件,将它代入(4.4-10),积分得(a)之近似平稳解

$$\begin{aligned}
p(\boldsymbol{q},\boldsymbol{p})=C\exp\Bigg\{-\Bigg[&\frac{\alpha_{10}}{D_1}H_1+\frac{\alpha_{20}}{D_2}H_2+\frac{\alpha_{30}D_3+\alpha_{40}D_4}{D_3^2+D_4^2}H_3\\
&+\frac{5\alpha_{11}}{6D_1}H_1^2+\frac{5\alpha_{33}}{6D_2}H_2^2+\frac{\alpha_{35}D_3+\alpha_{45}D_4}{2(D_3^2+D_4^2)}H_3^2+\frac{\alpha_{12}}{D_1}H_1H_2\\
&+\frac{\alpha_{15}}{D_1}H_1H_3+\frac{\alpha_{25}}{D_2}H_2H_3\Bigg]\Bigg\}\Bigg|_{H_s=H_s(\boldsymbol{q},\boldsymbol{p})}
\end{aligned} \tag{m}$$

按第三种等效准则,将 δ_i 代入(4.4-20),在满足条件

$$\begin{aligned}
&\alpha_{13}+\alpha_{14}=\alpha_{15},\ \alpha_{23}+\alpha_{24}=\alpha_{25}\\
&3(\alpha_{33}+\alpha_{44})+\alpha_{34}+\alpha_{43}=2(\alpha_{35}+\alpha_{45})
\end{aligned} \tag{n}$$

时,可解得

$$\begin{aligned}
h_1&=(\alpha_{10}+3\alpha_{11}\omega_1I_1/2+\alpha_{12}\omega_2I_2+\alpha_{15}H_3)\omega_1/D_1\\
h_2&=(\alpha_{20}+3\alpha_{22}\omega_2I_2/2+\alpha_{21}\omega_1I_1+\alpha_{25}H_3)\omega_2/D_2\\
h_3&=[(\alpha_{30}+\alpha_{40})+(\alpha_{31}+\alpha_{41})\omega_1I_1\\
&\quad+(\alpha_{32}+\alpha_{42})\omega_2I_2+(\alpha_{35}+\alpha_{45})H_3]/(D_3+D_4)
\end{aligned} \tag{o}$$

在满足条件

$$\begin{aligned}
&\alpha_{12}/D_1=\alpha_{21}/D_2,\ \alpha_{15}/D_1=(\alpha_{31}+\alpha_{41})/(D_3+D_4)\\
&\alpha_{25}/D_2=(\alpha_{32}+\alpha_{42})/(D_3+D_4)
\end{aligned} \tag{p}$$

时,(o)中 h_s 满足相容条件,将它代入(4.4-10),积分得(a)之近似

平稳解

$$p(\boldsymbol{q},\boldsymbol{p})= C\exp\left\{-\left[\frac{\alpha_{10}}{D_1}H_1+\frac{\alpha_{20}}{D_2}H_2+\frac{\alpha_{30}+\alpha_{40}}{D_3+D_4}H_3+\frac{3\alpha_{11}}{4D_1}H_1^2\right.\right.$$
$$+\frac{3\alpha_{22}}{4D_2}H_2^2+\frac{\alpha_{35}+\alpha_{45}}{2(D_3+D_4)}H_3^2+\frac{\alpha_{12}}{D_1}H_1H_2$$
$$\left.\left.+\frac{\alpha_{15}}{D_1}H_1H_3+\frac{\alpha_{25}}{D_2}H_2H_3\right]\right\}\Bigg|_{H_s=H_s(\boldsymbol{q},\boldsymbol{p})} \tag{q}$$

(j)、(m)及(q)中，$\boldsymbol{q}=[q_1\ q_2\ q_3\ q_4]^{\mathrm{T}}$，$\boldsymbol{p}=[p_1\ p_2\ p_3\ p_4]^{\mathrm{T}}$，$H_s(s=1,$

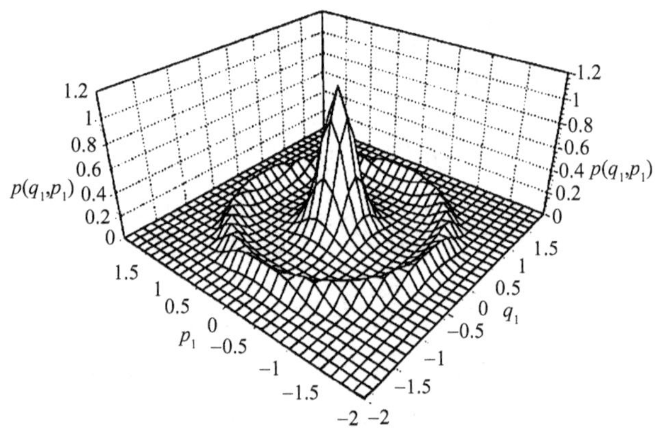

(a)

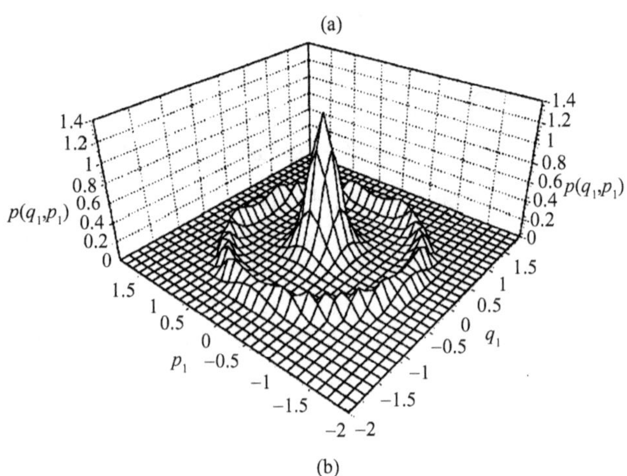

(b)

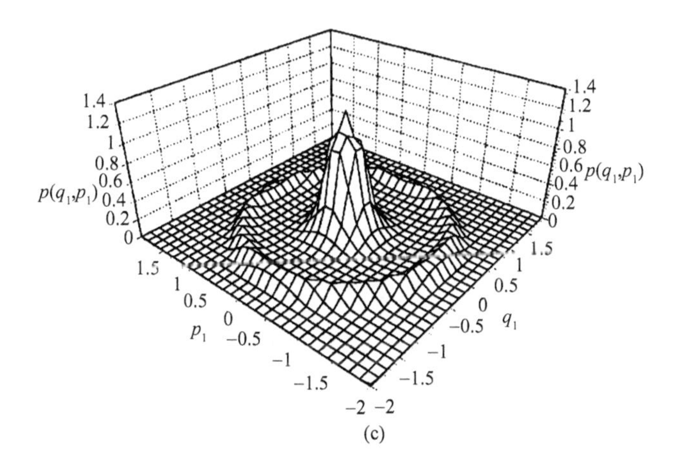

图 4.4-1 例 4.4.-2 非共振情形系统(a)的平稳边缘概率密度 $p(q_1, p_1)$ $\omega_1=1.0$, $\omega_2=1.414$, $\alpha_{10}=\alpha_{20}=\alpha_{30}=\alpha_{40}=-0.08$, $\alpha_{11}=\alpha_{22}=\alpha_{33}=\alpha_{34}=\alpha_{43}=0.04$, $\alpha_{12}=\alpha_{21}=0.08$, $\alpha_{13}=\alpha_{14}=\alpha_{23}=\alpha_{24}=0.02$, $\alpha_{31}=\alpha_{41}=\alpha_{32}=\alpha_{43}=0.01$, $D_i=0.001$

(a)按第一、三种准则得到;(b)按第二种准则得到;(c)由数字模拟得到

2,3)按(c)代之以 $\boldsymbol{q}, \boldsymbol{p}$。$D_3=D_4$ 时,(j)与(q)相同。

以上解析结果与数字模拟结果颇为吻合[12],例见图 4.4-1。

4.4.2 内共振情形

设与给定系统(4.1-1)相应的 Hamilton 系统的可积部分有 β 个形如(1.6-24)的内共振关系,引入形如(1.6-25)的角变量组合 ψ_u, $u=1,2,\cdots,\beta$。等效系统满足方程(3.5-6),具有形如(3.5-8)的精确平稳解

$$p(\boldsymbol{q},\boldsymbol{p})= C\exp\left[-\int_0^{I_\eta} h_\eta(\boldsymbol{I}', H_r, \psi')\mathrm{d}I_\eta \right.$$
$$\left. -\int_0^{H_r} h_r(\boldsymbol{I}', H_r, \psi')\mathrm{d}H_r -\int_0^{\psi_u} h_{r+u}(\boldsymbol{I}', H_r, \psi')\mathrm{d}\psi_u\right]$$

$$\eta=1,2,\cdots,r-1;\quad u=1,2,\cdots,\beta \tag{4.4-21}$$

式中 $h_\eta=\partial\lambda/\partial I_\eta$，$h_r=\partial\lambda/\partial H_r$，$h_{r+u}=\partial\lambda/\partial\psi_u$ 满足形如(3.5-7)的相容条件。此时

$$\Delta_i= b_{ij}^{(i)}\frac{\partial I_\eta}{\partial P_j}h_\eta+b_{ij}^{(i)}\frac{\partial H_r}{\partial P_j}h_r + b_{ij}^{(i)}\frac{\partial\psi_u}{\partial P_j}h_{r+u}-M_{ij}\frac{\partial H}{\partial P_j}-\frac{\partial b_{ij}^{(i)}}{\partial P_j} \tag{4.4-22}$$

$$i=1,2,\cdots,n$$

按第一种等效准则，给定系统与等效系统阻尼力之差均方值最小，其必要条件仍形为(4.4-3)或(4.4-4)，其中 s 依次为 η，r 及 $r+u$，共 $r+\beta$ 个。将 $\boldsymbol{q}$，$\boldsymbol{p}$ 变换成 $\boldsymbol{I}'$，$\psi'=[\psi_1\cdots\psi_\beta]^{\mathrm{T}}$，$\theta''=[\theta_1\cdots\theta_{r-\beta-1}]^{\mathrm{T}}$，$q_r$，$\cdots$，$q_n$，$H_r$，$p_{r+1}$，$\cdots$，$p_n$，注意 Jacobi 矩阵$\partial(\boldsymbol{I}',\psi',\theta'')/\partial(q_1,\cdots,q_{r-1},p_1\cdots,p_{r-1})$为$\partial(\boldsymbol{I}',\theta')/\partial(q_1,\cdots,q_{r-1},p_1,\cdots,p_{r-1})$的整数组合，其行列式应为常数，此时(4.4-4)变成

$$\int p(\boldsymbol{I}',H_r,\psi')\mathrm{d}\boldsymbol{I}'\mathrm{d}H_r\mathrm{d}\psi'\times\int_0^{2\pi}\int_{\Omega_1}\left(\delta_i\frac{\delta\delta_i}{\delta g_\mu}\Big/\frac{\partial H_r}{\partial p_r}\right)\times\mathrm{d}q_r\cdots\mathrm{d}q_n\mathrm{d}p_{r+1}\cdots\mathrm{d}p_n\mathrm{d}\theta''=0 \tag{4.4-23}$$

式中 Ω_1 由(4.4-13)确定，

$$g_\mu=\begin{cases}h_\eta, & \mu=\eta=1,2,\cdots,r-1\\ h_r, & \mu=r\\ h_{r+u}, & \mu=r+u=r+1,\cdots,r+\beta\end{cases} \tag{4.4-24}$$

鉴于在确定 g_μ 之前 $p(\boldsymbol{I}',H_r,\psi')$为未知，(4.4-23)代之以更严厉的条件

$$\int_0^{2\pi}\int_{\Omega_1}\left(\delta_i\frac{\delta\delta_i}{\delta g_\mu}\Big/\frac{\partial H_r}{\partial p_r}\right)\mathrm{d}q_r\cdots\mathrm{d}q_n\mathrm{d}p_{r+1}\cdots\mathrm{d}p_n\mathrm{d}\theta''=0$$

$$\mu=1,2,\cdots r+\beta \tag{4.4-25}$$

这是关于 g_μ 的线性代数方程组。

按第二种等效准则，单位时间内给定系统与等效系统阻尼力耗能之差的均方值最小，其必要条件仍如(4.4-15)，其中 s 依次为

η, r, $r+u$, 共 $r+\beta$ 个。按上述推导,可得确定 $r+\beta$ 个 g_μ 的线性代数方程组

$$\int_0^{2\pi}\int_{\Omega_1}\left[\frac{\partial H}{\partial p_i}\delta_i\frac{\delta}{\delta g_\mu}\left(\frac{\partial H}{\partial p_i}\delta_i\right)\Big/\frac{\partial H_r}{\partial p_r}\right]\mathrm{d}q_r\cdots\mathrm{d}q_n\mathrm{d}p_{r+1}\cdots\mathrm{d}p_n\mathrm{d}\theta''=0$$

$$s=1,2,\cdots,r+\beta \tag{4.4-26}$$

按第三种等效准则,给定系统与等效系统的首次积分时间变化率之期望相等,可导得形如(4.4-18)的方程,然后按上述推导步骤可得确定 $r+\beta$ 个 g_μ 线性代数方程组

$$\int_0^{2\pi}\int_{\Omega_1}\left(\frac{\partial I_\eta}{\partial p_i}\delta_i\Big/\frac{\partial H_r}{\partial p_r}\right)\mathrm{d}q_r\cdots\mathrm{d}q_n\mathrm{d}p_{r+1}\cdots\mathrm{d}p_n\mathrm{d}\theta''=0 \tag{4.4-27a}$$

$$\int_0^{2\pi}\int_{\Omega_1}\left(\frac{\partial H_r}{\partial p_i}\delta_i\Big/\frac{\partial H_r}{\partial p_r}\right)\mathrm{d}q_r\cdots\mathrm{d}q_n\mathrm{d}p_{r+1}\cdots\mathrm{d}p_n\mathrm{d}\theta''=0 \tag{4.4-27b}$$

$$\int_0^{2\pi}\int_{\Omega_1}\left(\frac{\partial \psi_\mu}{\partial p_i}\delta_i\Big/\frac{\partial H_r}{\partial p_r}\right)\mathrm{d}q_r\cdots\mathrm{d}q_n\mathrm{d}p_{r+1}\cdots\mathrm{d}p_n\mathrm{d}\theta''=0 \tag{4.4-27c}$$

$$\eta=1,2,\cdots,r-1;\mu=1,2,\cdots,\beta.$$

将(4.4-22)代入(4.4-25),(4.4-26)或(4.4-27),可解得 $r+\beta$ 个 g_μ,当它们满足形如(3.5-7)的相容条件时,将它们代入(4.4-21),积分可得给定系统(4.4-1)的近似平稳概率密度。

例 4.4-2 仍考虑给定系统(a),现设相应 Hamilton 系统存在内共振关系 $\omega_1=\omega_2$,引入角变量组合

$$\psi=\theta_1-\theta_2 \tag{r}$$

此时,给定系统与等效系统之差为

$$\begin{aligned}
\delta_1&=D_1[p_1h_1+(\partial\psi/\partial p_1)h_4]-M_{11}p_1-M_{12}p_2\\
\delta_2&=D_2[p_2h_2+(\partial\psi/\partial p_2)h_4]-M_{21}p_1-M_{22}p_2\\
\delta_3&=D_3p_3h_3-M_{33}p_3\\
\delta_4&=D_4p_4h_3-M_{44}p_4
\end{aligned}\tag{s}$$

按第一种准则，将(s)代入(4.4-25)，在条件(g)满足时，可解得

$$
\begin{aligned}
g_1 &= \left[\alpha_{10} + 3\alpha_{11}\omega_1 I_1/2 + \alpha_{12}\omega_2 I_2(1+(1/2)\cos 2\psi)\right.\\
&\quad \left. + \alpha_{15}H_3 + \alpha_{16}\sqrt{\omega_2 I_2/\omega_1 I_1}\cos\psi\right]\omega_1 / D_1\\
g_2 &= \left[\alpha_{20} + \alpha_{21}\omega_1 I_1(1+(1/2)\cos 2\psi) + 3\alpha_{22}\omega_2 I_2/2\right.\\
&\quad \left. + \alpha_{25}H_3 + \alpha_{26}\sqrt{\omega_1 I_1/\omega_2 I_2}\cos\psi\right]\omega_2 / D_2\\
g_3 &= [(\alpha_{30}D_3 + \alpha_{40}D_4) + (\alpha_{31}D_3 + \alpha_{41}D_4)\omega_1 I_1\\
&\quad + (\alpha_{32}D_3 + \alpha_{42}D_4)\omega_2 I_2 + (\alpha_{35}D_3 + \alpha_{45}D_4)H_3]/(D_3^2 + D_4^2)\\
g_4 &= -(\alpha_{12}\omega_1\omega_2 I_1 I_2/D_1)\sin 2\psi\\
&\quad -(2\alpha_{16}/D_2)\sqrt{\omega_1\omega_2 I_1 I_2}\sin\psi
\end{aligned}
\tag{t}
$$

当(i)成立时，(t)中 g_μ 满足相容条件，将它们代入(4.4-21)，积分得(a)之近似平稳概率密度

$$
\begin{aligned}
p(\boldsymbol{q},\boldsymbol{p}) = C\exp\Bigg\{-\Bigg[&\frac{\alpha_{10}}{D_1}H_1 + \frac{\alpha_{20}}{D_2}H_2 + \frac{\alpha_{30}D_3 + \alpha_{40}D_4}{D_3^2 + D_4^2}H_3\\
&+ \frac{3\alpha_{11}}{4D_1}H_1^2 + \frac{3\alpha_{22}}{4D_2}H_2^2 + \frac{\alpha_{35}D_3 + \alpha_{45}D_4}{2(D_3^2 + D_4^2)}H_3^2\\
&+ \frac{\alpha_{12}}{D_1}H_1H_2\left(1 + \frac{1}{2}\cos 2\psi\right) + \frac{\alpha_{15}}{D_1}H_1H_3\\
&+ \frac{\alpha_{25}}{D_2}H_2H_3 + \frac{2\alpha_{16}}{D_1}\sqrt{H_1H_2}\cos\psi\Bigg]\Bigg\}_{\substack{H_s = H_s(\boldsymbol{q},\boldsymbol{p})\\ \psi = \psi(\boldsymbol{q},\boldsymbol{p})}}
\end{aligned}
\tag{u}
$$

按第二种等效准则，将(s)代入(4.4-26)，在条件(k)满足时，可解得

$$
\begin{aligned}
g_1 &= \left[\alpha_{10} + 5\alpha_{11}\omega_1 I_1/3 + \alpha_{12}\omega_2 I_2(1+(2/3)\cos 2\psi) + \alpha_{15}H_3\right.\\
&\quad \left. + \alpha_{16}\sqrt{\omega_2 I_2/\omega_1 I_1}\cos\psi\right]\omega_1 \Big/ D_1\\
g_2 &= \left[\alpha_{20} + \alpha_{21}\omega_1 I_1(1+(2/3)\cos 2\psi) + 5\alpha_{22}H_2/3 + \alpha_{25}H_3\right.\\
&\quad \left. + \alpha_{26}\sqrt{\omega_1 I_1/\omega_2 I_2}\cos\psi\right]\omega_2 \Big/ D_2\\
g_3 &= [(\alpha_{30}D_3 + \alpha_{40}D_4) + (\alpha_{31}D_3 + \alpha_{41}D_4)\omega_1 I_1\\
&\quad + (\alpha_{32}D_3 + \alpha_{42}D_4)\omega_2 I_2 + (\alpha_{35}D_3 + \alpha_{45}D_4)H_3]/(D_3^2 + D_4^2)
\end{aligned}
\tag{v}
$$

$$g_4 = -(2\alpha_{12}\omega_1\omega_2 I_1 I_2/D_1)\sin 2\psi - (2\alpha_{16}/D_1)\sqrt{\omega_1\omega_2 I_1 I_2}\sin\psi$$

在

$$\alpha_{12} = \alpha_{21} = 0,\ \alpha_{15}/D_1 = (\alpha_{31}D_3 + \alpha_{41}D_4)/(D_3^2 + D_4^2)$$
$$\alpha_{25}/D_2 = (\alpha_{32}D_3 + \alpha_{42}D_4)/(D_3^2 + D_4^2),\ \alpha_{16}/D_1 = \alpha_{26}/D_2 \tag{w}$$

成立时，(v)中 g_μ 满足相容条件，将它们代入(4.4-21)，积分得(a)之近似平稳概率密度

$$p(\boldsymbol{q},\boldsymbol{p}) = C\exp\left\{-\left[\frac{\alpha_{10}}{D_1}H_1 + \frac{\alpha_{20}}{D_2}H_2 + \frac{\alpha_{30}D_3 + \alpha_{40}D_4}{D_3^2 + D_4^2}H_3 + \frac{5\alpha_{11}}{6D_1}H_1^2 + \frac{5\alpha_{22}}{6D_2}H_2^2 + \frac{\alpha_{35}D_3 + \alpha_{45}D_4}{2(D_3^2 + D_4^2)}H_3^2 + \frac{\alpha_{15}}{D_1}H_1H_3 + \frac{\alpha_{25}}{D_2}H_2H_3 + \frac{2\alpha_{16}}{D_1}\sqrt{H_1H_2}\cos\psi\right]\right\}\Bigg|_{\substack{H_s = H_s(\boldsymbol{q},\boldsymbol{p})\\ \psi = \psi(\boldsymbol{q},\boldsymbol{p})}} \tag{x}$$

按第三种等效准则，将(s)代入(4.4-27)，在条件(n)成立时，可解得

$$\begin{aligned}
g_1 &= [\alpha_{10} + 3\alpha_{11}\omega_1 I_1/2 + \alpha_{12}\omega_2 I_2(1 + (1/2)\cos 2\psi) + \alpha_{15}H_3 \\
&\quad + \alpha_{16}\sqrt{\omega_2 I_2/\omega_1 I_1}\cos\psi]\,\omega_1/D_1 \\
g_2 &= [\alpha_{20} + \alpha_{21}\omega_1 I_1(1 + (1/2)\cos 2\psi) + 3\alpha_{22}\omega_2 I_2/2 + \alpha_{25}H_3 \\
&\quad + \alpha_{26}\sqrt{\omega_1 I_1/\omega_2 I_2}\cos\psi]\,\omega_2/D_2 \\
g_3 &= [(\alpha_{30} + \alpha_{40}) + (\alpha_{31} + \alpha_{41})\omega_1 I_1 \\
&\quad + (\alpha_{32} + \alpha_{42})\omega_2 I_2 + (\alpha_{35} + \alpha_{45})H_3]/(D_3 + D_4) \\
g_4 &= -(\alpha_{12}\omega_1\omega_2 I_1 I_2/D_1)\sin 2\psi - (2\alpha_{16}/D_1)\sqrt{\omega_1\omega_2 I_1 I_2}\sin\psi
\end{aligned} \tag{y}$$

在条件(p)成立，且 $\alpha_{16}/D_1 = \alpha_{26}/D_2$ 时，(y)中 g_μ 满足相容条件，将它们代入(4.4-21)，积分得(a)之近似平稳概率密度

$$p(\boldsymbol{q},\boldsymbol{p}) = C\exp\left\{-\left[\frac{\alpha_{10}}{D_1}H_1 + \frac{\alpha_{20}}{D_2}H_2 + \frac{\alpha_{30} + \alpha_{40}}{D_3 + D_4}H_3 + \frac{3\alpha_{11}}{4D_1}H_1^2 + \frac{3\alpha_{22}}{4D_2}H_2^2 + \frac{\alpha_{35} + \alpha_{45}}{2(D_3 + D_4)}H_3^2 + \frac{\alpha_{12}}{D_1}H_1H_2\left(1 + \frac{1}{2}\cos 2\psi\right)\right.\right.$$

$$+\frac{\alpha_{15}}{D_1}H_1H_3+\frac{\alpha_{25}}{D_2}H_2H_3+\frac{2\alpha_{16}}{D_1}\sqrt{H_1H_2}\cos\psi\Bigg\}\Bigg|_{\substack{H_s=H_s(\boldsymbol{q},\boldsymbol{p})\\ \psi=\psi(\boldsymbol{q},\boldsymbol{p})}} \tag{z}$$

(u)、(x)及(z)中，$\boldsymbol{q}=[q_1\ q_2\ q_3\ q_4]^{\mathrm{T}}$，$\boldsymbol{p}=[p_1\ p_2\ p_3\ p_4]^{\mathrm{T}}$，$\psi=\psi(\boldsymbol{q},$

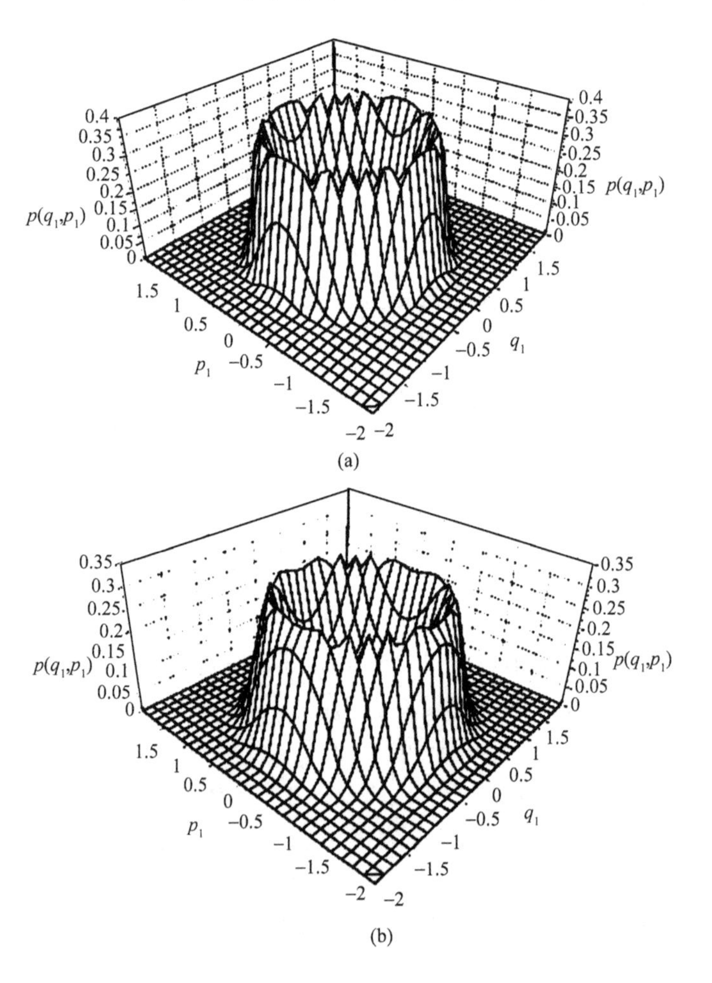

图 4.4-2　例 4.4-1 共振情形系统(a)的平稳边缘概率密度 $p(q_1,p_1)$。$\omega_2=1.0$，其他参数与图 4.4-1 中相同

(a)按第一、三准则得到；(b)由数字模拟得到

p)由(d)、(r)求得。

以上解析结果与数字模拟结果颇为吻合[12]，见图 4.2-2。注意，当 $D_3 = D_4$ 时，第一种等效准则与第三种准则给出相同的平稳概率密度。比较图 4.4-1 与 4.4-2 知，非共振与共振情形响应性态不同。

参考文献

[1] Kozin F. The method of statistical linearization for nonlinear stochastic vibrations. Nonlinear Stochastic Dynamical Engineering Systems, Proceedings of IUTAM Symposium, Ziegler F, Schuëller G I. (Eds.), Berlin: Springer, 1988, 45—56

[2] Bernard P. Stochastic linearization: the theory. Journal of Applied Probability, 1998, 35: 718—730

[3] Lutes L D. Approximate technique for treating random vibration of hysteretic systems. Journal of Acoustic Society of America, 1970, 48: 300—306

[4] Caughey T K. On response of nonlinear oscillators to stochastic excitation. Probabilistic Engineering Mechanics, 1986, 1: 2—4

[5] Lin A. A Numerical evaluation of the method of equivalent nonlinearization. Ph.D. Thesis, California Institute of Technology, Pasadena, CA, USA, 1988

[6] Cai G Q, Lin Y K. A new approximate solution technique for randomly excited nonlinear oscillators. International Journal of Non-Linear Mechanics, 1988, 23: 409—420

[7] Zhu W Q, Yu J S. The equivalent nonlinear system method. Journal of Sound and Vibration, 1989, 129: 385—395

[8] To C W S, Li D M. Equivalent nonlinearization of nonlinear systems to random excitations. Probabilistic Engineering Mechanics, 1991, 6: 184—192

[9] 朱位秋.随机振动.北京:科学出版社,1998

[10] Zhu W Q, Soong T T, Lei Y. Equivalent nonlinear system method for stochastically excited Hamiltonian systems. ASME Journal of Applied Mechanics, 1994, 61: 618—623

[11] Zhu W Q, Lei Y. Equivalent nonlinear system method for stochastically excited and dissipated integrable Hamiltonian systems. ASME Journal of Applied Mechanics, 1997, 64: 209—216

[12] Zhu W Q, Huang Z L, Suzuki Y. Equivalent non-linear system method for stochastically excited and dissipated partially integrable Hamiltonian systems. International

Journal of Non-Linear Mechanics, 2001, 36: 773—786

[13] Cai G Q, Lin Y K. Exact and approximate solutions for randomly excited MDOF nonlinear systems. International Journal of Non-Linear Mechanics, 1996, 31: 647—655

[14] To C W S, Lin R. Bifurcation in a stochastically disturbed nonlinear two-degree-of-freedom system. Structural Safety, 1989, 6: 223—231

第五章　随机平均法

在非线性随机动力学与控制的 Hamilton 理论中，拟 Hamilton 系统的响应、稳定性、分岔、首次穿越及控制都是用平均 Itô 方程进行研究的，因此，拟 Hamilton 系统随机平均法是该理论的核心。本章首先简要介绍随机平均原理，然后叙述 Gauss 白噪声激励下拟 Hamilton 系统的随机平均，宽带随机激励下拟可积 Hamilton 系统的随机平均以及在谐和与白噪声及有界噪声激励下单自由度强非线性系统随机平均。关于古典随机平均法及其发展与应用参见文献[1～5]。

5.1　随机平均原理

随机平均原理是随机平均法的严格数学基础。本书中所发展的拟 Hamilton 随机平均法用到两种形式随机平均原理，一是被经常引用的 Stratonovich-Khasminskii 极限定理，该定理乃由 Stratonovich[6]基于物理考虑提出，然后 Khasminskii[7]为该定理提供了严格的数学提法与证明，Papanicolao 与 Kohler[8]则对该定理作了改进与引申。该定理的数学提法较为一般，此处仅限于本书用到的特殊形式。

考虑含正小参数 ε 的规则随机微分方程

$$\dot{X}_i = \varepsilon f_i(\boldsymbol{X},t) + \varepsilon^{1/2} g_{ik}(\boldsymbol{X},t)\xi_k(t) \tag{5.1-1}$$

$$i = 1,2,\cdots,n;\quad k = 1,2,\cdots,m$$

若函数 f_i 与 g_{ik}数、满足诸如连续、有界之类在实际问题中几乎都能满足的条件，$\xi_k(t)$是零均值平稳随机过程，它们是宽带过程，或其相关函数 $R_{kl}(\tau)$随 τ 足够快(如快于 τ^{-6})衰减，或满足强混合条件，则当 $\varepsilon\to 0$ 时，在 ε^{-1} 量级的时间区间上，$\boldsymbol{X}(t)$弱收敛于一个 n 维扩散 Markov 过程，其漂移与扩散系数为

$$m_i(\boldsymbol{x}) = \left\langle f_i(\boldsymbol{x},t) + \int_{-\infty}^{0} \frac{\partial g_{ik}(\boldsymbol{x},t)}{\partial x_j} g_{jl}(\boldsymbol{x},t+\tau) R_{kl}(\tau) \mathrm{d}\tau \right\rangle_t$$

$$b_{ij}(\boldsymbol{x}) = \left\langle \int_{-\infty}^{\infty} g_{ik}(\boldsymbol{x},t) g_{jl}(\boldsymbol{x},t+\tau) R_{kl}(\tau) \mathrm{d}\tau \right\rangle_t \tag{5.1-2}$$

式中

$$\langle \cdot \rangle_t = \lim_{T\to\infty} \frac{1}{T} \int_{t_0}^{t_0+T} \langle \cdot \rangle \mathrm{d}t \tag{5.1-3}$$

为时间平均算子。(5.1-3)中只对显含之 t 积分。(5.1-2)中对 τ 积分与对 t 平均时，x_j 被当作常数。当 f_i 与 g_{ik} 是 t 以 T_0 为周期的周期函数时，(5.1-3)化为

$$\langle \cdot \rangle_t = \frac{1}{T_0} \int_{t_0}^{t_0+T_0} \langle \cdot \rangle \mathrm{d}t \tag{5.1-4}$$

上述极限扩散过程可用下列平均 Itô 随机微分方程描述：

$$\mathrm{d}X_i = \varepsilon m_i(\boldsymbol{X}) \mathrm{d}t + \varepsilon^{1/2} \sigma_{il}(\boldsymbol{X}) \mathrm{d}B_l(t) \tag{5.1-5}$$

$$i = 1, 2, \cdots, n; \quad l = 1, 2, \cdots, r$$

式中 $B_l(t)$为标准 Wiener 过程，

$$\begin{aligned} m_i(\boldsymbol{X}) &= m_i(\boldsymbol{x})\big|_{\boldsymbol{x}=\boldsymbol{X}} \\ \sigma_{il}(\boldsymbol{X})\sigma_{jl}(\boldsymbol{X}) &= b_{ij}(\boldsymbol{x})\Big|_{\boldsymbol{x}=\boldsymbol{X}} \end{aligned} \tag{5.1-6}$$

注意，鉴于 b_{ij}分解为 σ_{il}的非惟一性，r 可视具体情况取值。

此外，已证[9]，(5.1-1)中 $\boldsymbol{X}(t)$的矩也收敛于(5.1-5)中相应矩。在 $\xi_k(t)$遍历时，上述收敛性在 $t\to\infty$时仍成立，因此，对足够小的 ε，由(5.1-5)的稳定性与不变测度可推出(5.1-1)的相应性质，即可用(5.1-5)近似代替(5.1-1)考察稳定性与平稳分布。

当 $\xi_k(t)$是强度为 $2D_{kl}$的 Gauss 白噪声时，上述极限定理仍成立，此时(5.1-2)化为

$$m_i(\boldsymbol{x}) = \left\langle f_i(\boldsymbol{x},\boldsymbol{t}) + D_{kl} \frac{\partial g_{ik}(\boldsymbol{x},\boldsymbol{t})}{\partial x_j} g_{jl}(\boldsymbol{x},\boldsymbol{t}) \right\rangle t$$

$$b_{ij}(\boldsymbol{x}) = \left\langle 2D_{kl} g_{ik}(\boldsymbol{x},\boldsymbol{t}) g_{il}(\boldsymbol{x},\boldsymbol{t}) \right\rangle_t \tag{5.1-7}$$

若进一步假定 f_i 与 g_{ik} 不显含 t，则(5.1-7)化为

$$
\begin{aligned}
m_i(\boldsymbol{x}) &= f_i(\boldsymbol{x}) + D_{kl}\frac{\partial g_{ik}(\boldsymbol{x})}{\partial x_j}g_{jl}(\boldsymbol{x}) \\
b_{ij}(\boldsymbol{x}) &= 2D_{kl}g_{ik}(\boldsymbol{x})g_{jl}(\boldsymbol{x})
\end{aligned}
\tag{5.1-8}
$$

第一式中的第二项即为 Wong-Zakai 修正项。

本书中经常引用的另一随机平均原理是 Khasminskii 的另一个定理[10]。考虑 Itô 随机微分方程

$$
\begin{aligned}
&\mathrm{d}X_i = \varepsilon F_i(\boldsymbol{X},\boldsymbol{Y})\mathrm{d}t + \varepsilon^{1/2}G_{ik}(\boldsymbol{X},\boldsymbol{Y})\mathrm{d}B_k(t) \\
&\mathrm{d}Y_r = B_r(\boldsymbol{X},\boldsymbol{Y})\mathrm{d}t + C_{rk}(\boldsymbol{X},\boldsymbol{Y})\mathrm{d}B_k(t) \\
&i = 1,2,\cdots,n; \quad k = 1,2,\cdots,m; \quad r = 1,2,\cdots,s
\end{aligned}
\tag{5.1-9}
$$

$\boldsymbol{X}(t)$为 n 维慢变过程，$\boldsymbol{Y}(t)$为 s 维快变过程。假定函数 F_i、B_r、G_{ik}、C_{rk}有界，满足 Lipschitz 条件。引入随机过程 $\boldsymbol{Y}^{xy}(t)$，它满足 Itô 随机微分方程

$$
\mathrm{d}Y_r^{xy} = B_r(\boldsymbol{x},\boldsymbol{Y}^{xy})\mathrm{d}t + C_{rk}(\boldsymbol{x},\boldsymbol{Y}^{xy})\mathrm{d}B_k(t) \tag{5.1-10}
$$

其解是以 $\boldsymbol{x}$ 为参数的 s 维扩散 Markov 过程。假定存在函数 $m_i(\boldsymbol{x})$、$b_{ij}(\boldsymbol{x})$，使得

$$
\begin{aligned}
&E\left[\left|\frac{1}{T}\int_t^{t+T}F_i(\boldsymbol{x},\boldsymbol{Y}^{xy})\mathrm{d}s - m_i(\boldsymbol{x})\right|\right] < \chi(T) \\
&E\left[\left|\frac{1}{T}\int_t^{t+T}G_{ik}(\boldsymbol{x},\boldsymbol{Y}^{xy})G_{jk}(\boldsymbol{x},\boldsymbol{Y}^{xy})\mathrm{d}s - b_{ij}(\boldsymbol{x})\right|\right] < \chi(T)
\end{aligned}
\tag{5.1-11}
$$

式中随 $T\to\infty$，$\chi(T)\to 0$，则当 $\varepsilon\to 0$ 时，在 ε^{-1} 量级的时间区间上 $\boldsymbol{X}(t)$弱收敛于 n 维扩散 Markov 过程，其漂移与扩散系数为 $m_i(\boldsymbol{x})$与 $b_{ij}(\boldsymbol{x})$，可用如下平均 Itô 随机微分方程描述：

$$
\begin{aligned}
&\mathrm{d}X_i = \varepsilon m_i(\boldsymbol{X})\mathrm{d}t + \varepsilon^{1/2}\sigma_{ik}(\boldsymbol{X})\mathrm{d}B_k(t) \\
&i = 1,2,\cdots,n; \quad k = 1,2,\cdots,m
\end{aligned}
\tag{5.1-12}
$$

式中

$$
\begin{aligned}
m_i(\boldsymbol{X}) &= m_i(\boldsymbol{x})\big|_{\boldsymbol{x}=\boldsymbol{X}} \\
\sigma_{ik}(\boldsymbol{X})\sigma_{jk}(\boldsymbol{X}) &= b_{ij}(\boldsymbol{X})\big|_{\boldsymbol{x}=\boldsymbol{X}}
\end{aligned}
\tag{5.1-13}
$$

5.2 拟不可积 Hamilton 系统的随机平均

考虑 Gauss 白噪声激励下耗散的 Hamilton 系统(3.2-1),其等价 Itô 随机微分方程为(3.2-6)。设阻尼力与随机激励强度同为 ε 阶小量,即

$$m_{ij} = \varepsilon m'_{ij}, \quad \sigma_{ik} = \varepsilon^{1/2} \sigma'_{ik} \tag{5.2-1}$$

式中 ε 为一正小参数,m'_{ij}、σ'_{ik}为有限量。(3.2-6)可改写成

$$\begin{aligned} \mathrm{d}Q_i &= \frac{\partial H}{\partial P_i}\mathrm{d}t \\ \mathrm{d}P_i &= -\left[\frac{\partial H}{\partial Q_i} + \varepsilon m'_{ij}(\boldsymbol{Q},\boldsymbol{P})\frac{\partial H}{\partial P_j}\right]\mathrm{d}t + \varepsilon^{1/2}\sigma'_{ik}(\boldsymbol{Q},\boldsymbol{P})\mathrm{d}B_k(t) \\ & i,j = 1,2,\cdots,n; \quad k = 1,2,\cdots,m \end{aligned} \tag{5.2-2}$$

(5.2-2)称为拟 Hamilton 系统。引入小参数 ε 乃为便于引用上节叙述的随机平均原理。在物理上,只要在振动一周中,随机激励输入系统的能量与阻尼消耗的能量之差同系统本身能量相比为小,即可视为拟 Hamilton 系统。

再设以 H 为 Hamilton 函数的 Hamilton 系统为不可积,即 H 是与(5.2-2)相应的 Hamilton 系统的惟一独立首次积分。引入变换

$$H = H(\boldsymbol{Q},\boldsymbol{P}) \tag{5.2-3}$$

应用 Itô 微分公式(2.6-1),可由(5.2-2)导得 Hamilton 过程 $H(t)$ 所满足的 Itô 随机微分方程

$$\begin{aligned} \mathrm{d}H =& \varepsilon\left(-m'_{ij}\frac{\partial H}{\partial P_j}\frac{\partial H}{\partial P_i} + \frac{1}{2}\sigma'_{ik}\sigma'_{jk}\frac{\partial^2 H}{\partial P_i \partial P_j}\right)\mathrm{d}t \\ & + \varepsilon^{1/2}\frac{\partial H}{\partial P_i}\sigma'_{ik}\mathrm{d}B_k(t) \end{aligned} \tag{5.2-4}$$

以(5.2-4)代替(5.2-2)中关于 P_1 的方程,并在(5.2-2)的其余方程及(5.2-4)中,按(5.2-3)以 H 代替 P_1。这组新方程形同(5.1-9),$\boldsymbol{Q}(t)$,$P_2(t)$,$\cdots$,$P_n(t)$为快变过程,而 $H(t)$为慢变过程。根据 Khasminskii 定理[10],在 $\varepsilon \to 0$ 时,在 ε^{-1}量级时间区间

上，$H(t)$弱收敛于一维扩散过程。仍以 $H(t)$表示这一极限扩散过程，则支配该过程的平均 Itô 随机微分方程形为

$$dH = \bar{m}(H)dt + \bar{\sigma}(H)dB(t) \tag{5.2-5}$$

式中 $\bar{m}$，$\bar{\sigma}$ 按(5.1-11)与(5.1-13)计算，计算时须将 H 看成常参数。由(5.2-2)的第一式，dt 可代之以 $dQ_1/(\partial H/\partial P_1)$。$H$ 为常数条件下，其余 Q_i，P_i 的运动可用相应 Hamilton 系统在等能量面上运动近似。按 1.9，对不可积 Hamilton 系统在等能量面上可作遍历假设，即 $H(\boldsymbol{q},\boldsymbol{p})=H$ 为常数约束下，系统状态以等概率分布于等能量面上。于是，(5.1-11)中的时间平均可代之以空间平均，即

$$\bar{m}(H)=\frac{1}{T(H)}\int_{\Omega}\left[\left(-m_{ij}\frac{\partial H}{\partial p_i}\frac{\partial H}{\partial p_j}+\frac{1}{2}\sigma_{ik}\sigma_{jk}\frac{\partial^2 H}{\partial p_i \partial p_j}\right)\Bigg/\frac{\partial H}{\partial p_1}\right] \times dq_1\cdots dq_n dp_2\cdots dp_n \tag{5.2-6}$$

$$\bar{\sigma}^2(H)=\frac{1}{T(H)}\int_{\Omega}\left(\sigma_{ik}\sigma_{jk}\frac{\partial H}{\partial p_i}\frac{\partial H}{\partial p_j}\Bigg/\frac{\partial H}{\partial p_1}\right)dq_1\cdots dq_n dp_2\cdots dp_n$$

式中

$$T(H)=\int_{\Omega}\left(1\Bigg/\frac{\partial H}{\partial p_1}\right)dq_1\cdots dq_n dp_2\cdots dp_n \tag{5.2-7}$$

$$\Omega=\{(q_1,\cdots,q_n,p_2,\cdots p_n)\mid H(q_1,\cdots,q_n,0,p_2,\cdots,p_n)\leqslant H\}$$

与(5.2-5)相应的平均 FPK 方程为

$$\frac{\partial p}{\partial t}=-\frac{\partial}{\partial H}[a(H)p]+\frac{1}{2}\frac{\partial^2}{\partial H^2}[b(H)p] \tag{5.2-8}$$

式中

$$a(H)=\bar{m}(H),\ b(H)=\bar{\sigma}^2(H) \tag{5.2-9}$$

$p=p(H,t\mid H_0)$为修正后 Hamilton 过程的转移概率密度，相应初始条件为

$$p(H,0\mid H_0)=\delta(H-H_0) \tag{5.2-10}$$

或 $p=p(H,t)$为修正后 Hamilton 过程的无条件概率密度，相应初始条件为

$$p(H,0)=p(H_0) \tag{5.2-11}$$

边界条件取决于与(5.2-2)相应的 Hamilton 系统的性态与对系统施加的约束。若 $H(t)$可在$[0,\infty]$内变化，则边界条件为

$$p = \text{有限}, H = 0 \tag{5.2-12}$$

$$p, \mathrm{d}p/\mathrm{d}H \to 0, H \to \infty \tag{5.2-13}$$

(5.2-12)表明，H 不能小于零，$H=0$ 是一个反射边界。(5.2-12)是一个定性边界条件，可据 $a(0)$，$b(0)$之值从(5.2-8)导得定量边界条件。(5.2-13)表明，无穷远处同为吸收与反射边界。此外，p 还须满足归一化条件。

FPK 方程(5.2-8)一般需数值求解，但它的平稳解极易求出为

$$p(H) = C\exp[-\lambda(H)] \tag{5.2-14}$$

式中

$$\lambda(H) = \int_0^H \left\{ \left[\frac{\mathrm{d}b(u)}{\mathrm{d}u} - 2a(u) \right] \Big/ b(u) \right\} \mathrm{d}u$$

$$C^{-1} = \int_0^\infty \exp[-\lambda(H)] \mathrm{d}H \tag{5.2-15}$$

原系统(5.2-2)的广义位移与广义动量的平稳概率密度借变换(5.2-3)导出

$$p(\boldsymbol{q}, \boldsymbol{p}) = p(\boldsymbol{q}, p_2, \cdots, p_n \mid H) p(H) \left| \frac{\partial H}{\partial p_1} \right| \tag{5.2-16}$$

(5.2-6)意味着

$$p(\boldsymbol{q}, p_2, \cdots, p_n \mid H) = C' \Big/ \left| \frac{\partial H}{\partial p_1} \right| \tag{5.2-17}$$

将(5.2-17)归一化后代入(5.2-16)，得

$$p(\boldsymbol{q}, \boldsymbol{p}) = p(H)/T(H) \Big|_{H=H(\boldsymbol{q}, \boldsymbol{p})} \tag{5.2-18}$$

对单自由度系统，上述拟不可积 Hamilton 系统随机平均退化为能量包线随机平均[1]。

上述拟不可积 Hamilton 系统随机平均法还可推广于如下更一般系统：

$$\mathrm{d}Q_i = D(\boldsymbol{Q}) \frac{\partial H}{\partial P_i} \mathrm{d}t$$

$$\mathrm{d}P_i = -\left[D(\boldsymbol{Q})\frac{\partial H}{\partial Q_i} + \varepsilon m'_{ij}(\boldsymbol{Q},\boldsymbol{P})\frac{\partial H}{\partial P_j}\right]\mathrm{d}t$$
$$+ \varepsilon^{1/2}\sigma'_{ik}(\boldsymbol{Q},\boldsymbol{P})\mathrm{d}B_k(t)$$
$$i,j = 1,2,\cdots n;\quad k = 1,2,\cdots,m \tag{5.2-19}$$

$D(\boldsymbol{Q})=1$ 时,(5.2-19)化为(5.2-2)。设以 $H(\boldsymbol{q},\boldsymbol{p})$为 Hamilton 函数的 Hamilton 系统为不可积,则仍可由(5.2-19)导出平均 Itô 方程(5.2-5)与平均 FPK 方程(5.2-8),此时,漂移与扩散系数为

$$\bar{m}(H) = a(H)$$
$$= \frac{1}{T^*(H)}\int_\Omega \left[\left(-m_{ij}\frac{\partial H}{\partial p_i}\frac{\partial H}{\partial p_j} + \frac{1}{2}\sigma_{ik}\sigma_{jk}\frac{\partial^2 H}{\partial p_i \partial p_j}\right)\Big/ D\frac{\partial H}{\partial p_1}\right]$$
$$\times \mathrm{d}q_1\cdots\mathrm{d}q_n\mathrm{d}p_2\cdots\mathrm{d}p_n$$

$$\bar{\sigma}^2(H) = b(H)$$
$$= \frac{1}{T^*(H)}\int_\Omega \left(\sigma_{ik}\sigma_{jk}\frac{\partial H}{\partial p_i}\frac{\partial H}{\partial p_j}\Big/ D\frac{\partial H}{\partial p_1}\right)\mathrm{d}q_1\cdots\mathrm{d}q_n\mathrm{d}p_2\cdots\mathrm{d}p_n$$

$$T^*(H) = \int_\Omega \left(1\Big/ D\frac{\partial H}{\partial p_1}\right)\mathrm{d}q_1\cdots\mathrm{d}q_n\mathrm{d}p_2\cdots\mathrm{d}p_n \tag{5.2-20}$$

式中 Ω 仍由(5.2-7)确定。设(5.2-19)的平均 FPK 方程之平稳解为 $p^*(H)$,类似于(5.2-16)~(5.2-18)推导,得系统(5.2-19)的近似平稳解

$$p^*(\boldsymbol{q},\boldsymbol{p}) = p^*(H)/T^*(H)\Big|_{H=H(\boldsymbol{q},\boldsymbol{p})} \tag{5.2-21}$$

例 5.2-1 仍考虑例 4.2-1 中系统(a),其等价 Itô 随机微分方程为(d),设 λ_i、α_i、S_k 同为 ε 量级。对该例,平均 Itô 方程(5.2-5)与平均 FPK 方程(5.2-8)中的漂移与扩散系数为

$$\bar{m}(H) = a(H) - \frac{1}{T(H)}\int_\Omega \{[(\lambda_1 - \alpha_1 q_1^2)p_1^2$$
$$+ (\lambda_1 - \lambda_2 - \alpha_2 q_2^2)p_2^2 + \pi S_1 f_1^2 q_1^2$$
$$+ \pi S f_2^2 q_2^2]/p_1\}\mathrm{d}q_1\mathrm{d}q_2\mathrm{d}p_2 \tag{a}$$

$$\bar{\sigma}^2(H) = b(H) = \frac{2\pi}{T(H)}$$

$$\times\int_{\Omega}[(S_1 f_1^2 q_1^2 p_1^2+S_2 f_2^2 q_2^2 p_2^2)/p_1]\mathrm{d}q_1\mathrm{d}q_2\mathrm{d}p_2$$

式中

$$T(H)=\int_{\Omega}(1/p_1)\mathrm{d}q_1\mathrm{d}q_2\mathrm{d}p_2 \tag{b}$$

$$\Omega=\{(q_1,q_2,p_2)\mid H(q_1,q_2,0,p_2)\leqslant H\}$$

引入极坐标

$$q_1=(R/\omega_1)\cos\theta,q_2=(R/\omega_2)\sin\theta \tag{c}$$

(a)、(b)化为

$$a(H)=\omega_1\omega_2\frac{2\pi}{T(H)}\int_0^{\pi}\left[(2\lambda_1-\lambda_2)A(H,\theta)-\left(\frac{\alpha_1}{\omega_1^2}\cos^2\theta+\frac{\alpha_2}{\omega_2^2}\sin^2\theta\right)\right.$$

$$\left.\times B(H,\theta)+\frac{R^4}{2}\left(\frac{f_1^2\pi S_1}{\omega_1^2}\cos^2\theta+\frac{f_2^2\pi S_2}{\omega_2^2}\sin^2\theta\right)\right]\mathrm{d}\theta \tag{d}$$

$$b(H)=\omega_1\omega_2\frac{4\pi}{T(H)}\int_0^{\pi}\left(\frac{f_1^2\pi S_1}{\omega_1^2}\cos^2\theta+\frac{f_2^2\pi S_2}{\omega_2^2}\sin^2\theta\right)B(H,\theta)\mathrm{d}\theta$$

$$T(H)=(2\pi/\omega_1\omega_2)\int_0^{\pi}R^2\mathrm{d}\theta$$

式中

$$A(H,\theta)=HR^2-\frac{R^4}{4}\left(1+\frac{a}{\omega_1\omega_2}\sin2\theta\right)-\frac{b}{12}R^6\left(\frac{\cos\theta}{\omega_1}-\frac{\sin\theta}{\omega_2}\right)^4$$

$$B(H,\theta)=\frac{HR^4}{2}-\frac{R^6}{6}\left(1+\frac{a}{\omega_1\omega_2}\sin2\theta\right)-\frac{b}{16}R^8\left(\frac{\cos\theta}{\omega_1}-\frac{\sin\theta}{\omega_2}\right)^4 \tag{e}$$

而 R^2 是下列方程之解：

$$H-\frac{R^2}{2}\left(1+\frac{a}{\omega_1\omega_2}\sin2\theta\right)-\frac{b}{4}R^4\left(\frac{\cos\theta}{\omega_1}-\frac{\sin\theta}{\omega_2}\right)^4=0 \tag{f}$$

求得 $a(H)$，$b(H)$，$T(H)$后，即可按(5.2-14)、(5.2-15)及(5.2-18)求得平稳概率密度 $p(q_1,q_2,p_1,p_2)$。而广义位移的均方值为

$$E[Q_1^2]=\int q_1^2 p(q_1,q_2,p_1,p_2)\mathrm{d}q_1\mathrm{d}q_2\mathrm{d}p_1\mathrm{d}p_2$$

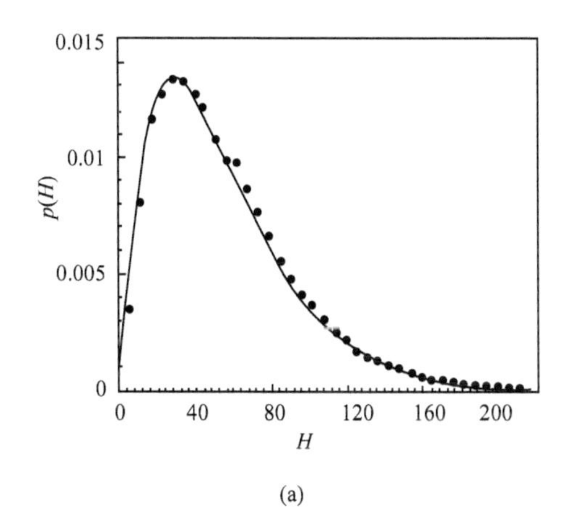

(a)

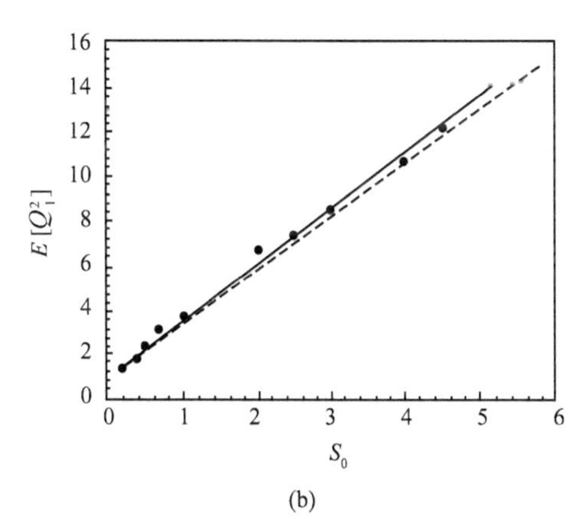

(b)

图 5.2-1　例 4.2-1 系统(a)平稳响应 $S_1 = S_2 = S_0 = 0.3$,其他参数与图 4.2-1 中相同

(a)系统总能量的概率密度;(b)位移均方值。—— 随机平均法结果;——第一种准则等效非线性系统方法结果;• • • 数字模拟结果

$$= \int_0^\infty [p(H)/T(H)] \mathrm{d}H \int_\Omega (\pm q_1^2 [2H - p_2^2 - U(q_1, q_2)]^{-1/2}) \mathrm{d}q_1 \mathrm{d}q_2 \mathrm{d}p_2 \tag{g}$$

$$= 2\pi\int_0^{\infty}[p(H)/T(H)]\mathrm{d}H\int_{\Omega'}q_1^2\mathrm{d}q_1\mathrm{d}q_2$$

式中

$$\Omega' = \{(q_1, q_2) \mid U(q_1, q_2) \leqslant H\} \tag{h}$$

当 b 较大,即不可积性较强时,随机平均法的结果与数字模拟及等效非线性系统法结果相当吻合[12],见图 5.2-1。

例 5.2-2 仍考虑例 3.3-1 中两自由度碰撞振动系统,设相容条件 $c_1/D_1 = c_2/D_2$ 不满足,但 c_i, D_k 同为 ε 阶小量,于是它是一个拟不可积 Hamilton 系统。应用本节所述拟不可积 Hamilton 系统随机平均法,可导出形如(5.2-5)的平均 Itô 方程与形如(5.2-8)的平均 PK 方程,其漂移与扩散系数在完成对 p_2 的积分后为

$$\begin{aligned} a(H) &= \frac{1}{T(H)}\int_{\Omega'}[B_1(H-U)+B_2]\mathrm{d}q_1\mathrm{d}q_2 \\ b(H) &= \frac{2}{T(H)}\int_{\Omega'}B_2(H-U)\mathrm{d}q_1\mathrm{d}q_2 \end{aligned} \tag{i}$$

式中

$$\begin{aligned} &T(H) = \int_{\Omega'}\pi\mathrm{d}q_1\mathrm{d}q_2 \\ &B_1 = -\pi(c_1+c_2), B_2 = \pi(D_1+D_2) \\ &\Omega' = \{(q_1, q_2) \mid H(q_1, q_2, 0, 0) \leqslant H\} \end{aligned} \tag{j}$$

完成(i)中积分后得

$$\begin{aligned} a(H) &= -(c_1+c_2)I_2(H)/3(k_1+k_2)I_1(H) + 2(D_1+D_2) \\ b(H) &= 4(D_1+D_2)I_2(H)/3(k_1+k_2)I_1(H) \end{aligned} \tag{k}$$

式中

$$\begin{aligned} I_1(H) &= \int_{q_2^-}^{q_2^+}Z(H, q_2)\mathrm{d}q_2 \\ I_2(H) &= \int_{q_2^-}^{q_2^+}Z^3(H, q_2)\mathrm{d}q_2 \end{aligned} \tag{l}$$

其中

$$Z(H, q_2) = \{k_2^2 q_2^2 - 2(k_1 + k_2)[k_2 q_2^2/2 + G(q_2) - H]\}^{1/2} \tag{m}$$

而 q_2^+、q_2^- 分别是方程

$$[k_1 k_2/2(k_1 + k_2)]q_2^2 + G(q_2) - H = 0 \tag{n}$$

的正、负实根。由平均 FPK 方程可得平稳概率密度

$$p(H) = \frac{C}{b(H)}\exp\left[\int \frac{2a(u)}{b(u)}\mathrm{d}u\right] \tag{o}$$

于是原系统的近似平稳概率密度按(5.2-18)为

$$\begin{aligned} & p(q_1, q_2, p_1, p_2) \\ &= (k_1 + k_2)p(H)/2\pi I_1(H)\Big|_{H = H(q_1, q_2, p_1, p_2)} \end{aligned} \tag{p}$$

通过与数字模拟结果比较表明，对双侧或单侧壁情形，当 B_l 与(或)B_r 较大，δ_l 与(或)δ_r 较小，c_1/D_1 与或 c_2/D_2 较小时，上述拟不可积 Hamilton 系统随机平均法给出颇好结果，例见图 5.2-2。

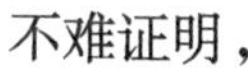
不难证明，

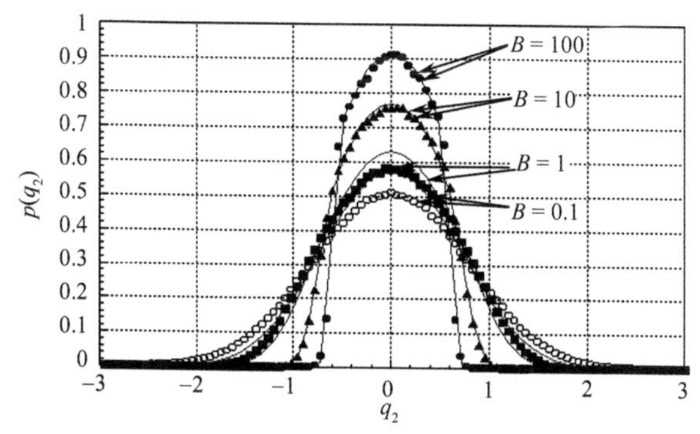

图 5.2-2　两自由度双侧壁碰撞振动系统平稳位移边缘概率密度 $p(q_2)$。$m_1=1, m_2=1, k_1=1, k_2=1, c_1=0.08, c_2=0.04, \delta_l=\delta_r=0.5, B_l=B_r=\beta=100, 10, 1, 0.1, D_1=0.01, D_2=0.02$

——随机平均法结果；●▲■○数字模拟结果

$$dI_2/dH = 3(k_1 + k_2)I_1 \tag{q}$$

(q)代入(k),再代入(o),积分得

$$p(H) = C'I_1(H)\exp\{-[(c_1 + c_2)/(D_1 + D_2)]H\} \tag{r}$$

(r)代入(p)得

$$\begin{aligned} & p(q_1, q_2, p_1, p_2) \\ & \quad = [(k_1 + k_2)/2\pi]C'\exp\{-[(c_1 + c_2) \\ & \qquad /(D_1 + D_2)]H\}\big|_{H=H(q_1,q_2,p_1,p_2)} \end{aligned} \tag{s}$$

当 $c_1/D_1 = c_2/D_2 = c/D$ 时,(s)化为例 3.3-1 中(e)。可知,在满足存在精确平稳解的相容条件时,拟不可积 Hamilton 系统随机平均法给出精确平稳解。这也证明了拟不可积 Hamilton 随机平均法的正确性。

5.3 拟可积 Hamilton 系统随机平均[13]

回到拟 Hamilton 系统(5.2-2),现设以 H 为 Hamilton 函数的 Hamilton 系统可积,且已求得它的作用-角变量。作变换

$$I_r = I_r(\boldsymbol{Q}, \boldsymbol{P}), \Theta_r = \Theta_r(\boldsymbol{Q}, \boldsymbol{P}), r = 1, 2, \cdots, n \tag{5.3-1}$$

应用 Itô 微分公式(2.6-1)可从(5.2-2)导得支配 I_r、Θ_r 的随机微分方程

$$\begin{aligned} dI_r &= \varepsilon\left(-m'_{ij}\frac{\partial H}{\partial P_j}\frac{\partial I_r}{\partial P_i} + \frac{1}{2}\sigma'_{ik}\sigma'_{jk}\frac{\partial^2 I_r}{\partial P_i \partial P_j}\right)dt \\ &\quad + \varepsilon^{1/2}\frac{\partial I_r}{\partial P_i}\sigma'_{ik}dB_k(t) \\ d\Theta_r &= \left(\omega_r - \varepsilon m'_{ij}\frac{\partial H}{\partial P_j}\frac{\partial \Theta_r}{\partial P_i} + \frac{\varepsilon}{2}\sigma'_{ik}\sigma'_{jk}\frac{\partial^2 \Theta_r}{\partial P_i \partial P_j}\right)dt \\ &\quad + \varepsilon^{1/2}\frac{\partial \Theta_r}{\partial P_i}\sigma'_{ik}dB_k(t) \end{aligned} \tag{5.3-2}$$

$$r, i, j = 1, 2, \cdots, n; \quad k = 1, 2, \cdots, m$$

随机平均方程的维数与形式取决于与(5.2-2)相应的 Hamilton 系统的共振性。

5.3.1 非内共振情形

设该 Hamilton 系统的 n 个频率 $\omega_r(\boldsymbol{I})$不满足弱内共振关系：

$$k_r^u \omega_r = O_u(\varepsilon) \tag{5.3-3}$$

$O_u(\varepsilon)$表示 ε 阶小量。此时，(5.3-2)形同(5.1-9)，$I_r(t)$为慢变过程，$\Theta_r(t)$为快变过程，根据 Khasminskii 定理[10]，当 $\varepsilon\to 0$ 时，在 ε^{-1} 量级时间区间上，$I_r(t)$弱收敛于 n 维扩散过程。若仍以 $I_r(t)$记该极限过程，则支配该过程的平均 Itô 随机微分方程为

$$\begin{aligned} \mathrm{d}I_r &= \overline{m}_r(\boldsymbol{I})\mathrm{d}t + \bar{\sigma}_{rk}(\boldsymbol{I})\mathrm{d}B_k(t) \\ r &= 1,2,\cdots,n; \quad k = 1,2,\cdots,m \end{aligned} \tag{5.3-4}$$

其中漂移与扩散系数按(5.1-11)确定，计算中将 I_r 看成常数。在 I_r 为常数条件下 Θ_r 的运动可用相应 Hamilton 系统的运动近似。按 1.6.3，可积 Hamilton 系统在非共振环面上遍历。因此，(5.1-11)中的时间平均可代之以空间平均，于是

$$\overline{m}_r(\boldsymbol{I}) = \frac{1}{(2\pi)^n}\int_0^{2\pi}\left(-m_{ij}\frac{\partial H}{\partial p_j}\frac{\partial I_r}{\partial p_i} + \frac{1}{2}\sigma_{ik}\sigma_{jk}\frac{\partial^2 I_r}{\partial p_i \partial p_j}\right)\mathrm{d}\theta$$

$$\bar{\sigma}_{rk}\bar{\sigma}_{sk}(\boldsymbol{I}) = \frac{1}{(2\pi)^n}\int_0^{2\pi}\sigma_{ik}\sigma_{jk}\frac{\partial I_r}{\partial p_i}\frac{\partial I_s}{\partial p_j}\mathrm{d}\theta \tag{5.3-5}$$

式中 $\theta=[\theta_1 \ \theta_2 \cdots \theta_n]^{\mathrm{T}}$，$\int_0^{2\pi}[\cdot]\mathrm{d}\theta$ 表示对 θ_r 的 n 重积分。

与(5.3-4)相应的平均 FPK 方程为

$$\frac{\partial p}{\partial t} = -\frac{\partial}{\partial I_r}[a_r(\boldsymbol{I})p] + \frac{1}{2}\frac{\partial^2}{\partial I_r \partial I_s}[b_{rs}(\boldsymbol{I})p] \tag{5.3-6}$$

式中

$$a_r(\boldsymbol{I}) = \overline{m}(\boldsymbol{I}), \quad b_{rs}(\boldsymbol{I}) = \bar{\sigma}_{rk}\bar{\sigma}_{sk}(\boldsymbol{I}) \tag{5.3-7}$$

$p=p(\boldsymbol{I},t\,|\,\boldsymbol{I}_0)$，相应初始条件为

$$p(\boldsymbol{I},0\,|\,\boldsymbol{I}_0) = \delta(\boldsymbol{I}-\boldsymbol{I}_0) \tag{5.3-8}$$

或 $p=p(\boldsymbol{I},t)$，相应初始条件为

$$p(\boldsymbol{I},0) = p(\boldsymbol{I}_0) \tag{5.3-9}$$

(5.3-6)的边界条件取决于相应 Hamilton 系统的性态与给系统施加的约束。若 $\boldsymbol{I}$ 可在 R^n 中第一象限内任取，则边界条件为

$$p = \text{有限}, \quad I_r = 0 \tag{5.3-10}$$

$$p, \partial p/\partial I_r \to 0, \ |\boldsymbol{I}| \to \infty \tag{5.3-11}$$

(5.3-10)意味着 $I_r=0$ 为反射边界，它是一个定性边界条件，可根据漂移与扩散系数在该边界上的值与(5.3-6)确定定量边界条件。(5.3-11)则意味着无穷远处同为吸收与反射边界。当然，p 还须满足归一化条件。

现设与(5.2-2)相应的 Hamilton 系统为可积非共振，但未求得(或得不到)作用-角变量，只知其 n 个独立、对合的首次积分 $H_r(r=1,2,\cdots,n)$。引入变换

$$H_r = H_r(\boldsymbol{Q},\boldsymbol{P}), r = 1,2,\cdots,n \tag{5.3-12}$$

支配 $H_r(t)$的 Itô 随机微分方程可由(5.2-2)运用 Itô 微分公式(2.6-1)得到

$$\mathrm{d}H_r = \varepsilon\left(-m'_{ij}\frac{\partial H}{\partial P_j}\frac{\partial H_r}{\partial P_i} + \frac{1}{2}\sigma'_{ik}\sigma'_{jk}\frac{\partial^2 H_r}{\partial P_i \partial P_j}\right)\mathrm{d}t + \varepsilon^{1/2}\frac{\partial H_r}{\partial P_i}\sigma'_{ik}\mathrm{d}B_k(t) \tag{5.3-13}$$

$$r,i,j = 1,2,\cdots,n; \quad k = 1,2,\cdots,m$$

以(5.3-13)代替(5.2-2)中关于 P_i 的方程，新方程组形同(5.1-9)，$Q_i(t)$为快变过程，$H_r(t)$为慢变过程。根据 Khasminskii 定理[10]，当 $\varepsilon\to 0$ 时 $H_r(t)$弱收敛于 n 维扩散过程。仍以 $H_r(t)$记这一极限过程，支配该过程的平均 Itô 随机微分方程形为

$$\begin{gathered}\mathrm{d}H_r = \bar{m}_r(\boldsymbol{H})\mathrm{d}t + \bar{\sigma}_{rk}(\boldsymbol{H})\mathrm{d}B_k \\ r = 1,2,\cdots,n; \quad k = 1,2,\cdots,m\end{gathered} \tag{5.3-14}$$

式中 $\boldsymbol{H}=[H_1\ H_2\cdots H_n]^{\mathrm{T}}$，漂移与扩散系数按(5.1-11)确定，即

$$\begin{aligned}\bar{m}_r(\boldsymbol{H}) &= E\left[\lim_{T\to\infty}\int_t^{t+T}\left(-m_{ij}\frac{\partial H}{\partial P_j}\frac{\partial H_r}{\partial P_i} + \frac{1}{2}\sigma_{ik}\sigma_{jk}\frac{\partial^2 H_r}{\partial P_i\partial P_j}\right)\mathrm{d}s\right] \\ \bar{\sigma}_{rk}\bar{\sigma}_{sk}(\boldsymbol{H}) &= E\left[\lim_{T\to\infty}\int_t^{t+T}\left(\sigma_{ik}\sigma_{jk}\frac{\partial H_r}{\partial P_i}\frac{\partial H_s}{\partial P_j}\right)\mathrm{d}s\right]\end{aligned} \tag{5.3-15}$$

上式中 H_r 为常数，$Q_i = Q_i(s)$，P_i 则按(5.3-12)代之以 H_i 与 Q_i。显然，当 $Q_i(s)$为遍历时，集合平均与时间平均只需取其一。

H_r 为常数条件下 $Q_i(s)$的运动可用相应 Hamilton 系统在首次积分为常数的面上之 Q_i 的运动近似代之。设该 Hamilton 系统可分离，即

$$H = \sum_{r=1}^{n} H_r(q_r, p_r) \tag{5.3-16}$$

以 H_r 为 Hamilton 函数的子 Hamilton 系统具有周期为 T_r 的周期解，则 T_r 的最小公倍数为

$$T = T(\boldsymbol{H}) = \prod_{\mu=1}^{n} T_\mu(H_\mu) = \prod_{\mu=1}^{n} \oint \left(1 \Big/ \frac{\partial H_\mu}{\partial p_\mu}\right) \mathrm{d} q_\mu \tag{5.3-17}$$

以 T 为平均时间，(5.3-15)变成

$$\overline{m}_r(\boldsymbol{H}) = \frac{1}{T} \oint \left(-m_{ij} \frac{\partial H}{\partial p_j} \frac{\partial H_r}{\partial p_i} + \frac{1}{2} \sigma_{ik}\sigma_{jk} \frac{\partial^2 H_r}{\partial p_i \partial p_j}\right) \prod_{\mu=1}^{n} \left(1 \Big/ \frac{\partial H_\mu}{\partial p_\mu}\right) \mathrm{d} q_\mu$$

$$\overline{\sigma_{rk}\sigma_{sk}}(\boldsymbol{H}) = \frac{1}{T} \oint \prod_{\mu=1}^{n} \left(\sigma_{ik}\sigma_{jk} \frac{\partial H_r}{\partial p_i} \frac{\partial H_s}{\partial p_j} \Big/ \frac{\partial H_\mu}{\partial p_\mu}\right) \mathrm{d} q_\mu \tag{5.3-18}$$

与(5.3-14)相应的平均 FPK 方程为

$$\frac{\partial p}{\partial t} = -\frac{\partial}{\partial H_r}[a_r(\boldsymbol{H})p] + \frac{1}{2} \frac{\partial^2}{\partial H_r \partial H_s}[b_{rs}(\boldsymbol{H})p] \tag{5.3-19}$$

式中

$$a_r(\boldsymbol{H}) = \overline{m}_r(\boldsymbol{H}), b_{rs}(\boldsymbol{H}) = \overline{\sigma_{rk}\sigma_{sk}}(\boldsymbol{H}) \tag{5.3-20}$$

$p = p(\boldsymbol{H}, t \mid \boldsymbol{H}_0)$，相应初始条件为

$$p(\boldsymbol{H}, 0 \mid \boldsymbol{H}_0) = \delta(\boldsymbol{H} - \boldsymbol{H}_0) \tag{5.3-21}$$

或 $p = p(\boldsymbol{H}, t)$，相应初始条件为

$$p(\boldsymbol{H}, 0) = p(\boldsymbol{H}_0) \tag{5.3-22}$$

(5.3-19)的边界条件取决于相应 Hamilton 系统的性态与给系统所施加的约束。若 $\boldsymbol{H}$ 可在 R^n 中第一象限内任意变化，则边界条件形同(5.3-10)与(5.3-11)，即

$$p = \text{有限}, H_r = 0 \tag{5.3-23}$$

$$p, \partial p / \partial H_r \to 0, |\boldsymbol{H}| \to \infty \tag{5.3-24}$$

平均 Itô 方程(5.3-4)与(5.3-14)的扩散矩阵一般是非退化的,而原来 Itô 方程(5.2-2)的扩散矩阵是退化的,这是随机平均法的一大优点,在用随机动态规划方法研究随机最优控制中,这使基于平均方程的动态规划(HJB)方程具有古典解,详见第八章。

平均 FPK 方程(5.3-6)与(5.3-19)的一个特点是,概率流只含概率势流而无概率环流,若它有精确平稳解,则属平稳势类,概率势可按(3.2-26)～(3.2-30)所述方法求得。但 $p(\boldsymbol{I})$或 $p(\boldsymbol{H})$与 $p(\boldsymbol{q},\boldsymbol{p})$之间的关系同精确平稳解情形不同,此处需按变换(5.3-1)或(5.3-12)转换,即

$$p(\boldsymbol{q},\boldsymbol{p})=p(\boldsymbol{I},\theta)\left|\frac{\partial(\boldsymbol{I},\theta)}{\partial(\boldsymbol{q},\boldsymbol{p})}\right|=p(\theta\mid\boldsymbol{I})p(\boldsymbol{I})=\frac{1}{(2\pi)^n}p(\boldsymbol{I}) \tag{5.3-25}$$

或

$$\begin{aligned}p(\boldsymbol{q},\boldsymbol{p})&=p(\boldsymbol{q},\boldsymbol{H})\left|\frac{\partial\boldsymbol{H}}{\partial\boldsymbol{p}}\right|\\&=p(\boldsymbol{q}\mid\boldsymbol{H})p(\boldsymbol{H})\left|\frac{\partial\boldsymbol{H}}{\partial\boldsymbol{p}}\right|\end{aligned} \tag{5.3-26}$$

因为可积非共振 Hamilton 系统在 n 维环面上遍历,$p(\theta|\boldsymbol{I})=1/(2\pi)^n$。因为从 $\boldsymbol{q}$, $\boldsymbol{p}$ 到 $\boldsymbol{I},\theta$ 的变换为正则变换,Jacobi 矩阵行列式 $|\partial(\boldsymbol{I},\theta)/\partial(\boldsymbol{q},\boldsymbol{p})|=1$。$p(\boldsymbol{q}|\boldsymbol{H})$为在 $H_r=$常数条件下 $\boldsymbol{q}$ 的概率密度。$|\partial\boldsymbol{H}/\partial\boldsymbol{p}|$为从 $\boldsymbol{p}$ 到 $\boldsymbol{H}$ 变换的 Jacobi 矩阵行列式的绝对值。当 Hamilton 量形为(5.3-16),且各子 Hamilton 系统具有周期解时,$p(\boldsymbol{q}|\boldsymbol{H})=\prod_{r=1}^{n}p(q_r|H_r)$,$p(q_r|H_r)=C_r\Big/\left|\partial H_r/\partial p_r\right|$,$|\partial\boldsymbol{H}/\partial\boldsymbol{p}|=\prod_{r=1}^{n}|\partial H_r/\partial p_r|$。类似于(5.2-16)～(5.2-18),可证

$$p(\boldsymbol{q},\boldsymbol{p})=p(\boldsymbol{H})/T(\boldsymbol{H})\Big|_{\boldsymbol{H}=\boldsymbol{H}(\boldsymbol{q},\boldsymbol{p})} \tag{5.3-27}$$

对单自由度系统,本节所述随机平均法化为能量包线随机平均法。本节所述随机平均法也可推广于系统(5.2-19),只要相应 Hamilton 系统为可积非共振。

例 5.3-1 考虑在 Gauss 白噪声激励下非线性阻尼耦合的 van der Pol 振子与 Duffing 振子，其运动方程为

$$
\begin{aligned}
\dot{Q}_1 &= P_1 \\
\dot{P}_1 &= -\omega^2 Q_1 - (-\beta_1 + \alpha_1 Q_1^2 + \alpha_2 Q_2^4 \\
&\quad + \alpha_3 P_2^2) P_1 + \xi_1(t) + Q_1 \xi_3(t) \\
\dot{Q}_2 &= P_2 \\
\dot{P}_2 &= -kQ_2^3 - (\beta_2 + \alpha_4 Q_1^2) P_2 + \xi_2(t) \\
&\quad + Q_2 \xi_4(t)
\end{aligned}
\tag{a}
$$

式中 $\omega, k, \alpha_j, \beta_i$ 为常数，$\xi_k(t)$是强度为 $2D_k$ 的独立 Gauss 白噪声。设 α_j, β_i, D_k 同为 ε 阶小量。Wong-Zakai 修正项为零，与(a)相应 Hamilton 系统的 Hamilton 函数形同(5.3-16)，即

$$
H = H_1 + H_2 \tag{b}
$$

其中

$$
H_1 = (p_1^2 + \omega^2 q_1^2)/2, H_2 = p_2^2/2 + kq_2^4/4 \tag{c}
$$

将(c)看成从 p_1, p_2 到 H_1, H_2 的变换，按(5.3-13)得

$$
\begin{aligned}
\mathrm{d}H_1 &= \{-[-\beta_1 + \alpha_1 Q_1^2 + \alpha_2 Q_2^4 + \alpha_3(2H_2 - kQ_2^4/2)] \\
&\quad (2H_1 - \omega^2 Q_1^2) + D_1 + D_3 Q_1^2\}\mathrm{d}t \\
&\quad \pm [2D_1(2H_1 - \omega_2 Q_1^2)]^{1/2}\mathrm{d}B_1(t) \\
&\quad \pm [2D_3 Q_1^2(2H_1 - \omega^2 Q_1^2)]^{1/2}\mathrm{d}B_3(t)
\end{aligned}
\tag{d}
$$

$$
\begin{aligned}
\mathrm{d}H_2 &= [-(\beta_2 + \alpha_4 Q_1^2)(2H_2 - kQ_2^4/2) + D_2 + D_4 Q_2^2]\mathrm{d}t \\
&\quad \pm [2D_2(2H_2 - kQ_2^4/2)]^{1/2}\mathrm{d}B_2(t) \pm [2D_4 Q_2^2(2H_2 \\
&\quad - kQ_2^4/2)]^{1/2}\mathrm{d}B_4(t)
\end{aligned}
$$

两个 Hamilton 子系统分别在(q_1, p_1)与(q_2, p_2)平面上有周期解族，因此，可按(5.3-18)与(5.3-20)求平均 FPK 方程的漂移与扩散系数。结果为

$$
\begin{aligned}
a_1(\boldsymbol{H}) &= \beta_1 H_1 - (\alpha_1/2\omega^2)H_1^2 - (4\alpha_2/3k)H_1 H_2 \\
&\quad - (4\alpha_3/3)H_1 H_2 + D_1 + (D_3/\omega^2)H_1 \\
a_2(\boldsymbol{H}) &= -(4\beta_2/3)H_2 - (4\alpha_4/3\omega^2)H_1 H_2 + D_2
\end{aligned}
$$

$$+[8\Gamma^2(7/4)D_4/9\Gamma^2(5/4)k^{1/2}]H_2^{1/2}$$

$$b_{11}(\boldsymbol{H})=2D_1H_1+(D_3/\omega^2)H_1^2 \tag{e}$$

$$b_{22}(\boldsymbol{H})=(8D_2/3)H_2+[64\Gamma^2(7/4)D_4/45\Gamma^2(5/4)k^{1/2}]H_2^{3/2}$$

$$b_{12}(\boldsymbol{H})=b_{21}(\boldsymbol{H})=0$$

式中 $\Gamma(\cdot)$为 gama 函数。

无参激($D_3=D_4=0$)情形平均 FPK 方程的精确平稳解形为

$$p(H_1,H_2)=C\exp[-\lambda(H_1,H_2)] \tag{f}$$

(e)、(f)代入简化平均 FPK 方程(5.3-19)($\partial p/\partial t=0$),得

$$\frac{\partial\lambda}{\partial H_1}=\left[-\beta_1+(\alpha_1/\omega^2)H_1+(4/3)(\alpha_2/k+\alpha_3)H_2\right]/D_1$$

$$\frac{\partial\lambda}{\partial H_2}=\left[4\beta_2/3+(4\alpha_4/3\omega^2)H_1\right]/D_2 \tag{g}$$

若$(\alpha_2/k+\alpha_3)\omega^2D_2=\alpha_4D_1$,则相容条件$\partial^2\lambda/\partial H_1\partial H_2=\partial^2\lambda/\partial H_2\partial H_1$ 满足,从而可从(g)解得

$$\lambda(H_1,H_2)=\int_0^{H_1}\frac{\partial\lambda}{\partial H_1}\mathrm{d}H_1+\int_0^{H_2}\frac{\partial\lambda}{\partial H_2}\mathrm{d}H_2$$

$$=-\frac{\beta_1}{D_1}H_1+\frac{4}{3}\frac{\beta_2}{D_2}H_2+\frac{\alpha_1}{2\omega^2D_1}H_1^2+\frac{8\alpha_4}{2\omega^2D_2}H_1H_2 \tag{h}$$

(h)代入(f)得 $p(H_1,H_2)$。广义位移与动量的平稳概率密度则按(5.3-27)得到

$$p(q_1,q_2,p_1,p_2)=\frac{C}{T}\exp[-\lambda(H_1,H_2)]\Big|_{H_i=H_i(q_i,p_i)} \tag{i}$$

其中 C 为归一化常数,

$$T=16\int_0^{A_1}(2H_1-\omega^2q_1^2)^{-1/2}\mathrm{d}q_1\int_0^{A_2}(2H_2-kq_2^4/2)^{-1/2}\mathrm{d}q_2$$

$$=4\pi F\left(\frac{\pi}{2},\frac{1}{\sqrt{2}}\right)\Big/\left[\omega\left(\frac{H_2}{k}\right)^{1/4}\right] \tag{j}$$

式中 $F(\cdot,\cdot)$为广义超几何函数。广义位移的均方值

$$E[Q_1^2]=\iiiint_{-\infty}^{\infty} q_1^2 p(q_1, q_2, p_1, p_2)\mathrm{d}q_1\mathrm{d}q_2\mathrm{d}p_1\mathrm{d}p_2$$

$$= C\int_0^{\infty} \exp[-\lambda(H_1, H-H_2)]H_1\mathrm{d}H_1\mathrm{d}H \tag{k}$$

上述解析结果与数字模拟结果符合良好,见图 5.3-1。

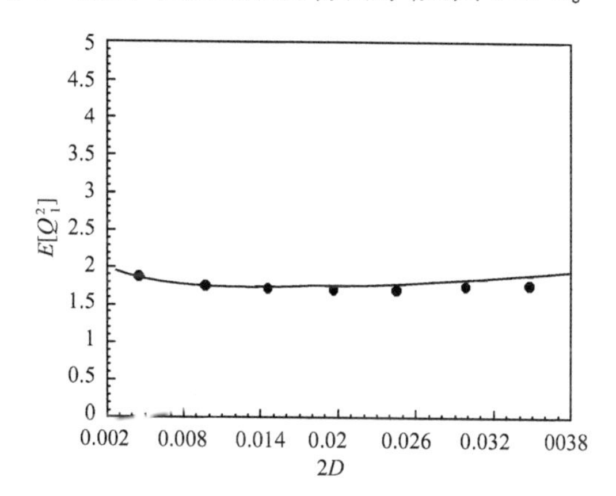

图 5.3-1　例 5.3-1 系统(a)的平稳均方位移 $E[Q_1^2]$。$\omega_1=1.0, k=2.0, \alpha_1=\alpha_3=\alpha_4=\beta_1=0.02$, $\alpha_2=\beta_2=0.01$

——随机平均法结果;•数字模拟结果

5.3.2　内共振情形

现假设与(5.2-2)相应的 Hamilton 系统为可积共振,有 $\alpha(1\leqslant\alpha\leqslant n-1)$个形如(5.3-3)的共振关系。引入角变量组合

$$\Psi_u = k_r^u\Theta_r, u = 1,2,\cdots,\alpha \tag{5.3-28}$$

由(5.3-2)中关于 Θ_r 方程经线性组合可得支配 Ψ_u 的 Itô 随机微分方程

$$\mathrm{d}\Psi_u=\left[Q_u(\varepsilon)-\varepsilon m'_{ij}\frac{\partial H}{\partial P_j}\frac{\partial \Psi_u}{\partial P_i}+\frac{1}{2}\varepsilon\sigma'_{ik}\sigma'_{jk}\frac{\partial^2 \Psi_u}{\partial P_i\partial P_j}\right]\mathrm{d}t$$

$$+\ \varepsilon^{1/2}\frac{\partial \Psi_u}{\partial P_i}\sigma'_{ik}\mathrm{d}B_k(t) \qquad (5.3\text{-}29)$$

$$u=1,2,\cdots,\alpha$$

新的系统方程由(5.3-2)中 n 个关于 I_r 的方程,$n-\alpha$ 个关于Θ_r(设为 $\Theta_1,\cdots,\Theta_{n-\alpha}$)方程及(5.3-29)组成,这组方程形同(5.1-9),$I_r(t)$、$\Psi_u(t)$为慢变过程,而 $\Theta_1(t),\cdots,\Theta_{n-\alpha}(t)$为快变过程。根据 Khasminskii 定理[10],当 $\varepsilon\to 0$ 时,在 ε^{-1}时间区间上,$I_r(t)$、$\Psi_u(t)$弱收敛于 $n+\alpha$维扩散过程。仍用 $I_r(t)$,$\Psi_n(t)$记这 $n+\alpha$维极限过程,则平均 Itô 随机微分方程形为

$$\mathrm{d}I_r=\bar{m}_r(\boldsymbol{I},\boldsymbol{\Psi})\mathrm{d}t+\bar{\sigma}_{rk}(\boldsymbol{I},\boldsymbol{\Psi})\mathrm{d}B_k(t)$$

$$\mathrm{d}\Psi_u=\bar{m}_{n+u}(\boldsymbol{I},\boldsymbol{\Psi})\mathrm{d}t+\bar{\sigma}_{n+u,k}(\boldsymbol{I},\boldsymbol{\Psi})\mathrm{d}B_k(t)$$

$$r=1,2,\cdots,n;u=1,2,\cdots,\alpha;k=1,2,\cdots,m \qquad (5.3\text{-}30)$$

类似于导致(5.3-5)的推导,可导得如下平均漂移与扩散系数:

$$\bar{m}_r(\boldsymbol{I},\boldsymbol{\Psi})=\frac{1}{(2\pi)^{n-\alpha}}\int_0^{2\pi}\left(-m_{ij}\frac{\partial H}{\partial p_j}\frac{\partial I_r}{\partial p_i}+\frac{1}{2}\sigma_{ik}\sigma_{jk}\frac{\partial^2 I_r}{\partial p_i\partial p_j}\right)\mathrm{d}\theta_1$$

$$\bar{m}_{n+u}(\boldsymbol{I},\boldsymbol{\Psi})=\frac{1}{(2\pi)^{n-\alpha}}\int_0^{2\pi}\left(O_u(\varepsilon)-m_{ij}\frac{\partial H}{\partial p_j}\frac{\partial \Psi_u}{\partial p_i}+\frac{1}{2}\sigma_{ik}\sigma_{jk}\frac{\partial^2 \Psi_u}{\partial p_i\partial p_j}\right)\mathrm{d}\theta_1 \qquad (5.3\text{-}31)$$

$$\bar{\sigma}_{rk}\bar{\sigma}_{sk}(\boldsymbol{I},\boldsymbol{\Psi})=\frac{1}{(2\pi)^{n-\alpha}}\int_0^{2\pi}\sigma_{ik}\sigma_{jk}\frac{\partial I_r}{\partial p_i}\frac{\partial I_s}{\partial p_j}\mathrm{d}\theta_1$$

$$\bar{\sigma}_{rk}\bar{\sigma}_{n+u,k}(\boldsymbol{I},\boldsymbol{\Psi})=\frac{1}{(2\pi)^{n-\alpha}}\int_0^{2\pi}\sigma_{ik}\sigma_{jk}\frac{\partial I_r}{\partial p_i}\frac{\partial \Psi_u}{\partial p_j}\mathrm{d}\theta_1$$

$$\bar{\sigma}_{n+u,k}\bar{\sigma}_{n+v,k}(\boldsymbol{I},\boldsymbol{\Psi})=\frac{1}{(2\pi)^{n-\alpha}}\int_0^{2\pi}\sigma_{ik}\sigma_{jk}\frac{\partial \Psi_u}{\partial p_i}\frac{\partial \Psi_v}{\partial p_j}\mathrm{d}\theta_1$$

式中$\int_0^{2\pi}[\cdot]\mathrm{d}\theta_1$ 表示对 $\theta_1,\theta_2,\cdots,\theta_{n-\alpha}$的 $n-\alpha$重积分。

与(5.3-30)相应的平均 FPK 方程为

$$\frac{\partial p}{\partial t}=-\frac{\partial}{\partial I_r}(a_r p)-\frac{\partial}{\partial \psi_u}(a_{n+u}p)+\frac{1}{2}\frac{\partial^2}{\partial I_r\partial I_s}(b_{rs}p)$$
$$+\frac{\partial^2}{\partial I_r\partial \psi_u}(b_{r,n+u}p)+\frac{1}{2}\frac{\partial^2}{\partial \psi_u\partial \psi_v}(b_{n+u,n+v}p) \tag{5.3-32}$$

式中

$$\begin{aligned}
a_r &= a_r(\boldsymbol{I},\psi)=\overline{m}_r(\boldsymbol{I},\boldsymbol{\Psi})\big|_{\Psi=\psi}\\
a_{n+u} &= a_{n+u}(\boldsymbol{I},\psi)=\overline{m}_{n+u}(\boldsymbol{I},\boldsymbol{\Psi})\big|_{\Psi=\psi}\\
b_{rs} &= b_{rs}(\boldsymbol{I},\psi)=\overline{\sigma_{rk}\sigma_{sk}}(\boldsymbol{I},\boldsymbol{\Psi})\big|_{\Psi=\psi}\\
b_{r,n+u} &= b_{r,n+u}(\boldsymbol{I},\psi)=\overline{\sigma_{rk}\sigma_{n+u,k}}(\boldsymbol{I},\boldsymbol{\Psi})\big|_{\Psi=\psi}\\
b_{n+u,n+v} &= b_{n+u,n+v}(\boldsymbol{I},\psi)=\overline{\sigma_{n+u,k}\sigma_{n+v,k}}(\boldsymbol{I},\boldsymbol{\Psi})\big|_{\Psi=\psi}
\end{aligned} \tag{5.3-33}$$

$p=p(\boldsymbol{I},\psi,t\,|\,\boldsymbol{I}_0,\psi_0)$,相应初始条件为

$$p(\boldsymbol{I},\psi,0\mid \boldsymbol{I}_0,\psi_0)=\delta(\boldsymbol{I}-\boldsymbol{I}_0)\delta(\psi-\psi_0) \tag{5.3-34}$$

或 $p=p(\boldsymbol{I},\psi,t)$,相应初始条件为

$$p(\boldsymbol{I},\psi,0)=p(\boldsymbol{I}_0,\psi_0) \tag{5.3-35}$$

边界条件取决于相应 Hamilton 系统性态与对系统所施加的约束。一般情形下,对 I_r 的边界条件形同(5.3-10)、(5.3-11),对 ψ_u 则有周期性条件

$$p\Big|_{\psi_u+2k\pi}=p\Big|_{\psi_u},k\text{ 为整数} \tag{5.3-36}$$

同非共振情形,平均 Itô 方程(5.3-30)的扩散矩阵一般非退化。平均 FPK 方程(5.3-32)概率流只含概率势流而不含概率环流,可按平稳势类求其精确平稳解。在求得平稳解 $p(\boldsymbol{I},\psi)$后,可按下式求广义位移与广义动量的平稳概率密度:

$$\begin{aligned}
p(\boldsymbol{q},\boldsymbol{p}) &= p(\boldsymbol{I},\psi,\theta_1)\left|\frac{\partial(\boldsymbol{I},\psi,\theta_1)}{\partial(\boldsymbol{q},\boldsymbol{p})}\right|\\
&= p(\theta_1\mid \boldsymbol{I},\psi)p(\boldsymbol{I},\psi)\left|\frac{\partial(\boldsymbol{I},\psi,\theta_1)}{\partial(\boldsymbol{q},\boldsymbol{p})}\right|\\
&= \frac{1}{(2\pi)^{n-\alpha}}p(\boldsymbol{I},\psi)\left|\frac{\partial(\boldsymbol{I},\psi,\theta_1)}{\partial(\boldsymbol{q},\boldsymbol{p})}\right|
\end{aligned} \tag{5.3-37}$$

$|\partial(\boldsymbol{I},\psi,\theta_1)/\partial(\boldsymbol{q},\boldsymbol{p})|$为从 $\boldsymbol{q},\boldsymbol{p}$ 变换到$\boldsymbol{I},\psi,\theta_1$ 的 Jacobi 矩阵行列式的绝对值，考虑到(5.3-28)，该行列式 Jacobi 矩阵$\partial(\boldsymbol{I},\theta)/\partial(\boldsymbol{q},\boldsymbol{p})$行列式的整数组合，而$|\partial(\boldsymbol{I},\theta)/\partial(\boldsymbol{q},\boldsymbol{p})|=1$。因此，$|\partial(\boldsymbol{I},\psi,\theta_1)/\partial(\boldsymbol{q},\boldsymbol{p})|$只影响归一化常数。

最后指出，按 1.6.2，$\boldsymbol{I}=\boldsymbol{I}(\boldsymbol{H})$，(5.3-1)～(5.3-11)及(5.3-30)～(5.3-36)中的 $\boldsymbol{I}$ 代之以 $\boldsymbol{H}$ 仍成立，但 $\boldsymbol{I}$、θ 为正则坐标，而 $\boldsymbol{H},\theta$ 一般不是，因此，$|\partial(\boldsymbol{H},\theta)/\partial(\boldsymbol{q},\boldsymbol{p})|$一般不等于 1，可能不是常数。

例 5.3-2 考虑 Gauss 白噪声激励下非线性阻尼耦合的两个线性振子，其运动方程为

$$
\begin{aligned}
&\dot{Q}_1=P_1\\
&\dot{P}_1=-\omega_1^2Q_1-\alpha_{11}P_1-\alpha_{12}P_2-\beta_1(Q_1^2+Q_2^2)P_1+\xi_1(t)\\
&\dot{Q}_2=P_2\\
&\dot{P}_2=-\omega_2^2Q_2-\alpha_{21}P_1-\alpha_{22}P_2-\beta_2(Q_1^2+Q_2^2)P_2+\xi_2(t)
\end{aligned}
\tag{l}
$$

式中 $\omega_i,\alpha_{ij},\beta_i$ 为常数，$\xi_k(t)$是强度为 $2D_k$ 的独立 Gauss 白噪声。设 α_{ij},β_i,D_k 同为 ε 阶小量。与(l)相应的 Hamilton 系统的 Hamilton 函数为

$$
H(\boldsymbol{q},\boldsymbol{p})=\sum_{i=1}^{2}H_i(q_i,p_i)=\sum_{i=1}^{2}(p_i^2+\omega_i^2q_i^2)/2=\sum_{i=1}^{2}\omega_iI_i
\tag{m}
$$

显然，(l)为拟可积 Hamilton 系统。作变换

$$
I_i=(P_i^2+\omega_i^2Q_i^2)/2\omega_i,\ \Theta_i=-\arctan(P_i/\omega_iQ_i)
\tag{n}
$$

应用 Itô 微分公式(2.6-1)，可从与(l)相应的 Itô 随机微分方程导得如下关于 I_i、Θ_i 的 Itô 随机微分方程：

$$
\begin{aligned}
\mathrm{d}I_i=&\{-[\alpha_{i1}P_1+\alpha_{i2}P_2+\beta_i(Q_1^2+Q_2^2)P_i]P_i/\omega_i+D_i/\omega_i\}\mathrm{d}t\\
&+[(2D_i)^{1/2}P_i/\omega_i]\mathrm{d}B_i(t)
\end{aligned}
\tag{o}
$$

$$
\begin{aligned}
\mathrm{d}\Theta_i=&\{\omega_i+[\alpha_{i1}P_1+\alpha_{i2}P_2+\beta_i(Q_1^2+Q_2^2)P_i]\\
&\omega_iP_i/(\omega_i^2Q_i^2+P_i^2)+2\omega_iD_iQ_iP_i/(\omega_i^2Q_i^2+P_i^2)^2\}\mathrm{d}t\\
&-[(2D_i)^{1/2}\omega_iQ_i/(\omega_i^2Q_i^2+P_i^2)]\mathrm{d}B_i(t)
\end{aligned}
$$

注意,上式中重复下标不求和。平均方程的维数与形式取决于与(l)相应的 Hamilton 系统的共振性。

1. 非共振情形。此时平均 Itô 方程形如(5.3-4),平均 FPK 方程形如(5.3-6),其漂移与扩散系数按(5.3-5)、(5.3-7)求得为

$$
\begin{aligned}
a_1 &= -\alpha_{11} I_1 - \beta_1 I_1^2/2\omega_1 - \beta_1 I_1 I_2/\omega_2 + D_1/\omega_1 \\
a_2 &= -\alpha_{22} I_2 - \beta_2 I_2^2/2\omega_2 - \beta_2 I_1 I_2/\omega_1 + D_2/\omega_2 \\
b_{11} &= 2D_1 I_1/\omega_1, \quad b_{22} = 2D_2 I_2/\omega_2, \quad b_{12} = b_{21} = 0
\end{aligned} \tag{p}
$$

其精确平稳解形为

$$
p(I_1, I_2) = C\exp[-\lambda(I_1, I_2)] \tag{q}
$$

代入(5.3-6)并令$\partial p/\partial t = 0$,得 $\lambda(\boldsymbol{I})$满足的一阶偏微分方程

$$
\begin{aligned}
\frac{2D_1 I_1}{\omega_1}\frac{\partial \lambda}{\partial I_1} &= \frac{2D_1}{\omega_1} - 2\left(-\alpha_{11} I_1 - \frac{\beta_1}{2\omega_1} I_1^2 - \frac{\beta_1}{\omega_2} I_1 I_2 + \frac{D_1}{\omega_1}\right) \\
\frac{2D_2 I_2}{\omega_1}\frac{\partial \lambda}{\partial I_2} &= \frac{2D_2}{\omega_2} - 2\left(-\alpha_{22} I_2 - \frac{\beta_2}{2\omega_2} I_2^2 - \frac{\beta_2}{\omega_2} I_1 I_2 + \frac{D_2}{\omega_2}\right)
\end{aligned} \tag{r}
$$

在满足相容条件$(\beta_1/D_1)(\omega_1/\omega_2) = (\beta_2/D_2)(\omega_2/\omega_1) = \gamma$时,可解得

$$
\begin{aligned}
\lambda(I_1, I_2) = {} & (\alpha_{11}\omega_1 I_1 + \beta_1 I_1^2/4)/D_1 \\
& + (\alpha_{22}\omega_2 I_2 + \beta_2 I_2^2/4)/D_2 + \gamma I_1 I_2
\end{aligned} \tag{s}
$$

按(5.3-25)可得(l)之近似平稳概率密度

$$
p(q_1, q_2, p_1, p_2) = \frac{1}{4\pi^2} p(I_1, I_2)\Big|_{I_i = (p_i^2 + \omega_i^2 q_i^2)/2\omega_i} \tag{t}
$$

2. 主共振情形:$\omega_1 = \omega_2 = \omega$。令 $\Psi = \Theta_1 - \Theta_2$。平均 Itô 方程形如(5.3-30),平均 FPK 方程形如(5.3-32),平均漂移与扩散系数按(5.3-31)、(5.3-33)导得为

$$
\begin{aligned}
a_1 = {} & -\alpha_{11} I_1 - \alpha_{12}(I_1 I_2)^{1/2}\cos\psi - (\beta_1/2\omega) I_1^2 \\
& - (\beta_1/\omega) I_1 I_2[1 - (1/2)\cos 2\psi] + D_1/\omega \\
a_2 = {} & -\alpha_{22} I_2 - \alpha_{21}(I_1 I_2)^{1/2}\cos\psi - (\beta_2/2\omega) I_2^2 \\
& - (\beta_2/\omega) I_1 I_2[1 - (1/2)\cos 2\psi] + D_2/\omega
\end{aligned}
$$

$$a_3=\{[\alpha_{12}(I_2/I_1)^{1/2}+\alpha_{21}(I_1/I_2)^{1/2}]/2\}\sin\psi$$

$$-[(\beta_1 I_2+\beta_2 I_1)/4\omega]\sin 2\psi \tag{u}$$

$$b_{11}=2D_1 I_1/\omega, b_{22}=2D_2 I_2/\omega,$$

$$b_{33}=(D_1/I_1+D_2/I_2)/2\omega$$

$$b_{12}=b_{21}=b_{13}=b_{31}=b_{23}=b_{32}=0$$

平均 FPK 方程(5.3-32)的精确平稳解形为

$$p(I_1, I_2, \psi)=C\exp[-\lambda(I_1, I_2, \psi)] \tag{v}$$

将(u),(v)代入(5.3-32),并令$\partial p/\partial t=0$,得如下 $\lambda(I_1, I_2, \psi)$所满足的一阶偏微分方程:

$$\frac{2D_1 I_1}{\omega}\frac{\partial\lambda}{\partial I_1}=\frac{2D_1}{\omega}-2\left[-\alpha_{11}I_1-\alpha_{12}(I_1 I_2)^{1/2}\cos\psi-\frac{\beta_1}{2\omega}I_1^2\right.$$

$$\left.-\frac{\beta_1}{\omega}I_1 I_2\left(1-\frac{1}{2}\cos 2\psi\right)+\frac{D_1}{\omega}\right]$$

$$\frac{2D_2 I_2}{\omega}\frac{\partial\lambda}{\partial I_2}=\frac{2D_2}{\omega}-2\left[-\alpha_{22}I_2-\alpha_{21}(I_1 I_2)^{1/2}\cos\psi-\frac{\beta_2}{2\omega}I_2^2\right.$$

$$\left.-\frac{\beta_2}{\omega}I_1 I_2\left(1-\frac{1}{2}\cos 2\psi\right)+\frac{D_2}{\omega}\right] \tag{w}$$

$$\left(\frac{D_1}{2\omega I_1}+\frac{D_2}{2\omega I_2}\right)\frac{\partial\lambda}{\partial\psi}=-\left[\alpha_{12}\left(\frac{I_2}{I_1}\right)^{1/2}+\alpha_{21}\left(\frac{I_1}{I_2}\right)^{1/2}\right]\sin\psi$$

$$+\frac{1}{2\omega}(\beta_1 I_2+\beta_2 I_1)\sin 2\psi$$

令

$$\lambda(I_1, I_2, \psi)=\lambda_0(I_1, I_2)+\lambda_1(I_1, I_2)\cos\psi+\lambda_2(I_1, I_2)\cos 2\psi \tag{x}$$

(x)代入(w)得 λ_0, λ_1, λ_2 所满足方程。在满足相容条件 $\beta_1/D_1=\beta_2/D_2=\gamma_1$, $\alpha_{12}/D_1=\alpha_{21}/D_2=\gamma_2$ 时,解得

$$\lambda(I_1, I_2, \psi)=(\alpha_{11}\omega/D_1)I_1+(\alpha_{22}\omega/D_2)I_2$$

$$+(\beta_1/4D_1)I_1^2+(\beta_2/4D_2)I_2^2+\gamma_1 I_1 I_2 \tag{y}$$

$$-(\gamma_1 I_1 I_2/2)\cos 2\psi+2\gamma_2\omega(I_1 I_2)^{1/2}\cos\psi$$

按(5.3-37)得(l)的近似平稳概率密度

$$p(q_1, q_2, p_1, p_2) = \frac{1}{2\pi} p(I_1, I_2, \psi) \tag{z}$$

注意，$|\partial(I_1, I_2, \psi, \theta_1)/\partial(q_1, q_2, p_1, p_2)| = 1$。比较(t)与(z)知，非共振与主共振情形平稳概率密度是不一样的。

以上解析结果与数字模拟结果颇为吻合[13]。

5.4 拟部分可积 Hamilton 系统的随机平均[14]

回到(5.2-2)，现设相应 Hamilton 系统部分可积，有 r $(1<r<n)$个独立、对合的首次积分。为确定起见，设 Hamilton 函数形为

$$H = H(\boldsymbol{q}, \boldsymbol{p}) = \sum_{\eta=1}^{r-1} H_\eta(\boldsymbol{q}_1, \boldsymbol{p}_1) + H_r(\boldsymbol{q}_2, \boldsymbol{p}_2) \tag{5.4-1}$$

式中 $\boldsymbol{q}_1 = [q_1\ q_2 \cdots q_{r-1}]^{\mathrm{T}}$，$\boldsymbol{p}_1 = [p_1\ p_2 \cdots p_{r-1}]^{\mathrm{T}}$，$\boldsymbol{q}_2 = [q_r\ q_{r+1} \cdots q_n]^{\mathrm{T}}$，$\boldsymbol{p}_2 = [p_r\ p_{r+1} \cdots p_n]^{\mathrm{T}}$。对可积部分引入作用-角变量 I_η, θ_η，(5.4-1)可改写为

$$H = H(\boldsymbol{I}', \boldsymbol{q}_2, \boldsymbol{p}_2) = \sum_{\eta=1}^{r-1} H_\eta(I_\eta) + H_r(\boldsymbol{q}_2, \boldsymbol{p}_2) \tag{5.4-2}$$

式中 $\boldsymbol{I}' = [I_1\ I_2 \cdots I_{r-1}]$。作变换

$$I_\eta = I_\eta(\boldsymbol{q}_1, \boldsymbol{p}_1), \Theta_\eta = \Theta_\eta(\boldsymbol{q}_1, \boldsymbol{p}_1), H_r = H_r(\boldsymbol{q}_2, \boldsymbol{p}_2) \tag{5.4-3}$$

运用 Itô 微分公式(2.6-1)可从(5.2-2)导得 I_η, Θ_η, H_r 所满足的 Itô 随机微分方程

$$\begin{aligned}
\mathrm{d}I_\eta = &\ \varepsilon\left(-m'_{\eta'j}\frac{\partial H}{\partial P_j}\frac{\partial I_\eta}{\partial P_{\eta'}} + \frac{1}{2}\sigma'_{\eta'k}\sigma'_{\eta''k}\frac{\partial^2 I_\eta}{\partial P_{\eta'}\partial P_{\eta''}}\right)\mathrm{d}t \\
&+ \varepsilon^{1/2}\frac{\partial I_\eta}{\partial P_{\eta'}}\sigma'_{\eta'k}\mathrm{d}B_k(t) \\
\mathrm{d}\Theta_\eta = &\left(\omega_n - \varepsilon m'_{\eta'j}\frac{\partial H}{\partial P_j}\frac{\partial \Theta_\eta}{\partial P_{\eta'}} + \frac{\varepsilon}{2}\sigma'_{\eta'k}\sigma'_{\eta''k}\frac{\partial^2 \Theta_\eta}{\partial P_{\eta'}\partial P_{\eta''}}\right)\mathrm{d}t \\
&+ \varepsilon^{1/2}\frac{\partial \Theta_\eta}{\partial P_{\eta'}}\sigma'_{\eta'k}\mathrm{d}B_k(t)
\end{aligned} \tag{5.4-4}$$

$$dH_r = \varepsilon\left(-m'_{\rho j}\frac{\partial H}{\partial P_j}\frac{\partial H_r}{\partial P_\rho}+\frac{1}{2}\sigma'_{\rho k}\sigma'_{\rho' k}\frac{\partial^2 H_r}{\partial P_\rho \partial P_{\rho'}}\right)dt$$

$$+\varepsilon^{1/2}\frac{\partial H_r}{\partial P_\rho}\sigma'_{\rho k}dB_k(t)$$

$$j=1,2,\cdots,n;\ \eta,\eta',\eta''=1,2,\cdots,r-1;$$

$$\rho,\rho'=r,r+1,\cdots,n;k=1,2,\cdots,m$$

描述系统的新的 Itô 方程组由(5.4-4)与(5.2-2)中 $n-r+1$ 个关于 Q_i 的方程及 $n-r$ 个关于 P_i 的方程组成。平均方程的维数与形式取决于相应 Hamilton 系统可积部分是否存在内共振。

5.4.1 非内共振情形

此时,(5.4-4)中 I_η, H_r 为慢变过程,而 Θ_η 及(5.2-2)中 Q_i, P_i 为快变过程,根据 Khasminskii 定理[10], I_η, H_r 弱收敛于 r 维扩散过程。仍以 I_η, H_r 表示该极限过程,则平均 Itô 随机微分方程形为

$$\begin{aligned} dI_\eta &= \bar{m}_\eta(\boldsymbol{I}', H_r)dt + \bar{\sigma}_{\eta k}(\boldsymbol{I}', H_r)dB_k(t) \\ dH_r &= \bar{m}_r(\boldsymbol{I}', H_r)dt + \bar{\sigma}_{rk}(\boldsymbol{I}', H_r)dB_k(t) \end{aligned} \tag{5.4-5}$$

$$\eta=1,2,\cdots,r-1;k=1,2,\cdots,m$$

注意到相应 Hamilton 系统可积部分在 $r-1$ 维环面上遍历,不可积部分在 $2(n-r)+1$ 维等能量面上遍历,可导出如下平均漂移与扩散系数:

$$\bar{m}_\eta(\boldsymbol{I}', H_r) = \left\langle -m_{\eta' j}\frac{\partial H}{\partial P_j}\frac{\partial I_\eta}{\partial P_{\eta'}}+\frac{1}{2}\sigma_{\eta' k}\sigma_{\eta'' k}\frac{\partial^2 I_\eta}{\partial P_{\eta'}\partial P_{\eta''}}\right\rangle$$

$$\bar{m}_r(\boldsymbol{I}', H_r) = \left\langle -m_{\rho j}\frac{\partial H}{\partial P_j}\frac{\partial H_r}{\partial P_\rho}+\frac{1}{2}\sigma_{\rho k}\sigma_{\rho' k}\frac{\partial^2 H_r}{\partial P_\rho\partial P_{\rho'}}\right\rangle$$

$$\bar{\sigma}_{\eta k}\ \bar{\sigma}_{\eta k}(\boldsymbol{I}', H_r) = \left\langle \sigma_{\eta' k}\ \sigma_{\eta'' k}\frac{\partial I_\eta}{\partial P_{\eta'}}\frac{\partial I_\eta}{\partial P_{\eta''}}\right\rangle \tag{5.4-6}$$

$$\bar{\sigma}_{\eta k}\ \bar{\sigma}_{rk}(\boldsymbol{I}', H_r) = \left\langle \sigma_{\eta' k}\sigma_{\rho k}\frac{\partial I_\eta}{\partial P_{\eta'}}\frac{\partial H_r}{\partial P_\rho}\right\rangle$$

$$\bar{\sigma}_{rk}\bar{\sigma}_{rk}(\boldsymbol{I}',H_r)=\left\langle \sigma_{\rho k}\sigma_{\rho' k}\frac{\partial H_r}{\partial p_\rho}\frac{\partial H_r}{\partial p_{\rho'}}\right\rangle$$

式中

$$\langle\cdot\rangle=\frac{1}{(2\pi)^{r-1}T(H_r)}\int_{\Omega_1}\int_0^{2\pi}\left[\cdot\Big/\frac{\partial H_r}{\partial p_r}\right]\mathrm{d}\theta'\mathrm{d}q_r\cdots\mathrm{d}q_n\mathrm{d}p_{r+1}\cdots\mathrm{d}p_n$$

$$T(H_r)=\int_{\Omega_1}\left(1\Big/\frac{\partial H_r}{\partial p_r}\right)\mathrm{d}q_r\cdots\mathrm{d}q_n\mathrm{d}p_{r+1}\cdots\mathrm{d}p_n \tag{5.4-7}$$

Ω_1 由(4.4-13)定义，$\int_0^{2\pi}[\cdot]\mathrm{d}\theta'$ 为对 θ_η 的 $r-1$ 重积分。

与(5.4-5)相应的平均 FPK 方程为

$$\frac{\partial p}{\partial t}=-\frac{\partial}{\partial I_\eta}(a_\eta p)-\frac{\partial}{\partial H_r}(a_r p)+\frac{1}{2}\frac{\partial^2}{\partial I_\eta\partial I_{\bar{\eta}}}(b_{\eta\bar{\eta}}p)$$
$$+\frac{\partial^2}{\partial I_\eta\partial H_r}(b_{\eta r}p)+\frac{1}{2}\frac{\partial^2}{\partial H_r^2}(b_{rr}p) \tag{5.4-8}$$

式中

$$\begin{aligned}
a_\eta &= a_\eta(\boldsymbol{I}',H_r)=\bar{m}_\eta(\boldsymbol{I}',H_r)\\
a_r &= a_r(\boldsymbol{I}',H_r)=\bar{m}_r(\boldsymbol{I}',H_r)\\
b_{\eta\bar{\eta}} &= b_{\eta\bar{\eta}}(\boldsymbol{I}',H_r)=\bar{\sigma}_{\eta k}\bar{\sigma}_{\bar{\eta}k}(\boldsymbol{I}',H_r)\\
b_{\eta r} &= b_{\eta r}(\boldsymbol{I}',H_r)=\bar{\sigma}_{\eta k}\bar{\sigma}_{rk}(\boldsymbol{I}',H_r)\\
b_{rr} &= b_{rr}(\boldsymbol{I}',H_r)=\bar{\sigma}_{rk}\bar{\sigma}_{rk}(\boldsymbol{I}',H_r)
\end{aligned} \tag{5.4-9}$$

$p=p(\boldsymbol{I}',H_r,t\mid\boldsymbol{I}_0',H_{r0}$，相应的初始条件为

$$p(\boldsymbol{I}',H_r,0\mid\boldsymbol{I}_0',H_{r0})=\delta(\boldsymbol{I}'-\boldsymbol{I}_0')\delta(H_r-H_{r0}) \tag{5.4-10}$$

或 $p=p(\boldsymbol{I},H_r,t)$，相应的初始条件为

$$p(\boldsymbol{I}',H_r,0)=p(\boldsymbol{I}_0',H_{r0}) \tag{5.4-11}$$

(5.4-8)的边界条件取决于相应 Hamilton 系统性态与给系统所施加的约束。当 I_η，H_r 可在$[0,\infty)$上变化时，边界条件形为

$$p=\text{有限},\quad I_\eta=0\ \text{或}\ H_r=0 \tag{5.4-12}$$

$$p, \partial p/\partial I_\eta, \partial p/\partial H_r \to 0, |\boldsymbol{I}'| \to \infty \text{ 或 } H_r \to \infty \tag{5.4-13}$$

经常遇到的(5.4-2)的一个特殊情形是

$$\begin{aligned} H_\eta &= p_\eta^2/2 + U_\eta(q_\eta), \eta = 1, 2, \cdots, r-1 \\ H_r &= \sum_{\rho=r}^{n} p_\rho^2/2 + U_r(\boldsymbol{q}_2, \boldsymbol{p}_2) \end{aligned} \tag{5.4-14}$$

引入作用-角变量

$$I_\eta = f_\eta(H_\eta), \theta_\eta = \omega_\eta(I_\eta) + \delta_\eta \tag{5.4-15}$$

其中

$$\omega_\eta(I_\eta) = \frac{\mathrm{d}H_\eta}{\mathrm{d}I_\eta} = \frac{\mathrm{d}f_\eta^{-1}(I_\eta)}{\mathrm{d}I_\eta} \tag{5.4-16}$$

由于 H_η 与 I_η 一一对应,与 θ_η 无关,可用 H_η 代替 I_η。(5.4-4)中关于 I_η、H_r 的方程变成

$$\begin{aligned} \mathrm{d}H_\eta &= \varepsilon\left(-m'_{\eta j}P_j P_\eta + \frac{1}{2}\sigma'_{\eta k}\sigma'_{\eta k}\right)\mathrm{d}t \\ &\quad + \varepsilon^{1/2} P_\eta \sigma'_{\eta k}\mathrm{d}B_k(t) \\ \mathrm{d}H_r &= \varepsilon\left(-m_{\rho j}P_j P_\rho + \frac{1}{2}\sigma'_{\rho k}\sigma'_{\rho k}\right)\mathrm{d}t \\ &\quad + \varepsilon^{1/2} P_\rho \sigma'_{\rho k}\mathrm{d}B_k(t) \end{aligned} \tag{5.4-17}$$

设以 H_η 为 Hamilton 函数的 Hamilton 子系统在全平面(q_η, p_η)上有周期为 $T(H_\eta) = 2\pi/\omega_\eta = \oint \mathrm{d}q_\eta/p_\eta$ 的周期解族,则

$$\frac{1}{(2\pi)^{r-1}}\int_0^{2\pi}[\cdot]\mathrm{d}\theta' = \frac{1}{T(H_1)\cdots T(H_{r-1})}\oint[\cdot]\frac{\mathrm{d}q_1\cdots\mathrm{d}q_{r-1}}{p_1\cdots p_{r-1}}$$

于是,(5.4-7)中平均算子为

$$\begin{aligned} \langle\cdot\rangle &= \frac{1}{T(H_1)\cdots T(H_r)}\int_{\Omega_1}\oint\left[\cdot\Big/\frac{\partial H_r}{\partial p_r}\right] \\ &\quad \times \frac{\mathrm{d}q_1\cdots\mathrm{d}q_n\mathrm{d}p_{r+1}\cdots\mathrm{d}p_n}{p_1\cdots p_{r-1}} \end{aligned} \tag{5.4-18}$$

平均 Itô 方程(5.4-5)变成

$$
\begin{aligned}
\mathrm{d}H_\eta &= \overline{m}_\eta(\boldsymbol{H}_1)\mathrm{d}t + \overline{\sigma}_{\eta k}(\boldsymbol{H}_1)\mathrm{d}B_k(t) \\
\mathrm{d}H_r &= \overline{m}_r(\boldsymbol{H}_1)\mathrm{d}t + \overline{\sigma}_{rk}(\boldsymbol{H}_1)\mathrm{d}B_k(t)
\end{aligned}
\tag{5.4-19}
$$

式中

$$
\begin{aligned}
&\overline{m}_\eta(\boldsymbol{H}_1) = \langle -m_{\eta j}P_jP_\eta + \sigma_{\eta k}\sigma_{\eta k}/2\rangle \\
&\overline{m}_r(\boldsymbol{H}_1) = \langle -m_{\rho j}P_jP_\rho + \sigma_{\rho k}\sigma_{\rho k}/2\rangle \\
&\overline{\sigma}_{\eta k}\overline{\sigma}_{\bar{\eta}' k}(\boldsymbol{H}_1) = \langle P_\eta P_{\bar{\eta}}\sigma_{\eta k}\sigma_{\bar{\eta}k}\rangle \\
&\overline{\sigma}_{rk}\overline{\sigma}_{rk}(\boldsymbol{H}_1) = \langle P_\rho^2\sigma_{\rho k}\sigma_{\rho k}\rangle \\
&\overline{\sigma}_{\eta k}\overline{\sigma}_{rk}(\boldsymbol{H}_1) = \langle P_\eta P_\rho\sigma_{\eta k}\sigma_{\rho k}\rangle
\end{aligned}
\tag{5.4-20}
$$

与(5.4-19)相应的平均 FPK 方程为

$$
\begin{aligned}
\frac{\partial p}{\partial t} = &-\frac{\partial}{\partial H_\eta}(a_\eta p) - \frac{\partial}{\partial H_r}(a_r p) + \frac{1}{2}\frac{\partial^2}{\partial H_\eta \partial H_{\bar{\eta}}}(b_{\eta\bar{\eta}}p) \\
&+ \frac{1}{2}\frac{\partial^2}{\partial H_r^2}(b_{rr}p) + \frac{\partial^2}{\partial H_\eta \partial H_r}(b_{\eta r}p)
\end{aligned}
\tag{5.4-21}
$$

式中

$$
\begin{aligned}
&a_\eta = a_\eta(\boldsymbol{H}_1) = \overline{m}_\eta(\boldsymbol{H}_1),\ a_r = a_r(\boldsymbol{H}_1) = \overline{m}_r(\boldsymbol{H}_1) \\
&b_{\eta\bar{\eta}} = b_{\eta\bar{\eta}}(\boldsymbol{H}_1) = \overline{\sigma}_{\eta k}\overline{\sigma}_{\bar{\eta}k}(\boldsymbol{H}_1),\ b_{rr} = b_{rr}(\boldsymbol{H}_1) = \overline{\sigma}_{rk}\overline{\sigma}_{rk}(\boldsymbol{H}_1) \\
&b_{\eta r} = b_{\eta r}(\boldsymbol{H}_1) = \overline{\sigma}_{\eta k}\overline{\sigma}_{rk}(\boldsymbol{H}_1)
\end{aligned}
\tag{5.4-22}
$$

其初始条件与边界条件形如(5.4-10)～(5.4-13)。

类似于拟可积 Hamilton 系统情形，平均 FPK 方程(5.4-8)与(5.4-21)的概率流只含概率势流不含概率环流，若有精确平稳解，则属平稳势类。概率势可按 3.5.1 中方法求得。考虑到变换(5.4-3)，结合拟不可积与拟可积非共振情形概率密度变换公式(5.2-18)与(5.3-25)～(5.3-27)，可由(5.4-8)的平稳解得原系统的近似平稳概率密度

$$
p(\boldsymbol{q},\boldsymbol{p}) = \left.\frac{p(\boldsymbol{I}',H_r)}{(2\pi)^{r-1}T(H_r)}\right|_{\boldsymbol{I}'=\boldsymbol{I}'(\boldsymbol{q}_1,\boldsymbol{p}_1),\ H_r=H_r(\boldsymbol{q}_2,\boldsymbol{p}_2)}
\tag{5.4-23}
$$

类似于(5.3-27)，由(5.4-21)的平稳解得原系统近似平稳概率密

度的变换式为

$$p(\boldsymbol{q},\boldsymbol{p})=\left.\frac{p(\boldsymbol{H}_1)}{T(H_1)\cdots T(H_r)}\right|_{H_\eta=H_\eta(q_\eta,p_\eta),H_r=H_r(\boldsymbol{q}_2,\boldsymbol{p}_2)} \tag{5.4-24}$$

5.4.2 内共振情形

设 Hamilton 系统的可积部分的 $r-1$ 个频率 ω_η 间存在 $\beta(1\leqslant\beta\leqslant r-2)$ 个形如(5.3-3)共振关系,即

$$k_\eta^u\omega_\eta = O_u(\varepsilon),u=1,2,\cdots,\beta \tag{5.4-25}$$

引入 β 个角变量组合

$$\Psi_u = k_\eta^u\Theta_\eta \tag{5.4-26}$$

由(5.4-4)中关于 Θ_η 方程的线性组合得关于 Ψ_u 的 Itô 随机微分方程

$$\mathrm{d}\Psi_u=\left(O_u(\varepsilon)-\varepsilon m'_{\eta'j}\frac{\partial H}{\partial P_j}\frac{\partial\Psi_u}{\partial P_{\eta'}}+\frac{\varepsilon}{2}\sigma'_{\eta'k}\sigma'_{\eta''k}\frac{\partial^2\Psi_u}{\partial P_{\eta'}\partial P_{\eta''}}\right)\mathrm{d}t$$
$$+\varepsilon^{1/2}\frac{\partial\Psi_u}{\partial P_{\eta'}}\sigma'_{\eta'k}\mathrm{d}B_k(t) \tag{5.4-27}$$

此时,新的 Itô 方程组由(5.4-27)、(5.4-4)中关于 I_η,H_r,$r-1-\beta$ 个关于 Θ_η 的方程及(5.2-2)中 $n-r+1$ 个关于 Q_i 与 $n-r$ 个关于 P_i 的方程组成,也有(5.1-9)的形式,其中 $I_\eta(t)$,$H_r(t)$ 及 $\Psi_u(t)$ 为慢变过程,而 $Q_i(t)$,$P_i(t)$ 及 $\Theta_\eta(t)$ 为快变过程,根据 Khasminskii 定理[10],在 $\varepsilon\to0$ 时,在 ε^{-1} 量级时间区间上,$I_\eta(t)$,$H_r(t)$,$\Psi_u(t)$ 弱收敛于 $r+\beta$ 维扩散过程,若仍用 $I_\eta(t)$,$H_r(t)$ 及 $\Psi_\eta(t)$ 表示该极限过程,则支配该过程的平均 Itô 随机微分方程为

$$\begin{aligned}\mathrm{d}I_\eta &= \bar{m}_\eta(\boldsymbol{I}',H_r,\boldsymbol{\Psi}')\mathrm{d}t+\bar{\sigma}_{\eta k}(\boldsymbol{I}',H_r,\boldsymbol{\Psi}')\mathrm{d}B_k(t)\\ \mathrm{d}H_r &= \bar{m}_r(\boldsymbol{I}',H_r,\boldsymbol{\Psi}')\mathrm{d}t+\bar{\sigma}_{rk}(\boldsymbol{I}',H_r,\boldsymbol{\Psi}')\mathrm{d}B_k(t)\\ \mathrm{d}\Psi_u &= \bar{m}_{r+u}(\boldsymbol{I}',H_r,\boldsymbol{\Psi}')\mathrm{d}t+\bar{\sigma}_{r+u,k}(\boldsymbol{I}',H_r,\boldsymbol{\Psi}')\mathrm{d}B_k(t)\end{aligned} \tag{5.4-28}$$

$$\eta=1,2,\cdots,r-1;u=1,2,\cdots,\beta;k=1,2,\cdots,m$$

式中 $\Psi'=[\Psi_1\ \Psi_2\cdots\ \Psi_\beta]$。鉴于可积 Hamilton 子系统在 $r-1-\beta$ 维子环面上遍历，可导出如下平均漂移与扩散系数

$$
\begin{aligned}
\bar{m}_\eta(\boldsymbol{I}',H_r,\Psi') &= \left\langle -m_{\eta' j}\frac{\partial H}{\partial P_j}\frac{\partial I_\eta}{\partial P_{\eta'}}+\frac{1}{2}\sigma_{\eta' k}\ \sigma_{\eta'' k}\frac{\partial^2 I_\eta}{\partial P_{\eta'}\partial P_{\eta''}}\right\rangle \\
\bar{m}_r(\boldsymbol{I}',H_r,\Psi') &= \left\langle -m_{\rho j}\frac{\partial H}{\partial P_j}\frac{\partial H_r}{\partial P_\rho}+\frac{1}{2}\sigma_{\rho k}\ \sigma_{\rho' k}\frac{\partial^2 H_r}{\partial P_\rho\partial P_{\rho'}}\right\rangle \\
\bar{m}_{r+u}(\boldsymbol{I}',H_r,\Psi') &= \left\langle O_u(\varepsilon)-m_{\eta' j}\frac{\partial H}{\partial P_j}\frac{\partial \Psi_u}{\partial P_{\eta'}}+\frac{1}{2}\sigma_{\eta' k}\ \sigma_{\eta'' k}\frac{\partial^2 \Psi_u}{\partial P_{\eta'}\partial P_{\eta''}}\right\rangle \\
\overline{\sigma_{\eta k}\ \sigma_{\bar{\eta} k}}(\boldsymbol{I}',H_r,\Psi') &= \left\langle \sigma_{\eta' k}\ \sigma_{\eta'' k}\frac{\partial I_\eta}{\partial P_{\eta'}}\frac{\partial I_{\bar{\eta}}}{\partial P_{\eta''}}\right\rangle \\
\overline{\sigma_{\eta k}\ \sigma_{rk}}(\boldsymbol{I}',H_r,\Psi') &= \left\langle \sigma_{\eta' k}\sigma_{\rho k}\frac{\partial I_\eta}{\partial P_{\eta'}}\frac{\partial H_r}{\partial P_\rho}\right\rangle \\
\overline{\sigma_{rk}\ \sigma_{rk}}(\boldsymbol{I}',H_r,\Psi') &= \left\langle \sigma_{\rho k}\ \sigma_{\rho' k}\frac{\partial H_r}{\partial P_\rho}\frac{\partial H_r}{\partial P_{\rho'}}\right\rangle \qquad (5.4\text{-}29)\\
\overline{\sigma_{r+u,k}\ \sigma_{r+v,k}}(\boldsymbol{I}',H_r,\Psi') &= \left\langle \sigma_{\eta' k}\ \sigma_{\eta'' k}\frac{\partial \Psi_u}{\partial P_{\eta'}}\frac{\partial \Psi_v}{\partial P_{\eta''}}\right\rangle \\
\overline{\sigma_{\eta k}\ \sigma_{r+u,k}}(\boldsymbol{I}',H_r,\Psi') &= \left\langle \sigma_{\eta' k}\ \sigma_{\eta'' k}\frac{\partial I_\eta}{\partial P_{\eta'}}\frac{\partial \Psi_u}{\partial P_{\eta''}}\right\rangle \\
\overline{\sigma_{rk}\ \sigma_{r+u,k}}(\boldsymbol{I}',H_r,\Psi') &= \left\langle \sigma_{\rho k}\ \sigma_{\eta k}\frac{\partial H_r}{\partial P_\rho}\frac{\partial \Psi_u}{\partial P_\eta}\right\rangle
\end{aligned}
$$

式中

$$
\langle\cdot\rangle\ \frac{1}{(2\pi)^{r-\beta-1}\,T(H_r)}\int_{\Omega_1}\int_0^{2\pi}\left[\cdot\Big/\frac{\partial H_r}{\partial p_r}\right]\mathrm{d}\theta''\mathrm{d}q_r\cdots\mathrm{d}q_n\mathrm{d}p_{r+1}\cdots\mathrm{d}p_n \qquad (5.4\text{-}30)
$$

$\theta''=[\theta_1\ \theta_2\cdots\theta_{r-\beta-1}]^{\mathrm{T}}$，$T(Hr)$由(5.4-7)确定，$\Omega_1$ 由(4.4-13)确定。

与(5.4-28)相应的平均 FPK 方程为

$$
\begin{aligned}
\frac{\partial p}{\partial t} &= -\frac{\partial}{\partial I_\eta}(a_\eta p)\quad\frac{\partial}{\partial H_r}(a_r p)-\frac{\partial}{\partial \psi_u}(a_{r+u}p)\\
&\quad+\frac{1}{2}\frac{\partial^2}{\partial I_\eta\partial I_{\bar{\eta}}}(b_{\eta\bar{\eta}}p)+\frac{1}{2}\frac{\partial^2}{\partial H_r^2}(b_{rr}p)+\frac{1}{2}\frac{\partial^2}{\partial \psi_u\partial \psi_v}(b_{r+u,r+v}p)
\end{aligned}
$$

$$+\frac{\partial^2}{\partial I_\eta \partial H_r}(b_{\eta r}p)+\frac{\partial^2}{\partial H_r \partial \psi_u}(b_{r,r+u}p)+\frac{\partial^2}{\partial I_\eta \partial \psi_u}(b_{\eta,r+u}p)$$

(5.4-31)

式中

$$
\begin{aligned}
a_\eta &= a_\eta(\boldsymbol{I}',H_r,\psi') = \bar{m}_\eta(\boldsymbol{I}',H_r,\Psi')\big|_{\Psi'=\psi'}\\
a_r &= a_r(\boldsymbol{I}',H_r,\psi') = \bar{m}_r(\boldsymbol{I}',H_r,\Psi')\big|_{\Psi'=\psi'}\\
a_{r+u} &= a_{r+u}(\boldsymbol{I}',H_r,\psi') = \bar{m}_{r+u}(\boldsymbol{I}',H_r,\Psi')\big|_{\Psi'=\psi'}\\
b_{\eta\bar{\eta}} &= b_{\eta\bar{\eta}}(\boldsymbol{I}',H_r,\psi') = \overline{\sigma_{\eta k}\,\sigma_{\bar{\eta}k}}(\boldsymbol{I}',H_r,\Psi')\big|_{\Psi'=\psi'}\\
b_{rr} &= b_{rr}(\boldsymbol{I}',H_r,\psi') = \overline{\sigma_{rk}\,\sigma_{rk}}(\boldsymbol{I}',H_r,\Psi')\big|_{\Psi'=\psi'}\\
b_{r+u,r+v} &= b_{r+u,r+v}(\boldsymbol{I}',H_r,\psi') = \overline{\sigma_{r+u,k}\,\sigma_{r+v,k}}(\boldsymbol{I}',H_r,\Psi')\big|_{\Psi'=\psi'}\\
b_{\eta r} &= b_{\eta r}(\boldsymbol{I}',H_r,\psi') = \overline{\sigma_{\eta k}\,\sigma_{rk}}(\boldsymbol{I}',H_r,\Psi')\big|_{\Psi'=\psi'}\\
b_{r,r+u} &= b_{r,r+u}(\boldsymbol{I}',H_r,\psi') = \overline{\sigma_{rk}\,\sigma_{r+u,k}}(\boldsymbol{I}',H_r,\Psi')\big|_{\Psi'=\psi'}\\
b_{\eta,r+u} &= b_{\eta,r+u}(\boldsymbol{I}',H_r,\psi') = \overline{\sigma_{\eta k}\sigma_{r+u,k}}(\boldsymbol{I}',H_r,\Psi')\big|_{\Psi'=\psi'}
\end{aligned}
$$

(5.4-32)

$p=p(\boldsymbol{I}',H_r,\psi',t\,|\,\boldsymbol{I}_0',H_{r0},\psi_0')$,相应的初始条件为

$$
\begin{aligned}
&p(\boldsymbol{I}',H_r,\psi',0\mid \boldsymbol{I}_0',H_{r0},\psi_0')\\
&=\delta(\boldsymbol{I}'-\boldsymbol{I}_0')\,\delta(H_r-H_{r0})\,\delta(\psi'-\psi_0')
\end{aligned}
\tag{5.4-33}
$$

或 $p=p(\boldsymbol{I}',H_r,\psi',\boldsymbol{t})$,相应的初始条件为

$$p(\boldsymbol{I}',H_r,\psi'0)=p(\boldsymbol{I}_0',H_{r0},\psi_0') \tag{5.4-34}$$

关于 I_η、H_r 的边界条件形同(5.4-12)、(5.4-13),关于 ψ_u 的周期边界条件形同(5.3-36)。(5.4-31)的精确平稳解若存在,可按3.5.2中方法求得,所不同的是,(5.4-31)中概率流只含概率势流而无概率环流,属平稳势类。

考虑到变换(5.4-3)与(5.4-26),(5.4-31)的平稳解与原系统的近似平稳概率密度之间的关系为

$$p(\boldsymbol{q},\boldsymbol{p})=\frac{p(\boldsymbol{I}',H_r,\psi')}{(2\pi)^{r-\beta-1}\,T(H_r)}\left|\frac{\partial(\boldsymbol{I}',\psi',\theta'')}{\partial(\boldsymbol{q}_1,\boldsymbol{p}_1)}\right| \tag{5.4-35}$$

$\partial(\boldsymbol{I}',\psi',\theta'')/\partial(\boldsymbol{q}_1,\boldsymbol{p}_1)$为$\partial(\boldsymbol{I}',\theta')/\partial(\boldsymbol{q}_1,\boldsymbol{p}_1)$的整数组合,其行列式只影响归一化常数。

例 5.4-1 考虑在 Gauss 白噪声激励下四自由度非线性系统

$$\begin{aligned}
\dot{Q}_1 &= P_1\\
\dot{P}_1 &= -\omega_1^2 Q_1 - [\alpha_{10} + \alpha_{11} P_1^2 + \alpha_{12} P_2^2 + \alpha_{13} P_3^2 + \alpha_{14} P_4^2\\
&\quad + (\alpha_{13} + \alpha_{14}) U(Q_3, Q_4)] P_1 + \xi_1(t)\\
\dot{Q}_2 &= P_2\\
\dot{P}_2 &= -\omega_2^2 Q_2 - [\alpha_{20} + \alpha_{21} P_1^2 + \alpha_{22} P_2^2 + \alpha_{23} P_3^2 + \alpha_{24} P_4^2\\
&\quad + (\alpha_{23} + \alpha_{24}) U(Q_3, Q_4)] P_2 + \xi_2(t)\\
\dot{Q}_3 &= P_3 \qquad\qquad (a)\\
\dot{P}_3 &= -\partial U/\partial Q_3 - [\alpha_{30} + \alpha_{31} P_1^2 + \alpha_{32} P_2^2 + \alpha_{33} P_3^2 + \alpha_{34} P_4^2\\
&\quad + (1/2)(\alpha_{34} + 3\alpha_{33}) U(Q_3, Q_4)] P_3 + \xi_3(t)\\
\dot{Q}_4 &= P_4\\
\dot{P}_4 &= -\partial U/\partial Q_4 - [\alpha_{40} + \alpha_{41} P_1^2 + \alpha_{42} P_2^2 + \alpha_{43} P_3^2 + \alpha_{44} P_4^2\\
&\quad + (1/2)(\alpha_{43} + 3\alpha_{44}) U(Q_3, Q_4)] P_4 + \xi_4(t)
\end{aligned}$$

式中

$$U(Q_3, Q_4) = (\omega_3^2 Q_3^2 + \omega_4^2 Q_4^2)/2 + b(\omega_3^2 Q_3^2 + \omega_4^2 Q_4^2)^2/4 \qquad (b)$$

ω_i, α_{ij}, b 为正常数；$\xi_k(t)$是强度为 $2D_k$ 的独立 Gauss 白噪声。相应的 Hamilton 系统的 Hamilton 函数为

$$H = \sum_{\eta=1}^{2} H_\eta + H_3 = \sum_{\eta=1}^{2} \omega_\eta I_\eta + H_3 \qquad (c)$$

式中

$$H_\eta = (p_\eta^2 + \omega_\eta^2 q_\eta^2)/2,\ H_3 = (p_3^2 + p_4^2)/2 + U(q_3, q_4) \qquad (d)$$

$U(q_3, q_4)$不可分离。(d)为(5.4-14)之一例。设 α_{ij}, D_k 同为 ε 阶小量，则(a)为拟部分可积 Hamilton 系统。平均方程的维数与形式取决于前面两个自由度是否存在内共振。

1. 非内共振情形。关于 I_η、H_3 的 Itô 随机微分方程形如(5.4-17)。以 I_η 为作用量的 Hamilton 子系统在相平面上有周期解族，按(5.4-18)作平均，得平均 Itô 随机微分方程

$$\begin{aligned}
\mathrm{d}I_\eta &= \bar{m}_\eta(I_1, I_2, H_3)\mathrm{d}t + \bar{\sigma}_{\eta k}(I_1, I_2, I_3)\mathrm{d}B_k(t)\\
\mathrm{d}H_3 &= \bar{m}_3(I_1, I_2, H_3)\mathrm{d}t + \bar{\sigma}_{3k}(I_1, I_2, H_3)\mathrm{d}B_k(t) \qquad (e)
\end{aligned}$$

$$\eta=1,2; k=1,2,3,4$$

式中

$$\begin{aligned}
\bar{m}_1(I_1,I_2,H_3)=&-[\alpha_{10}I_1+3\alpha_{11}\omega_1 I_1^2/2+\alpha_{12}\omega_2 I_1 I_2\\
&+(\alpha_{13}+\alpha_{14})I_1 H_3]+D_1/\omega_1\\
\bar{m}_2(I_1,I_2,H_3)=&-[\alpha_{20}I_2+3\alpha_{22}\omega_2 I_2^2/2+\alpha_{21}\omega_1 I_1 I_2\\
&+(\alpha_{23}+\alpha_{24})I_2 H_3]+D_2/\omega_2\\
\bar{m}_3(I_1,I_2,H_3)=&-[(\alpha_{30}+\alpha_{40})+(\alpha_{31}+\alpha_{41})\omega_1 I_1\\
&+(\alpha_{32}+\alpha_{42})\omega_2 I_2+(3\alpha_{33}+3\alpha_{44}+\alpha_{34}\\
&+\alpha_{43})H_3/2]S(H_3)+D_3+D_4\\
\bar{\sigma}_{11}^2(I_1,I_2,H_3)=&2D_1 I_1/\omega_1,\ \bar{\sigma}_{22}^2(I_1,I_2,H_3)=2D_2 I_2/\omega_2\\
\bar{\sigma}_{33}^2(I_1,I_2,H_3)=&2(D_3+D_4)S(H_3)\\
\bar{\sigma}_{12}=\bar{\sigma}_{13}=&\bar{\sigma}_{21}=\bar{\sigma}_{23}=\bar{\sigma}_{31}=\bar{\sigma}_{32}=0
\end{aligned}\tag{f}$$

其中 $S(H_3)=[1+8bH_3-(1+4bH_3)^{1/2}]/12b$。

相应平均 FPK 方程形如(5.4-8),设其精确平稳解形为

$$p(I_1,I_2,H_3)=C\exp[-\lambda(I_1,I_2,H_3)]\tag{g}$$

代入平均 FPK 方程得 λ 满足之一阶偏微分方程

$$\begin{aligned}
&\frac{2D_1 I_1}{\omega_1}\frac{\partial\lambda}{\partial I_1}=\frac{2D_1}{\omega_1}-2a_1\\
&\frac{2D_2 I_2}{\omega_2}\frac{\partial\lambda}{\partial I_2}=\frac{2D_2}{\omega_2}-2a_2\\
&2(D_3+D_4)S(H_3)\frac{\partial\lambda}{\partial H_3}=2(D_3+D_4)\frac{\mathrm{d}S(H_3)}{\mathrm{d}H_3}-2a_3
\end{aligned}\tag{h}$$

式中 $a_i=\bar{m}_i$。若阻尼系数与随机激励强度满足如下相容条件:

$$\begin{aligned}
&\alpha_{12}/D_1=\alpha_{21}/D_2,(\alpha_{13}+\alpha_{14})/D_1=(\alpha_{31}+\alpha_{41})/(D_3+D_4)\\
&(\alpha_{23}+\alpha_{24})/D_2=(\alpha_{32}+\alpha_{42})/(D_3+D_4)
\end{aligned}\tag{i}$$

则有精确平稳解

$$\begin{aligned}
p(I_1,I_2,H_3)=&C[(1+4bH_3)^{1/2}-1]\\
&\times\exp\{-[\alpha_{10}\omega_1 I_1/D_1+\alpha_{20}\omega_2 I_2/D_2\\
&+(\alpha_{30}+\alpha_{40})H_3/(D_3+D_4)+3\alpha_{11}\omega_1^2 I_1^2/4D_1
\end{aligned}$$

$$+3\alpha_{22}\omega_2^2 I_2^2/4D_2+(3\alpha_{33}+3\alpha_{44}+\alpha_{34}+\alpha_{43})H_3^2$$
$$/4(D_3+D_4)+\alpha_{12}\omega_1\omega_2 I_1 I_2/D_1$$
$$+(\alpha_{13}+\alpha_{14})\omega_1 I_1 H_3/D_1+(\alpha_{23}+\alpha_{24}) \tag{j}$$
$$\times\omega_2 I_2 H_3/D_2]\}$$

按(5.4-23)得系统(a)的近似平稳概率密度

$$p(\boldsymbol{p},\boldsymbol{q})=\left.\frac{p(I_1,I_2,H_3)}{(1-4bH_3)^{1/2}-1}\right|_{I_{1,2}=I_{1,2}(q_{1,2},p_{1,2}),H_3=H_3(q_3,q_4,p_3,p_4)} \tag{k}$$

2. 主共振情形，$\omega_1=\omega_2$。令 $\Psi=\Theta_1-\Theta_2$，平均 Itô 方程形如(5.4-28)，即

$$\begin{aligned}
dI_\eta&=\bar{m}_\eta(I_1,I_2,H_3,\Psi)dt+\bar{\sigma}_{\eta k}(I_1,I_2,H_3,\Psi)dB_k(t)\\
dH_3&=\bar{m}_3(I_1,I_2,H_3,\Psi)dt+\bar{\sigma}_{3k}(I_1,I_2,H_3,\Psi)dB_k(t)\\
d\Psi&=\bar{m}_4(I_1,I_2,H_3,\Psi)dt+\bar{\sigma}_{4k}(I_1,I_2,H_3,\Psi)dB_k(t)\\
\eta&=1,2;k=1,2,3,4
\end{aligned} \tag{l}$$

式中

$$\begin{aligned}
\bar{m}_1(I_1,I_2,H_3,\psi)=&-[\alpha_{10}I_1+3\alpha_{11}\omega_1 I_1^2/2+\alpha_{12}\omega_2 I_1 I_2(1\\
&+(1/2)\cos 2\psi)+(\alpha_{13}+\alpha_{14})I_1H_3]+D_1/\omega_1\\
\bar{m}_2(I_1,I_2,H_3,\psi)=&-[\alpha_{20}I_2+3\alpha_{22}\omega_2 I_2^2/2+\alpha_{21}\omega_1 I_1 I_2(1\\
&+(1/2)\cos 2\psi)+(\alpha_{23}+\alpha_{24})I_2H_3]+D_2/\omega_2\\
\bar{m}_3(I_1,I_2,H_3,\psi)=&-[(\alpha_{30}+\alpha_{40})+(\alpha_{31}+\alpha_{41})\omega_1 I_1+(\alpha_{32}\\
&+\alpha_{42})\omega_2 I_2+(3\alpha_{33}+3\alpha_{44}\\
&+\alpha_{34}+\alpha_{43})H_3/2]S(H_3)+D_3+D_4
\end{aligned} \tag{m}$$

$$\begin{aligned}
&\bar{m}_4(I_1,I_2,H_3,\psi)=[(\alpha_{12}\omega_2 I_2+\alpha_{21}\omega_1 I_1)/4]\sin 2\psi\\
&\bar{\sigma}_{11}^2(I_1,I_2,H_3,\psi)=2D_1I_1/\omega_1\\
&\bar{\sigma}_{22}^2(I_1,I_2,H_3,\psi)=2D_2I_2/\omega_2\\
&\bar{\sigma}_{33}^2(I_1,I_2,H_3,\psi)=2(D_3+D_4)S(H_3)\\
&\bar{\sigma}_{44}^2(I_1,I_2,H_3,\psi)=D_1/2\omega_1 I_1+D_2/2\omega_2 I_2\\
&\bar{\sigma}_{12}=\bar{\sigma}_{13}=\bar{\sigma}_{14}=\bar{\sigma}_{21}=\bar{\sigma}_{23}=\bar{\sigma}_{24}=
\end{aligned}$$

$$\bar{\sigma}_{31}=\bar{\sigma}_{32}=\bar{\sigma}_{34}=\bar{\sigma}_{41}=\bar{\sigma}_{42}=\bar{\sigma}_{43}=0$$

与(l)相应的平均 FPK 方程形如(5.4-31)。在系统参数满足相容条件(i)时,可得精确平稳解

$$\begin{aligned}p(I_1,I_2,H_3,\psi)=&\ C[(1+4bH_3)^{1/2}-1]\exp\{-[\alpha_{10}\omega_1 I_1/D_1\\&+\alpha_{20}\omega_2 I_2/D_2+(\alpha_{30}+\alpha_{40})H_3/(D_3+D_4)+3\alpha_{11}\omega_1^2 I_1^2/4D_1\\&+3\alpha_{22}\omega_2^2 I_2^2/4D_2+(3\alpha_{33}+3\alpha_{44}+\alpha_{34}+\alpha_{43})H_3^2/4(D_3+D_4)\\&+(\alpha_{12}\omega_1\omega_2 I_1 I_2/D_1)(1+(1/2)\cos 2\psi)+(\alpha_{13}+\alpha_{14})\omega_1 I_1 H_3/D_1\\&+(\alpha_{23}+\alpha_{24})\omega_2 I_2 H_3/D_2]\}\end{aligned}\tag{n}$$

按(5.4-35),并注意到 $|\partial(I_1,I_2,\psi,\theta_1)/\partial(q_1,q_2,p_1,p_2)|=1$,原系统(a)的近似平稳概率密度为

$$p(\boldsymbol{p},\boldsymbol{q})=\left.\frac{2\pi p(I_1,I_2,H_3,\psi)}{(1-4bH_3)^{1/2}-1}\right|_{I_\eta=I_\eta(q_\eta,p_\eta),H_3=H_3(q_3,q_4,p_3,p_4),\psi=\psi(q_1,q_2,p_1,p_2)}\tag{o}$$

以上非共振与共振情形解析结果与数字模拟结果颇为吻合[14],例见图 5.4-1。

值得指出的是,本节系统(a)与 4.4 中系统(a)基本相同,后者多两项非对角阻尼 $\alpha_{16}p_2$ 与 $\alpha_{26}p_1$,它们在非共振情形不起作用。在非共振情形,本节得到的平稳概率密度(k)与 4.4 中用基于第三个等效准则的等效非线性系统法得到的平稳概率密度(q)完全一致。在共振情形,本节得到的平稳概率密度(o)与 4.4 中用基于第三个准则的等效非线性系统法得到的平稳概率密度(z)一致。这说明本书所述理论方法的一致性。

5.5 平稳宽带随机激励下拟可积 Hamilton 系统的随机平均

考虑系统(3.1-10),设 $u_i=0$,$\xi_k(t)$为平稳宽带随机过程,相关函数 $E[\xi_k(t)\xi_l(k+\tau)]=R_{kl}(\tau)$,$c_{ij}=\varepsilon c'_{ij}$,$f_{ik}=\varepsilon^{1/2}f'_{ik}$,$c'_{ij}$、$f'_{ik}$为有限量。(3.1-10)可改写为

$$\dot{Q}_i=\frac{\partial H}{\partial P_i}$$

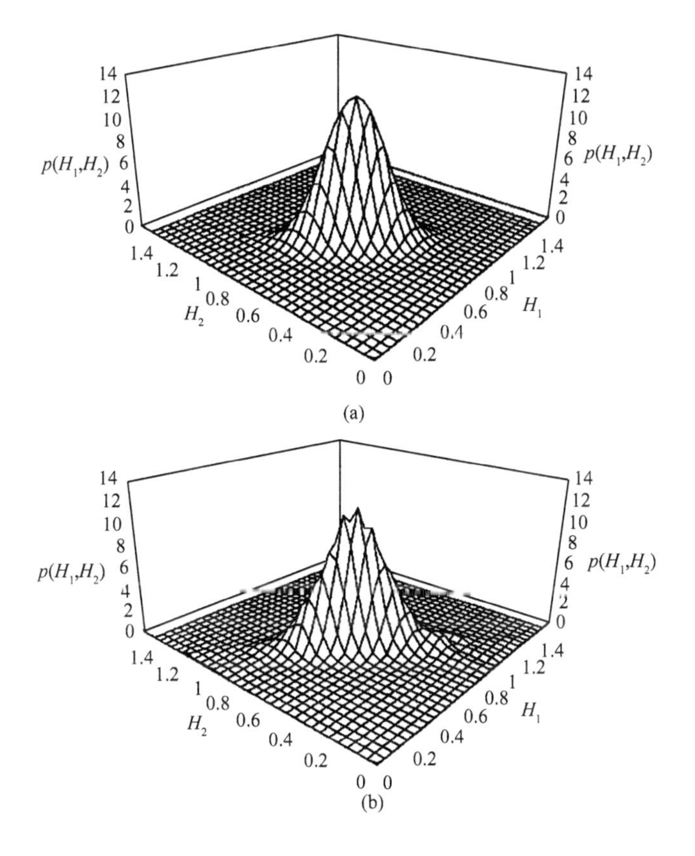

图 5.4-1　例 5.4-1 共振情形系统(a)的首次积分 H_1，H_2 的平稳概率密度 $p(H_1, H_2)$

$\omega_1=\omega_2=1.0$，$\omega_3=1.11$，$\omega_4=1.732$，$\alpha_{10}=\alpha_{20}=\alpha_{30}=\alpha_{40}=-0.08$，$\alpha_{11}=\alpha_{22}=\alpha_{33}=\alpha_{44}=\alpha_{34}=\alpha_{43}=0.04$，$\alpha_{12}=\alpha_{21}=0.08$，$\alpha_{31}=\alpha_{41}=\alpha_{23}=\alpha_{42}=0.02$，$\alpha_{13}=\alpha_{14}=\alpha_{23}=\alpha_{24}=0.01$，$D_1=D_2=D_3=D_4=0.05$

(a)随机平均法结果；(b)数字模拟结果

$$\dot{P}_i=-\frac{\partial H}{\partial Q_i}-\varepsilon c'_{ij}(\boldsymbol{Q},\boldsymbol{P})\frac{\partial H}{\partial P_j}+\varepsilon^{1/2}f'_{ik}(\boldsymbol{Q},\boldsymbol{P})\xi_k(t) \quad (5.5\text{-}1)$$

$$i,j=1,2,\cdots,n;k=1,2,\cdots,m$$

再设 Hamilton 函数(经正则变换)可分离,即

$$H=\sum_{i=1}^{n}H_i(q_i,p_i) \tag{5.5-2}$$

对大多数动力学系统,可设

$$H_i(q_i,p_i)=p_i^2/2+U_i(q_i) \tag{5.5-3}$$

记 $\mathrm{d}U_i/\mathrm{d}q_i=g_i(q_i)$,(5.5-1)可进一步改写成

$$\begin{aligned}&\dot{Q}_i=P_i\\&\dot{P}_i=-g_i(Q_i)-\varepsilon c_{ij}(\boldsymbol{Q},\boldsymbol{P})P_j+\varepsilon^{1/2}f_{ik}(\boldsymbol{Q},\boldsymbol{P})\xi_k(t)\\&i,j=1,2,\cdots,n;k=1,2,\cdots,m\end{aligned} \tag{5.5-4}$$

(5.5-4)描述一类平稳宽带随机激励下的拟可积 Hamilton 系统。当 $g_i(Q_i)$为 Q_i 的线性函数时,(5.5-4)为拟线性系统,可应用 Stratonovich 随机平均法[1~5]。当 $g_i(Q_i)$为 Q_i 的非线性函数时,(5.5-4)为强非线性系统,迄今只有单自由度情形有随机平均法[15~17]。下面分单自由度与多自由度两种情形叙述应用广义谐和函数的拟可积 Hamilton 系统(5.5-4)的随机平均法。

5.5.1 单自由度系统[15]

考虑平稳宽带随机激励下单自由度强非线性系统

$$\begin{aligned}&\dot{Q}=P\\&\dot{P}=-g(Q)-\varepsilon c(Q,P)P+\varepsilon^{1/2}f_k(Q,P)\xi_k(t)\end{aligned} \tag{5.5-5}$$

$\varepsilon=0$ 时,(5.5-5)化为单自由度 Hamilton 系统。设它在平衡点$(b,0)$邻域 V 内有周期解族

$$\begin{aligned}&q(t)=a\cos\theta(t)+b,\ p(t)=-a\nu(a,\theta)\sin\theta(t),\\&\theta(t)=\phi(t)+\gamma(t)\end{aligned} \tag{5.5-6}$$

a 为幅值,

$$\nu(a,\theta)=\frac{\mathrm{d}\phi}{\mathrm{d}t}=\sqrt{\frac{2[U(a+b)-U(a\cos\theta+b)]}{a^2\sin^2\theta}} \tag{5.5-7}$$

为瞬时频率,a、b 与 Hamilton 函数之间关系为

$$U(a+b)=U(-a+b)=H \tag{5.5-8}$$

由于频率 ν 依赖于 a,θ,称 $\sin\theta,\cos\theta$ 为广义谐和函数。将 ν^{-1} 展成 Fourier 级数

$$\nu^{-1}(a,\theta)=\frac{\mathrm{d}t}{\mathrm{d}\phi}=C_0(a)+\sum_{r=1}^{\infty}C_r(a)\cos r\theta \tag{5.5-9}$$

对 ϕ 积分(5.5-9),得

$$t=C_0(a)\phi+\sum_{r=1}^{\infty}\frac{1}{r}C_r(a)\sin r\theta \tag{5.5-10}$$

积分一周,得平均周期

$$T(a)=2\pi C_0(a) \tag{5.5-11}$$

与平均频率

$$\omega(a)=1/C_0(a) \tag{5.5-12}$$

在作平均时,将用到下列近似式

$$\theta(t)=\omega(a)t+\gamma(t) \tag{5.5-13}$$

对拟线性系统,$\nu=\omega$ 为常数。

回到系统(5.5-5),由于 ε 为小量,可设 V 内其解为

$$Q(t)=A\cos\Theta(t)+B,\ P(t)=-A\nu(A,\Theta)\sin\Theta(t),$$
$$\Theta(t)=\Phi(t)+\Gamma(t) \tag{5.5-14}$$

式中

$$\nu(A,\Theta)=\frac{\mathrm{d}\Phi}{\mathrm{d}t}=\sqrt{\frac{2[U(A+B)-U(A\cos\Theta+B)]}{A^2\sin^2\Theta}} \tag{5.5-15}$$

A,Θ,Φ,Γ 皆为随机过程。将(5.5-14)看成从 Q、P 到 A、Γ 的广义 van der Pol 变换,(5.5-14)中第一式对 t 求导减去第二式,得

$$\dot{A}(\cos\Theta+r)-\dot{\Gamma}A\sin\Theta=0 \tag{5.5-16}$$

式中

$$r=\frac{\mathrm{d}B}{\mathrm{d}A}=\frac{g(-A+B)+g(A+B)}{g(-A+B)-g(A+B)} \tag{5.5-17}$$

(5.5-14)中的第二式对 t 求导后代入(5.5-5)第二式,得

$$\dot{A}\left\{\nu(A,\Theta)\sin\Theta+A\frac{\partial}{\partial A}[\nu(A,\Theta)\sin\Theta]\right\}$$

$$+\dot{\Gamma}A\frac{\partial}{\partial\Phi}[\nu(A,\Theta)\sin\Theta]$$

$$=\varepsilon c'(A\cos\Theta+B,-A\nu(A,\Theta)\sin\Theta)(-A\nu(A,\Theta)\sin\Theta)$$

$$-\varepsilon^{1/2}f'(A\cos\Theta+B,-A\nu(A,\Theta)\sin\Theta)\xi_k(t)\quad(5.5\text{-}18)$$

联立(5.5-16),(5.5-18),得

$$\begin{aligned}\frac{\mathrm{d}A}{\mathrm{d}t}&=\varepsilon F_1(A,\Gamma)+\varepsilon^{1/2}G_{1k}(A,\Gamma)\xi_k(t)\\\frac{\mathrm{d}\Gamma}{\mathrm{d}t}&=\varepsilon F_2(A,\Gamma)+\varepsilon^{1/2}G_{2k}(A,\Gamma)\xi_k(t)\end{aligned}\quad(5.5\text{-}19)$$

式中

$$F_1(A,\Gamma)=\frac{-A^2}{g(A+B)(1+r)}c(A\cos\Theta+B,-A\nu(A,\Theta)\sin\Theta)\nu^2(A,\Theta)\sin^2\Theta$$

$$F_2(A,\Gamma)=\frac{-A}{g(A+B)(1+r)}c'(A\cos\Theta+B,-A\nu(A,\Theta)\sin\Theta)\nu^2(A,\Theta)(\cos\Theta+r)\sin\Theta\quad(5.5\text{-}20)$$

$$G_{1k}(A,\Gamma)=\frac{-A}{g(A+B)(1+r)}f'_k(A\cos\Theta+B,-A\nu(A,\Theta)\sin\Theta)\times\nu(A,\Theta)\sin\Theta$$

$$G_{2k}(A,\Gamma)=\frac{-1}{g(A+B)(1+r)}f'_k(A\cos\Theta+B,-A\nu(A,\Theta)\sin\Theta)\nu(A,\Theta)(\cos\Theta+r)$$

(5.5-19)形同(5.1-1),$\xi_k(t)$为平稳宽带过程,基于Stratonovich-Khasminskii 极限定理[6~8],$\varepsilon\to0$时,在ε^{-1}量级时间区间上,$A(t)$,$\Gamma(t)$弱收敛于二维扩散过程。该极限过程可用形如(5.1-5)的平均 Itô 随机微分方程描述。鉴于关于 A 的平均 Itô 方程中不含 Γ,按(5.1-2)计算的平均方程扩散系数 $b_{1,2}=0$,因此,极限过程 $A(t)$为一维扩散过程,其平均 Itô 方程为

$$\mathrm{d}A=m(A)\mathrm{d}t+\sigma(A)\mathrm{d}B(t)\quad(5.5\text{-}21)$$

按(5.1-2),(5.5-21)中的漂移与扩散系数为

$$m(A)=\varepsilon\left\langle F_1+\int_{-\infty}^{0}\left(\frac{\partial G_{1k}}{\partial A}\bigg|_t G_{1l}\bigg|_{t+\tau}+\frac{\partial G_{1k}}{\partial \Gamma}\bigg|_t G_{2l}\bigg|_{t+\tau}\right)R_{kl}(\tau)\mathrm{d}\tau\right\rangle_{\Theta}$$

$$\sigma^2(A)=\varepsilon\left\langle\int_{-\infty}^{\infty}G_{1k}\bigg|_t G_{1l}\bigg|_{t+\tau}R_{kl}(\tau)\mathrm{d}\tau\right\rangle_{\Theta} \tag{5.5-22}$$

式中$\langle\cdot\rangle_{\Theta}$表示对$\Theta$的平均。

为得到$m(A)$，$\sigma^2(A)$的显式，宜将εF_i，$\varepsilon^{1/2}G_{ik}$展成Fourier级数

$$\varepsilon F_1(A,\Gamma)=F_{10}+\sum_{r=1}^{\infty}(F_{1r}^{(c)}\cos r\Theta+F_{1r}^{(s)}\sin r\Theta)$$

$$\varepsilon^{1/2}G_{jk}(A,\Gamma)=G_{jk0}+\sum_{r=1}^{\infty}(G_{jkr}^{(c)}\cos r\Theta+G_{jkr}^{(s)}\sin r\Theta)$$

$$j=1,2;\quad k=1,2,\cdots,m \tag{5.5-23}$$

其系数为A的函数。(5.5-23)代入(5.5-22)，完成对τ的积分与对Θ平均后，得

$$\begin{aligned}m(A)=&F_{10}(A)+\pi\frac{\mathrm{d}G_{1k0}}{\mathrm{d}A}G_{1l0}S_{kl}(0)\\&+\frac{\pi}{2}\sum_{r=1}^{\infty}\left\{\left[\frac{\mathrm{d}G_{1kr}^{(c)}}{\mathrm{d}A}G_{1lr}^{(c)}+\frac{\mathrm{d}G_{1kr}^{(s)}}{\mathrm{d}A}G_{1lr}^{(s)}+r(G_{1kr}^{(s)}G_{2lr}^{(c)}-G_{1kr}^{(c)}G_{2lr}^{(s)})\right]\right.\\&\times S_{kl}(r\omega(A))+\left[\frac{\mathrm{d}G_{1kr}^{(c)}}{\mathrm{d}A}G_{1lr}^{(s)}-\frac{\mathrm{d}G_{1kr}^{(s)}}{\mathrm{d}A}G_{1lr}^{(c)}+r(G_{1kr}^{(s)}G_{2lr}^{(s)}\right.\\&\left.\left.+G_{1kr}^{(c)}G_{2lr}^{(c)})\right]I_{kl}(r\omega(A))\right\}\end{aligned} \tag{5.5-24}$$

$$\begin{aligned}\sigma^2(A)=&2\pi G_{1k0}G_{1l0}S_{kl}(0)+\pi\sum_{r=1}^{\infty}[(G_{1kr}^{(c)}G_{1lr}^{(c)}+G_{1kr}^{(s)}G_{1lr}^{(s)})\\&\times S_{k1}(r\omega(A))+(G_{1kr}^{(c)}G_{1lr}^{(s)}-G_{1kr}^{(s)}G_{1lr}^{(c)})I_{kl}(r\omega(A))]\end{aligned}$$

式中

$$S_{kl}(\omega)=\frac{1}{\pi}\int_{-\infty}^{0}R_{kl}(\tau)\cos\omega\tau\mathrm{d}\tau$$

$$I_{kl}(\omega)=\frac{1}{\pi}\int_{-\infty}^{0}R_{kl}(\tau)\sin\omega\tau\mathrm{d}\tau \tag{5.5-25}$$

与(5.5-21)相应的平均 FPK 方程为

$$\frac{\partial p}{\partial t}=-\frac{\partial}{\partial a}[m(a)p]+\frac{1}{2}\frac{\partial^2}{\partial a^2}[\sigma^2(a)p] \quad (5.5\text{-}26)$$

式中 $p=p(a,t\mid a_0)$,相应的初始条件为

$$p(a,0\mid a_0)=\delta(a-a_0) \quad (5.5\text{-}27)$$

或 $p=p(a,t)$,相应的初始条件为

$$p(a,0)=p(a_0) \quad (5.5\text{-}28)$$

(5.5-26)的边界条件取决于域 V,若 V 为全相平面 (q,p),则边界条件为

$$p=\text{有限},a=0 \quad (5.5\text{-}29)$$

$$p,\partial p/\partial a\to 0,a\to\infty \quad (5.5\text{-}30)$$

若 V 为有限域,边界为 Γ,Γ 外 Hamilton 系统无周期解,例如软弹簧 Duffing 振子,则 Γ 为吸收壁,边界条件为

$$p=0,a=a_\Gamma \quad (5.5\text{-}31)$$

(5.5-26)在边界条件(5.5-29)、(5.5-30)下的平稳解为

$$p(a)=\frac{C}{\sigma^2(a)}\exp\left[\int_0^a\frac{2m(a)}{\sigma^2(u)}\mathrm{d}u\right] \quad (5.5\text{-}32)$$

而系统 Hamilton 过程的平稳概率密度为

$$p(H)=p(a)\left|\frac{\mathrm{d}a}{\mathrm{d}H}\right|=\left.\frac{p(a)}{g(a)(1+r)}\right|_{a=U^{-1}(H)-b}$$

(5.5-33)

U^1 为 U 的反函数。按(5.2-18),广义位移与动量(速度)的平稳概率密度为

$$p(q,p)=p(H)/T(H)\Big|_{H=p^2/2+U(q)} \quad (5.5\text{-}34)$$

藉 H 与 a 的关系(5.5-8),可用 Itô 微分公式(2.6-1)由(5.5-21)导得关于 Hamilton 过程的平均 Itô 方程

$$\mathrm{d}H=\bar{m}(H)\mathrm{d}t+\bar{\sigma}(H)\mathrm{d}B(t) \quad (5.5\text{-}35)$$

式中

$$\bar{m}(H)=\{g(A+B)(1+r)m(A)+[g(A+B)(1+r)]'\sigma^2(A)/2\}\Big|_{A=U^{-1}(H)-B}$$

$$\bar{\sigma}^2(H)=g^2(A+B)(1+r)^2\sigma^2(A)\Big|_{A=U^{-1}(H)-B} \tag{5.5-36}$$

例 5.5-1 考虑在平稳宽带随机过程外激与参激下的 Duffing-van der Pol 振子,其运动方程为

$$\dot{Q}=P$$
$$\dot{P}=-\omega_0^2 Q-\alpha Q^3-(-\beta_1+\beta_2 Q^2)P+Q\xi_1(t)+\xi_2(t) \tag{a}$$

式中 $\omega_0,\alpha,\beta_1,\beta_2$ 为常数,分别表示退化线性系统固有频率、非线性强度、线性及非线性阻尼系数,$\xi_k(t)$为独立平稳随机过程,均值为零,谱密度为

$$S_k(\omega)=\frac{D_k}{\pi}\frac{1}{(\omega^2-\omega_k^2)^2+4\zeta_k^2\omega_k^2\omega^2} \tag{b}$$

ζ_k,ω_k,D_k 为常数。设 β_i 与 D_k 同为 ε 阶小量。

与(a)相应的 Hamilton 系统在全相平面 (q,p)上有周期解族,因此,可应用上述随机平均法。对本例

$$\begin{aligned}
&g(q)=\omega_0^2 q+\alpha q^3\\
&U(q)=\omega_0^2 q^2/2+\alpha q^4/4\\
&b=r=0\\
&\nu(a,\theta)=[(\omega_0^2+3\alpha a^2/4)(1+\eta\cos 2\theta)]^{1/2}\\
&\eta=(\alpha a^2/4)/(\omega_0^2+3\alpha a^2/4)\leqslant 1/3
\end{aligned} \tag{c}$$

$\nu(a,\phi)$可以下列有限和近似,其相对误差小于 0.03%:

$$\begin{aligned}
\nu(a,\theta)=\;&b_0(a)+b_2(a)\cos 2\theta+b_4(a)\cos 4\theta\\
&+b_6(a)\cos 6\theta
\end{aligned} \tag{d}$$

式中

$$\begin{aligned}
&b_0(a)=(\omega_0^2+3\alpha a^2/4)^{1/2}(1-\eta^2/16)\\
&b_2(a)=(\omega_0^2+3\alpha a^2/4)^{1/2}(\eta/2+3\eta^3/64)\\
&b_4(a)=(\omega_0^2+3\alpha a^2/4)^{1/2}(-\eta^2/16)\\
&b_6(a)=(\omega_0^2+3\alpha a^2/4)^{1/2}(\eta^3/64)
\end{aligned} \tag{e}$$

从而平均频率

$$\omega(a) = b_0(a) \tag{f}$$

作变换(5.5-14),(a)变成

$$\begin{aligned}
\frac{\mathrm{d}A}{\mathrm{d}t} &= \varepsilon F_1(A,\Gamma) + \varepsilon^{1/2} G_{11}(A,\Gamma)\xi_1(t) \\
&\quad + \varepsilon^{1/2} G_{12}(A,\Gamma)\xi_2(t) \\
\frac{d\Gamma}{\mathrm{d}t} &= \varepsilon F_2(A,\Gamma) + \varepsilon^{1/2} G_{21}(A,\Gamma)\xi_1(t) \\
&\quad + \varepsilon^{1/2} G_{22}(A,\Gamma)\xi_2(t)
\end{aligned} \tag{g}$$

式中

$$\begin{aligned}
\varepsilon F_1(A,\Gamma) &= -\frac{A^2}{g(A)}(-\beta_1 + \beta_2 A^2\cos^2\Theta)\nu^2(A,\Theta)\sin^2\Theta \\
\varepsilon F_2(A,\Gamma) &= -\frac{A}{g(A)}(-\beta_1 + \beta_2 A^2\cos^2\Theta)\nu^2(A,\Theta)\sin\Theta\cos\Theta \\
\varepsilon^{1/2} G_{11}(A,\Gamma) &= -\frac{A^2}{g(A)}\nu^2(A,\Theta)\sin\Theta\cos\Theta \\
\varepsilon^{1/2} G_{12}(A,\Gamma) &= -\frac{A}{g(A)}\nu(A,\Theta)\sin\Theta \\
\varepsilon^{1/2} G_{21}(A,\Gamma) &= -\frac{A}{g(A)}\nu^2(A,\Theta)\cos^2\Theta \\
\varepsilon^{1/2} G_{22}(A,\Gamma) &= -\frac{1}{g(A)}\nu(A,\Theta)\cos\Theta
\end{aligned} \tag{h}$$

$\xi_k(t)$具有指数衰减相关函数,满足强混合条件,Stratonovich-Khasminskii 极限定理[6~8]适用于(g)。$A(t)$弱收敛于一维扩散过程,其平均 Itô 方程形如(5.5-21),平均 FPK 方程形如(5.5-26),其中漂移与扩散系数按(5.5-24)导得为

$$\begin{aligned}
m(a) &= -\frac{a^2}{8g(a)}[-\beta_1(4\omega_0^2 + 5\alpha a^2/2) + \beta_2 a^2(\omega_0^2 + 3\alpha a^2/4)] \\
&+ \frac{\pi a^2}{32g(a)}\Big\{[2b_0(a) - b_4(a)]S_1(2\omega(a))\frac{\mathrm{d}}{\mathrm{d}a}\Big[(2b_0(a) - b_4(a)) \\
&\times \frac{a^2}{g(a)}\Big] + [b_2(a) - b_4(a)]S_1(4\omega(a))\frac{\mathrm{d}}{\mathrm{d}a}\Big[(b_2(a) - b_4(a))\frac{a^2}{g(a)}\Big]
\end{aligned}$$

$$
\begin{aligned}
&+b_4(a)S_1(6\omega(a))\frac{\mathrm{d}}{\mathrm{d}a}\left[b_4(a)\frac{a^2}{g(a)}\right]+b_6(a)S_1(8\omega(a))\\
&\times\frac{\mathrm{d}}{\mathrm{d}a}\left[b_6(a)\frac{a^2}{g(a)}\right]\Bigg\}+\frac{\pi a^3}{16g^2(a)}\{[2b_0(a)-b_4(a)][2b_0(a)+2b_2(a)\\
&+b_4(a)]S_1(2\omega(a))+2[b_2(a)-b_6(a)][b_2(a)+2b_4(a)+b_6(a)]\\
&\times S_1(4\omega(a))+3b_4(a)[b_4(a)+2b_6(a)]S_1(6\omega(a))\\
&+4b_6^2(a)S_1(8\omega(a))\}+\frac{\pi a}{8g(a)}\Big\{[2b_0(a)-b_2(a)]S_2(\omega(a))\\
&\times\frac{\mathrm{d}}{\mathrm{d}a}\left[(2b_0(a)-b_2(a))\frac{a}{g(a)}\right]+[b_2(a)-b_4(a)]S_2(3\omega(a))\\
&\times\frac{\mathrm{d}}{\mathrm{d}a}\left[(b_2(a)-b_4(a))\frac{a}{g(a)}\right]+[b_4(a)-b_6(a)]S_2(5\omega(a))\\
&\times\frac{\mathrm{d}}{\mathrm{d}a}\left[(b_4(a)-b_6(a))\frac{a}{g(a)}\right]+b_6(a)S_2(7\omega(a)) \qquad\qquad \text{(i)}\\
&\times\frac{\mathrm{d}}{\mathrm{d}a}\left[b_6(a)\frac{a}{g(a)}\right]\Bigg\}+\frac{\pi a}{8g^2(a)}\Big\{[4b_0^2(a)-b_2^2(a)]\\
&\times S_2(\omega(a))+3[b_2^2(a)-b_4^2(a)]S_2(3\omega(a))\\
&+5[b_4^2(a)-b_6^2(a)]S_2(5\omega(a))+7b_6^2(a)S_2(7\omega(a))\Big\}
\end{aligned}
$$

$$
\begin{aligned}
\sigma^2(a)=&\frac{\pi a^4}{16g^2(a)}\Big\{[2b_0(a)-b_4(a)]^2S_1(2\omega(a))\\
&+[b_2(a)-b_6(a)]^2S_1(4\omega(a))+b_4^2(a)S_1(6\omega(a))\\
&+b_6^2(a)S_1(8\omega(a))\Big\}+\frac{\pi a^2}{4g^2(a)}\Big\{[2b_0(a)-b_2(a)]^2S_2(\omega(a))\\
&+[b_2(a)-b_4(a)]^2S_2(3\omega(a))+[b_4(a)-b_6(a)]^2S_2(5\omega(a))\\
&+b_6^2(a)S_2(7\omega(a))\Big\}
\end{aligned}
$$

(a)的平稳概率密度可按(5.5-32)~(5.5-34)得到，与数字模拟结果颇为吻合[15]。关于 H 的平均 Itô 方程可按(5.5-35)、(5.5-36)导得。

对含线性正阻尼的 Duffing 振子受平稳宽带随机外激，其平均方程的漂移与扩散系数可从(i)中令 β_1 为负、$\beta_2=0$ 及 $S_1=0$

得到。

例 5.5-2 考虑平稳宽带随机激励下单自由度碰撞振动系统，其运动方程为

$$\begin{aligned}\dot{Q} &= P \\ \dot{P} &= -g(Q) - 2\zeta\omega_0 P + \xi(t)\end{aligned} \tag{j}$$

式中

$$g(Q) = \begin{cases} \omega_0^2 Q - B_l(-Q-\delta_l)^{3/2}, & Q < -\delta_l \\ \omega_0^2 Q, & -\delta_l < Q < \delta_r \\ \omega_0^2 Q + B_r(Q-\delta_r)^{3/2}, & Q > \delta_r \end{cases} \tag{k}$$

δ_l，δ_r 为质量与左、右侧弹性壁的距离；B_l，B_r 是由 Hertz 接触定律得到的参数，依赖于质量与壁的几何形状及材料；$\xi(t)$为具有形如(b)的谱密度的平稳宽带过程。

将 $U(Q)=\int_0^Q g(u)\mathrm{d}u$ 代入(5.5-15)得 $\nu(A,\Phi)$。按(5.5-16)～(5.5-26)推导可得平均 Itô 方程(5.5-21)与平均 FPK 方程(5.5-26)，其漂移与扩散系数按(5.5-22)为

$$\begin{aligned} m(A) = &\left\langle F_1 + \int_{-\infty}^0 \left(\frac{\partial G_{11}}{\partial A}\bigg|_t G_{11}\big|_{t+\tau} \right.\right. \\ &\left.\left. + \frac{\partial G_{11}}{\partial \Gamma}\bigg|_t G_{21}\big|_{t+\tau} \right) R(\tau)\mathrm{d}\tau \right\rangle_\Theta \\ \sigma^2(A) = &\left\langle \int_{-\infty}^{\infty} G_{11}\big|_t G_{11}\big|_{t+\tau} R(\tau)\mathrm{d}\tau \right\rangle_\Theta \end{aligned} \tag{l}$$

式中

$$\begin{aligned} F_1 &= -2\zeta\omega A^2\nu^2(A,\Theta)\sin^2\Theta / g(A+B)(1+r) \\ G_{11} &= -A\nu(A,\Theta)\sin\Theta / g(A+B)(1+r) \\ G_{21} &= -\nu(A,\Theta)\cos\Theta / g(A+B)(1+r) \end{aligned} \tag{m}$$

随着激励强度增大，质量与壁距离减小及壁刚度增大，碰撞振动系统是一个强非线性系统，应用本节描述的随机平均法可得很好的结果，例见图 5.5-1。

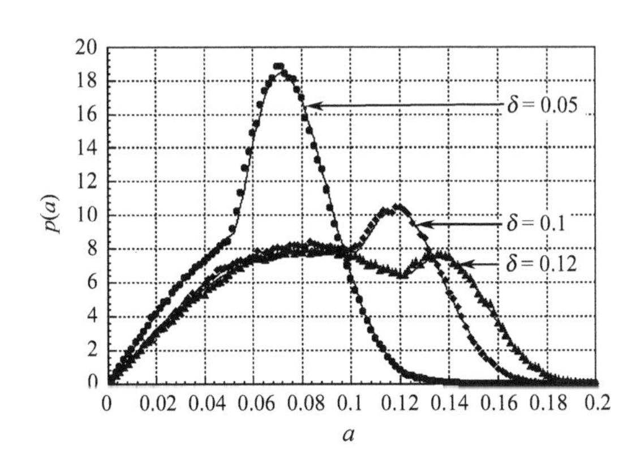

图 5.5-1 单自由度双侧壁碰撞振动系统平稳位移幅值概率密度 $p(a)$

$\omega_0=1.0, \zeta=0.1, \delta_l=\delta_r=\delta=0.05, 0.1, 0.12,$

$B_l=B_r=50, D_1=0.8, \omega_1=5.0, \zeta_1=0.5$

随机平均法结果,●▲■数字模拟结果

例 5.5-3 机械与结构系统在承受严重动载荷时常呈现滞迟性态,结构控制中应用愈来愈广泛的智能材料,如压电陶瓷、形状记忆合金、电流变或磁流变阻尼器等,也常呈现出滞迟特性。其特点是,恢复力不仅依赖于当时的变形,而且依赖于变形的历史。已提出多种表示滞迟本构关系的解析模型,近来常用的有双线性、Bouc-Wen 模型,但这些模型不能反映较复杂的滞迟特性,如既有硬化又有软化滞迟性质,因而又引入了具有更大变通性的 Duhem 模型。该模型用下列一阶常微分方程表示:

$$\dot{z}=g[x,z,\mathrm{sgn}(\dot{x})]\dot{x}=g_1(x,z)\dot{x}_+-g_2(x,z)\dot{x}_-=\begin{cases}g_1(x,z)\dot{x}, & \dot{x}>0\\ g_2(x,z)\dot{x}, & \dot{x}<0\end{cases} \tag{n}$$

$$\dot{x}_+=(|\dot{x}|+\dot{x})/2, \quad \dot{x}_-=(|\dot{x}|-\dot{x})/2$$

式中 z 表示滞迟力,x 表示位移;g_1、g_2 是连续函数。在(x,z)平面上,滞迟回线由上升$(\dot{x}>0)$分支 $z_1(x)$与下降$(\dot{x}<0)$分支

$z_2(x)$构成，见图 5.5-2。

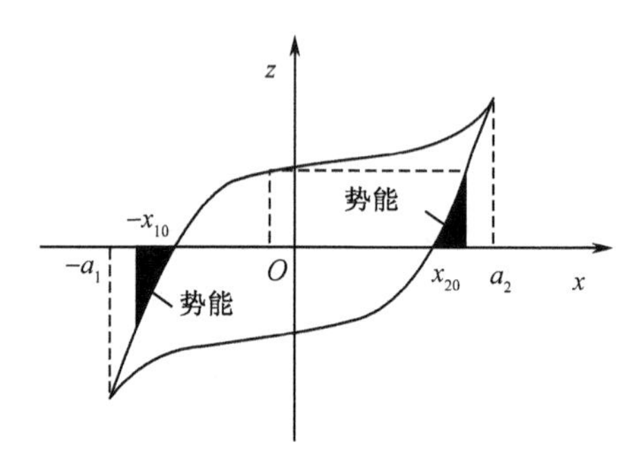

图 5.5-2　Duhem 滞迟回线

滞迟力同时包含保守力与耗散力，两者耦合在一起。相应地，势能与耗散能耦合在一起。为应用随机平均法，须将势能与耗散能分离。对 $\dot{x}>0$，存储于滞迟元件中的势能表达式为(见图5.5-2中阴影部分)

$$U(x)=\int_{-x_{10}}^{x} z_1(u)\mathrm{d}u,\qquad -a_1\leqslant x\leqslant -x_{10}$$
$$U(x)=\int_{x_{20}}^{z_2^{-1}[z_1(x)]} z_2(u)\mathrm{d}u,\qquad -x_{10}\leqslant x\leqslant a_2 \tag{o}$$

$-a_1$ 与 a_2 分别是负、正位移幅值，$-x_{10}$与 x_{20}是残余位移。可写出 $\dot{x}<0$ 时类似于(o)的势能表达式。滞迟回线所包含的面积 A_r 等于振动一周滞迟元件消耗的能量

$$A_r=\oint z(x)\mathrm{d}x=\int_{-a_1}^{a_2} z_1(x)\mathrm{d}x+\int_{a_2}^{-a_1} z_2(x)\mathrm{d}x \tag{p}$$

大多数滞迟模型具有反对称滞迟回线。此时，$g_2(x,z)=g_1(-x,-z)$，$z_2(x)=-z_1(-x)$，$a_1=a_2=a$，$x_{10}=x_{20}=x_0$。在 Duhem 模型中可区分出一类可积 Duhem 模型[18]，例如，

$$g_1(x,z)=\mathrm{d}z_0(x)/\mathrm{d}x=h_z(z-z_0)h_0(x) \tag{q}$$

式中 z_0，h_0，h_z 为连续可微函数。(q)代入(n)，积分得滞迟回线的上升分支

$$
\begin{aligned}
&G_{1z}(z-z_0)=G_{1x}(x)\\
&G_{1z}(z-z_0)=\int_0^{z-z_0} h_z^{-1}(u)\mathrm{d}u\\
&G_1(x)=\int_{-x_0}^{x} h_0(u)\mathrm{d}u
\end{aligned}
\tag{r}
$$

与滞迟力

$$
z(x)=z_0(x)+G_{1z}^{-1}[G_{1x}(x)],\quad \dot{x}>0 \tag{s}
$$

由反对称性得下降分支的滞迟力

$$
z(x)=-z_0(-x)-G_{1z}^{-1}[G_{1x}(-x)],\quad \dot{x}<0 \tag{t}
$$

在可积 Duhem 模型中包含双线性、Bouc-Wen 模型作为其特殊情形。

可积 Duhem 模型的一个例子是

$$
g_1(x,z)=k_1+3k_3x^2+(\gamma/\beta)[\alpha-\beta(z-k_1x-k_3x^3)] \tag{u}
$$

k_1、k_3 分别为线性与非线性刚度，α、β、γ 为滞迟参数。由(q)-(u)得滞迟回线

$$
\begin{aligned}
&z_1=k_1x+k_3x^3+(1/\beta)[1-\mathrm{e}^{-\gamma(x+x_0)}],\quad \dot{x}>0\\
&z_2=k_1x+k_3x^3+(1/\beta)[1-\mathrm{e}^{\gamma(x+x_0)}],\quad \dot{x}<0
\end{aligned}
\tag{v}
$$

它具有软化-硬化特性。其势能与耗散能的表达式为

$$
\begin{aligned}
U(x)=\ &k_1x^2/2+k_3x^4/4+(x+x_0)/\beta\\
&+[\mathrm{e}^{-\gamma(x+x_0)}-1]/(\beta\gamma),\quad -a\leqslant x\leqslant -x_0 \qquad \text{(w)}\\
U(x)=\ &k_1x^2/2+k_3x^4/4+[1-\mathrm{e}^{-\gamma(x+x_0)}]/(\beta\gamma)\\
&-\ln[2\quad \mathrm{e}^{-\gamma(x+x_0)}]/(\beta\gamma),-x_0\leqslant x\leqslant -u\\
A_r=\ &4[(1+a\gamma)-\mathrm{e}^{\gamma(a-x_0)}]/(\beta\gamma)
\end{aligned}
$$

式中 x_0 与 a 由 H 按下式确定

$$
x_0=-a+\frac{1}{\gamma}\ln\frac{1+\mathrm{e}^{2a\gamma}}{2}
$$

$$H = k_1 a^2/2 + k_3 a^4/4 - (a - x_0)/\beta + [\mathrm{e}^{\gamma(a-x_0)} - 1]/(\beta\gamma) \tag{x}$$

考虑可积 Duhem 滞迟系统对宽带随机激励的响应，其运动方程形为

$$\begin{aligned} \dot{Q} &= P \\ \dot{P} &= -Z(Q, P) - 2\zeta P + (f_1 + f_2 Q)\xi(t) \end{aligned} \tag{y}$$

式中 ζ 为阻尼比，Z 表示滞迟力，$\xi(t)$是具有下列 Kanai-Tajimi 谱密度的平稳随机过程：

$$S(\omega) = \frac{1 + 4\zeta_g^2(\omega/\omega_g)^2}{[1 - (\omega/\omega_g)^2]^2 + 4\zeta_g^2(\omega/\omega_g)^2} S_0 \tag{z}$$

为应用随机平均法，宜先以下列非滞迟非线性系统代替(y)：

$$\begin{aligned} \dot{Q} &= P \\ \dot{P} &= -\partial U/\partial Q - [2\zeta + 2\zeta_1(H)]P + (f_1 + f_2 Q)\xi(t) \end{aligned} \tag{aa}$$

式中

$$H = p^2/2 + U(x) \tag{bb}$$

$U(x)$由(w)确定，而

$$2\zeta_1(H) = A_r/2\int_{-a_1}^{a_2} \sqrt{2H - 2U(x)}\,\mathrm{d}x \tag{cc}$$

为滞迟耗散能的等效非线性阻尼比。当 ζ, ζ_1, ζ_0 同为 ε 阶小量时，(aa)具有(5.5-5)的形式，可应用本小节所描述随机平均法。

5.5.2 多自由度系统

回到(5.5-4)，设 $\varepsilon=0$ 时各自由度保守振子在平衡点的某个邻域 V_i 有形如(5.5-6)的周期解族。可按(5.5-7)～(5.5-12)得瞬时频率与平均频率。作广义 van der Pol 变换

$$\begin{aligned} &Q_i(t) = A_i\cos\Theta_i(t) + B_i,\ P_i(t) = -A_i\nu_i(A_i, \Theta_i)\sin\Theta_i(t), \\ &\Theta_i(t) = \Phi_i(t) + \Gamma_i(t) \end{aligned} \tag{5.5-37}$$

式中

$$\nu_i(A_i,\Theta_i)=\frac{\mathrm{d}\Phi_i}{\mathrm{d}t}$$

$$=\sqrt{\frac{2[U_i(A_i+B_i)-U_i(A_i\cos\Theta_i+B_i)]}{A_i^2\sin^2\Theta_i}} \tag{5.5-38}$$

A_i、B_i 与 H 之间关系为

$$U_i(A_i+B_i)=U_i(-A_i+B_i)=H_i \tag{5.5-39}$$

类似于(5.5-16)～(5.5-20)的推导,可得 A_i,Γ_i 的 Itô 随机微分方程

$$\begin{aligned}
\frac{\mathrm{d}A_i}{\mathrm{d}t}&=\varepsilon F_{1i}(\boldsymbol{A},\Gamma)+\varepsilon^{1/2}G_{1ik}(\boldsymbol{A},\Gamma)\xi_k(t)\\
\frac{\mathrm{d}\Gamma_i}{\mathrm{d}t}&=\varepsilon F_{2i}(\boldsymbol{A},\Gamma)+\varepsilon^{1/2}G_{2ik}(\boldsymbol{A},\Gamma)\xi_k(t)\\
i&=1,2,\cdots,n;\quad k=1,2,\cdots,m
\end{aligned} \tag{5.5-40}$$

式中

$$\begin{aligned}
F_{1i}(\boldsymbol{A},\Gamma)&=-\frac{A_i\nu_i(A_i,\Theta_i)\sin\Theta_i}{g_i(A_i+B_i)(1+r_i)}\\
&\quad\times c'_{ij}(\boldsymbol{A},\Theta)A_j\nu_j(A_j,\Theta_j)\sin\Theta_j\\
F_{2i}(\boldsymbol{A},\Gamma)&=-\frac{\nu_i(A_i,\Theta_i)(\cos\Theta_i+r_i)}{g_i(A_i+B_i)(1+r_i)}\\
&\quad\times c'_{ij}(\boldsymbol{A},\Theta)A_j\nu_j(A_j,\Theta_j)\sin\Theta_j\\
G_{1ik}(\boldsymbol{A},\Gamma)&=-\frac{A_i\nu_i(A_i,\Theta_i)\sin\Theta_i}{g_i(A_i+B_i)(1+r_i)}f'_{ik}(\boldsymbol{A},\Theta)\\
G_{2ik}(\boldsymbol{A},\Gamma)&=-\frac{\nu_i(A_i,\Theta_i)(\cos\Theta_i+r_i)}{g_i(A_i+B_i)(1+r_i)}f'_{ik}(\boldsymbol{A},\Theta)
\end{aligned} \tag{5.5-41}$$

$c'_{ij}(\boldsymbol{A},\Theta)$、$f'_{ik}(\boldsymbol{A},\Theta)$由 $c'_{ij}(\boldsymbol{Q},\boldsymbol{P})$与 $f'_{ik}(\boldsymbol{Q},\boldsymbol{P})$作变换(5.5-37)得到,

$$r_i=\frac{\mathrm{d}B_i}{\mathrm{d}A_i}=\frac{g_i(-A_i+B_i)+g_i(A_i+B_i)}{g_i(-A_i+B_i)-g_i(A_i+B_i)} \tag{5.5-42}$$

(5.5-40)形同(5.1-1),设 $\xi_k(t)$为平稳宽带过程,或满足强

混合条件，根据 Stratonovich-Khasminskii 极限定理[6~8]，A_i，Γ_i 弱收敛于 $2n$ 维扩散过程，该极限过程可用 $2n$ 维形如(5.1-5)的平均 Itô 方程描述。在非内共振情形，A_i 的平均方程中不含 Γ_i，A_i 与 Γ_j 之间平均方程扩散系数为零，因此，$A_i(t)$弱收敛于 n 维扩散过程，描述该极限过程的平均 Itô 方程形为

$$\begin{gathered} \mathrm{d}A_i = m_i(\boldsymbol{A})\mathrm{d}t + \sigma_{ik}(\boldsymbol{A})\mathrm{d}B_k(t) \\ i = 1,2,\cdots,n; \quad k = 1,2,\cdots,m \end{gathered} \tag{5.5-43}$$

式中漂移与扩散系数按(5.1-2)为

$$\begin{aligned} m_i(\boldsymbol{A}) = \varepsilon\Big\langle F_{1i} + \int_{-\infty}^{0}\Big(& \frac{\partial G_{1ik}}{\partial A_j}\Big|_t G_{1jl}\Big|_{t+\tau} \\ & + \frac{\partial G_{1ik}}{\partial \Gamma_j}\Big|_t G_{2jl}\Big|_{t+\tau}\Big) R_{kl}(\tau)\mathrm{d}\tau\Big\rangle_{\Theta} \end{aligned} \tag{5.5-44}$$

$$\sigma_{ik}(\boldsymbol{A})\sigma_{jk}(\boldsymbol{A}) = \varepsilon\Big\langle\int_{-\infty}^{\infty}(G_{1ik}\big|_t G_{1jl}\big|_{t+\tau})R_{kl}(\tau)\mathrm{d}\tau\Big\rangle_{\Theta}$$

$\langle\cdot\rangle_{\Theta}$ 表示对 Θ 的平均。宜将(5.5-41)展开成如下形式 Θ 的 Fourier 级数：

$$\varepsilon F(\boldsymbol{A},\boldsymbol{\Gamma}) = F_0 + \sum_{r=1}^{\infty}\sum_{|\boldsymbol{s}|=r}^{\infty}(F_{\boldsymbol{s}}^{(c)}\cos(\boldsymbol{s},\boldsymbol{\Theta}) + F_{\boldsymbol{s}}^{(s)}\sin(\boldsymbol{s},\boldsymbol{\Theta})) \tag{5.5-45}$$

其系数为 $\boldsymbol{A}$ 的函数，(5.5-45)中 F 代表 F_{1i}，F_{2i}，G_{1ik}，G_{2ik}，$\boldsymbol{s}=[s_1\ s_2\cdots s_n]^{\mathrm{T}}$为整数矢量，$|\boldsymbol{s}| = \sum_{i=1}^{n}|s_i|$，$(\boldsymbol{s},\boldsymbol{\Theta}) = \sum_{i=1}^{n}s_i\Theta_i$。(5.5-45)代入(5.5-44)，完成对 τ 的积分与对 Θ 的平均，可得(5.5-44)的具体表达式。

与(5.5-43)相应的平均 FPK 方程为

$$\frac{\partial p}{\partial t} = -\frac{\partial}{\partial a_i}[m_i(a)p] + \frac{1}{2}\frac{\partial^2}{\partial a_i\partial a_j}[b_{ij}(a)p] \tag{5.5-46}$$

式中 $p = p(\boldsymbol{a},t\,|\,\boldsymbol{a}_0)$，相应初始条件为

$$p(\boldsymbol{a},0\,|\,\boldsymbol{a}_0) = \delta(\boldsymbol{a} - \boldsymbol{a}_0) \tag{5.5-47}$$

或 $p = p(\boldsymbol{a},t)$，相应初始条件

$$p(\boldsymbol{a},0)=p(\boldsymbol{a}_0) \tag{5.5-48}$$

(5.5-46)的边界条件取决于域 V_i。若 V_i 为全相平面(q_i, p_i)，则边界条件为

$$p=\text{有限}, a_j=0, \ j=1,2,\cdots,n \tag{5.5-49}$$

$$p, \partial p/\partial a_j \to 0, \ |\boldsymbol{a}| \to \infty \tag{5.5-50}$$

(5.5-46)中概率流只含概率势流而无概率环流，若有精确平稳解则属平稳势类，可按(3.2-26)～(3.2-30)所述方法求解。

类似于(5.5-33)，在求得 $p(\boldsymbol{a})$之后，$\boldsymbol{H}(t)$的平稳概率密度为

$$\begin{aligned} p(\boldsymbol{H}) &= p(\boldsymbol{a})\left|\frac{\partial \boldsymbol{a}}{\partial \boldsymbol{H}}\right| = p(\boldsymbol{a})\prod_{i=1}^{n}\frac{\mathrm{d}a_i}{\mathrm{d}H_i} \\ &= \left[p(\boldsymbol{a})\Big/\prod_{i=1}^{n} g_i(a_i)(1+r_i)\right]\Bigg|_{a_i=U_i^{-1}(H_i)-b_i} \end{aligned} \tag{5.5-51}$$

类似于(5.5-34)，广义位移与广义动量的平稳概率密度为

$$p(\boldsymbol{q},\boldsymbol{p})=\left[p(\boldsymbol{H})\Big/\prod_{i=1}^{n} T_i(H_i)\right]\Bigg|_{H_i=p_i^2/2+U_i(q_i)} \tag{5.5-52}$$

利用(5.5-39)与 Itô 微分公式(2.6-1)，还可从关于幅值 A_i 的平均 Itô 方程(5.5-43)导得关于 H_i 的平均 Itô 方程

$$\begin{gathered} \mathrm{d}H_i = \bar{m}_i(\boldsymbol{H})\mathrm{d}t+\bar{\sigma}_{ik}(\boldsymbol{H})\mathrm{d}B_k(t) \\ i=1,2,\cdots,n; \quad k=1,2,\cdots,m. \end{gathered} \tag{5.5-53}$$

式中 $\boldsymbol{H}=[H_1\ H_2\cdots H_n]^{\mathrm{T}}$，

$$\begin{aligned} \bar{m}_i(\boldsymbol{H}) &= \{g_i(A_i+B_i)(1+r_i)\bar{m}_i(\boldsymbol{A})+[g_i(A_i+B_i) \\ &\quad \times(1+r_i)]'/2[\bar{\sigma}_{ik}\bar{\sigma}_{ik}(\boldsymbol{A})]\}\Big|_{A_j=U_j(H_i)-B_j} \\ \bar{\sigma}_{ik}\bar{\sigma}_{jk}(\boldsymbol{H}) &= g_i(A_i+B_i)g_j(A_j+B_j)(1+r_i)(1+r_j) \\ &\quad \times \bar{\sigma}_{ik}\bar{\sigma}_{jk}(\boldsymbol{A})\Big|_{A_j=U_j(H_j)-B_j} \end{aligned} \tag{5.5-54}$$

在各自由度振子频率存在形如(5.3-3)共振关系时，可按(5.3-28)引入角变量组合 Ψ_u，按5.3.2中方法进行处理。平均方程中除 A_i 外，还包含 Θ_i 的组合 Ψ_u，方程维数等于 n 加上内共振关系数，关于 Ψ_u 平均方程的漂移与扩散系数可按类似于(5.5-44)的公式计算，详见下面例5.5-5。

对拟线性系统，本节叙述的方法退化为古典随机平均法[1~5]。因此，本节叙述的随机平均法可看成是古典随机平均法的推广。

例5.5-4 考虑非线性阻尼耦合的两个Duffing-van der Pol型振子受平稳宽带随机外激与参激，其运动方程为

$$
\begin{aligned}
&\dot{Q}_i = P_i \\
&\dot{P}_i = -\omega_{0i}^2 Q_i - \alpha_i Q_i^3 - (\beta_0 + \beta_1 Q_1^2 + \beta_2 Q_2^2) P_i + Q_i \xi_{i1}(t) + \xi_{i2}(t) \\
&i = 1, 2
\end{aligned}
\tag{dd}
$$

式中 ω_{0i}，α_i，β_j 为常数；$\xi_{ik}(t)$ 为独立平稳宽带随机过程，自相关系数为 $R_{ik}(\tau)$，自谱密度

$$
S_{ik}(\omega) = D_{ik}[\pi(\omega^2 + \omega_{ik}^2)]^{-1} \tag{ee}
$$

D_{ik}，ω_{ik} 为常数。设 β_j 与 D_{ik} 同为 ε 阶小量。类似于(c)~(f)，

$$
\begin{aligned}
&g_i(q_i) = \omega_{0i}^2 q_i + \alpha_i q_i^3 \\
&U_i(q_i) = \omega_{0i}^2 q_i^2/2 + \alpha_i q_i^4/4 \\
&b_i = r_i = 0
\end{aligned}
\tag{ff}
$$

$$
\begin{aligned}
&\nu_i(a_i, \theta_i) = [(\omega_{0i}^2 + 3\alpha_i a_i^2/4)(1 + \eta_i \cos 2\theta_i)]^{1/2} \\
&\eta_i = (\alpha_i a_i^2/4)/(\omega_{0i}^2 + 3\alpha_i a_i^2/4) \leqslant 1/3 \\
&\nu_i(a_i, \theta_i) = b_{0i}(a_i) + b_{2i}(a_i)\cos 2\theta_i \\
&\qquad + b_{4i}(a_i)\cos 4\theta_i + b_{6i}(a_i)\cos 6\theta_i \\
&b_{0i}(a_i) = (\omega_{0i}^2 + 3\alpha_i a_i^2/4)^{1/2}(1 - \eta_i^2/16) \\
&b_{2i}(a_i) = (\omega_{0i}^2 + 3\alpha_i a_i^2/4)^{1/2}(\eta_i/2 + 3\eta_i^3/64) \\
&b_{4i}(a_i) = (\omega_{0i}^2 + 3\alpha_i a_i^2/4)^{1/2}(-\eta_i^2/16) \\
&b_{6i}(a_i) = (\omega_{0i}^2 + 3\alpha_i a_i^2/4)^{1/2}(\eta_i^3/64)
\end{aligned}
\tag{gg}
$$

$$\omega_i(a_i) = b_{0i}(a_i) \tag{hh}$$

作变换(5.5-37),得(5.5-40)($i, k=1,2$),其系数按(5.5-41)为

$$\begin{aligned}
\varepsilon F_{1i}(\boldsymbol{A}, \boldsymbol{\Gamma}) &= -\frac{A_i^2}{g_i(A_i)}(\beta_0 + \beta_1 A_1^2 \cos^2\Theta_1 \\
&\quad + \beta_2 A_2^2 \cos^2\Theta_2)\nu_i^2(A_i, \Theta_i)\sin^2\Theta_i \\
\varepsilon F_{2i}(\boldsymbol{A}, \boldsymbol{\Gamma}) &= -\frac{A_i}{g_i(A_i)}(\beta_0 + \beta_1 A_1^2 \cos^2\Theta_1 \\
&\quad + \beta_2 A_2^2 \cos^2\Theta_2)\nu_i^2(A_i, \Theta_i)\sin\Theta_i\cos\Theta_i \\
\varepsilon^{1/2} G_{11}(\boldsymbol{A}, \boldsymbol{\Gamma}) &= -\frac{A_i^2}{g_i(A_i)}\nu_i(A_i, \Theta_i)\sin\Theta_i\cos\Theta_i \\
\varepsilon^{1/2} G_{21}(\boldsymbol{A}, \boldsymbol{\Gamma}) &= -\frac{A_i}{g_i(A_i)}\nu_i(A_i, \Theta_i)\cos^2\Theta_i \\
\varepsilon^{1/2} G_{12}(\boldsymbol{A}, \boldsymbol{\Gamma}) &= -\frac{A_i}{g_i(A_i)}\nu_i(A_i, \Theta_i)\sin\Theta_i \\
\varepsilon^{1/2} G_{22}(\boldsymbol{A}, \boldsymbol{\Gamma}) &= -\frac{1}{g_i(A_i)}\nu_i(A_i, \Theta_i)\cos\Theta_i
\end{aligned} \tag{ii}$$

在无内共振情形,平均 Itô 形如(5.5-43),按(5.5-44),其平均漂移与扩散系数为

$$\begin{aligned}
m_i(A_1, A_2) &= -\frac{A_i^2}{8g_i(A_i)}[\beta_0(4\omega_{0i}^2 + 5\alpha_i A_i^2/2) + \beta_i A_i^2(\omega_{0i}^2 + 3\alpha_i A_i^2/4) \\
&\quad + \beta_j A_j^2(2\omega_{0i}^2 + 5\alpha_i A_i^2/4)] + \frac{\pi A_i^2}{32 g_i(A_i)}\{[2b_{0i}(A_i) - b_{4i}(A_i)]S_{i1}(2\omega_i(A_i)) \\
&\quad \times \frac{\mathrm{d}}{\mathrm{d}A_i}\left[(2b_{0i}(A_i) - b_{4i}(A_i)) \times \frac{A_i^2}{g_i(A_i)}\right] + [b_{2i}(A_i) - b_{4i}(A_i)]S_{i1}(4\omega_i(A_i)) \\
&\quad \times \frac{\mathrm{d}}{\mathrm{d}A_i}\left[(b_{2i}(A_i) - b_{4i}(A_i))\frac{A_i^2}{g_i(A_i)}\right] + b_{4i}(A_i)S_{i1}(6\omega_i(A_i)) \\
&\quad \times \frac{\mathrm{d}}{\mathrm{d}A_i}\left[b_{4i}(A_i)\frac{A_i^2}{g_i(A_i)}\right] + b_{6i}(A_i)S_{i1}(8\omega_i(A_i))\frac{\mathrm{d}}{\mathrm{d}A_i}\left[b_{6i}(A_i)\frac{A_i^2}{g_i(A_i)}\right]\}
\end{aligned}$$

$$+\frac{\pi A_i^3}{16 g_i^2(A_i)}\{[2b_{0i}(A_i)-b_{4i}(A_i)][2b_{0i}(A_i)+2b_{2i}(A_i)+b_{4i}(A_i)]$$

$$\times S_{i1}(2\omega_i(A_i))+2[b_{2i}(A_i)-b_{6i}(A_{ii})][b_{2i}(A_i)+2b_{4i}(A_i)+b_{6i}(A_i)]$$

$$\times S_{i1}(4\omega_i(A_i))+3b_{4i}(A_i)[b_{4i}(A_i)+2b_{6i}(A_i)]S_{i1}(6\omega_i(A_i))+4b_{6i}^2(A_i)$$

$$\times S_{i1}(8\omega_i(A_i))\}+\frac{\pi A_i}{8 g_i(A_i)}\left\{[2b_{0i}(A_i)-b_{2i}(A_i)]S_{i2}(\omega_i(A_i))\right.$$

$$\times\frac{\mathrm{d}}{\mathrm{d}A_i}\left[(2b_{0i}(A_i)-b_{2i}(A_i))\frac{A_i}{g_i(A_i)}\right]+[b_{2i}(A_i)-b_{4i}(A_i)]S_{i2}(3\omega_i(A_i))$$

$$\times\frac{\mathrm{d}}{\mathrm{d}A_i}\left[(b_{2i}(A_i)-b_{4i}(A_i))\frac{A_i}{g_i(A_i)}\right]+[b_{4i}(A_i)-b_{6i}(A_i)]S_{i2}(5\omega_i(A_i))$$

$$\times\frac{\mathrm{d}}{\mathrm{d}A_i}\left[(b_{4i}(A_i)-b_{6i}(A_i))\frac{A_i}{g(A_i)}\right]+b_{6i}(A_i)S_{i2}(7\omega_i(A_i)) \tag{jj}$$

$$\left.\times\frac{\mathrm{d}}{\mathrm{d}A_i}\left[b_{6i}(A_i)\frac{A_i}{g_i(A_i)}\right]\right\}+\frac{\pi A_i}{8 g_i^2(A_i)}\left\{[4b_{0i}^2(A_i)-b_{2i}^2(A_i)]S_{i2}(\omega_i(A_i))\right.$$

$$+3[b_{2i}^2(A_i)-b_{4i}^2(A_i)]S_{i2}(3\omega_i(A_i))+5[b_{4i}^2(A_i)-b_{6i}^2(A_i)]$$

$$\left.\times S_{i2}(5\omega_i(A_i))+7b_{6i}^2(A_i)S_{i2}(7\omega_{i1}(A_i))\right\},j\neq i$$

$$\sigma_{ik}\sigma_{ik}(A_1,A_2)=\frac{\pi A_i^4}{16 g_i^2(A_i)}\{[2b_{0i}(A_i)-b_{4i}(Ai)]^2 S_{i1}(2\omega_i(A_i))$$

$$+[b_{2i}(A_i)-b_{6i}(A_1)]^2 S_{i1}(4\omega_i(A_i))+b_{4i}^2(A_i)S_{i1}(6\omega_i(A_i))$$

$$+b_{6i}^2(A_i)S_{i1}(8\omega_i(A_i))\}+\frac{\pi A_i^4}{4 g_i^2(A_i)}\left\{[2b_{0i}(A_i)-b_{2i}(A_i)]^2\right.$$

$$\times S_{i2}(\omega_i(A_i))+[b_{2i}(A_i)-b_{4i}(A_i)]^2 S_{i2}(3\omega_i(A_i))$$

$$\left.+[b_{4i}(A_i)-b_{6i}(A_i)]^2 S_{i2}(5\omega_i(A_i))+b_{6i}^2(A_i)S_{i2}(7\omega_i(A_i))\right\}$$

$$\sigma_{ik}\sigma_{jk}(A_1,A_2)=0,i\neq j$$

据此可建立平均 FPK 方程(5.5-46),边界条件为(5.5-49)与(5.5-50)。可按(3.2-26)～(3.2-30)所述方法求其精确平稳解 $p(a_1,a_2)$,然后按(5.5-51)、(5.5-52)求 $p(H_1,H_2)$与 $p(q_1,q_2,p_1,p_2)$。

例 5.5-5 考虑平稳宽带随机激励下耦合的两个线性振子与两个 van der Pol 振子,其运动方程为[19]

$$
\begin{aligned}
\dot{Q}_1 &= P_1 \\
\dot{P}_1 &= -\omega_1^2 Q_1 - \beta_1 P_1 + \mu_1 Q_3 + \alpha_1 P_3 + \xi_1(t) \\
\dot{Q}_2 &= P_2 \\
\dot{P}_2 &= -\omega_2^2 Q_2 - \beta_2 P_2 + \mu_2 Q_4 + \alpha_2 P_4 + \xi_2(t) \\
\dot{Q}_3 &= P_3 \\
\dot{P}_3 &= -\omega_3^2 Q_3 - (-\beta_3 + \alpha_{33} P_3^2 \\
&\quad + \alpha_{34} P_4^2) P_3 + \mu_3 Q_1 + \alpha_3 P_1 + \xi_3(t) \\
\dot{Q}_4 &= P_4 \\
\dot{P}_4 &= -\omega_4^2 Q_4 - (-\beta_4 + \alpha_{43} P_3^2 \\
&\quad + \alpha_{44} P_4^2) P_4 + \mu_4 Q_2 + \alpha_4 P_2 + \xi_4(t)
\end{aligned}
\tag{kk}
$$

前两个振子代表结构的两个相邻模态,后两个振子表示脱落的涡旋的影响。$\omega_3 = \omega_4 = 1$, $\omega_1 = 1 - \sigma_1$, $\omega_2 = 1 - \sigma_2$。设 α_i, β_i, μ_i, α_{ij}, σ_i 为 ε 阶小量,$\xi_k(t)$为独立平稳宽带过程,均值为零,谱密度为 $S_k(\omega)$,亦为 ε 阶小量。

系统存在内共振须两方面条件的配合:各振子固有频率间的共振关系与各振子间相应的相互耦合。例如,系统(kk)中,$\omega_1 - \omega_3 = O(\varepsilon)$, $\omega_2 - \omega_4 = O(\varepsilon)$, $\omega_3 - \omega_4 = 0$,同时振子 1 与 3,2 与 4 及 3 与 4 间有线性与非线性耦合,因此,振子 1 与 3,2 与 4 及 3 与 4 间有内共振。应用上述平均步骤,可得如下平均 Itô 随机微分方程:

$$
\begin{aligned}
\mathrm{d}A_i &= (1/2)(-\beta_i A_i + \alpha_i A_{i+2}\cos\psi_i - \mu_i A_{i+2}\sin\psi_i \\
&\quad + \pi K_i/A_i)\mathrm{d}t + \sqrt{2\pi K_i}\,\mathrm{d}B_i(t) \\
\mathrm{d}A_{i+2} &= (1/2)\{\beta_{i+2} A_{i+2} + \alpha_{i+2} A_i \cos\psi_i + \mu_{i+2} A_i \sin\psi_i \\
&\quad - (3\alpha_{i+2,i+2}/4) A_{i+2}^3 - (\alpha_{i+2,j+2}/4)[2 + \cos 2\psi_3] \\
&\quad \times A_3^2 A_4^2 / A_{i+2} + \pi K_{i+2}/A_{i+2}\}\mathrm{d}t + \sqrt{2\pi K_{i+2}}\,\mathrm{d}B_{i+2}(t)
\end{aligned}
$$

$$
\begin{aligned}
\mathrm{d}\psi_i = & (1/2)[-\sigma_i-(\alpha_i A_{i+2}/A_i+\alpha_{i+2}A_i/A_{i+2})\sin\psi_i-(\mu_i A_{i+2}/ \\
& A_i-\mu_{i+2}A_i/A_{i+2})\sin\psi_i+(-1)^{i+1}(\alpha_{i+2,j+2}/4)A_{5-i}^2\sin 2\psi_8]\mathrm{d}t \\
& +\left(\sqrt{2\pi K_i}/A_i\right)\mathrm{d}B_{i+4}(t)-\left(\sqrt{2\pi K_{i+2}}/A_{i+2}\right)\mathrm{d}B_{i+6}(t) \qquad \text{(ll)}
\end{aligned}
$$

$$
\begin{aligned}
\mathrm{d}\psi_8 = & (1/2)[(A_1/A_3)(-\alpha_3\sin\psi_1+\mu_3\cos\psi_1)+(A_2/A_4) \\
& \times(-\alpha_4\sin\psi_2+\mu_4\cos\psi_2)+(1/4)(\alpha_{34}A_4^2+\alpha_{43}A_3^2)\cos 2\psi_8]\mathrm{d}t \\
& -(\sqrt{2\pi K_3}/A_3)\mathrm{d}B_7(t)+(\sqrt{2\pi K_4}/A_4)\mathrm{d}B_8(t)
\end{aligned}
$$

$i,j=1,2,j\neq i$

式中

$$
\begin{aligned}
&\psi_i=\Theta_i-\Theta_{i+2},\quad i=1,2;\psi_8=\Theta_4-\Theta_3 \\
&K_k=S_k(1)/2,\quad k=1,2,3,4
\end{aligned} \qquad \text{(mm)}
$$

容易写出与(ll)相应的平均 FPK 方程。将该方程的精确平稳解的概率势表示成 $\psi_u(u=1,2,3)$的三重 Fourier 级数,系统参数满足平稳势条件

$$
\frac{\alpha_{34}}{K_3}=\frac{\alpha_{43}}{K_4},\frac{\alpha_{i+2}}{\pi K_{i+2}}=\frac{\pi K_i\alpha_i+d_i\mu_i}{\pi^2K_i^2+d_i^2},\frac{-\mu_{i+2}}{\pi K_{i+2}}=\frac{\pi K_i\mu_i+d_i\alpha_i}{\pi^2K_i^2+d_i^2} \qquad \text{(nn)}
$$

$d_i=2\pi K_i\sigma_i/\beta_i$ 时,可得精确平稳解。用作用量($I_i=a_i^2/2$)表示的精确平稳解为[19]

$$
\begin{aligned}
p(I_1,I_2,I_3,I_4,\psi_1,\psi_2,\psi_8)= & C\exp[-\zeta_1I_1-\zeta_2I_2+\zeta_3I_3+\zeta_4I_4 \\
& +\zeta_5\sqrt{I_1I_2}\cos(\psi_1+\psi_{10})+\zeta_6\sqrt{I_2I_4}\cos(\psi_2+\psi_{20}) \\
& -\zeta_7I_3^2-\zeta_8I_4^2-2\zeta_9I_3I_4(2+\cos 2\psi_8)] \qquad \text{(oo)}
\end{aligned}
$$

式中

$$
\begin{aligned}
&\zeta_i=\beta_i/2\pi K_i,(i=1,2,3,4),\zeta_{5,6}=\sqrt{\alpha_{3,4}^2+\mu_{3,4}^2}/2\pi K_{3,4} \\
&\zeta_{7,8}=3\alpha_{33,44}/8\pi K_{33,44},\zeta_9=\alpha_{34}/8\pi K_3 \\
&\cos\psi_{u0}=\alpha_{u+2}\Big/\sqrt{\alpha_{u+2}^2+\mu_{u+2}^2}, \\
&\sin\psi_{u0}=-\mu_{u+2}\Big/\sqrt{\alpha_{u+2}^2+\mu_{u+2}^2}(u=1,2)
\end{aligned} \qquad \text{(pp)}
$$

解析结果与数字模拟结果甚为吻合[19]。

5.6 谐和与白噪声激励下单自由度强非线性系统的随机平均[20]

考虑谐和与白噪声共同激励下的单自由度强非线性系统,其运动方程为

$$
\begin{aligned}
\dot{Q} &= P \\
\dot{P} &= -g(Q) - \varepsilon h'(Q, P, \Omega t) + \varepsilon^{1/2} f_k(Q, P)\xi_k(t)
\end{aligned}
\tag{5.6-1}
$$

$g(Q)$为 Q 的非线性函数;h 为 Ωt 的谐和函数;$\xi_k(t)(k=1,2,\cdots,m)$是强度为 $2D_{kl}$的相关 Gauss 白噪声。设相应 Hamilton 系统在平衡点 $(b,0)$邻域 V 内有周期解族(5.5-6),此时,(5.5-6)~(5.5-13)仍适用。作变换(5.5-14),按(5.5-16)~(5.5-20)推导,得

$$
\begin{aligned}
\frac{\mathrm{d}A}{\mathrm{d}t} &= \varepsilon F_1(A, \Theta, \Omega t) + \varepsilon^{1/2} G_{1k}(A, \Theta)\xi_k(t) \\
\frac{\mathrm{d}\Gamma}{\mathrm{d}t} &= \varepsilon F_2(A, \Theta, \Omega t) + \varepsilon^{1/2} G_{2k}(A, \Theta)\xi_k(t)
\end{aligned}
\tag{5.6-2}
$$

式中

$$
\begin{aligned}
F_1(A, \Theta, \Omega t) &= \frac{A}{g(A+B)(1+r)} h(A\cos\Theta + B, \\
&\quad -A\nu(A, \Theta)\sin\Theta, \Omega t)\nu(A, \Theta)\sin\Theta \\
F_2(A, \Theta, \Omega t) &= \frac{A}{g(A+B)(1+r)} h(A\cos\Theta + B, \\
&\quad -A\nu(A, \Theta)\sin\Theta, \Omega t)\nu(A, \Theta)(\cos\Theta + r) \\
G_{1k}(A, \Theta) &= \frac{-A}{g(A+B)(1+r)_k} f(A\cos\Theta + B, \\
&\quad -A\nu(A, \Theta)\sin\Theta)\nu(A, \Theta)\sin\Theta \\
G_{2k}(A, \Theta) &= \frac{-1}{g(A+B)(1+r)} f_k(A\cos\Theta + B, \\
&\quad -A\nu(A, \Theta)\sin\Theta)\nu(A, \Theta)(\cos\Theta + r)
\end{aligned}
\tag{5.6-3}
$$

(5.6-2)可模型化为 Stratonovich 随机微分方程,然后加上 Wong-Zakai 修正项后变成 Itô 微分方程

$$dA = \varepsilon m_1(A, \Theta, \Omega t)dt + \varepsilon^{1/2}\sigma_{1k}(A, \Theta)dB_k(t)$$
$$d\Gamma = \varepsilon m_2(A, \Theta, \Omega t)dt + \varepsilon^{1/2}\sigma_{2k}(A, \Theta)dB_k(t) \tag{5.6-4}$$

式中 $B_k(t)$为标准 Wiener 过程，

$$m_i = F_i + D_{kl}\frac{\partial G_{ik}}{\partial A}G_{1l} + D_{kl}\frac{\partial G_{ik}}{\partial \Theta}G_{2l} \tag{5.6-5}$$
$$\sigma_{ik}\sigma_{jk} = 2D_{kl}G_{ik}G_{jl}$$

由于系统(5.6-1)含谐和激励,可区分非(外)共振与(外)共振两种情形。在非共振情形,一次近似平均中,谐和激励不起作用,因此,此处只考虑共振情形。设激励频率与系统平均频率之间满足下列共振关系

$$\Omega/\omega(a) = q/p + \varepsilon\sigma_1 \tag{5.6-6}$$

式中 q, p 为互质正整数,$\varepsilon\sigma_1$ 为解调量。以 Ω 乘(5.5-10),并利用(5.5-12)与(5.6-6),得

$$\begin{aligned}\Omega t &= \frac{q}{p}\Theta + \Omega\sum_{r=1}^{\infty}\frac{1}{r}C_r(A)\sin r\Theta + \varepsilon\sigma\Phi - \frac{q}{p}\Gamma \\ &= \Theta' + \Delta\end{aligned} \tag{5.6-7}$$

式中

$$\Theta' = \frac{q}{p}\Theta + \Omega\sum_{r=1}^{\infty}\frac{1}{r}C_r(A)\sin r\Theta \tag{5.6-8}$$
$$\Delta = \varepsilon\sigma_1\Phi - (q/p)\Gamma \tag{5.6-9}$$

Θ'为 A, Θ 的函数,而 Δ 表示激励与响应的相位差。(5.6-7)代入(5.6-4),得

$$dA = \varepsilon m_1(A, \Theta, \Theta' + \Delta)dt + \varepsilon^{1/2}\sigma_{1k}(A, \Theta)dB_k(t)$$
$$\begin{aligned}d\Delta = &\left[\varepsilon m_2(A, \Theta, \Theta' + \Delta)\left(-\frac{q}{p}\right) + \left(\frac{\Omega}{\omega(A)} - \frac{q}{p}\right)\nu(A, \Theta)\right]dt \\ &- \varepsilon^{1/2}\frac{q}{p}\sigma_{2k}(A, \Theta)dB_k(t)\end{aligned} \tag{5.6-10}$$

$A(t), \Delta(t)$为慢变过程,而 Θ 为快变过程。将(5.6-10)中系数对 Θ 从 0 到 2π 上进行平均,得

$$
\begin{aligned}
\mathrm{d}A &= \bar{m}_1(A,\Delta)\mathrm{d}t + \bar{\sigma}_{1k}(A)\mathrm{d}B_k(t) \\
\mathrm{d}\Delta &= \bar{m}_2(A,\Delta)\mathrm{d}t + \bar{\sigma}_{2k}(A)\mathrm{d}B_k(t)
\end{aligned}
\tag{5.6-11}
$$

式中

$$
\begin{aligned}
&\bar{m}_1(A,\Delta) = \varepsilon\langle m_1(A,\Theta,\Theta'+\Delta)\rangle_\Theta \\
&\bar{m}_2(A,\Delta) = \left\langle \varepsilon m_2(A,\Theta,\Delta)\left(-\frac{q}{p}\right) + \left(\frac{\Omega}{\omega(A)} - \frac{q}{p}\right)\nu(A,\Theta)\right\rangle_\Theta \\
&\bar{\sigma}_{ik}\bar{\sigma}_{jk}(A) = \varepsilon\langle \sigma'_{ik}\sigma'_{jk}(A,\Theta)\rangle_\Theta,\ \sigma'_{1k} = \sigma_{1k},\ \sigma'_{2k} = -(q/p)\sigma_{2k}
\end{aligned}
\tag{5.6-12}
$$

$\langle\cdot\rangle_\Theta$ 表示对 Θ 在一周上的平均。

与平均 Itô 方程(5.6-11)相应的平均 FPK 方程为

$$
\begin{aligned}
\frac{\partial p}{\partial t} = &-\frac{\partial}{\partial a}(a_1 p) - \frac{\partial}{\partial \delta}(a_2 p) + \frac{1}{2}\frac{\partial^2}{\partial a^2}(b_{11} p) \\
&+ \frac{\partial^2}{\partial a \partial \delta}(b_{12} p) + \frac{1}{2}\frac{\partial^2}{\partial \delta^2}(b_{22} p)
\end{aligned}
\tag{5.6-13}
$$

式中

$$
\begin{aligned}
a_i &= a_i(a,\delta) = \bar{m}_i(A,\Delta)\big|_{A=a,\Delta=\delta} \\
b_{ij} &= b_{ij}(a,\delta) = \bar{\sigma}_{ik}\bar{\sigma}_{jk}(A,\Delta)\big|_{A=a,\Delta=\delta} \\
&i,j = 1,2
\end{aligned}
\tag{5.6-14}
$$

$p = p(a,\delta,t\,|\,a_0,\delta_0)$,相应初始条件为

$$
p(a,\delta,0\,|\,a_0,\delta_0) = \delta(a-a_0)\delta(\delta-\delta_0) \tag{5.6-15}
$$

或 $p = p(a,\delta,t)$,相应初始条件为

$$
p(a,\delta,0) = p(a_0,\delta_0) \tag{5.6-16}
$$

(5.6-13)关于 a 的边界条件取决于域 V。若 V 为全平面(q,p),则边界条件为

$$
p = \text{有限},\ a = 0 \tag{5.6-17}
$$

$$
p,\ \partial p/\partial a \to 0,\ a \to \infty \tag{5.6-18}
$$

(5.6-13)对 δ 有周期边界条件

$$
p(a,\delta+2n\pi,t\,|\,a_0,\delta_0) = p(a,\delta\,|\,a_0,\delta_0) \tag{5.6-19}
$$

(5.6-13)一般需数值求解,例如用路径积分法[21,22]。

例 5.6-1 考虑谐和外激与白噪声外激与参激下 Duffing 振子,其运动方程为

$$\begin{aligned}\dot{Q} &= P \\ \dot{P} &= -\omega_0^2 Q - \alpha Q^3 - \beta P + E\cos\Omega t + \xi_1(t) + Q\xi_2(t)\end{aligned} \tag{a}$$

式中 $\omega_0, \alpha, \beta, E$ 为常数,分别表示退化线性振子固有频率,非线性强度,阻尼系数及谐和激励幅值;$\xi_k(t)$是强度为 $2D_k$ 的独立 Gauss 白噪声。设 β, E, D_k同为 ε 量级。例 5.5-1 中(c)～(f)仍适用本例。

先考察主外共振情形

$$\Omega/\omega(a) = 1 + \sigma_1 \tag{b}$$

σ_1 为 ε 阶小量。作变换(5.5-14),得

$$\begin{aligned}\frac{\mathrm{d}A}{\mathrm{d}t} &= F_1(A, \Theta, \Omega t) + G_{11}(A, \Theta)\xi_1(t) + G_{12}(A, \Theta)\xi_2(t) \\ \frac{\mathrm{d}\Gamma}{\mathrm{d}t} &= F_2(A, \Theta, \Omega t) + G_{21}(A, \Theta)\xi_1(t) + G_{22}(A, \Theta)\xi_2(t)\end{aligned} \tag{c}$$

式中

$$\begin{aligned}F_1 &= -\frac{A}{g(A)}[\beta A\nu(A, \Theta)\sin\Theta + E\cos\Omega t]\nu(A, \Theta)\sin\Theta \\ F_2 &= -\frac{A}{g(A)}[\beta A\nu(A, \Theta)\sin\Theta + E\cos\Omega t]\nu(A, \Theta)\cos\Theta \\ G_{11} &= -\frac{A}{g(A)}\nu(A, \Theta)\sin\Theta, \quad G_{12} = -\frac{A^2}{g(A)}\nu(A, \Theta)\sin\Theta\cos\Theta \\ G_{21} &= -\frac{1}{g(A)}\nu(A, \Theta)\cos\Theta, \quad G_{22} = -\frac{A}{g(A)}\nu(A, \Theta)\cos^2\Theta\end{aligned} \tag{d}$$

与(c)等价的 Itô 随机微分方程为

$$\begin{aligned}\mathrm{d}A &= m_1(A, \Theta\Omega t)\mathrm{d}t + \sigma_{1k}(A, \Theta)\mathrm{d}B_k(t) \\ \mathrm{d}\Gamma &= m_2(A, \Theta, \Omega t)\mathrm{d}t + \sigma_{2k}(A, \Theta)\mathrm{d}B_k(t), k = 1,2\end{aligned} \tag{e}$$

式中

$$m_i = F_i + D_k\left(G_{1k}\frac{\partial G_{ik}}{\partial A} + G_{2k}\frac{\partial G_{ik}}{\partial \Theta}\right)$$

$$\sigma_{ik}\sigma_{jk} = 2D_k G_{ik} G_{jk} \quad i, j, k = 1, 2. \tag{f}$$

按(5.6-9),令

$$\Delta = \sigma_1 \Phi - \Gamma \tag{g}$$

作变换(5.6-7),(e)变成

$$\begin{aligned} dA &= m_1(A, \Theta, \Theta' + \Delta)dt + \sigma_{1k}(A, \Theta)dB_k(t) \\ d\Delta &= [-m_2(A, \Theta, \Theta' + \Delta) + (\Omega/\omega(A) - 1)\nu(A, \Theta)]dt \\ &\quad - \sigma_{2k}(A, \Theta)dB_k(t) \end{aligned} \tag{h}$$

将(h)中系数对 Θ 从 0 到 2π 上进行平均,得

$$\begin{aligned} dA &= \bar{m}_1(A, \Delta)dt + \bar{\sigma}_{1k}(A)dB_k(t) \\ d\Delta &= \bar{m}_2(A, \Delta)dt + \bar{\sigma}_{2k}(A)dB_k(t) \end{aligned} \tag{i}$$

式中漂移与扩散系数为

$$\begin{aligned} \bar{m}_1 = &-\beta A(\omega_0^2 + 5\alpha A^2/8)/2(\omega_0^2 + \alpha A^2) + E\sin\Delta \\ &\left\langle \nu(A, \Theta)\sin\Theta \times \sin\left(\Theta + \Omega\sum_{r=1}^{\infty}\frac{1}{r}C_r(A)\sin r\Theta\right)\right\rangle_\Theta \Big/ \\ &(\omega_0^2 + \alpha A^2) - \alpha D_1 A \times (3\omega_0^2 + 3\alpha A^2/2)/4(\omega_0^2 + \alpha A^2)^3 \\ &+ D_1(\omega_0^2 + 7\alpha A^2/8)/2A(\omega_0^2 + \alpha A^2)^2 + D_2\omega_0^2 A(\omega_0^2 + \alpha A^2/2)/ \\ &8(\omega_0^2 + \alpha A^2)^3 + D_2 A(\omega_0^2 + 7\alpha A^2/8)/4(\omega_0^2 + \alpha A^2)^2 \\ \bar{m}_2 = &E\cos\Delta\left\langle \nu(A, \Theta)\cos\Theta\cos\left(\Theta + \Omega\sum_{r=1}^{\infty}\frac{1}{r}C_r(A)\sin r\Theta\right)\right\rangle_\Theta \\ &/A(\omega_0^2 + \alpha A^2) + [\Omega C_0(A) - 1]\langle \nu(A, \Theta)\rangle_\Theta \end{aligned}$$

$$\begin{aligned} \bar{\sigma}_{1k}\bar{\sigma}_{1k} &= D_1(\omega_0^2 + 5\alpha A^2/8)/(\omega_0^2 + \alpha A^2)^2 \\ &\quad + D_2 A^2(\omega_0^2 + 3\alpha A^2/4)/4(\omega_0^2 + \alpha A^2)^2 \\ \bar{\sigma}_{2r}\bar{\sigma}_{2r} &= D_1(\omega_0^2 + 7\alpha A^2/8)/A^2(\omega_0^2 + \alpha A^2)^2 \\ &\quad + 2D_2(3\omega_0^2/8 + 11\alpha A^2/32)/(\omega_0^2 + \alpha A^2)^2 \\ \bar{\sigma}_{1k}\bar{\sigma}_{2k} &= 0 \end{aligned} \tag{j}$$

在推导 m_1 中,用到了下列式子

$$\frac{d}{dA}\left[\frac{A}{g(A)}\right] = -\frac{2\alpha A}{(\omega_0^2 + \alpha A^2)^2} \tag{k}$$

当 $\alpha=D_2=0$ 时,(i)化为

$$dA=(-\beta A/2+E\sin\Delta/2\omega_0+D_1/2\omega_0^2A)dt+(D_1^{1/2}/\omega_0)dB_1(t)$$

$$d\Delta=[E\cos\Delta/2\omega_0A+(\Omega-\omega)]dt+(D_1^{1/2}/\omega_0A)dB_1(t) \qquad (l)$$

应用[19]中提出的方法,可得与(l)相应平均 FPK 方程的精确稳态解

$$p(a,\delta)=C\exp[-(\beta\omega_0^2/2D_1)a^2+(Ea/\omega_0)(\mu\cos\delta+D_1\sin\delta/\omega^2)/(\mu^2+(D_1/\omega_0^2)^2)] \qquad (m)$$

式中

$$\mu=2D_1(\omega_0-\Omega)/\beta\omega_0^2 \qquad (n)$$

再考虑主参数共振

$$\Omega/\omega(a)=2+\sigma_1 \qquad (o)$$

令

$$\Delta=\sigma_1\Phi-2\Gamma \qquad (p)$$

类似的推导仍可得平均 Itô 方程(i),其中漂移与扩散系数为

$$\bar{m}_1=-\beta A(\omega_0^2+5\alpha A^2/8)/2(\omega_0^2+\alpha A^2)+E\sin\Delta \times\left\langle \nu(A,\Theta)\sin\Theta\sin\left(2\Theta+\Omega\sum_{r=1}^{\infty}\frac{1}{r}C_r(A)\sin r\Theta\right)\right\rangle_\Theta / (\omega_0^2+\alpha A^2)-\alpha D_1A(3\omega_0^2+3\alpha A^2/2)/4(\omega_0^2+\alpha A^2)^3+D_1(\omega_0^2+7\alpha A^2/8)/2A(\omega_0^2+\alpha A^2)^2+D_2\omega_0^2A(\omega_0^2+\alpha A^2/2)/8(\omega_0^2+\alpha A^2)^3+D_2A(\omega_0^2+7\alpha A^2/8)/4(\omega_0^2+\alpha A^2)^2$$

$$\bar{m}_2=E\cos\Delta\left\langle \nu(A,\Theta)\cos\Theta\cos\left(2\Theta+\Omega\sum_{r=1}^{\infty}\frac{1}{r}C_r(A)\sin r\Theta\right)\right\rangle_\Theta / A(\omega_0^2+\alpha A^2)+[\Omega C_0(A)-2]\langle \nu(\bar{A},\Theta)\rangle_\Theta$$

$$\overline{\sigma_{1k}\sigma_{1k}}=D_1(\omega_0^2+5\alpha A^2/8)/(\omega_0^2+\alpha A^2)^2+D_2A^2(\omega_0^2+3\alpha A^2/4)/4(\omega_0^2+\alpha A^2)^2 \qquad (q)$$

$$\overline{\sigma_{2k}\sigma_{2k}}=4D_1(\omega_0^2+7\alpha A^2/8)/A^2(\omega_0^2+\alpha A^2)^2$$

$$+8D_2(3\omega_0^2/8+11\alpha A^2/32)/(\omega_0^2+\alpha A^2)^2$$

$$\bar{\sigma}_{1k}\bar{\sigma}_{2k}=0$$

以(j)或(q)为漂移与扩散系数的 FPK 方程(5.6-13)一般需数值求解。6.7 中将给出一些结果及其讨论。

如同 5.5.2 节,本节叙述的随机平均法也可推广于多自由度非线性系统。

5.7 有界噪声激励下单自由度强非线性系统的随机平均[23]

5.7.1 有界噪声

具有有理谱密度的有色噪声,可由白噪声通过线性滤波器产生,也可由具有随机频率与相位的谐和函数产生,后者可表为

$$\xi(t)=\sin(\Omega t+\sigma B(t)+\chi) \tag{5.7-1}$$

式中 Ω 表示中心频率;σ 表示频率随机扰动强度;χ 是在 $[0,2\pi)$ 上均匀分布的随机相位;$B(t)$ 是标准 Wiener 过程。$\xi(t)$ 的均值为零,相关函数

$$\begin{aligned}E[\xi(t_1)\xi(t_2)]=&(1/2)E[\cos[\Omega(t_2-t_1)+\sigma B(t_2)-\sigma B(t_1)]\\&-\cos[\Omega(t_2+t_1)+\sigma B(t_2)+\sigma B(t_1)+2\chi]]\end{aligned} \tag{5.7-2}$$

由于 χ 均匀分布,(5.7-2)中第二个余弦项的集合平均为零,因此,$\xi(t)$ 是广义平稳随机过程。$B(t_2)-B(t_1)$ 是 Gauss 随机变量,均值为零,标准差为 $|t_2-t_1|^{1/2}$。经计算得协方差函数

$$\begin{aligned}E[\xi(t_1)\xi(t_2)]&=C_\xi(t_2-t_1)\\&=\frac{1}{2}\exp\left(-\frac{\sigma^2}{2}|t_2-t_1|\right)\cos\Omega(t_2-t_1)\end{aligned}$$

即

$$C_\xi(\tau)=(1/2)\exp[-(\sigma^2/2)|\tau|]\cos\Omega\tau \tag{5.7-3}$$

对 $C_\xi(\tau)$ 作 Fourier 变换,得 $\xi(t)$ 的谱密度

$$S_\xi(\omega)=\frac{\sigma^2}{4\pi}\frac{\omega^2+\Omega^2+\sigma^4/4}{(\omega^2-\Omega^2-\sigma^4/4)^2+\sigma^4\omega^2} \tag{5.7-4}$$

$\xi(t)$的带宽主要取决于 σ，σ 小时它是窄带过程，σ 大时它为宽带过程，$\sigma\to\infty$时它是白噪声。$\xi(t)$的方差 $\sigma_\xi^2 = c_\xi(0) = 1/2$。$\xi(t)$的概率密度为

$$p(\xi) = \frac{1}{\pi\sqrt{1-\xi^2}} \tag{5.7-5}$$

显然，它是非 Gauss 的。

(5.7-1)的一个特点是它的幅值有限，因此，称它为有界噪声。它主要被用作窄带随机激励的模型，该模型首先由 Stratonovich[24]提出，后多人用随机平均法研究过有界噪声参激下线性系统稳定性[25~27]。下面叙述在有界噪声激励下单自由度强非线性系统的随机平均。

5.7.2 随机平均方程

考虑单自由度强非线性系统对有界噪声的响应，其运动方程为

$$\begin{aligned} \dot{Q} &= P \\ \dot{P} &= -g(Q) - \varepsilon h(Q,P) + \varepsilon f(Q,P)\xi(t) \end{aligned} \tag{5.7-6}$$

式中 $\xi(t)$为由(5.7-1)定义的有界噪声。设相应的 Hamilton 系统在平衡点 $(b,0)$ 的邻域 V 内有形如(5.5-6)的周期解族。作变换(5.5-14)，经类似于(5.5-16)～(5.5-20)的推导，得

$$\begin{aligned} \frac{\mathrm{d}A}{\mathrm{d}t} &= \varepsilon F_1(A,\Theta,\Omega t+\Lambda) \\ \frac{\mathrm{d}\Gamma}{\mathrm{d}t} &= \varepsilon F_2(A,\Theta,\Omega t+\Lambda) \end{aligned} \tag{5.7-7}$$

式中，$\Lambda = \sigma B + \chi$，

$$\begin{aligned} F_1 = {} & \frac{A}{g(A+B)(1+r)}[h'(A\cos\Theta + B, -A\nu(A,\Theta)\sin\Theta) \\ & - f(A\cos\Theta + B, -A\nu(A,\Theta)\sin\Theta)\sin(\Omega t+\Lambda)] \\ & \times \nu(A,\Theta)\sin\Theta \end{aligned} \tag{5.7-8}$$

$$F_2 = \frac{1}{g(A+B)(1+r)}[h(A\cos\Theta + B, -A\nu(A,\Theta)\sin\Theta)$$

$$-f(A\cos\Theta+B,-A\nu(A,\Theta)\sin\Theta)\sin(\Omega t+\Lambda)]$$
$$\times\nu(A,\Theta)(\cos\Theta+r)$$

设 $\xi(t)$为窄带随机激励,满足形如(5.6-6)(外)共振关系,类似于(5.6-7),有

$$\Omega t=\frac{q}{p}\Theta+\Omega\sum_{r=1}^{\infty}\frac{1}{r}C_r(A)\sin r\Theta+\varepsilon\sigma\Phi-\frac{q}{p}\Gamma \tag{5.7-9}$$

于是,

$$\Omega t+\Lambda=\Theta'+\Delta' \tag{5.7-10}$$

其中 Θ'由(5.6-8)确定,而

$$\Delta'=\varepsilon\sigma_1\Phi-(q/p)\Gamma+\Lambda \tag{5.7-11}$$

表示激励与响应的相位差。将(5.7-11)看成从 Γ 到 Δ'的变换,(5.7-7)变成 Itô 随机微分方程

$$dA=\varepsilon F_1(A,\Theta,\Theta'+\Delta')dt$$
$$d\Delta'=\left[\left(\frac{\Omega}{\omega(A)}-\frac{q}{p}\right)\nu(A,\Theta)-\frac{q}{p}\varepsilon F_2(A,\Theta,\Theta'+\Delta')\right]dt$$
$$+\sigma dB(t) \tag{5.7-12}$$

$\Theta(t)$为快变过程,而 $A(t)$,$\Delta'(t)$为慢变过程。将(5.7-12)中系数对 Θ从 0 到 2π进行平均,得平均 Itô 方程

$$\begin{aligned}dA&=m_1(A,\Delta')dt\\ d\Delta'&=m_2(A,\Delta')dt+\sigma dB(t)\end{aligned} \tag{5.7-13}$$

式中

$$m_1(A,\Delta')=\langle\varepsilon F_1(A,\Theta,\Theta'+\Delta')\rangle_\Theta$$
$$m_2(A,\Delta')=\left\langle\left(\frac{\Omega}{\omega(A)}-\frac{q}{p}\right)\nu(A,\Theta)-\frac{q}{p}\varepsilon F_2(A,\Theta,\Theta'+\Delta')\right\rangle_\Theta \tag{5.7-14}$$

可知,A,Δ'为二维扩散过程。与(5.7-13)相应的平均 FPK 方程为

$$\frac{\partial p}{\partial t}=-\frac{\partial}{\partial a}(m_1p)-\frac{\partial}{\partial\delta'}(m_2p)+\frac{\sigma^2}{2}\frac{\partial^2p}{\partial\delta'^2} \tag{5.7-15}$$

式中 $p=p(a,\delta',t\,|\,a_0,\delta_0')$,相应的初始条件为

$$p(a,\delta',0\mid a_0,\delta_0')=\delta(a-a_0)\delta(\delta'-\delta_0') \qquad (5.7\text{-}16)$$

或 $p=p(a,\delta',t)$,相应初始条件为

$$p(a,\delta',0)=p(a_0,\delta_0') \qquad (5.7\text{-}17)$$

(5.6-15)对 a 的边界条件取决于域 V。当 V 为全平面(q, p)时,它们形同(5.5-29)、(5.5-30)。对 δ'则有形同(5.6-19)的周期性边界条件。

例 5.7-1 考虑 Duffing 振子对有界噪声的响应,其运动方程为

$$\begin{aligned}\dot{Q}&=P\\ \dot{P}&=-\omega_0^2Q-\alpha Q^3-\beta P+E\sin(\Omega t+\sigma B(t)+\chi)\end{aligned} \qquad (a)$$

例5.5-1 中(c)~(f)仍适用。考察主共振情形 $p=q=1$。按(5.5-14)~(5.5-20)及(5.7-7)~(5.7-14)推导,得平均 Itô 方程(5.7-13),其中漂移系数为

$$m_1=-\beta A(\omega_0^2+5\alpha A^2/8)/2(\omega_0^2+\alpha A^2)-E\cos\Delta'\times\left\langle \nu(A,\Theta)\sin\Theta\sin\left(\Theta+\Omega\sum_{r=1}^{\infty}\frac{1}{2r}C_{2r}(A)\sin 2r\Theta\right)\right\rangle_{\Theta}\Big/(\omega_0^2+\alpha A^2)$$

$$m_2=E\sin\Delta'\left\langle \nu(A,\Theta)\cos\Theta\cos\left(\Theta+\Omega\sum_{r=1}^{\infty}\frac{1}{2r}C_{2r}(A)\sin r\Theta\right)\right\rangle_{\Theta}\Big/A(\omega_0^2+\alpha A^2)+[\Omega/\omega(A)-1]\langle \nu(A,\Theta)\rangle_{\Theta} \qquad (b)$$

6.7 中将给出一些相应平均 FPK 方程(5.7-15)的数值计算结果及其讨论。

参 考 文 献

[1] 朱位秋. 随机振动. 北京:科学出版社,1998

[2] Lin Y K, Cai G Q. Probabilistic Structural Dynamics, Advanced Theory and Applications. New York: McGraw-Hill, 1995

[3] Roberts J B, Spanos P D. Stochastic averaging: an approximate method of solving

random vibration problems. International Journal of Non-Linear Mechanics, 1986, 21: 111—134

[4] Zhu W Q. Stochastic averaging methods in random vibration. ASME Applied Mechanics Reviews, 1988, 41(5): 189—199

[5] Zhu W Q. Recent developments and applications of the stochastic averaging method in random vibration. ASME Applied Mechanics Reviews, 1996, 49(10): s72—s80

[6] Stratonovich R L. Topics in the Theory of Random Noise, Vol. 1. New York: Gordon Breach, 1963

[7] Khasminskii R Z. A limit theorem for the solutions of differential equations with random right hand sides. Theory of Probability and Application, 1966, 11: 390—405

[8] Papanicolaou G C, Kohler W. Asymptotic theory of mixing stochastic ordinary differential equations. Communications on Pure and Applied Mathematics, 1974, 27: 641—668

[9] Blankenship G, Papanicolaou G C. Stability and control of stochastic systems with wide-band noise disturbances. SIAM Journal of Applied Mathematics, 1978, 34(3): 437—476

[10] Khasminskii R Z. On the averaging principle for Itô stochastic differential equations. Kibernetka, 1968, 3(4):260—279(in Russian)

[11] Zhu W Q. Stochastic averaging of quasi-Hamiltonian systems. Science in China, Series A, 1996, 39: 97—107

[12] Zhu W Q, Yang Y Q. Stochastic averaging of quasi-nonintegrable-Hamiltonian systems. ASME Journal of Applied Mechanics, 1997, 64: 157—164

[13] Zhu W Q, Huang Z L, Yang Y Q. Stochastic averaging of quasi integrable-Hamiltonian systems. ASME Journal of Applied Mechanics, 1997, 64: 975—984

[14] Zhu W Q, Huang Z L, Suzuki Y. Stochastic averaging and Lyapunov exponent of quasi partially integrable Hamiltonian systems. International Journal of Non-Linear Mechanics, 2002, 37: 419—437

[15] Zhu W Q, Huang Z L, Suzuki Y. Response and stability of strongly non-linear oscillators under wide-band random excitation, International Journal of Non-Linear Mechanics, 2001, 36: 1235—1250

[16] Roberts J B. Vasta M. Response of non-linear oscillators to non-white random excitation using an energy based method. Nonlinear and Stochastic Structural Dynamics, Proceedings of IUTAM Symposium, Narayanan S, Iyongar R N. (Eds.), Dordrecht: Kluwer Academic Publishers, 2001, 221—231

[17] Cai G Q, Lin Y K. Random vibration of strongly nonlinear systems. Nonlinear Dynamics, 2001, 24: 3—15

[18] Ying Z G, Zhu W Q, Ni Y Q, Ko J M. Stochastic averaging of Duhem hysteretic systems. Journal of Sound and Vibration, 2002, 254: 91—104

[19] Huang Z L, Zhu W Q. Exact stationary solutions of averaged equations of stochastically and harmonically excited MDOF quasi-linear systems with internal and/or external resonances. Journal of Sound and Vibration, 1997, 204: 249—258

[20] Huang Z L, Zhu W Q, Suzuki Y. Stochastic averaging of strongly non-linear oscillators under combined harmonic and white noise excitations. Journal of Sound and Vibration, 2000, 238: 233—256

[21] Yu J S, Cai G Q, Lin Y K. A new path integration procedure based on Gauss-Legendre scheme. International Journal of Non-Linear Mechanics, 1997, 32: 759—768

[22] Naess A, Moe V. New techniques for path integral solution of the random vibration of nonlinear oscillators. Structural Safety and Reliability, Shinozuka M, et al. (Eds.), Rotterdam: Balkema, 1998

[23] Huang Z L, Zhu W Q, Ni Y Q, Ko J M. Stochastic averaging of strongly non-linear oscillators under bounded noise excitation. Journal of Sound and Vibration, 2002, 254: 245—267

[24] Stratonovich R L. Topics in the Theory of Random Noise, Vol. 2. New York: Gordon and Breach, 1967

[25] Dimentberg M F. Statistical Dynamics of Nonlinear and Time-Varying Systems. Taunton: Research Studies Press, 1988

[26] Lin Y K, Li Q C, Su T C. Application of a new wind turbulence model in predicting motion stability of wind-excited long-span bridges. Journal of Wind Engineering and Industry Aeronautics, 1993, 49: 507—516

[27] Ariaratnam S T. Stochastic stability of viscoelastic systems under bounded noise excitation. Advances in Nonlinear Stochastic Mechanics, Proceedings of IUTAM Symposium, Naess A, Krenk S (Eds.), Dordrecht: Kluwer Academic Publishers, 1996, 11—18

第六章　随机稳定性与随机分岔

第三至第五章叙述预测耗散的 Hamilton 系统的随机响应的定量方法，本章叙述拟 Hamilton 系统的定性性质，主要是稳定性与分岔。先介绍随机稳定性与随机分岔的基本概念、基本方法及基本结果，然后论述拟 Hamilton 系统最大 Lyapunov 指数的计算方法与概率为 1 渐近稳定性，基于平均 Hamilton 过程边界类别判定拟不可积 Hamilton 系统概率渐近稳定性与随机 Hopf 分岔，以及拟 Hamilton 系统的同(异)宿轨道的随机分岔。

6.1　随机稳定性与随机分岔概述

6.1.1　随机稳定性

随机稳定性理论研究当初值偏离平衡状态或平稳状态时，随机动力学系统之解与该平衡位置或平稳状态间的距离在半无限时间区间$[t_0,\infty)$上是否有界以及在 $t\to\infty$时解是否收敛于该平衡位置或平稳状态。由于一个随机动力学系统的平衡位置或平稳解的稳定性总可化为另一个随机动力学系统平凡解的稳定性，随机稳定性理论总研究随机动力学系统平凡解的稳定性。

考虑随机微分方程

$$\dot{\boldsymbol{X}}=\boldsymbol{F}(\boldsymbol{X},t)+\boldsymbol{G}(\boldsymbol{X},t)\xi(t),\quad \boldsymbol{X}(t_0)=\boldsymbol{x}_0 \tag{6.1-1}$$

式中 $\boldsymbol{X}(t)$为 n 维矢量随机过程；$\boldsymbol{F}$ 为 n 维矢量值函数；$\boldsymbol{G}$ 为 $n\times m$ 维矩阵值函数；$\xi(t)$为 m 维随机过程。设 $\boldsymbol{X}(t)=0$ 是(6.1-1)的平凡解，这要求

$$\boldsymbol{F}(0,t)=0,\boldsymbol{G}(0,t)=0 \tag{6.1-2}$$

$\xi(t)$是(6.1-1)的乘性激励(参激)。解 $\boldsymbol{X}(t)$偏离平凡解的距离用范数$\|\boldsymbol{X}(t)\|$表示，常用的几种范数定义为

$$\| \boldsymbol{X}(t) \| = \sum_{i=1}^{n} | X_i(t) |, \tag{6.1-3a}$$

$$\| \boldsymbol{X}(t) \| = [X_i X_i]^{1/2} \tag{6.1-3b}$$

$$\| \boldsymbol{X}(t) \| = [a_{ij} X_i(t) X_j(t)]^{1/2} \tag{6.1-3c}$$

式中 a_{ij}为某正定矩阵的元素。显然，$\| \boldsymbol{X}(t) \|$ 为随机过程。鉴于随机过程的有界性与收敛性可有多种方式定义，随机稳定性有多种定义[1,2]，下面只给出其中的三种。以 $\boldsymbol{X}(t; x_0, t_0)$记 t_0 时初值为 x_0 的系统(6.1-1)之解。

概率为 1(Lyapunov)稳定性 若对任意 $\varepsilon>0$，有

$$\lim_{\| \boldsymbol{x}_0 \| \to 0} \left\{ \sup_{t \geqslant t_0} \| \boldsymbol{X}(t; x_0, t_0) \| > \varepsilon \right\} = 0 \tag{6.1-4}$$

则称(6.1-1)之平凡解以概率为 1(Lyapunov)稳定或几乎必然(样本)稳定。其意义为，从 $\boldsymbol{X}(t_0) = x_0$ 出发的(6.1-1)解过程的样本保持在平凡解的任意规定邻域内的概率在 $\| \boldsymbol{x}_0 \| \to 0$ 时趋于 1。

概率为 1(Lyapunov)渐近稳定性 若(6.1-4)成立，且

$$\lim_{\| \boldsymbol{x}_0 \| \to 0} P\left\{ \lim_{t \to \infty} \| \boldsymbol{X}(t; \boldsymbol{x}_0, \boldsymbol{t}_0) \| = 0 \right\} = 1 \tag{6.1-5}$$

则称(6.1-1)之平凡解以概率为 1(Lyapunov)渐近稳定或几乎必然(样本)渐近稳定。

由于(6.1-4)与(6.1-5)只在 $\| \boldsymbol{x}_0 \| \to 0$ 时成立，上述稳定性是局部概率为 1 稳定性。若 $\| \boldsymbol{x}_0 \| \to 0$ 代之以有限 $\boldsymbol{x}_0$ 而(6.1-4)、(6.1-5)仍成立，则称它们为大范围概率为 1 稳定性。若 $\boldsymbol{x}_0$ 可为 n 维空间任意点而(6.1-4)、(6.1-5)成立，则它们是全局概率为 1 稳定性。对线性随机系统，这三种稳定性等价。顺便说明，概率为 1 稳定性是 Kushner[3]的术语，Khasminskii[4]称之为概率意义上的稳定性。

概率稳定性 若对任意 ε_1、$\varepsilon_2>0$，存在 $\delta = \delta(\varepsilon_1, \varepsilon_2, t_0)>0$，使得当 $\| \boldsymbol{x}_0 \| < \delta$时，有

$$P\{ \| X(t; \boldsymbol{x}_0, t_0) \| \geqslant \varepsilon_1 \} \leqslant \varepsilon_2 \tag{6.1-6}$$

则称(6.1-1)之平凡解为概率稳定。

概率渐近稳定性 若(6.1-6)成立，且对任意 $\varepsilon>0$，存在

$\delta'(\varepsilon, t_0) > 0$,使得当$\| \boldsymbol{x}_0 \| < \delta'$时,有

$$\lim_{t \to \infty} P\{ \| \boldsymbol{X}(t; \boldsymbol{x}_0, t_0) \| \geqslant \varepsilon \} = 0 \qquad (6.1\text{-}7)$$

则称(6.1-1)之平凡解概率渐近稳定。

p 阶平均稳定性 若对任意 $\varepsilon > 0$,存在 $\delta(\varepsilon, t_0) > 0$,使得当$\| \boldsymbol{x}_0 \| < \delta$时,有

$$E[\| \boldsymbol{X}(t; \boldsymbol{x}_0, t_0) \|^p] \leqslant \varepsilon, p > 0 \qquad (6.1\text{-}8)$$

则称(6.1-1)之平凡解为 p 阶平均稳定。$p=1$ 时称为平均稳定,$p=2$ 时称为均方稳定。

p 阶平均渐近稳定性 若(6.1-8)成立,且存在 $\delta'(t_0) > 0$,使得当$\| \boldsymbol{x}_0 \| < \delta'$时,有

$$\lim_{t \to \infty} E[\| \boldsymbol{X}(t; \boldsymbol{x}_0, t_0) \|^p] = 0, p > 0 \qquad (6.1\text{-}9)$$

则称(6.1-1)之平凡解为 p 阶平均渐近稳定。

在(6.1-4)、(6.1-5)中,所考虑的是(6.1-1)解过程之范数在半无限时间区间$[t_0, \infty)$的上确界这个随机变量的概率,对不同的样本函数,它的范数到达上确界的时刻是不同的,因此,(6.1-4)、(6.1-5)所定义的稳定性是一种样本稳定性。实际上,(6.1-4)、(6.1-5)表明,(6.1-1)解过程的几乎所有样本都是 Lyapunov 稳定与渐近稳定的。在(6.1-6)-(6.1-9)中,所考察的是(6.1-1)解过程在某一时刻上的概率与 p 阶矩,因此,概率稳定性与 p 阶平均稳定性不是样本稳定性。一般说来,概率为 1 稳定性强于概率稳定性,但对线性随机动力学系统,两者等价。p 阶平均稳定性强于概率稳定性。概率为 1 稳定性与 p 阶平均稳定性之间关系较为复杂,对线性随机动力学系统,均方稳定性强于概率为 1 稳定性。对线性随机动力学系统,Kozin 与 Sugimoto[5]证明,参数空间中概率为 1 稳定区是 p 阶平均稳定区在 $p \to 0$ 时的极限。概率为 1 稳定性是 Lyapunov 稳定性在随机系统中的推广,最为自然合理,研究得最多。

(6.1-1)中 $\xi(t)$可为平稳遍历过程(实噪声),亦可为 Guass 白噪声。对前一种情形的概率为 1 渐近稳定性,迄今只得到线性

系统(主要是二维)一些稳定性的充分条件,这方面的研究成果已在 Lin 与 Cai 的专著[6]中作了概括。对 Itô 随机微分方程的概率为 1 稳定性,存在若干定理[4],据此可用 Lyapunov 函数判定稳定性,主要困难在于构造 Lyapunov 函数,迄今,该法也只主要用于 Itô 线性随机微分方程。Lyapunov 函数法的一个缺点是,所得到的往往只是稳定性的充分条件而非必要条件。

近十多年来的一个新趋势是用最大 Lyapunov 指数研究概率为 1 渐近稳定性,其理论依据是 Oseledec 乘性遍历定理[7]。考虑(6.1-1)在平凡解处的线性化方程

$$\begin{aligned}&\dot{\boldsymbol{X}} = \boldsymbol{A}\boldsymbol{X} + \boldsymbol{B}_k\boldsymbol{X}\xi_k(t),\boldsymbol{X}(0) = \boldsymbol{x}_0\\&k = 1,2,\cdots,m\end{aligned} \tag{6.1-10}$$

式中

$$\boldsymbol{A} = \left[\frac{\partial F_i}{\partial X_j}\right]_{\boldsymbol{X}=0},\boldsymbol{B}_k = \left[\frac{\partial G_{ik}}{\partial X_j}\right]_{\boldsymbol{X}=0} \tag{6.1-11}$$

为 $n\times n$ 常数矩阵。(6.1-10)的分量形式为

$$\begin{aligned}&X_i = a_{ij}X_j + b_{ijk}X_j\xi_k(t),X_i(0) = x_{0i}\\&i,j = 1,2,\cdots,n,k = 1,2,\cdots,m\end{aligned} \tag{6.1-12}$$

Lyapunov 指数定义为(6.1-10)或(6.1-12)之解的平均指数增长率

$$\lambda = \lim_{t\to\infty}\frac{1}{t}\ln\|\boldsymbol{X}(t;\boldsymbol{x}_0)\| \tag{6.1-13}$$

按照 Oseledec 乘性遍历定理,当 $\xi(t)$为遍历过程时,存在 $r(1\leqslant r\leqslant n)$个确定性 Lyapunov 指数 λ_s 与 r 个线性子空间(Oseledec 空间)E_s 及 r 个整数 d_s,对几乎所有初值 $\boldsymbol{x}_0$,有 $\lambda(\boldsymbol{x}_0)\in\{\lambda_1,\lambda_2,\cdots,\lambda_r\}$,其中

$$\lambda_s = \lim_{t\to\infty}\frac{1}{t}\ln\|\boldsymbol{X}(t;\boldsymbol{x}_0)\|,\boldsymbol{x}_0\in E_s\setminus\{\boldsymbol{0}\} \tag{6.1-14}$$

它表示子空间 E_s 中(6.1-10)或(6.1-12)之解的平均指数增长率。$\lambda_1,\lambda_2,\cdots,\lambda_r$ 构成 Lyapunov 谱,它与范数的选取无关。状态空间可分解为 Oseledec 空间,即 $R^n=\oplus_{s=1}^{r}E_s$。λ_s 的重数与 E_s 的

维数同为 d_s。r 个 Lyapunov 指数按大小排列为 $\lambda_1 \geqslant \lambda_2 \geqslant \cdots \geqslant \lambda_r$，$\lambda_1$ 称为最大 Lyapunov 指数，

$$\lambda_\Sigma = \frac{1}{n} \mathrm{tr}\, E[\boldsymbol{A} + \boldsymbol{B}_k \xi_k(t)] \tag{6.1-15}$$

称为平均 Lyapunov 指数，$n\lambda_\Sigma$ 表示平均相空间体积变化率。最大、平均及最小 Lyapunov 指数之间的关系为

$$\lambda_1 \geqslant \lambda_\Sigma \geqslant \lambda_r \tag{6.1-16}$$

若 $\boldsymbol{X}(t)$为遍历 Markov 过程，则几乎所有(6.1-10)或(6.1-12)的解轨道具有相同的指数增长率，即最大 Lyapunov 指数。因此，若只对(6.1-10)或(6.1-12)的 Markov 解感兴趣，则可只研究最大 Lyapunov 指数。若 $\lambda_1<0$，则(6.1-10)或(6.1-12)的平凡解以概率 1 渐近稳定；若 $\lambda_1>0$，则该解以概率 1 不稳定；$\lambda_1=0$ 时，则该解可任意大，也可任意小。

Khasminskii[8]给出了线性 Itô 随机微分方程最大 Lyapunov 指数的表达式。考虑线性常系数 Itô 随机微分方程

$$\mathrm{d}X_i = m_{ij}X_j \mathrm{d}t + \sigma_{ijk}X_j \mathrm{d}B_k(t), X_i(0) = x_{0i} \tag{6.1-17}$$

其生成微分算子为

$$L = a_i \frac{\partial}{\partial x_i} + \frac{1}{2} b_{ij} \frac{\partial^2}{\partial x_i \partial x_j} \tag{6.1-18}$$

其中

$$a_i = m_{ij}X_j, b_{ij} = \sigma_{irk}\sigma_{jsk}x_r x_s \tag{6.1-19}$$

设矩阵 $\boldsymbol{B}=[b_{ij}]$非负定，且非退化，即对任意 n 维矢量 α，有

$$(\boldsymbol{B}(\boldsymbol{X})\alpha, \alpha) \geqslant c \mid \boldsymbol{X} \mid^2 \mid \alpha \mid^2 \tag{6.1-20}$$

式中(，)表示矢量内积，c 为正常数。引入变换

$$\rho = \ln \| \boldsymbol{X} \| = \ln(X_i X_i)^{1/2} \tag{6.1-21}$$

$$U_s = X_s / \| \boldsymbol{X} \| \tag{6.1-22}$$

变换(6.1-22)产生一个 $n-1$ 维单位球面上的扩散过程 $\boldsymbol{U}(t)$，它在满足条件(6.1-20)时为非奇异(遍历)。支配 ρ 与 U_s 的 Itô 随机微分方程可从(6.1-17)运用 Itô 微分公式(2.6-1)导出

$$\mathrm{d}\rho = Q(\boldsymbol{U})\mathrm{d}t + \sigma_{ijk}U_i U_j \mathrm{d}B_k(t) \tag{6.1-23}$$

$$\mathrm{d}U_s = L(U_s)\mathrm{d}t + \sigma_{ijk}U_j(\delta_{is} - U_iU_s)\mathrm{d}B_k(t) \quad (6.1\text{-}24)$$

式中

$$Q(\boldsymbol{U}) = L(\rho) = m_{ij}U_iU_j + (1/2)\sigma_{ijk}\sigma_{pqk}U_jU_q(\delta_{ip} - 2U_iU_p)$$

$$\begin{aligned} L(U_s) = & m_{ij}U_j(\delta_{is} - U_iU_s) \\ & + (1/2)\sigma_{ijk}\sigma_{pqk}U_jU_q(3U_iU_sU_p - U_s\delta_{ip} - U_p\delta_{ps}) \end{aligned} \quad (6.1\text{-}25)$$

从 0 到 t 积分(6.1-23)并除以 t，得

$$\begin{aligned} \frac{1}{t}\ln\|\boldsymbol{X}(t;\boldsymbol{x}_0)\| = & \frac{1}{t}\ln\|\boldsymbol{x}(0)\| + \frac{1}{t}\int_0^t Q(\boldsymbol{U}(\tau))\mathrm{d}\tau \\ & + \sigma_{ijk}\frac{1}{t}\int_0^t U_i(\tau)U_j(\tau)\mathrm{d}B_k(\tau) \end{aligned} \quad (6.1\text{-}26)$$

当 $t\to\infty$ 时，上式右边第一、三项为零，因为 $\boldsymbol{x}(0)$、U_i、U_j 有界，$B_k(\tau)$按$[2\tau\ln(\ln\tau)]^{1/2}$增长(见(2.2-39))。于是

$$\begin{aligned} \lambda = & \lim_{t\to\infty}\frac{1}{t}\ln\|\boldsymbol{X}(t;\boldsymbol{x}_0)\| \\ = & \lim_{t\to\infty}\frac{1}{t}\int_0^t Q(\boldsymbol{U}(\tau))\mathrm{d}\tau \end{aligned} \quad (6.1\text{-}27)$$

鉴于 $\boldsymbol{U}$ 在单位球面上遍历，

$$\lambda = E[Q(\boldsymbol{U})] = \int Q(\boldsymbol{u})p(\boldsymbol{u})\mathrm{d}\boldsymbol{u} \quad (6.1\text{-}28)$$

按 Oseledec 乘性遍历定理，(6.1-27)与(6.1-28)中得 λ 为 λ_1，即最大 Lyapunov 指数。$p(\boldsymbol{U})$是 $\boldsymbol{U}(t)$的平稳概率密度

当 $\lambda_1<0$ 时，(6.1-17)的平凡解以概率 1 渐近稳定，且对高阶随机扰动具有鲁棒性，即导致(6.1-17)的原非线性 Itô 随机微分方程 $\mathrm{d}\boldsymbol{X} = \boldsymbol{F}(\boldsymbol{X})\mathrm{d}t + \boldsymbol{G}(\boldsymbol{X})\mathrm{d}\boldsymbol{B}(t)$的平凡解也以概率 1 渐近稳定[9]。由 $\lambda_1<0$ 得到的是概率为 1 渐近稳定的充要条件，这是用最大 Lyapunov 指数判别稳定性的一大优点。

当条件(6.1-20)不满足时，$\boldsymbol{U}(t)$可能奇异，(6.1-27)不一定收敛于 λ_1，而取决于初始条件，例见文献[6]。条件(6.1-20)可放

松[10]。

上述结果可推广于具有齐一次漂移与扩散系数的非线性自治 Itô 随机微分方程[11]

$$\mathrm{d}\boldsymbol{X}=\boldsymbol{F}(\boldsymbol{X})\mathrm{d}t+\boldsymbol{G}(\boldsymbol{X})\mathrm{d}\boldsymbol{B}(t) \tag{6.1-29}$$

式中 $\boldsymbol{F},\boldsymbol{G}$ 除满足条件(6.1-2)外,还满足齐一次条件

$$k\boldsymbol{F}(\boldsymbol{X})=\boldsymbol{F}(k\boldsymbol{X}),k\boldsymbol{G}(\boldsymbol{X})=\boldsymbol{G}(k\boldsymbol{X}) \tag{6.1-30}$$

与非退化条件

$$(\boldsymbol{G}(\boldsymbol{X})\boldsymbol{G}^{\mathrm{T}}(\boldsymbol{X})\alpha,\alpha)\geqslant c\,|\,\boldsymbol{X}\,|^2\,|\,\alpha\,|^2 \tag{6.1-31}$$

作变换(6.1-21)、(6.1-22),类似的推导给出形如(6.1-23)与(6.1-24)的方程,其中

$$Q(\boldsymbol{U})=\boldsymbol{U}^{\mathrm{T}}\boldsymbol{F}(\boldsymbol{U})+\frac{1}{2}\sum_{i=1}^{n}[\boldsymbol{G}(\boldsymbol{U})\boldsymbol{G}^{\mathrm{T}}(\boldsymbol{U})]_{ii}\times\left(\sum_{j=1}^{n}U_j^2-2U_i^2\right)-\sum_{\substack{i,j=1\\ i\neq j}}^{n}[(\boldsymbol{G}(\boldsymbol{U})\boldsymbol{G}^{\mathrm{T}}(\boldsymbol{U}))_{ij}U_iU_j] \tag{6.1-32}$$

将它代入(6.1-27)或(6.1-28),可得最大 Lyapunov 指数。

按(6.1-28)计算最大 Lyapunov 指数,需知 $\boldsymbol{U}(t)$的平稳概率密度。当 $\boldsymbol{U}(t)$的维数大于 1 时,难以求此平稳概率密度,可用 2.5.4 中数值方法求解(6.1-24),再按(6.1-27)计算最大 Lyapunov 指数[12,13]。当噪声强度较小时,可用摄动法计算最大 Lyapunov 指数[14]。

线性随机动力学系统的 p 阶矩稳定性可用矩 Lyapunov 指数进行研究。p 阶矩 Lyapunov 指数定义为

$$g(p;\boldsymbol{x}_0)=\lim_{t\to\infty}\frac{1}{t}\ln E[\|\boldsymbol{X}(t;\boldsymbol{x}_0)\|^p] \tag{6.1-33}$$

它表示 p 阶矩的平均指数增长率。$g(p;\boldsymbol{x}_0)<0$ 是平凡解 p 阶矩渐近稳定的充要条件。矩 Lyapunov 指数概念由 Arnold[15]引入,在[10,16,17]中作了全面讨论。在实噪声情形,系统的运动方程为

$$\dot{\boldsymbol{X}}=\boldsymbol{A}(\xi(t))\boldsymbol{X},\boldsymbol{X}\in R^n$$

$$d\xi = \boldsymbol{F}_0(\xi)dt + \boldsymbol{G}_k(\xi) \circ dB_k(t), \xi \in R^r, k = 1,2,\cdots,m \tag{6.1-34}$$

作 Khasminskii 变换

$$\boldsymbol{U} = \frac{\boldsymbol{X}}{\|\boldsymbol{X}\|} \in S^{n-1} \quad (n-1)\text{维单位球面} \tag{6.1-35}$$

可导得

$$\|\boldsymbol{X}(t;\boldsymbol{x}_0)\| = \|\boldsymbol{x}_0\| \exp\{\int_0^t q(\tau)d\tau\} \tag{6.1-36}$$

$$\dot{\boldsymbol{U}} = \boldsymbol{h}(\xi(t), \boldsymbol{U}) \tag{6.1-37}$$

式中

$$\begin{aligned} q(\tau) &= q(\xi(\tau), \boldsymbol{U}) = \boldsymbol{U}^{\mathrm{T}} \boldsymbol{A}(\xi(\tau)) \boldsymbol{U} \\ \boldsymbol{h}(\xi(t), \boldsymbol{U}) &= (\boldsymbol{A} - q\boldsymbol{I}) \boldsymbol{U} \end{aligned} \tag{6.1-38}$$

$\xi, \boldsymbol{U}$ 一起构成扩散过程。类似于(6.1-26)的推导可得矩 Lyapunov 指数

$$\begin{aligned} &g(p;\boldsymbol{x}_0) = \lim_{t\to\infty} \frac{1}{t} \ln E\left[\exp\{p\int_0^t q(\tau)\}\right] \\ &\boldsymbol{x}_0 \in R^n \setminus \{\boldsymbol{0}\} \end{aligned} \tag{6.1-39}$$

已证[10,17]，$g(p)$是一个凸的解析函数，$g(0)=0$，$g'(0)=\lambda_1$(最大 Lyapunov 指数)，它有展式

$$g(p) = \lambda_1 p + (g''(0)/2)p^2 + o(p^2) \tag{6.1-40}$$

对一般 p 值很难得到 $g(p)$，对小强度噪声，可用摄动法[18,19]。

6.1.2 随机分岔

考虑由随机微分方程通过它的解生成的动态系统。随机分岔理论研究随机动态系统的参数族的定性性态(平衡态、平稳运动及其他长时间渐近运动)随参数的变化而发生的变化。随机分岔分两类:动态分岔(D-分岔)与唯象分岔(P-分岔)。对具有遍历不变测度 μ_α 的可微随机动态系统参数族，若在某个参数值 α_D 的每个邻域上存在参数 α，与之对应的不变测度 $\upsilon_\alpha \neq \mu_\alpha$，随 $\alpha \to \alpha_D$，$\upsilon_\alpha \to \mu_\alpha$，则称 α_D 为该随机动态系统的 D-分岔点。在 D-分岔点上，该

随机动态系统的线性化系统的随机流是非双曲的，至少有一个 Lyapunov 指数为零。因此，D-分岔点乃研究从一族参考测度中分岔出新的不变测度，可用 Lyapunov 指数（通常是最大 Lyapunov 指数，在随机 Hopf 分岔中也包括次最大 Lyapunov 指数）的正负号变化来判别。P-分岔则研究随机动态系统的不变测度的密度（平稳概率密度）的形状（峰的个数、位置及形状）随参数的变化，例如从单峰变成双峰，或从单峰变成火山口形峰，可通过对平稳概率密度求极值进行研究。D-分岔是一种动态概念，它与确定性分岔相对应，当噪声强度趋于零时，D-分岔退化为确定性分岔。P-分岔则是一种静态概念。D-分岔与 P-分岔之间一般无关系，即 D-分岔并不意味着 P-分岔，反之亦然。但有时两种分岔点可重合。

虽然从 20 世纪 80 年代就在工程、物理、化学、数学等邻域开始研究随机分岔，迄今对随机分岔的研究仍处于初级阶段，只有少量严格的一般性定理与准则，许多现象只能通过计算机模拟证实，或只对特定的模型进行过研究。在物理与工程领域的随机分岔研究已有专著[20]与专题评述[21～23]。最近，Arnold[24,25]从数学角度对随机分岔的研究成果作了概括。下面用一、二维随机动态系统分岔的例子说明随机分岔的含义与研究方法。

一、一维分岔

考虑一维随机微分方程

$$\begin{aligned} dX &= m(X)dt + \sigma(X)\circ dB(t) \\ &= [m(X) + \sigma(X)\sigma'(X)/2]dt + \sigma(X)dB(t) \end{aligned} \tag{6.1-41}$$

生成的连续动态系统

$$\varphi(t)x = x + \int_0^t m(\varphi(s)x)dx + \int_0^t \sigma(\varphi(s)x)\circ dB(s) \tag{6.1-42}$$

它是以 x 为初值的(6.1-41)之惟一强解。假定

$$m(0) = 0, \sigma(0) = 0 \tag{6.1-43}$$

从而 0 是 φ 的一个固定点。对此固定点，$dB(t)$是随机参激。设

$m(x)$有界，对所有 $x\neq 0$ 满足椭圆性条件

$$\sigma(x)\neq 0 \tag{6.1-44}$$

这保证最多只有一个平稳概率密度。求解与(6.1-41)相应的平稳 FPK 方程得平稳概率密度

$$p(x)= C\,|\,\sigma^{-1}(x)\,|\exp\left[\int_0^x \frac{2m(u)}{\sigma^2(u)}\mathrm{d}u\right] \tag{6.1-45}$$

于是，上述动态系统有两种可能的平稳状态：不动点(平衡状态)与非平凡平稳运动。前者的不变测度 δ_0 的密度为 $\delta(x)$，后者的不变测度 υ 的密度为(6.1-45)。为研究 D-分岔，需计算这两个不变测度的 Lyapunov 指数。为此，考虑(6.1-41)的线性化方程

$$\begin{aligned}\mathrm{d}V&= m'(X)V\mathrm{d}t+\sigma'(X)V\circ\mathrm{d}B(t)\\&=[m'(X)+(\sigma(X)\sigma'(X))'/2]V\mathrm{d}t+\sigma'(x)V\mathrm{d}B(t)\end{aligned} \tag{6.1-46}$$

利用(2.5-6)之解(2.5-11)，得(6.1-46)之解

$$V(t)= V(0)\exp\left[\int_0^t(m'+\sigma\sigma''/2)(X)\mathrm{d}s+\int_0^t\sigma'(X)\mathrm{d}B(s)\right] \tag{6.1-47}$$

动态系统 φ 关于测度 μ 的 Lyapunov 指数定义为

$$\lambda_\varphi(\mu)=\lim_{t\to\infty}\frac{1}{t}\ln\|V(t)\| \tag{6.1-48}$$

(6.1-47)代入(6.1-48)，注意，$\sigma(0)=0$，得不动点 Lyapunov 指数

$$\begin{aligned}\lambda_\varphi(\delta_0)&=\lim_{t\to\infty}\frac{1}{t}\left[\ln V(0)+m'(0)\int_0^t\mathrm{d}s+\sigma'(0)\int_0^t\mathrm{d}B(s)\right]\\&= m'(0)+\sigma'(0)\lim_{t\to\infty}\frac{B(t)}{t}= m'(0)\end{aligned} \tag{6.1-49}$$

对以(6.1-45)为密度的不变测度 υ，(6.1-47)代入(6.1-48)，假定 σ'有界，$m'+\sigma\sigma''/2$ 可积，得 Lyapunov 指数

$$\begin{aligned}\lambda_\varphi(\upsilon)&=\lim_{t\to\infty}\frac{1}{t}\int_0^t(m'+\sigma\sigma''/2)(X)\mathrm{d}s\\&=\int_R[m'(x)+\sigma(x)\sigma''(x)/2]p(x)\mathrm{d}x\end{aligned} \tag{6.1-50}$$

进行分部积分，并利用(6.1-45)，最后得

$$\lambda_{\varphi}(\upsilon)=-2\int_{R}\left[\frac{m(x)}{\sigma(x)}\right]^{2}p(x)\mathrm{d}x<0 \qquad (6.1\text{-}51)$$

随机跨临界分岔 考虑(6.1-41)的特殊情形

$$\mathrm{d}X=(\alpha X-X^{2})\mathrm{d}t+\sigma X\circ\mathrm{d}B(t) \qquad (6.1\text{-}52)$$

生成的动态系统族 φ_{α}

$$\varphi_{\alpha}(t)x=\frac{x\exp[\alpha t+\sigma B(t)]}{1+x\int_{0}^{t}\exp[\alpha s+\sigma B(s)]\mathrm{d}s} \qquad (6.1\text{-}53)$$

(6.1-53)是以 x 为初值的(6.1-52)之解。先作变换 $Y=-X^{-1}$，将(6.1-52)化为关于 Y 的线性 Itô 随机微分方程，再按 2.5.3 中方法得(6.1-53)。$\sigma=0$ 时，该动态系统存在确定性跨临界分岔。$\sigma\neq0$ 时，对应于两个确定性平衡状态 $x=0$ 与 $x=\alpha$ 有两个遍历不变测度。一个不变测度为 δ_{α}，其密度为 $\delta(x)$，对所有 α 值成立。另一个不变测度 υ_{α} 的密度在 $\alpha>0$ 时为

$$p_{\alpha}(x)=\begin{cases}C_{\alpha}x^{2\alpha/\sigma^{2}-1}\exp(-2x/\sigma^{2}), & x>0\\ 0, & x\leqslant0\end{cases} \qquad (6.1\text{-}54)$$

式中

$$C_{\alpha}^{-1}=\Gamma(2\alpha/\sigma^{2})(\sigma^{2}/2)^{2\alpha/\sigma^{2}} \qquad (6.1\text{-}55)$$

按(6.1-49)，关于不动点不变测度 δ_{α} 的 Lyapunov 指数为

$$\lambda_{\varphi}(\delta_{\alpha})=\alpha \qquad (6.1\text{-}56)$$

由(6.1-51)与(6.1-54)，可得关于非平凡平稳状态不变测度 υ_{α} 的 Lyapunov 指数

$$\lambda_{\varphi}(\upsilon_{\alpha})=-\alpha \qquad (6.1\text{-}57)$$

可知，不动点不变测度在 $\alpha<0$ 时稳定，而非平凡平稳状态不变测度在 $\alpha>0$ 时稳定，从而，$\alpha=\alpha_{D}=0$ 是一个 D-分岔点。

对概率密度(6.1-54)作极值分析知，除 $\alpha=0$(是一个 D-分岔点，也可看成是一个 P-分岔点，因为 α 从负变正，概率密度从 δ 函数变成峰在 $x=0$ 上的普通概率密度)外，在 $\alpha=\alpha_{p}=\sigma^{2}/2$ 处发生

P-分岔。当 $0<\alpha<\alpha_p$ 时，概率密度在 $x=0$ 处最大，随 x 单调下降。而 $\alpha>\alpha_p$ 时，概率密度在 $x\neq 0$ 处有一个峰，且 $p_\alpha(0)=0$。

随机叉形分岔　考虑(6.1-41)的另一个特殊情形

$$dX=(\alpha X-X^3)dt+\sigma X\circ dB(t) \tag{6.1-58}$$

生成的动态系统

$$\varphi_\alpha(t)x=\frac{x\exp[\alpha t+\sigma B(t)]}{\{1+2x^2\int_0^t\exp[2(\alpha s+\sigma B(s))]ds\}^{1/2}} \tag{6.1-59}$$

$\sigma=0$ 时，动态系统有确定性叉形分岔；$\sigma\neq 0$，$\alpha<0$ 时，只有惟一的不变测度 δ_α，其密度为 $\delta(x)$。$\sigma\neq 0$，$\alpha>0$ 时，与确定性动态系统的三个平衡状态相对应有三个不变测度：δ_α 与两个非平凡平稳状态测度 $\upsilon_\alpha^{\pm}$，其密度为

$$p_\alpha^{+}(x)=\begin{cases}C_\alpha x^{2\alpha/\sigma^2-1}\exp(-x^2/\sigma^2), & x>0\\ 0, & x\leqslant 0\end{cases} \tag{6.1-60}$$

$$p_\alpha^{-}(x)=p_\alpha^{+}(-x) \tag{6.1-61}$$

式中 $C_\alpha^{-1}=\Gamma(\alpha/\sigma^2)\sigma^{-2\alpha/\sigma^2}$。按(6.1-49)可得关于 δ_α 的 Lyapunov 指数

$$\lambda_\varphi(\delta_\alpha)=\alpha \tag{6.1-62}$$

由(6.1-51)、(6.1-60)及(6.1-61)可得关于 $\upsilon_\alpha^{\pm}$ 的 Lyapunov 指数

$$\lambda_\varphi(\upsilon_\alpha^{\pm})=-2\alpha \tag{6.1-63}$$

可知，在 $\alpha=\alpha_D=0$ 处发生 D-分岔。对概率密度(6.1-60)作极值分析知，在 $\alpha=\alpha_p=\sigma^2/2$ 处发生 P-分岔。

二、二维分岔

考虑 Gauss 白噪声参激的 Duffing-van der Pol 振子

$$\begin{aligned}dX_1&=X_2dt\\ dX_2&=(\alpha X_1+\beta X_2-X_1^3-X_1^2X_2)dt\\ &\quad+\sigma X_1\circ dB(t)\end{aligned} \tag{6.1-64}$$

有两个参数 α 与 β。已知，在 $\sigma=0$ 时，固定 β，改变 α，可发生叉形

分岔;固定 α,改变 β,可发生 Hopf 分岔。

随机 Hopf 分岔　设 $\sigma\neq 0$,固定 $\alpha<0$,增大 β 使之穿越 $\beta=0$。从数值求解与(6.1-64)相应的平稳 FPK 方程观察到[26],当 β 足够负时,概率密度为在(0,0)上的 δ 函数,说明(0,0)是稳定平衡状态。当 β 增大至 $\beta_{D_1}<0$ 时,出现峰在(0,0)上的非平凡平稳概率密度,说明此时(0,0)是不稳定的平衡状态,β_{D_1} 实际上是一个 D-分岔点。继续增大 β 至 β_P,非平凡概率密度变成火山口形,因此,β_P 是一个 P-分岔点。(β_{D_1},β_P)被 Ebeling[27]称为"分岔区"。这是随机 Duffing-van der Pol 振子的 P-分岔过程。

为研究随机 Duffing-van der Pol 振子的 D-分岔,需计算(6.1-64)在(0,0)处线性化方程

$$\mathrm{d}\boldsymbol{V}=\begin{bmatrix}0 & 1\\ \alpha & \beta\end{bmatrix}\boldsymbol{V}\mathrm{d}t+\sigma\begin{bmatrix}0 & 0\\ 1 & 0\end{bmatrix}\boldsymbol{V}\circ\mathrm{d}B(t) \qquad (6.1\text{-}65)$$

的 Lyapunov 指数。当 $\alpha=-1$ 时,已证[25]两个 Lyapunov 指数为

$$\lambda_{1,2}(\beta,\sigma)=\beta/2\pm(\sigma^2/4)C(\beta^2,\sigma^2) \qquad (6.1\text{-}66)$$

式中 $C(\beta^2,\sigma^2)$是下列扩散过程平稳测度的二阶矩:

$$\begin{aligned}\mathrm{d}Z&=-U'(Z)\mathrm{d}t+\sigma\mathrm{d}B(t)\\ U(Z)&=Z^6/12-(\beta^2/2-1)Z^2\end{aligned} \qquad (6.1\text{-}67)$$

在 $\beta_{D_1}<0$ 处 λ_1 从负变正,在 $\beta_{D_2}=-\beta_{D_1}>0$ 处 λ_2 从负变正,

对小 σ 值,用摄动法求得[28]

$$\lambda_{1,2}(\beta,\sigma)=\beta/2\pm\sigma^2/8\,\omega_d^2+O(\sigma^4) \qquad (6.1\text{-}68)$$

式中 $\omega_d^2=-\alpha-(\beta/2)^2$。在 $\beta_{D_1}=-\sigma^2/4\,\omega_d^2+O(\sigma^4)<0$ 处 λ_1 从负变正,在 $\beta_{D_2}=\sigma^2/4\,\omega_d^2+O(\sigma^4)>0$ 处 λ_2 从负变正。

Keller 与 Ochs[29]通过数值分析发现,当 $\beta<\beta_{D_1}$(即 $\lambda_2<\lambda_1<0$)时,(0,0)是全局吸引子。当 $\beta_{D_1}<\beta<\beta_{D_2}$(即 $\lambda_2<0<\lambda_1$)时,(0,0)变成不稳定鞍点,它的一维不稳定流形的闭包是一个"混沌"吸引子,闭包的横截面像 Canton 集。当 $\beta>\beta_{D_2}$ 即($0<\lambda_2<\lambda_1$)时,(0,0)是不稳定节点,它的二维不稳定流形的边界是在穿孔平面

$R^2 \setminus \{0\}$上新吸引子，该边界也有像 Canton 集的横截面。这些结果有别于前先数值结果[24,26]，尚待严格证明。

随机叉形分岔　在(6.1-64)中，固定 $\beta<0$，让 α 从负变正。从相应平稳 FPK 方程的数值解知，直至 α 稍大于零，δ_α 是惟一的不变测度。当 $\alpha>\alpha_D>0$ 时，产生一个非平凡的平稳测度，它的密度在(0,0)处有一个峰；继续增大 α，非平凡平稳测度的密度有两个峰，可知，随 α 增大，先后经历了一次 D-分岔与一次 P-分岔。用摄动法可求得 Lyapunov 指数

$$\lambda_{1,2}(\alpha,\sigma)=\frac{\beta}{2}\pm\sqrt{\frac{\beta^2}{4}+\alpha}\mp\frac{\sigma^2}{8(\beta^2/4+\alpha)}+O(\sigma^4)$$

(6.1-69)

λ_1 在 $\alpha_D=-(1/2\beta)\sigma^2+O(\sigma^4)>0$ 处改变符号，而 λ_2 总是小于 $\beta<0$。因此，只有一次 D-分岔。

(6.1-64)的平稳概率密度可用能量包线随机平均法近似求得，据此可分析 P-分岔与第一次 D-分岔[30]。

6.2　拟不可积 Hamilton 系统的渐近稳定性

6.2.1　用平均 Itô 方程的 Lyapunov 指数判定概率为 1 渐近稳定性

考虑形如(5.2-2)的 n 自由度拟不可积 Hamilton 系统，设它只含 Gauss 白噪声参激，现研究如何通过计算最大 Lyapunov 指数判定该系统平凡解的概率为 1 渐近稳定性。按 6.1.1，需先将(6.2-2)在平凡解处线性化，然后求线性化 Itô 随机微分方程的最大 Lyapunov 指数。该线性化方程是 $2n$ 维的，而且线性化方程的扩散矩阵是退化的，不满足条件(6.1-20)，因此，当 $n>1$ 时很难求得其最大 Lyapunov 指数。

为克服这一困难，引入新的范数定义。记 $\boldsymbol{Z}=[\boldsymbol{Q}^{\mathrm{T}}\ \boldsymbol{P}^{\mathrm{T}}]^{\mathrm{T}}$，定义 $\boldsymbol{Z}$ 的范数为

$$\|\boldsymbol{Z}\|=H^{1/2}(\boldsymbol{Q},\boldsymbol{P})\tag{6.2-1}$$

对机械/结构系统，$H(\boldsymbol{Q},\boldsymbol{P})$表示系统的总能量，它是非负的。对线性 Hamilton 系统，H 为 Q_i、P_i 的齐二次式，(6.2-1)形同(6.1-3c)。对非线性 Hamilton 系统，$H(\boldsymbol{Q},\boldsymbol{P})$非为 Q_i，P_i 的齐二次式，(6.2-1)与(6.1-3c)不同，但它仍可作为相空间中系统状态至平凡解距离的度量，况且在平凡解邻域，$H(\boldsymbol{Q},\boldsymbol{P})$中 Q_i，P_i 的二次式常占主导地位，以 $H^{1/2}(\boldsymbol{Q},\boldsymbol{P})$定义范数在物理上是合理的。

以 $H^{1/2}(\boldsymbol{Q},\boldsymbol{P})$代替(6.1-4)、(6.1-5)及(6.1-13)中$\|\boldsymbol{X}(t,\boldsymbol{x}_0)\|$，就得到拟不可积 Hamilton 系统概率为 1 稳定性、概率为 1 渐近稳定性及 Lyapunov 指数的新定义。

为计算拟不可积 Hamilton 系统的 Lyapunov 指数，将它的平均 Itô 随机微分方程(5.2-5)在 $H=0$ 处线性化，得

$$\mathrm{d}H = \bar{m}'(0)H\mathrm{d}t + \bar{\sigma}'(0)H\mathrm{d}B(t) \tag{6.2-2}$$

利用(2.5-6)之解(2.5-11)，得(6.2-2)之解为

$$H(t)= H(0)\exp\left\{\int_0^t\left[\bar{m}'(0)-(\bar{\sigma}'(0))^2/2\right]\mathrm{d}s + \left\{\int_0^t\bar{\sigma}'(0)\mathrm{d}B(s)\right\}\right. \tag{6.2-3}$$

于是，平均 Itô 随机微分方程(5.2-5)的 Lyapunov 指数近似为

$$\begin{aligned}\lambda &= \lim_{t\to\infty}\frac{1}{t}\ln H^{1/2}(\boldsymbol{Q},\boldsymbol{P}) = \lim_{t\to\infty}\frac{1}{2t}\ln H(\boldsymbol{Q},\boldsymbol{P})\\ &= \lim_{t\to\infty}\frac{1}{2t}\left\{\ln H(0)+\int_0^t\left[\bar{m}'(0)-(\bar{\sigma}'(0))^2/2\right]\mathrm{d}s+\int_0^t\bar{\sigma}'(0)\mathrm{d}B(s)\right\}\\ &= \left[\bar{m}'(0)-(\bar{\sigma}'(0))^2/2\right]/2\end{aligned} \tag{6.2-4}$$

上述 Lyapunov 指数还可以从关于 $Y(t)=H^{1/2}(t)$的平均 Itô 随机微分方程导出。描述 $Y(t)$的 Itô 随机微分方程可用 Itô 微分公式从(5.2-5)导出为

$$\mathrm{d}Y = \bar{\bar{m}}(Y)\mathrm{d}t + \bar{\bar{\sigma}}^2(Y)\mathrm{d}B(t) \tag{6.2-5}$$

式中

$$\bar{\bar{m}}(Y) = Y^{-1}\bar{m}(Y)/2 - Y^{-3}\bar{\sigma}^2(Y)/8,\ \bar{\bar{\sigma}}(Y) = Y^{-2}\bar{\sigma}^2/4$$

$$\bar{m}(Y)=\bar{m}(H)\Big|_{H=Y^2},\bar{\sigma}^2(Y)=\bar{\sigma}^2(H)\Big|_{H=Y^2} \quad (6.2\text{-}6)$$

类似于(6.2-3)、(6.2-4)的推导给出

$$\lambda=\lim_{t\to\infty}\frac{1}{t}\ln Y(t)=\bar{\bar{m}}'(0)-(\bar{\bar{\sigma}}'(0))^2/2 \quad (6.2\text{-}7)$$

(6.2-4)与(6.2-7)将给出相同的 Lyapunov 指数值。

求拟不可积 Hamilton 系统的平均方程相当于一个非线性运算,按照 Oseledec 乘性遍历定理[7],由平均方程之线性化方程求得的 Lyapunov 指数(6.2-4)或(6.2-7)应是由(5.2-2)直接线性化所得方程求得的 n 个 Lyapunov 指数中最大者的近似。因此,可用(6.2-4)或(6.2-7)中的 Lyapunov 指数近似判定拟不可积 Hamilton 系统(5.2-2)的局部概率为 1 渐近稳定性。

例 6.2-1 考虑非线性耦合的两个非线性阻尼振子受 Gauss 白噪声参激,其运动方程为

$$\begin{aligned}
\dot{Q}_1&=P_1\\
\dot{P}_1&=-\omega_1^2Q_1-aQ_2-b|Q_1-Q_2|^{\delta}\operatorname{sgn}(Q_1-Q_2)\\
&\quad-\beta_1P_1-\alpha_1Q_1^2P_1+f_1Q_1\xi_1(t)\\
\dot{Q}_2&=P_2\\
\dot{P}_2&=-\omega_2^2Q_2-aQ_1-b|Q_1-Q_2|^{\delta}\operatorname{sgn}(Q_2-Q_1)\\
&\quad-\beta_2P_2-\alpha_2Q_2^2P_2+f_2Q_2\xi_2(t)
\end{aligned} \quad (a)$$

式中 ω_1,ω_2 为两个非耦合振子的固有频率;β_i,α_i 分别为线性与非线性阻尼系数;a,b 分别为线性与非线性耦合系数;δ 为非线性耦合幂次;f_i 为激励幅值;$\xi_k(t)$是强度为 $2D_k$ 的独立 Gauss 白噪声。假定 β_i,α_i,D_k 同为 ε 阶小量。

(a)的 Wong-Zakai 修正项为零,与(a)相应的 Hamilton 系统的 Hamilton 函数为

$$H=(p_1^2+p_2^2)/2+U(q_1,q_2) \quad (b)$$

式中

$$\begin{aligned}U(q_1,q_2)=&(\omega_1^2q_1^2+\omega_2^2q_2^2)/2+aq_1q_2\\&+b|q_1-q_2|^{1+\delta}/(1+\delta)\end{aligned} \quad (c)$$

当 $b\neq 0$，$\delta\neq 0,1,3$ 时，$U(q_1, q_2)$不可分离，(a)为拟不可积 Hamilton 系统。$q_1=q_2=p_1=p_2=0$ 是它的平凡解。要研究该解的概率为 1 渐近稳定性，可先用 5.2 中拟不可积 Hamilton 系统随机平均法，得(a)之平均 Itô 方程(5.2-5)，其漂移与扩散系数按(5.2-6)为[31]

$$\bar{m}(H)=\frac{1}{T(H)}\int_{\Omega}\{[-(\beta_1+\alpha_1 q_1^2)p_1^2-(\beta_2+\alpha_2 q_2^2)p_2^2 + f_1^2 D_1 q_1^2+f_2^2 D_2 q_2^2]/p_1\}\mathrm{d}q_1\mathrm{d}q_2\mathrm{d}p_2 \tag{d}$$

$$\bar{\sigma}^2(H)=\frac{1}{T(H)}\int_{\Omega}[2(f_1^2 D_1 q_1^2 p_1^2+f_2^2 D_2 q_2^2 p_2^2)/p_1]\times\mathrm{d}q_1\mathrm{d}q_2\mathrm{d}p_2$$

式中

$$T(H)=\int_{\Omega}(1/p_1)\mathrm{d}q_1\mathrm{d}q_2\mathrm{d}p_2$$

$$\Omega=\{(q_1, q_2, p_2)\mid H(q_1, q_2, 0, p_2)\leqslant H\} \tag{e}$$

完成(d)中对 p_2 的积分，然后引入极坐标

$$q_1=(R/\omega_1)\cos\theta,\quad q_2=(R/\omega_2)\sin\theta \tag{f}$$

(d)变成

$$\bar{m}(H)=\omega_1\omega_2\frac{2\pi}{T(H)}\int_0^{\pi}\left[-(\beta_1+\beta_2)A(H,\theta)-\left(\frac{\alpha_1}{\omega_1^2}\cos^2\theta+\frac{\alpha_2}{\omega_2^2}\sin^2\theta\right)B(H,\theta)+\frac{R^4}{2}\left(\frac{f_1^2 D_1}{\omega_1^2}\cos^2\theta+\frac{f_2^2 D_2}{\omega_2^2}\sin^2\theta\right)\right]\mathrm{d}\theta$$

$$\bar{\sigma}^2(H)=\frac{4\pi}{T(H)}\int_0^{\pi}\left(\frac{f_1^2 D_1}{\omega_1^2}\cos^2\theta+\frac{f_2^2 D_2}{\omega_2^2}\sin^2\theta\right)B(H,\theta)\mathrm{d}\theta \tag{g}$$

式中

$$T(H)=(2\pi/\omega_1\omega_2)\int_0^{\pi}R^2\mathrm{d}\theta$$

$$A(H,\theta)=HR^2-\frac{R^4}{4}\left(1+\frac{a}{\omega_1\omega_2}\sin 2\theta\right)$$

$$-\frac{2b}{(1+\delta)(3+\delta)}R^{3+\delta}\left|\frac{\cos\theta}{\omega_1}-\frac{\sin\theta}{\omega_2}\right|^{1+\delta}$$

$$B(H,\theta)=HR^4-\frac{R^6}{4}\left(1+\frac{a}{\omega_1\omega_2}\sin 2\theta\right) \tag{h}$$

$$-\frac{2b}{(1+\delta)(5+\delta)}R^{5+\delta}\left|\frac{\cos\theta}{\omega_1}-\frac{\sin\theta}{\omega_2}\right|^{1+\delta}$$

R 是下列方程之解

$$H-\frac{R^2}{4}\left(1+\frac{a}{\omega_1\omega_2}\sin 2\theta\right)$$

$$-\frac{b}{(1+\delta)}R^{1+\delta}\left|\frac{\cos\theta}{\omega_1}-\frac{\sin\theta}{\omega_2}\right|^{1+\delta}=0 \tag{i}$$

下面分 $0<\delta<1$ 与 $\delta>1$ 两种情形讨论。

情形 1:$0<\delta<1$。此时,(a)的平均 Itô 方程在 $H=0$ 处的线性化方程形为

$$\mathrm{d}H=\mu_1 H\mathrm{d}t+\mu_2^{1/2}H\mathrm{d}B(t) \tag{j}$$

式中

$$\mu_1=-\frac{1}{3}(\beta_1+\beta_2)\eta_1+\frac{7}{9}\frac{f_1^2D_1+f_2^2D_2}{2a+\omega_1^2+\omega_2^2}$$

$$\mu_2=\frac{2}{3}\frac{f_1^2D_1+f_2^2D_2}{2a+\omega_1^2+\omega_2^2}\eta_2$$

$$\eta_1=\frac{11}{6}-\frac{1+\delta}{4(4+\delta)}-\frac{2(2-\delta)}{(2+\delta)(3+\delta)}+\frac{\delta^2-1}{24(5+\delta)}$$

$$\eta_2=\frac{13}{12}-\frac{16}{(5+\delta)(2+\delta)}+\frac{4}{3+\delta}-\frac{3+\delta}{2(4+\delta)}+\frac{(3+\delta)(1+\delta)}{24(5+\delta)} \tag{k}$$

$H=0$ 是(j)的平凡解。按(6.2-4),(a)的平均 Itô 方程的 Lyapunov 指数为

$$\lambda=\mu_1/2-\mu_2/4$$

$$=-\frac{1}{6}(\beta_1+\beta_2)\eta_1+\frac{1}{18}(7-3\eta_2)\frac{f_1^2D_1+f_2^2D_2}{2a+\omega_1^2+\omega_2^2} \tag{l}$$

于是,(a)的平凡解以概率 1 渐近稳定的充要条件近似为 $\lambda<0$,即

$$\beta_1 + \beta_2 > \left(\frac{7}{3\eta_1} - \frac{\eta_2}{\eta_1}\right)\frac{f_1^2 D_1 + f_2^2 D_2}{2a + \omega_1^2 + \omega_2^2} \tag{m}$$

情形 2：$\delta > 1$。此时，(a)的平均 Itô 方程在 $H=0$ 处的线性化方程形为

$$\mathrm{d}H = \mu_3 H \mathrm{d}t + \mu_4^{1/2} H \mathrm{d}B(t) \tag{n}$$

式中

$$\mu_3 = -\frac{1}{2}(\beta_1 + \beta_2) + \frac{1}{2}\left(\frac{f_1^2 D_1}{\omega_1^2} + \frac{f_2^2 D_2}{\omega_2^2}\right)\eta$$

$$\mu_4 = \frac{1}{3}\left(\frac{f_1^2 D_1}{\omega_1^2} + \frac{f_2^2 D_2}{\omega_2^2}\right)\eta$$

$$\eta = \int_0^\pi [1 + (a/\omega_1\omega_2)\sin\theta]^{-2}\,\mathrm{d}\theta \Big/ \int_0^\pi [1 + (a/\omega_1\omega_2)\sin\theta]^{-1}\,\mathrm{d}\theta \tag{o}$$

按(6.2-4)，(a)的平均 Itô 方程的 Lyapunov 指数为

$$\begin{aligned}\lambda &= \mu_3/2 - \mu_4/4 \\ &= -\frac{1}{4}(\beta_1 + \beta_2)\eta_1 + \frac{1}{6}\left(\frac{f_1^2 D_1}{\omega_1^2} + \frac{f_2^2 D_2}{\omega_2^2}\right)\end{aligned} \tag{p}$$

于是，(a)的平凡解以概率 1 渐近稳定的充要条件近似为 $\lambda < 0$，即

$$\beta_1 + \beta_2 > \frac{2}{3}\left(\frac{f_1^2 D_1}{\omega_1^2} + \frac{f_2^2 D_2}{\omega_2^2}\right)\eta \tag{q}$$

例 6.2-2 考虑 Duffing-van der Pol 振子受宽带平稳随机参激，其运动方程为

$$\begin{aligned}\dot{Q} &= P \\ \dot{P} &= -\omega_0^2 Q - \alpha Q^3 - (-\beta_1 + \beta_2 Q^2)P + P\xi_1(t) \\ &\quad + Q\xi_2(t) + Q^2\xi_3(t)\end{aligned} \tag{r}$$

与例 5.5-1 相比仅激励不同，$\xi_k(t)$为独立平稳遍历过程，均值为零，谱密度为 $S_k(\omega)$，β_1，β_2，$S_k(\omega)$同为 ε 量级。应用 5.5.1 节中描述的随机平均法，可得平均 Itô 方程(5.5-21)，其漂移与扩散系数为[32]

$$
\begin{aligned}
m(A) = & -\frac{A^2}{8g(A)}[-\beta_1(4\omega_0^2+5\alpha A^2/2)+\beta_2 A^2(\omega_0^2+3\alpha A^2/4)] \\
& +\pi\sigma_{110}S_1(0)\frac{\mathrm{d}\sigma_{110}}{\mathrm{d}A}+\frac{\pi}{2}\sigma_{112}^{(c)}S_1(2\omega(A))\frac{\mathrm{d}\sigma_{112}^{(c)}}{\mathrm{d}A} \\
& +\frac{\pi}{2}\sigma_{114}^{(c)}S_1(4\omega(A))\frac{\mathrm{d}\sigma_{114}^{(c)}}{\mathrm{d}A}-\pi\sigma_{112}^{(c)}\sigma_{212}^{(s)}S_1(2\omega(A)) \\
& -2\pi\sigma_{114}^{(c)}\sigma_{214}^{(s)}S_1(4\omega(A)) \\
& +\frac{\pi A^2}{32g(A)}\Big\{[2b_0(A)-b_4(A)]S_2(2\omega(A))\frac{\mathrm{d}}{\mathrm{d}A}\Big[(2b_0(A) \\
& -b_4(A))\frac{A^2}{g(A)}\Big]+b_2(A)S_2(4\omega(A))\frac{\mathrm{d}}{\mathrm{d}A}\Big[b_2(A)\frac{A^2}{g(A)}\Big]\Big\} \\
& +b_4(A)S_2(6\omega(A))\frac{\mathrm{d}}{\mathrm{d}A}\Big[b_4(A)\frac{A^2}{g(A)}\Big]\Big\}+\frac{\pi A^3}{16g(A)}\{[2b_0(A) \\
& -b_4(A)][2b_0(A)+2b_2(A)+b_4(A)]S_2(2\omega(A)) \\
& +2b_2(A)[b_2(A)+2b_4(A)]S_2(4\omega(A))+3b_4^2(A)S_2(6\omega(A))\} \\
& +\frac{\pi}{2}\Big[\sigma_{131}^{(s)}S_3(\omega(A))\frac{\mathrm{d}\sigma_{131}^{(s)}}{\mathrm{d}A}+\sigma_{133}^{(s)}S_3(3\omega(A))\frac{\mathrm{d}\sigma_{133}^{(s)}}{\mathrm{d}A} \\
& +\sigma_{135}^{(s)}S_3(5\omega(A))\frac{\mathrm{d}\sigma_{135}^{(s)}}{\mathrm{d}A}+\sigma_{137}^{(s)}S_3(7\omega(A))\frac{\mathrm{d}\sigma_{137}^{(s)}}{\mathrm{d}A}\Big] \qquad \text{(s)} \\
& +\frac{\pi}{2}\Big[\sigma_{231}^{(c)}\sigma_{131}^{(s)}S_3(\omega(A))+3\sigma_{233}^{(c)}\sigma_{133}^{(s)}S_3(3\omega(A)) \\
& +5\sigma_{235}^{(c)}\sigma_{135}^{(s)}S_3(5\omega(A))+7\sigma_{237}^{(c)}\sigma_{137}^{(s)}S_3(7\omega(A))\Big] \\
\sigma^2(A) = & 2\pi(\sigma_{110}^{(c)})^2S_1(0)+\pi(\sigma_{112}^{(c)})^2S_1(2\omega(A))+\pi(\sigma_{144}^{(c)})^2 \\
& \times S_1(4\omega(A))+\frac{\pi A^2}{16g(A)}\{[2b_0(A)-b_4(A)]^2S_2(2\omega(A)) \\
& +b_2^2(A)S_2(4\omega(A))+b_4^2(A)S_2(6\omega(A))\} \\
& +\pi(\sigma_{131}^{(s)})^2S_3(\omega(A))+\pi(\sigma_{133}^{(s)})^2S_3(3\omega(A)) \\
& +\pi(\sigma_{135}^{(s)})^2S_3(5\omega(A))+\pi(\sigma_{137}^{(s)})^2S_3(7\omega(A))
\end{aligned}
$$

其中 g,η,b_0,b_2,b_4,b_6 由例 5.5-1 中(c)与(e)确定,

$$\sigma_{110}=\frac{A^2}{2g(A)}(\omega_0^2+3\alpha A^2/4)(1-\eta/2$$

$$\sigma_{112}^{(c)}=\frac{A^2}{2g(A)}(\omega_0^2+3\alpha A^2/4)(\eta-1)$$

$$\sigma_{114}^{(c)}=-\frac{\eta A^2}{4g(A)}(\omega_0^2+3\alpha A^2/4)$$

$$\sigma_{131}^{(s)}=-\frac{A^3}{8g(A)}[2b_0(A)-b_4(A)]$$

$$\sigma_{133}^{(s)}=-\frac{A^3}{8g(A)}[2b_0(A)+b_2(A)-b_4(A)]$$

$$\sigma_{135}^{(s)}=-\frac{A^3}{8g(A)}[b_2(A)+b_4(A)]$$

$$\sigma_{137}^{(s)}=-\frac{A^3}{8g(A)}b_4(A) \tag{t}$$

$$\sigma_{212}^{(s)}=\frac{A}{2g(A)}(\omega_0^2+3\alpha A^2/4)$$

$$\sigma_{214}^{(s)}=\frac{A^2}{4g(A)}(\omega_0^2+3\alpha A^2/4)\eta$$

$$\sigma_{231}^{(c)}=-\frac{A^2}{8g(A)}[6b_0(A)+4b_2(A)+b_4(A)]$$

$$\sigma_{233}^{(c)}=-\frac{A^2}{8g(A)}[2b_0(A)+3b_2(A)+3b_4(A)]$$

$$\sigma_{235}^{(c)}=-\frac{A^2}{8g(A)}[b_2(A)+3b_4(A)]$$

$$\sigma_{237}^{(c)}=-\frac{A^2}{8g(A)}b_4(A)$$

注意，(5.5-21)中之 A 乃是广义位移幅值，它不同于通常用的 Euclid 模$(Q^2+P^2/\omega_0^2)^{1/2}$。为研究($r$)的平凡解的概率为 1 渐近稳定性，需将(5.5.21)化为关于 $H(t)$ 平均 Itô 方程(见 5.5-35)或关于

$$\begin{aligned} Y(t)=H^{1/2}(t)&=[(P^2(t)+\omega_0^2Q^2(t))/2+\alpha Q^4(t)/4]^{1/2}\\ &=[\omega_0^2A^2(t)/2+\alpha A^4(t)/4]^{1/2} \end{aligned} \tag{u}$$

的平均 Itô 方程。运用 Itô 微分公式(2.6-1)可以从(5.5.21)导得关于 $Y(t)$的平均 Itô 方程(6.2-5),其漂移与扩散系数为

$$
\begin{aligned}
\bar{\bar{m}}(Y)= & \left\{ \frac{(\omega_0^2 A+\alpha A^3)}{2[(\omega_0^2 A^2+\alpha A^4/2)]^{1/2}} m(A)+\frac{\sigma^2(A)}{[2(\omega_0^2 A^2+\alpha A^4/2)]^{3/2}} \right. \\
& \left. \times[(\omega_0^2+3\alpha A^2)(\omega_0^2 A^2+\alpha A^4/2)-(\omega_0^2 A+\alpha A^3)^2] \right\} \Bigg|_{A=A(Y)} \\
\bar{\bar{\sigma}}^2(Y)= & \frac{(\omega_0^2 A+\alpha A^3)^2}{2(\omega_0^2 A^2+\alpha A^4/2)} \sigma^2(A) \Bigg|_{A=A(Y)}
\end{aligned}
\tag{v}
$$

$A(Y)$为(u)之逆。下面分两种情形讨论。

情形 1:$\omega_0^2>0$。此时,(6.2-5)的线性化方程为[32]

$$
\mathrm{d}Y=\upsilon_1 Y\mathrm{d}t+\upsilon_2^{1/2} Y\mathrm{d}B(t) \tag{w}
$$

式中

$$
\begin{aligned}
\upsilon_1 &= \frac{\beta_1}{2}+\frac{\pi}{4}\left[S_1(0)+\frac{3}{2}S_1(2\omega_0)+\frac{3}{2\omega_0^2}S_1(2\omega_0)\right] \\
\upsilon_2 &= \frac{\pi}{2}\left[S_1(0)+\frac{1}{2}S_1(2\omega_0)+\frac{1}{2\omega_0^2}S_2(2\omega_0)\right]
\end{aligned}
\tag{x}
$$

按(6.2-7),(w)的 Lyapunov 指数为

$$
\begin{aligned}
\lambda &= \upsilon_1-\upsilon_2/2 \\
&= \beta_1/2+\pi S_1(2\omega_0)/4+\pi S_2(2\omega_0)/4\omega_0^2
\end{aligned}
\tag{y}
$$

于是,系统(r)之平凡解以概率为 1 渐近稳定的充要条件近似为

$$
-\beta_1>\pi S_1(2\omega_0)/2+\pi S_2(2\omega_0)/2\omega_0^2 \tag{z}
$$

注意,此时 $\xi_3(t)$不影响(r)的稳定性。

当 $\xi_1(t)=0$,$\xi_2(t)$是强度为 σ^2 的 Gauss 白噪声时,(y)化为

$$
\lambda=\beta_1/2+\sigma^2/8\omega_0^2 \tag{aa}
$$

与(r)的线性化方程最大 Lyapunov 指数(6.1-68)中 λ_1 基本一致(精确到 ε 量级)。这证实平均 Itô 方程的 Lyapunov 指数是原拟不可积 Hamilton 系统的线性化方程的最大 Lyapunov 指数的近似的论断。

情形 2：$\omega_0=0$，$\xi_2(t)=0$。这是 6.1 中描述的用线性化方程求最大 Lyapunov 指数的方法不能应用的情形。此时关于 $Y(t)$ 的平均 Itô 方程(6.2-5)的线性化方程为[32]

$$\mathrm{d}Y = \upsilon_3 Y\mathrm{d}t + \upsilon_4^{1/2} Y\mathrm{d}B(t) \tag{bb}$$

式中

$$\begin{aligned}\upsilon_3 &= \beta_1 + 0.727\pi S_1(0) + 0.422\pi S_3(0)/\alpha \\ \upsilon_4 &= 1.047\pi S_1(0) + 0.406\pi S_3(0)/\alpha\end{aligned} \tag{cc}$$

按(6.2-7)，(bb)的 Lyapunov 指数为

$$\begin{aligned}\lambda &= \upsilon_3 - \upsilon_4/2 \\ &= \beta_1 + 0.203\pi S_1(0) + 0.219\pi S_3(0)/\alpha\end{aligned} \tag{dd}$$

从而系统(r)之平凡解以概率为 1 渐近稳定的充要条件近似为

$$-\beta_1 > 0.203\pi S_1(0) + 0.219\pi S_3(0)/\alpha \tag{ee}$$

注意，此时非线性参激才起作用。

6.2.2 用平均扩散过程的边界类别判定概率渐近稳定性[31]

由 5.2 知，拟不可积 Hamilton 系统的 $H(t)$经随机平均后近似为一维时齐扩散过程，6.2.1 中引入的范数 $Y(t)=H^{1/2}(t)$也是一维时齐扩散过程。由 2.8 知，一维时齐扩散过程的渐近性态与其边界的类别密切相关，这样，就有可能根据一维平均扩散过程 $H(t)$或 $Y(t)$的边界类别判别原拟不可积 Hamilton 系统的稳定性。事实上，已有人[6,33,34]用古典随机平均法得到的单自由度随机系统的平均幅值或能量包线过程的边界类别判定原系统的概率渐近稳定性。

考虑定义于$[x_l, x_r]$上的一维时齐扩散过程 $X(t)$，[35]证明，若 x_l 为越出边界，x_r 为进入或非吸引自然边界，则对任意初值 $x_0\in(x_l, x_r)$，有

$$P\{\lim_{t\to\infty} X(t, x_0) = x_l\} = 1 \tag{6.2-8}$$

其意为，几乎所有 $X(t)$的样本轨道在 $t\to\infty$时渐近地趋于并到达 x_l。还证明，若 x_l 为吸引自然边界，x_r 为进入边界或非吸引自然

边界,则对任意 $\varepsilon>0$ 与初值 $x_0\in(x_l,x_r)$,有

$$P\{\lim_{t\to\infty}|X(t;x_0)-x_l|<\varepsilon\}=1 \tag{6.2-9}$$

但

$$P\{\lim_{t\to\infty}|X(t;x_0)-x_l|=0\}=0 \tag{6.2-10}$$

其意为,几乎所有 $X(t)$的样本轨道在 $t\to\infty$渐近地趋于 x_l 但永远不能到达 x_l。

现考虑形如(5.2-2)受随机参激的拟不可积 Hamilton 系统,满足形如(6.1-2)的条件,$q_i=p_i=0$ 是它的平凡解,要研究该平凡解的稳定性。应用拟不可积 Hamilton 系统随机平均法,得到支配 Hamilton 函数 $H(t)$的平均 Itô 方程(5.2-5),并可进一步得到支配范数 $Y(t)$的 Itô 方程(6.2-5),$H=0$ 和 $Y=0$ 分别是这两个平均方程的平凡解。设 H_r 与 y_r 分别是 $H(t)$与 $Y(t)$的右边界,它们为进入或非吸引自然边界,而 $H=0$ 或 $Y=0$ 是越出边界,则 $H(t)$或 $Y(t)$具有性质(6.2-8),对照概率为 1 渐近稳定性定义(6.1-5),可知,此时(5.2-5)或(6.2-5) 的平凡解以概率为1(大范围或全局)渐近稳定。若 $H=0$ 或 $Y=0$ 是吸引自然边界,H_r 或 Y_r 为进入边界或非吸引自然边界,则 $H(t)$或 $Y(t)$具有性质(6.2-9)与(6.2-10),对照概率渐近稳定性定义(6.1-7),可知,此时(5.2-5)或(6.2-5)的平凡解概率渐近稳定。

鉴于 $H(t)$或 $Y(t)$的边界常常是奇异的,需按 2.8 中有关公式计算边界处的扩散指数、漂移指数及特征标值,然后按表 2.8-2~2.8-4确定边界类别。下面用 6.2.1 中两个例子说明。

例 6.2.3 仍考虑例 6.2.1,系统(a)经随机平均得到支配 Hamilton 函数的 Itô 方程(5.2-5),其漂移与扩散系数由(g)确定。由(b),(c)知,当 $a,b>0$ 且 a 不大时,$H(t)$的两个边界分别为 $H=0$ 与 $H\to\infty$。下面分四种情形讨论。

情形 1:$0<\delta<1$,$\alpha_i\neq0$。首先考虑左边界 $H=0$。当 $H\to0$ 时,平均漂移与扩散系数渐近式为[31]

$$\overline{m}(H)=\mu_l H+o(H)$$

$$\bar{\sigma}^2(H) = \mu_2 H^2 + o(H) \tag{ff}$$

式中 μ_1、μ_2 由(k)式确定。因为 $\bar{\sigma}^2(0)=0$,所以 $H=0$ 是 $H(t)$的第一类奇异边界。按(2.8-7)~(2.8-9),可得下列扩散指数、漂移指数及特征标值:

$$\alpha_l = 2, \beta_l = 1, c_l = 2\mu_1/\mu_2 \tag{gg}$$

按表 2.8-2,其边界类别取决于 c_l 之值。$c_l<1$ 时为吸引自然边界,$c_l=1$ 时为严格自然边界,$c_l>1$ 时为排斥自然边界。

其次考虑右边界 $H\to\infty$。此时平均漂移与扩散系数的渐近式为[31]

$$\begin{aligned} \bar{m}(H) &= -\frac{1}{6}\left(\frac{\alpha_1}{\omega_1^2}+\frac{\alpha_2}{\omega_2^2}\right)\eta H^2 + o(H^2) \\ \bar{\sigma}^2(H) &= \frac{1}{3}\left(\frac{f_1^2 D_1}{\omega_1^2}+\frac{f_2^2 D_2}{\omega_2^2}\right)\eta H^2 + o(H^2) \end{aligned} \tag{hh}$$

其中 η 由(o)确定。随 $H\to\infty$,$\bar{m}\to\pm\infty$,因此 $H\to\infty$ 为第二类奇异边界。按(2.8-15)、(2.8-16)、(2.8-18),可得如下扩散指数、漂移指数及特征标值:

$$\begin{aligned} &\alpha_r = 2, \quad \beta_r = 2 \\ &c_r = (\alpha_1\omega_2^2+\alpha_2\omega_1^2)/(f_1^2 D_1\omega_2^2 + f_2^2 D_2\omega_1^2) \end{aligned} \tag{ii}$$

由表(2.8-4)知,只要 $\alpha_1\omega_2^2+\alpha_2\omega_1^2>0$,$H\to\infty$就是进入边界。

于是,系统(a)之平凡解渐近概率稳定的条件是,左边界 $H=0$ 为吸引自然边界,右边界为进入边界,即

$$c_l < 1 \text{ 或 } \beta_1+\beta_2 > \left(\frac{7}{3\eta_1}-\frac{\eta_2}{\eta_1}\right)\frac{f_1^2 D_1 + f_2^2 D_2}{2a+\omega_1^2+\omega_2^2} \tag{jj-1}$$

$$\alpha_1\omega_2^2+\alpha_2\omega_1^2 > 0 \tag{jj-2}$$

注意,(jj-1)同(m)。由于在平凡解邻域,平均方程(j)为线性,概率为 1 渐近稳定与概率渐近稳定条件相同是合理的。这也说明定义 $Y(t)=H^{1/2}(t)$为泛数与用(6.2-4)或(6.2-7)中 Lyapunov 指数判定概率为 1 渐近稳定性是合理的。

用平均 Itô 方程的 Lyapunov 指数判别稳定性与用平均扩散

过程的边界类别判定稳定性结果的一个差别是，前者只有一个条件，而后者有两个条件。原因在于用前一方法考察的是平凡解的概率为1局部渐近稳定性，而后一方法考察的是平凡解的大范围或全局概率为1或概率渐近稳定性。事实上，如果满足条件(jj-1)与(jj-2)，则对任何初值 $H(\boldsymbol{q}_0,\boldsymbol{p}_0)\in(0,\infty)$，系统(a)都是概率渐近稳定的。

还要指出的是，由 $H(t)$的边界类别与由 $Y(t)$的边界类别得到的稳定性条件是相同的。例如，按(6.2-6)可从(ff)导得关于 $Y(t)$平均 Itô 方程在 $Y\to0$ 处漂移与扩散系数的渐近表达式

$$\begin{aligned}\bar{\bar{m}}(Y)&=[(4\mu_1-\mu_2)/8]Y+o(Y)\\\bar{\bar{\sigma}}^2(Y)&=(\mu_2/4)Y^2+o(Y^2)\end{aligned}\tag{kk}$$

可见，平凡解 $Y=0$ 为第一类奇异边界。按(2.8-7)-(2.8-9)，得下列扩散指数、漂移指数及特征标值：

$$\alpha_l=2,\beta_l=1,c_l=4\mu_1/\mu_2-1\tag{ll}$$

同理，按(6.2-6)，可从(hh)导得关于 $Y(t)$平均 Itô 方程在 $Y\to\infty$ 处漂移与扩散系数得渐近表达式

$$\begin{aligned}\bar{\bar{m}}(H)&=-\frac{1}{12}\left(\frac{\alpha_1}{\omega_1^2}+\frac{\alpha_2}{\omega_2^2}\right)\eta Y^3+o(Y^3)\\\bar{\bar{\sigma}}^2(H)&=\frac{1}{12}\left(\frac{f_1^2D_1}{\omega_1^2}+\frac{f_2^2D_2}{\omega_2^2}\right)\eta Y^2+o(Y^2)\end{aligned}\tag{mm}$$

可知 $Y\to\infty$为第二类奇异边界，按(2.8-15)、(2.8-16)、(2.8-18)，可得如下扩散指数、漂移指数及特征标值：

$$\alpha_r=2,\beta_r=3,c_r=2(\alpha_1\omega_2^2+\alpha_2\omega_1^2)/(f_1^2D_1\omega_2^2+f_2^2D_2\omega_1^2)\tag{nn}$$

尽管 $Y(t)$在0与∞处的扩散指数、漂移指数及特征标值与 $H(t)$的不尽相同，但按左边界为吸引自然、右边界为进入的要求得到的概率渐近稳定条件则相同，即同为(jj-1)与(jj-2)。因此，稳定性条件可从 $H(t)$的边界类别得到，也可从 $Y(t)$的边界类别得到。

情形2：$0<\delta<1$，$\alpha_i=0$。此时，$H(t)$，$Y(t)$的左边界类别同

情形 1。$Y\to\infty$处关于 $Y(t)$的平均 Itô 方程的漂移与扩散系数的渐近表达式为

$$\overline{\overline{m}}(Y)=\frac{1}{4}\left[-(\beta_1+\beta_2)+\frac{5\eta}{6}\left(\frac{f_1^2D_1}{\omega_1^2}+\frac{f_2^2D_2}{\omega_2^2}\right)\right]Y+o(Y)$$

$$\overline{\overline{\sigma}}(Y)=\frac{\eta}{12}\left(\frac{f_1^2D_1}{\omega_1^2}+\frac{f_2^2D_2}{\omega_2^2}\right)Y^2+o(Y^2) \tag{oo}$$

$Y\to\infty$为第二类奇异边界，其扩散指数、漂移指数及特征标值为

$$\alpha_r=2,\beta_r=1,c_r=\frac{6(\beta_1+\beta_2)}{\eta}\left(\frac{f_1^2D_1}{\omega_1^2}+\frac{f_2^2D_2}{\omega_2^2}\right)^{-1}-5 \tag{pp}$$

左、右边界类别有九种不同组合，系统(a)之平凡解概率渐近稳定要求左边界为吸引自然而右边界为非吸引自然，即

$$\beta_1+\beta_2>\frac{2\eta}{3}\left(\frac{f_1^2D_1}{\omega_1^2}+\frac{f_2^2D_2}{\omega_2^2}\right) \tag{qq}$$

因此，这一情形系统(a)之平凡解概率渐近稳定的条件为(jj-1)与(qq)，即两者中要求较严的一个。

情形 3：$\delta>1,\alpha_i\neq0$。关于 $Y(t)$平均 Itô 方程的漂移与扩散系数在 $Y\to0$ 时的渐近表达式为[31]

$$\overline{\overline{m}}(Y)=\frac{1}{4}\left[-(\beta_1+\beta_2)+\frac{5}{6}\eta\left(\frac{f_1^2D_1}{\omega_1^2}+\frac{f_2^2D_2}{\omega_2^2}\right)\right]Y+o(Y)$$

$$\overline{\overline{\sigma}}(Y)=\frac{\eta}{12}\left(\frac{f_1^2D_1}{\omega_1^2}+\frac{f_2^2D_2}{\omega_2^2}\right)Y^2+o(Y^2) \tag{rr}$$

可见，$Y=0$ 是第一类奇异边界，其扩散指数、漂移指数及特征标值为

$$\alpha_l=2,\beta_l=1,c_l=-6(\beta_1+\beta_2)\Big/\eta\left(\frac{f_1^2D_1}{\omega_1^2}+\frac{f_2^2D_2}{\omega_2^2}\right)+5 \tag{ss}$$

$Y\to\infty$时，漂移与扩散系数的渐近表达式为[31]

$$\overline{\overline{m}}(Y)=-[(\alpha_1+\alpha_2)\eta_2/6(2a+\omega_1^2+\omega_2^2)]Y^3+o(Y^3)$$

$$\overline{\overline{\sigma}}^2(Y)=[(f_1^2D_1+f_2^2D_2)\eta_2/6(2a+\omega_1^2+\omega_2^2)]Y^2+o(Y^2) \tag{tt}$$

式中 η_2 由(k)确定。相应扩散指数、漂移指数及特征标值为

$$\alpha_r = 2, \beta_r = 3, c_r = 2(\alpha_1 + \alpha_2)/(f_1^2 D_1 + f_2^2 D_2) \tag{uu}$$

系统(a)之平凡解概率渐近稳定要求左边界为吸引自然($c_l < 1$)而右边界为进入,即

$$\beta_1 + \beta_2 > \frac{2\eta}{3}\left(\frac{f_1^2 D_1}{\omega_1^2} + \frac{f_2^2 D_2}{\omega_2^2}\right) \tag{vv-1}$$

$$\alpha_1 + \alpha_2 > 0 \tag{vv-2}$$

情形 4:$\delta > 1, \alpha_i = 0$。左边界类别同情形 3。$Y \to \infty$时,关于 $Y(t)$平均 Itô 方程的漂移与扩散系数渐近式为

$$\bar{\bar{m}}(Y) = \left[-\frac{1}{6}(\beta_1 + \beta_2)\eta_1 + \left(\frac{7}{18} - \frac{\eta_2}{12}\right)\frac{f_1^2 D_1 + f_2^2 D_2}{2a + \omega_1^2 + \omega_2^2}\right] Y + o(Y)$$

$$\bar{\bar{\sigma}}(Y) = \frac{\eta_2}{6}\frac{f_1^2 D_1 + f_2^2 D_2}{2a + \omega_1^2 + \omega_2^2} Y^2 + o(Y^2) \tag{ww}$$

式中 η_1、η_2 由(k)确定。$Y \to \infty$为第二类奇异边界,其扩散指数、漂移指数及特征标值为

$$\alpha_r = 2, \beta_r = 1, c_r = \frac{2(\beta_1 + \beta_2)\eta_1}{\eta_2}\frac{2a + \omega_1^2 + \omega_2^2}{f_1^2 D_1 + f_2^2 D_2} + \left(1 - \frac{14}{3\eta_2}\right) \tag{xx}$$

系统(a)之平凡解概率渐近稳定要求左边界为吸引自然,而右边界为非吸引自然,即稳定条件为(v v-1)与

$$\beta_1 + \beta_2 > \left(\frac{7}{3\eta_1} - \frac{\eta_2}{\eta_1}\right)\frac{f_1^2 D_1 + f_2^2 D_2}{2a + \omega_1^2 + \omega_2^2} \tag{yy}$$

即两者中较严者。

例 6.2-4 仍考虑例 6.2-2。关于 $Y(t)$的平均 Itô 方程形为(6.2-5),其漂移与扩散系数由(v)确定。

情形 1:$\omega_0^2 > 0$。$Y \to 0$ 处漂移与扩散系数的渐近式为

$$\bar{\bar{m}}(Y) = \left[\frac{\beta_1}{2} + \frac{\pi S_1(0)}{4} + \frac{3\pi S_1(2\omega_0)}{8} + \frac{3\pi S_2(2\omega_0)}{8\omega_0^2}\right] Y + o(Y)$$

$$\bar{\bar{\sigma}}^2(Y) = \pi\left[\frac{S_1(0)}{2} + \frac{S_1(2\omega_0)}{4} + \frac{S_2(2\omega_0)}{4\omega_0^2}\right] Y^2 + o(Y^2) \tag{zz}$$

$Y=0$ 是第一类奇异边界，其扩散指数、漂移指数及特征标值为

$$\alpha_l = 2, \beta_l = 1$$

$$c_l = \frac{4\beta_1/\pi + 2S_1(0) + 3S_1(2\omega_0) + 3S_2(2\omega_0)}{2S_1(0) + S_1(2\omega_0) + S_2(2\omega_0)} \tag{aaa}$$

$Y \to \infty$ 时漂移与扩散系数的渐近式为

$$\bar{\bar{m}}(Y) = [-3\beta_2/8\alpha^{1/2}]Y^2 + o(Y^2)$$

$$\bar{\bar{\sigma}}^2(Y) = \pi\left[\frac{5S_1(0)}{32} + \frac{S_1(\infty)}{4} + \frac{S_2(\infty)}{64} + \frac{0.439S_3(\infty)}{\alpha}\right]Y^2 + o(Y^2) \tag{bbb}$$

$Y \to \infty$ 为第二类奇异边界，扩散指数与漂移指数为

$$\alpha_r = 2, \beta_r = 2 \tag{ccc}$$

系统(r)之平凡解概率渐近稳定要求左边界为吸引自然，而右边界为进入，即 $c_l < 1$ 与 $\beta_2 > 0$。于是，系统(r)之平凡解概率渐近稳定条件为

$$-\beta_1 > \pi S_1(2\omega_0)/2 + \pi S_2(2\omega_0)/2\omega_0^2 \tag{ddd-1}$$

$$\beta_2 > 0 \tag{ddd-2}$$

注意(ddd-1)同(z)。

情形 2：$\omega_0 = 0$，$\xi_2(t) = 0$。$Y \to \infty$ 边界类别同情形 1。$Y \to 0$ 时关于 $Y(t)$ 平均 Itô 方程的漂移与扩散系数的渐近式为

$$\bar{\bar{m}}(Y) = [\beta_1 + 0.727\pi S_1(0) + 0.422\pi S_3(0)/\alpha]Y + o(Y)$$

$$\bar{\bar{\sigma}}^2(Y) = \pi[1.047S_1(0) + 0.406S_3(0)/\alpha]Y^2 + o(Y^2) \tag{eee}$$

$Y=0$ 为第一类奇异边界，其扩散指数、漂移指数及特征标值为

$$\alpha_l = 2, \beta_l = 1$$

$$c_l = \frac{2[\beta_1 + 0.727\pi S_1(0) + 0.422\pi S_3(0)/\alpha]}{1.047\pi S_1(0) + 0.406\pi S_3(0)/\alpha} \tag{fff}$$

系统(r)之平凡解概率渐近稳定要求左边界为吸引自然，即 $c_l < 1$。于是，这一情形系统(r)的平凡解概率渐近稳定的条件为(ddd-2)与

$$-\beta_1 > 0.203\pi S_1(0) + 0.219\pi S_3(0)/\alpha \qquad \text{(ggg)}$$

此与(ee)同。

6.3 拟可积 Hamilton 系统概率为 1 渐近稳定性

6.3.1 拟可积 Hamilton 系统的最大 Lyapunov 指数[36]

考虑形如(5.2-2)的 n 自由度拟可积 Hamilton 系统,在非共振情形,其平均 Itô 方程为(5.3-4)或(5.3-14)。由于(5.2-2)中只含随机参激,$\boldsymbol{Q}=\boldsymbol{P}=0$ 是它的平凡解,$\boldsymbol{I}=0$ 与 $\boldsymbol{H}=0$ 分别是(5.3-4)与(5.3-14)的平凡解,从而

$$\lim_{|\boldsymbol{I}|\to 0} \bar{m}_r(\boldsymbol{I}) = 0, \lim_{|\boldsymbol{I}|\to 0} \bar{\sigma}_{rk}(\boldsymbol{I}) = 0 \qquad (6.3\text{-}1)$$

$$\lim_{|\boldsymbol{H}|\to 0} \bar{m}_r(\boldsymbol{H}) = 0 \quad \lim_{|\boldsymbol{H}|\to 0} \bar{\sigma}_{rk}(\boldsymbol{H}) = 0 \qquad (6.3\text{-}2)$$

将 $\bar{m}_r$、$\bar{\sigma}_{rk}$在 $\boldsymbol{I}=0$ 或 $\boldsymbol{H}=0$ 处线性化,或取其关于 I_s,H_s 的齐一次式,得

$$\mathrm{d}I_r = F_r(\boldsymbol{I})\mathrm{d}t + G_{rk}(\boldsymbol{I})\mathrm{d}B_k(t) \qquad (6.3\text{-}3)$$

$$\mathrm{d}H_r = F_r(\boldsymbol{H})\mathrm{d}t + G_{rk}(\boldsymbol{H})\mathrm{d}B_k(t) \qquad (6.3\text{-}4)$$

$$r = 1,2,\cdots,n;k = 1,2,\cdots,m$$

式中 F_r,G_{rk}满足条件(6.3-1)、(6.3-2)及条件,

$$kF_r(\boldsymbol{I}) = F_r(k\boldsymbol{I}), kG_{rk}(\boldsymbol{I}) = G_{rk}(k\boldsymbol{I}) \qquad (6.3\text{-}5)$$

$$kF_r(\boldsymbol{H}) = F_r(k\boldsymbol{H}), kG_{rk}(\boldsymbol{H}) = G_{rk}(k\boldsymbol{H}) \qquad (6.3\text{-}6)$$

对(6.3-3),定义 $\boldsymbol{Z}$ 的范数为

$$\|\boldsymbol{Z}\| = \bar{I}^{1/2} = \left(\sum_{r=1}^{n} I_r\right)^{1/2} \qquad (6.3\text{-}7)$$

引入变换

$$\rho = \ln \bar{I}^{1/2} = (\ln \bar{I})/2 \qquad (6.3\text{-}8)$$

$$\alpha_r = I_r/\bar{I}, r = 1,2,\cdots,n \qquad (6.3\text{-}9)$$

应用 Itô 微分公式(2.6-1),可从(6.3-3)导出关于 ρ,α_r 的 Itô 随机微分方程

$$\mathrm{d}\rho = Q(\alpha)\mathrm{d}t + \Sigma_k(\alpha)\mathrm{d}B_k(t) \qquad (6.3\text{-}10)$$

$$d\alpha_r = m_r(\alpha)dt + \sigma_{rk}(\alpha)dB_k(t) \tag{6.3-11}$$

$$r = 1, 2, \cdots, n; k = 1, 2, \cdots, m$$

式中 $\alpha = [\alpha_1 \ \alpha_2 \cdots \alpha_n]^T$

$$Q(\alpha) = \frac{1}{2}\sum_{s=1}^{n} F_s(\alpha) - \frac{1}{4}\sum_{s,s'=1}^{n}\sum_{k=1}^{m} G_{sk}(\alpha)G_{s'k}(\alpha)$$

$$m_r(\alpha) = -\alpha_r\sum_{s=1}^{n} F_s(\alpha) + F_r(\alpha) + \frac{1}{2}\alpha_r\sum_{s,s'=1}^{n}\sum_{k=1}^{m} G_{sk}(\alpha)G_{s'k}(\alpha) - \frac{1}{2}\sum_{s=1}^{n}\sum_{k=1}^{m} G_{rk}(\alpha)G_{sk}(\alpha)$$

$$\sigma_{rk}(\alpha) = G_{rk}(\alpha) - \alpha_r\sum_{s=1}^{n} G_{sk}(\alpha) \tag{6.3-12}$$

注意，$\sum_{r=1}^{n}\alpha_r = 1$，(6.3-11)中只有 $n-1$ 个方程是独立的。设取前 $n-1$ 个方程，记 $\alpha' = [\alpha_1 \ \alpha_2 \cdots \alpha_{n-1}]^T$，并以 $1 - \sum_{r=1}^{n-1}\alpha_r$ 代替 α_n。

定义(6.3-3)的 Lyapunov 指数为 $\bar{I}^{1/2}$的平均指数变化率

$$\lambda = \lim_{t\to\infty}\frac{1}{2t}\ln\bar{I} \tag{6.3-13}$$

从 0 到 t 积分方程(6.3-10)并除以 t，得

$$\frac{1}{2t}\ln\bar{I}(t) = \frac{1}{2t}\ln\bar{I}(0) + \frac{1}{t}\int_0^t Q(\alpha'(\tau))d\tau + \frac{1}{t}\int_0^t \Sigma_k(\alpha'(\tau))dB_k(\tau)$$

当 $t\to\infty$时，上式右边第一、三项趋于零，因此，

$$\lambda = \lim_{t\to\infty}\frac{1}{t}\int_0^t Q(\alpha'(\tau))d\tau \tag{6.3-14}$$

α'是在 $0 \leqslant \alpha_r \leqslant 1$，$r=1, 2, \cdots, n-1$ 上的扩散过程。当(6.3-3)中扩散系数满足形如(6.1-31)的非退化条件时，α'为遍历过程。根据 Oseledec 乘性遍历定理[7]，$\lambda \to \lambda_1$(最大 Lyapunov 指数)，于是

$$\lambda_1 = \lim_{t\to\infty}\frac{1}{t}\int_0^t Q(\alpha'(\tau))d\tau$$

$$= E[Q(\alpha')] = \int Q(\alpha')p(\alpha')\mathrm{d}\alpha' \qquad (6.3\text{-}15)$$

式中 $p(\alpha')$为 α'的平稳概率密度，可从求解与(6.3-11)的前 $n-1$ 个方程相应的平稳 FPK 方程得到。

对(6.3-4)，定义 $\boldsymbol{Z}$ 的范数

$$\|\boldsymbol{Z}\| = \bar{H} = \left(\sum_{r=1}^{n} H_r\right)^{1/2} \qquad (6.3\text{-}16)$$

可导出类似于(6.3-15)的最大 Lyapunov 指数表达式。

当(6.3-3)或(6.3-4)中的扩散系数不满足形如(6.1-31)的非退化条件时，α'可能不在整个区间 $0\leqslant\alpha_r\leqslant 1$，$r=1,2,\cdots,n-1$ 上遍历，而是该区间被奇异边界分成若干子区间，在某些子区间上 α'没有遍历解，在某些子区间上有不同遍历解，平稳概率密度与 Lyapunov 指数取决于初值所在的子区间，此时，需要特别研究，例见文献[6,37]。

上述计算最大 Lyapunov 指数的方法也可推广于平稳宽带随机激励下的拟可积 Hamilton 系统(5.5-4)。由 5.5.2 知，在非内共振情形，位移幅值平均 Itô 方程形为(5.5-43)。为求最大 Lyapunov 指数，宜先将(5.5-43)变换为各自由度能量 H_i 的平均 Itô 方程(5.5-53)，即

$$\mathrm{d}H_i = \bar{m}_i(\boldsymbol{H})\mathrm{d}t + \bar{\sigma}_{ik}(\boldsymbol{H})\mathrm{d}B_k(t) \qquad (6.3\text{-}17)$$

$$i = 1,2,\cdots,n;\ k = 1,2,\cdots,m.$$

式中

$$\bar{m}_i(\boldsymbol{H}) = \Big[g_i(A_i + B_i)(1 + r_i)m_i(\boldsymbol{A}) + \frac{1}{2}[g_i(A_i + B_i)(1 + r_i)]'\sigma_{ik}(\boldsymbol{A})\sigma_{ik}(\boldsymbol{A})\Big]\Big|_{A_j = U_j^{-1}(H_j) - B_j} \qquad (6.3\text{-}18)$$

$$\bar{\sigma}_{ik}(\boldsymbol{H})\bar{\sigma}_{jk}(\boldsymbol{H}) = g_i(A_i + B_i)g_j(A_j + B_j)(1 + r_i)(1 + r_j) \times \sigma_{ik}(\boldsymbol{A})\sigma_{jk}(\boldsymbol{A})\Big|_{A_j = U_j^{-1}(H_j) - B_j}$$

(6.3-17)形同(5.3-14)，可按上述方法求最大 Lyapunov 指数。

当拟可积 Hamilton 系统的 n 个频率存在 α 个形如(5.3-3)共振关系时,可按(5.3-28)引入 α 个角变量组合 Ψ_u,将这 α 个 Ψ_u 与(6.3-11)中 $n-1$ 个 α_r 一起看成 α',即令 $\alpha'=[\alpha_1\cdots\alpha_{n-1}\ \Psi_1\cdots\Psi_\alpha]^T$,若这个新的 $\alpha'(t)$ 为遍历扩散过程,则仍可用(6.3-15)计算最大 Lyapunov 指数 λ_1。

6.3.2 线性随机非陀螺系统的稳定性[36]

作为 6.3.1 中叙述的计算最大 Lyapunov 指数方法的一个应用,考虑平稳随机参激下 n 自由度线性非陀螺系统的概率为 1 渐近稳定性,其运动方程为

$$\begin{aligned}\dot{Q}_i &= P_i\\ \dot{P}_i &= -\omega_i^2 Q_i - 2\beta_{j} P_j - \omega_i \xi(t) k_{ij} Q_j \qquad (6.3\text{-}19)\\ i, j &= 1, 2, \cdots, n\end{aligned}$$

ω_i、β_j、k_{ij} 为常数,$\xi(t)$为平稳宽带遍历过程,均值为零,相关函数为 $R(\tau)$,β_j与 $R(0)$同为 ε 阶小量。

与(6.3-19)相应的 Hamilton 系统为线性,其 Hamilton 函数为

$$H = \sum_{i=1}^{n} H_i = \sum_{i=1}^{n} (p_i^2 + \omega_i^2 q_i^2)/2 \qquad (6.3\text{-}20)$$

对(6.3-19)应用 5.5.2 中描述的随机平均法,可得形如(5.5-43)关于 A_i 的平均 Itô 方程,然后运用(6.3-18)(此处 $g_i(A_i)=\omega_i^2 A_i$,$B_i=0$)可得形如(6.3-17)关于 H_i 的平均 Itô 方程,其中

$$\begin{aligned}\bar{m}_r(\boldsymbol{H}) &= \Big[-2\beta_r + \frac{1}{2}k_{rr}^2 S(2\omega_r) + \frac{1}{4}\sum_{\substack{s=1\\ s\neq r}}^{n} k_{rs}k_{sr}S_{rs}^{-}\Big] H_r\\ &\quad + \frac{1}{4}\omega_r^2 \sum_{\substack{s=1\\ s\neq r}}^{n} \frac{k_{rs}^2}{\omega_s^2} S_{rs}^{+} H_s\\ \bar{\sigma}_{rk}\bar{\sigma}_{rk}(\boldsymbol{H}) &= \frac{1}{2}k_{rr}^2 S(2\omega_r) H_r^2 + \frac{1}{2}\omega_r^2 H_r \sum_{\substack{s=1\\ s\neq r}}^{n} \frac{k_{rs}^2}{\omega_s^2} S_{rs}^{+} H_s\\ \bar{\sigma}_{rk}\bar{\sigma}_{sk}(\boldsymbol{H}) &= \frac{1}{2}k_{rs}k_{sr}S_{rs}^{-} H_r H_s,\ s\neq r \qquad (6.3\text{-}21)\end{aligned}$$

$$S_{rs}^{\pm} = S(\omega_r + \omega_s) \pm S(\omega_r - \omega_s)$$

$$S(\omega) = 2\int_0^{\infty} R(\tau)\cos\omega\tau \mathrm{d}\tau$$

$$r, s = 1, 2, \cdots, n$$

它们满足条件(6.3-2)与(6.3-6),因此,可按6.3.1节中描述的方法求最大 Lyapunov 指数。

以两个自由度系统为例,(6.3-21)化为

$$\bar{m}_1(H_1, H_2) = \left[-2\beta_{11} + \frac{1}{2}k_{11}^2 S(2\omega_1) \pm \frac{1}{4}k^2 S^-\right] H_1 + \frac{k^2}{4}\left(\frac{\omega_1}{\omega_2}\right)^2 S^+ H_2$$

$$\bar{m}_2(H_1, H_2) = \left[-2\beta_{22} + \frac{1}{2}k_{22}^2 S(2\omega_2) \pm \frac{1}{4}k^2 S^-\right] H_2 + \frac{k^2}{4}\left(\frac{\omega_2}{\omega_1}\right)^2 S^+ H_1 \qquad (6.3\text{-}22)$$

$$\bar{\sigma}_{1k}\bar{\sigma}_{1k}(H_1, H_2) = \frac{1}{2}k_{11}^2 S(2\omega_1) H_1^2 + \frac{k^2}{2}\left(\frac{\omega_1}{\omega_2}\right)^2 S^+ H_1 H_2$$

$$\bar{\sigma}_{2k}\bar{\sigma}_{2k}(H_1, H_2) = \frac{1}{2}k_{22}^2 S(2\omega_2) H_2^2 + \frac{k^2}{2}\left(\frac{\omega_2}{\omega_1}\right)^2 S^+ H_1 H_2$$

$$\bar{\sigma}_{1k}\bar{\sigma}_{2k}(H_1, H_2) = \pm\frac{k^2}{2} S^- H_1 H_2$$

$$k_{12} = \pm k_{21} = k > 0, S^{\pm} = S_{12}^{\pm}$$

引入范数

$$\| \mathbf{Z} \| = H^{1/2} = (H_1 + H_2)^{1/2} \qquad (6.3\text{-}23)$$

式中 $\mathbf{Z} = [Q_1\ Q_2\ P_1\ P_2]^{\mathrm{T}}$。作变换

$$\rho = \ln H^{1/2} = (\ln H)/2 \qquad (6.3\text{-}24)$$

$$\alpha_r = H_r / H, r = 1, 2 \qquad (6.3\text{-}25)$$

应用 Itô 微分公式(2.6-1),从形如(6.3-17)关于 H_r 的平均 Itô 方程导得关于 ρ、α_1 的 Itô 随机微分方程

$$\mathrm{d}\rho = Q(\alpha_1)\mathrm{d}t + \Sigma(\alpha_1)\mathrm{d}B(t) \qquad (6.3\text{-}26)$$

$$\mathrm{d}\alpha_1 = m(\alpha_1)\mathrm{d}t + \sigma(\alpha_1)\mathrm{d}B(t) \tag{6.3-27}$$

式中

$$Q(\alpha_1) = \mu_1\alpha_1 + \mu_2(1-\alpha_1) \pm k^2 S^- /8 + \varphi(\alpha_1)/4$$

$$m(\alpha_1) = (1/2-\alpha_1)\varphi(\alpha_1) + 2(\mu_1-\mu_2)\alpha_1(1-\alpha_1)$$

$$\sigma^2(\alpha_1) = \alpha_1(1-\alpha_1)\varphi(\alpha_1)$$

$$\varphi(\alpha_1) = a\alpha_1^2 + b\alpha_1 + c$$

$$a = \frac{1}{2}k^2\left[\left(\frac{\omega_1}{\omega_2}\right)^2 + \left(\frac{\omega_2}{\omega_1}\right)^2\right]S^+ - \frac{1}{2}k_{11}^2 S(2\omega_1)$$

$$-\frac{1}{2}k_{22}^2 S(2\omega_2) \pm k^2 S^- \tag{6.3-28}$$

$$b = \frac{1}{2}k_{11}^2 S(2\omega_1) + \frac{1}{2}k_{22}^2 S(2\omega_2) \mp k^2 S^+$$

$$-k^2\left(\frac{\omega_1}{\omega_2}\right)^2 S^+$$

$$c = \frac{1}{2}k^2\left(\frac{\omega_1}{\omega_2}\right)^2 S^+$$

$$\mu_1 = -\beta_{11} + (k_{11}^2/8)S(2\omega_1)$$

$$\mu_2 = -\beta_{22} + (k_{22}^2/8)S(2\omega_2)$$

注意，α_2 已代之以$(1-\alpha_1)$，并已消去关于 α_2 的方程。

由(6.3-28)知，若 $\varphi(\alpha_1)$在$0<\alpha_1<1$ 上有限并不为零，则 $\alpha_1=0,1$ 是扩散过程 $\alpha_1(t)$的两个第一类奇异边界，在$0<\alpha_1<1$ 上无其他奇点。按(2.8-7)、(2.8-9)可由 $m(\alpha_1)$与 $\sigma^2(\alpha_1)$算出 $\alpha_1=0,1$ 上的扩散指数与特征标值为 1，且 $m(0)>0$，$m(1)<0$，按表 2.8-2，$\alpha_1=0,1$ 皆为进入边界，从而 $\alpha_1(t)$在$0<\alpha_1<1$ 上遍历。从求解与(6.3-27)相应的平稳 FPK 方程可得平稳概率密度

$$p(\alpha_1) = CF(\alpha_1)/\varphi(\alpha_1) \tag{6.3-29}$$

式中归一化常数

$$C = 4(\mu_1-\mu_2)/[F(1)-F(0)] \tag{6.3-30}$$

将(6.3-28)中 $Q(\alpha_1)$与(6.3-29)中 $p(\alpha_1)$代入(6.3-15)，得两个

自由度系统(6.3-19)的最大 Lyapunov 指数

$$\lambda_1 = \int_0^1 Q(\alpha_1)p(\alpha_1)\mathrm{d}\alpha_1 = (\mu_1 + \mu_1)/2 \pm k^2 S^- /8 + (\mu_1 - \mu_1)[F(1) + F(0)]/2[F(1) - F(0)] \tag{6.3-31}$$

其中 $F(\alpha_1)$取决于

$$\begin{aligned}\Delta &= b^2 - 4ac \\ &= [k_{11}^2 S(2\omega_1) + k_{22}^2 S(2\omega_2)]^2/4 + k^2[k_{11}^2 S(2\omega_1) + k_{22}^2 S(2\omega_2)] \\ &\quad \times [S(\omega_1 \mp \omega_2)S(\omega_1 \pm \omega_2)] - 4k^4 S(\omega_1 \mp \omega_2)S(\omega_1 \pm \omega_2)\end{aligned} \tag{6.3-32}$$

$$F(\alpha_1) = \begin{cases} \exp\left[\dfrac{8(\mu_1 - \mu_2)}{\sqrt{\Delta}} \operatorname{artanh} \dfrac{b + 2a\alpha_1}{\sqrt{\Delta}}\right], \Delta > 0 & (6.3\text{-}33) \\ \exp\left[\dfrac{8(\mu_1 - \mu_2)}{\sqrt{-\Delta}} \arctan \dfrac{b + 2a\alpha_1}{\sqrt{-\Delta}}\right], \Delta < 0 & (6.3\text{-}34) \\ \exp\left[-\dfrac{8(\mu_1 - \mu_2)}{b + 2a\alpha_1}\right], \qquad \Delta = 0 & (6.3\text{-}35) \end{cases}$$

(6.3-31)与用标准随机平均法得到的结果[37]相同。

6.3.3 线性随机陀螺系统的稳定性[38]

上述通过计算最大 Lyapunov 指数确定概率为 1 渐近稳定性方法也适用于线性随机陀螺系统。下面以陀螺摆为例说明。陀螺摆是导航仪中的核心部件,用以提供垂直参考轴或人工平台,因此,陀螺摆的方向稳定性至关重要。

载体垂直方向的振动对陀螺摆起参激作用,因而需研究这种参激对陀螺摆方向稳定性的影响。已有多人研究过谐和参激下陀螺摆的稳定性。文献[39,40]中用古典随机平均法分别研究了平稳宽带随机参激下陀螺摆的矩稳定性与 Gauss 白噪声参激下陀螺摆的概率为 1 渐近稳定性。此处研究平稳宽带随机参激下陀螺摆的概率为 1 渐近稳定性。

在垂直支承随机参激下陀螺摆的 Lagrange 运动方程为[41]

$$\boldsymbol{M}\ddot{\boldsymbol{Q}}+\boldsymbol{G}\dot{\boldsymbol{Q}}+\boldsymbol{D}\dot{\boldsymbol{Q}}+[\boldsymbol{K}+\boldsymbol{K}_1\xi(t)]\boldsymbol{Q}=0 \quad (6.3\text{-}36)$$

式中 $\boldsymbol{Q}=[\theta_2\ \theta_1]^{\mathrm{T}}$ 表示转子轴偏角的广义位移矢量，

$$\boldsymbol{M}=\begin{bmatrix}A_0 & 0\\ 0 & B_0\end{bmatrix},\boldsymbol{G}=\begin{bmatrix}0 & -cn\\ cn & 0\end{bmatrix},\boldsymbol{D}=\begin{bmatrix}d_1 & 0\\ 0 & d_2\end{bmatrix},$$

$$\boldsymbol{K}=\begin{bmatrix}k & 0\\ 0 & k\end{bmatrix},\quad \boldsymbol{K}_1=\begin{bmatrix}k_1 & 0\\ 0 & k_1\end{bmatrix} \quad (6.3\text{-}37)$$

注意，$\boldsymbol{G}$ 与通常陀螺矩阵差一负号。$\xi(t)$是谱密度为 $S(\omega)$的平稳宽带过程。设 d_i 与 $S(\omega)$同为 ε 阶小量。作 Legendre 变换(1.1-3)，得与(6.3-36)相应的 Hamilton 运动方程为

$$\dot{\boldsymbol{Z}}=\boldsymbol{JSZ}-[\boldsymbol{B}_1+\boldsymbol{B}_2\xi(t)]\boldsymbol{Z} \quad (6.3\text{-}38)$$

式中 $\boldsymbol{Z}=[Q_1\ Q_2\ P_1\ P_2]^{\mathrm{T}}$，$\boldsymbol{J}$ 为 4×4 辛矩阵(1.1-12)，

$$\boldsymbol{S}=\begin{bmatrix}(1/A_0)(cn/2)^2+k & \boldsymbol{0} & \boldsymbol{0} & -cn/2A_0\\ \boldsymbol{0} & (1/B_0)(cn/2)^2+k & cn/2B_0 & \boldsymbol{0}\\ \boldsymbol{0} & cn/2B_0 & 1/B_0 & \boldsymbol{0}\\ -cn/2A_0 & \boldsymbol{0} & \boldsymbol{0} & 1/A_0\end{bmatrix}$$

$$\boldsymbol{B}_1=\begin{bmatrix}\boldsymbol{0} & \boldsymbol{0}\\ \boldsymbol{DM}^{-1}\boldsymbol{G}^{\mathrm{T}}/2 & \boldsymbol{DM}^{-1}\end{bmatrix},\quad \boldsymbol{B}_2=\begin{bmatrix}\boldsymbol{0} & \boldsymbol{0}\\ \boldsymbol{K}_1 & \boldsymbol{0}\end{bmatrix} \quad (6.3\text{-}39)$$

0 为 **2×2** 零矩阵。假定 $\boldsymbol{M}$、$\boldsymbol{K}$ 正定，未扰系统平凡解稳定。由特征方程 $|\boldsymbol{JS}\mp \mathrm{j}\,\omega_r\boldsymbol{I}|=0$ 可得固有频率

$$\omega_r=\{(k_{11}+k_{22}+g^2)\pm[g^4+2g^2(k_{11}+k_{22})+(k_{11}-k_{22})^2]^{1/2}\}^{1/2}\Big/\sqrt{2} \quad (6.3\text{-}40)$$

式中

$$k_{11}=k/B_0,k_{22}=k/A_0,g^2=(cn)^2/A_0B_0 \quad (6.3\text{-}41)$$

作正则变换(1.4-26)，其中变换矩阵形为(1.4-22)，对本例为

$$\boldsymbol{T}=\begin{bmatrix}a_1 & -a_2\gamma_2 & -a_1 & -a_2\gamma_2\\ a_1\gamma_1 & a_2 & a_1\gamma_1 & -a_2\\ a_1\beta_1 & -a_2\alpha_2 & a_1\beta_1 & a_2\alpha_2\\ a_1\alpha_1 & a_2\beta_2 & -a_1\alpha_1 & a_2\beta_2\end{bmatrix} \quad (6.3\text{-}42)$$

式中

$$a_r = 1/2(\beta_r - a_r\gamma_r),\ \gamma_1 = \omega_1 cn/(B_0\omega_1^2 - k)$$

$$\gamma_2 = \omega_2 cn/(A_0\omega_2^2 - k),\ \alpha_1 = (cn/2) - B_0\omega_1\gamma_1$$

$$\alpha_2 = (cn/2) - A_0\omega_2\gamma_2,\ \beta_1 = A_0\omega_1 - (cn/2)\gamma_1$$

$$\beta_2 = B_0\omega_2 - (cn/2)\gamma_2,\ r = 1,2 \tag{6.3-43}$$

(6.3-38)变成

$$\dot{\bar{\boldsymbol{Q}}} = \boldsymbol{\Omega}_1\bar{\boldsymbol{P}} - (\boldsymbol{A}_1^{11}\bar{\boldsymbol{Q}} + \boldsymbol{A}_1^{12}\bar{\boldsymbol{P}}) - (\boldsymbol{A}_2^{11}\bar{\boldsymbol{Q}} + \boldsymbol{A}_2^{12}\bar{\boldsymbol{P}})\xi(t)$$

$$\dot{\bar{\boldsymbol{P}}} = -\boldsymbol{\Omega}_1\bar{\boldsymbol{Q}} - (\boldsymbol{A}_1^{21}\bar{\boldsymbol{Q}} + \boldsymbol{A}_1^{22}\bar{\boldsymbol{P}}) - (\boldsymbol{A}_2^{21}\bar{\boldsymbol{Q}} + \boldsymbol{A}_2^{22}\bar{\boldsymbol{P}})\xi(t) \tag{6.3-44}$$

推导中用到下列关系式：

$$\boldsymbol{T}^{-1} = -\boldsymbol{J}\boldsymbol{T}^{\mathrm{T}}\boldsymbol{J} \tag{6.3-45}$$

$$\boldsymbol{T}^{-1}\boldsymbol{J}\boldsymbol{S}\boldsymbol{T} = \boldsymbol{J}\boldsymbol{\Omega} \tag{6.3-46}$$

$$\boldsymbol{A}_i = \boldsymbol{J}^{\mathrm{T}}\boldsymbol{T}^{\mathrm{T}}\boldsymbol{J}\boldsymbol{B}_i\boldsymbol{T} = \begin{bmatrix} \boldsymbol{A}_i^{11} & \boldsymbol{A}_i^{12} \\ \boldsymbol{A}_i^{21} & \boldsymbol{A}_i^{22} \end{bmatrix} \tag{6.3-47}$$

$$\boldsymbol{\Omega} = \mathrm{diag}\{\omega_1\ \ \omega_2\ \ \omega_1\ \ \omega_2\} = \begin{bmatrix} \boldsymbol{\Omega}_1 & 0 \\ 0 & \boldsymbol{\Omega}_1 \end{bmatrix} \tag{6.3-48}$$

(6.3-45)可从(1.1-13)与(1.4-11)导出。(6.3-46)可从(1.1-13)与(1.4-24)及(6.3-47)导出。

与(6.3-44)相应的 Hamilton 系统的 Hamilton 函数为

$$\begin{aligned} H(\bar{\boldsymbol{Q}},\bar{\boldsymbol{P}}) &= \sum_{r=1}^{2} H_r(\bar{Q}_r,\bar{P}_r) \\ &= \sum_{r=1}^{2} \omega_r(\bar{Q}_r^2 + \bar{P}_r^2)/2 \end{aligned} \tag{6.3-49}$$

作变换，

$$\bar{Q}_r = \sqrt{2H_r/\omega_r}\cos\theta,\quad \bar{P}_r = \sqrt{2H_r/\omega_r}\sin\theta \tag{6.3-50}$$

$$H_r = \omega_r(\bar{Q}_r^2 + \bar{P}_r^2)/2,\quad \theta = \arctan\bar{P}_r/\bar{Q}_r \tag{6.3-50'}$$

可从(6.3-44)导出关于 H_r，θ的微分方程。在非内共振情形，对所得之方程应用随机平均法，可得关于 H_r 的平均 Itô 随机微分方

程

$$\mathrm{d}H_r = \bar{m}_r(H_1, H_2)\mathrm{d}t + \bar{\sigma}_{rk}(H_1, H_2)\mathrm{d}B_k(t) \quad (6.3\text{-}51)$$

式中

$$\bar{m}_1(H_1, H_2) = \Delta_1^2\left\{-\frac{2\omega_1}{\Delta_1}\left(\frac{d_1}{\gamma_1} + \gamma_1 d_2\right) + k_1^2\left[\delta_1 + 2\left(\frac{1}{\gamma_1} - \gamma_1\right)^2 S(2\omega_1)\right]\right\} H_1 - k_1^2\Delta_1^2\left(\frac{\omega_1}{\omega_2}\right)\delta_2 H_2$$

$$\bar{m}_2(H_1, H_2) = -k_1^2\Delta_1^2\left(\frac{\omega_2}{\omega_1}\right)\delta_2 H_1 + \Delta_1^2\left\{-\frac{2\omega_1}{\Delta_1}\left(\frac{d_2}{\gamma_2} + \gamma_2 d_1\right) + k_1^2\left[\delta_1 + 2\left(\frac{1}{\gamma_2} - \gamma_2\right)^2 S(2\omega_2)\right]\right\} H_2$$

$$\bar{\sigma}_{1k}\bar{\sigma}_{1k}(H_1, H_2) = 2k_1^2\Delta_1^2(1/\gamma_1 - \gamma_1)^2 S(2\omega_1)H_1^2 - 2k_1^2\Delta_1^2(\omega_1/\omega_2)\delta_2 H_1 H_2$$

$$\bar{\sigma}_{2k}\bar{\sigma}_{2k}(H_1, H_2) = 2k_1^2\Delta_1^2(1/\gamma_2 - \gamma_2)^2 S(2\omega_2)H_2^2 - 2k_1^2\Delta_1^2(\omega_2/\omega_1)\delta_2 H_1 H_2$$

$$\bar{\sigma}_{1k}\bar{\sigma}_{2k}(H_1, H_2) = 2k_1^2\Delta_1^2\delta_1 H_1 H_2 \quad (6.3\text{-}52)$$

$$\delta_1 = [(\gamma_1 + \gamma_2)^2/\gamma_1\gamma_2]S(\omega_1 - \omega_2) - [(-\gamma_1 + \gamma_2)^2/\gamma_1\gamma_2]S(\omega_1 + \omega_2)$$

$$\delta_2 = [(\gamma_1 + \gamma_2)^2/\gamma_1\gamma_2]S(\omega_1 - \omega_2) + [(-\gamma_1 + \gamma_2)^2/\gamma_1\gamma_2]S(\omega_1 + \omega_2)$$

$$\Delta_1 = cn/2A_0B_0(\omega_1^2 - \omega_2^2)$$

引入范数(6.3-23),作变换(6.3-24)、(6.3-25),得形如(6.3-26)、(6.3-27)方程,其中

$$Q(\alpha_1) = (\mu_1 + \mu_2)/2 + (\mu_1 - \mu_2)(\alpha_1 - 1/2) + \varphi(\alpha_1)/4$$

$$m(\alpha_1) = (1/2 - \alpha_1)\varphi(\alpha_1) + 2(\mu_1 - \mu_2)\alpha_1(1 - \alpha_1)$$

$$\sigma^2(\alpha_1) = \alpha_1(1 - \alpha_1)\varphi(\alpha_1)$$

$$\varphi(\alpha_1) = a\alpha_1^2 + b\alpha_1 + c$$

$$a = -2k_1^2\Delta_1^2\delta_2(\omega_1/\omega_2 + \omega_2/\omega_1) + 4k_1^2\Delta_1^2\delta_1$$

$$-2k_1^2\Delta_1^2[(1/\gamma_1-\gamma_1)^2S(2\omega_1)+(1/\gamma_2-\gamma_2)^2S(2\omega_2)]$$

$$b=4k_1^2\Delta_1^2\delta_2(\omega_1/\omega_2)-4k_1^2\Delta_1^2\delta_1$$

$$+2k_1^2\Delta_1^2[(1/\gamma_1-\gamma_{11})^2S(2\omega_1)+(1/\gamma_2-\gamma_2)^2S(2\omega_2)]$$

$$c=-2k_1^2\Delta_1^2\delta_2(\omega_1/\omega_2) \tag{6.3-53}$$

$$\mu_1=\Delta_1^2\left\{-\frac{\omega_1}{\Delta_1}\left(\frac{d_1}{\gamma_1}+\gamma_1 d_2\right)+k_1^2\left[\delta_1+\frac{1}{2}\left(\frac{1}{\gamma_1}-\gamma_1\right)^2S(2\omega_1)\right]\right\}$$

$$\mu_2=\Delta_1^2\left\{-\frac{\omega_2}{\Delta_1}\left(\frac{d_2}{\gamma_2}+\gamma_2 d_1\right)+k_1^2\left[\delta_1+\frac{1}{2}\left(\frac{1}{\gamma_2}-\gamma_2\right)^2S(2\omega_2)\right]\right\}$$

类似于6.3.2,可证 α_1 在 $0<\alpha_1<1$ 上遍历,可得形同(6.3-29)平稳概率密度,仅 $\varphi(\alpha_1)$不同,最后得最大 Lyapunov 指数

$$\lambda_1=(\mu_1+\mu_2)/2+(\mu_1-\mu_2)$$
$$\times[F(1)+F(0)]/2[F(1)-F(0)] \tag{6.3-54}$$

$F(\alpha_1)$形同(6.3-33)-(6.3-35),其中 a,b 由(6.3-53)确定,而

$$\Delta=4k_1^4\Delta_1^4$$
$$\times\left[\left(\frac{1}{\gamma_1}-\gamma_1\right)^2S(2\omega_1)+\left(\frac{1}{\gamma_2}-\gamma_2\right)^2S(2\omega_2)\right.$$
$$\left.+\frac{4(\gamma_2-\gamma_1)^2}{\gamma_1\gamma_2}S(\omega_1+\omega_2)\right] \tag{6.3-55}$$
$$\times\left[\left(\frac{1}{\gamma_1}-\gamma_1\right)^2S(2\omega_1)+\left(\frac{1}{\gamma_2}-\gamma_2\right)^2S(2\omega_2)\right.$$
$$\left.-\frac{4(\gamma_2+\gamma_1)^2}{\gamma_1\gamma_2}S(\omega_1-\omega_2)\right]$$

当 $cn=0$(陀螺项为零)时,(6.3-54)化为

$$\lambda_1=\begin{cases}\mu_1,\ \mu_1>\mu_2\\ \mu_2,\ \mu_2>\mu_1\end{cases} \tag{6.3-56}$$

而当 $A_0=B_0=A$ 时,$\gamma_1=-\gamma_2=1$,$\Delta=0$,

$$\mu_1=-(d_1+d_2)\Delta_1\omega_1+2\Delta_1^2k_1^2S(\omega_1+\omega_2)$$
$$\mu_2=-(d_1+d_2)\Delta_1\omega_2+2\Delta_1^2k_1^2S(\omega_1+\omega_2) \tag{6.3-57}$$
$$\varphi(\alpha_1)=(8k_1^2\Delta_1^2/\omega_1\omega_2)S(\omega_1+\omega_2)[(\omega_1+\omega_2)\alpha_1-\omega_1]^2$$

由(6.3-53)、(6.3-57)知，除 $\alpha_1=0,1$ 外，$\alpha_1^*=\omega_1/(\omega_1+\omega_2)$ 也是 α_1 的第一类奇异点，且 $m(\alpha_1^*)<0$，扩散指数 $\alpha(\alpha_1^*)=2$，由表 2.8-2 可知，α_1^* 是 $[0,\alpha_1^*]$ 的进入边界，α_1 在 $0\leqslant\alpha_1\leqslant\alpha_1^*$ 上遍历，存在平稳概率密度。从求解相应平稳 FPK 方程，得

$$p(\alpha_1)=CF_1(\alpha_1)/\varphi(\alpha_1),0\leqslant\alpha_1\leqslant\alpha_1^* \tag{6.3-58}$$

式中

$$F_1(\alpha_1)=\exp\left\{\frac{(\mu_1-\mu_2)\omega_1\omega_2}{2k_1^2\Delta_1^2(\omega_1+\omega_2)[\omega_1-(\omega_1+\omega_2)\alpha_1]S(\omega_1+\omega_2)}\right\}$$

$$C=-4(\mu_1-\mu_2)/F_1(0) \tag{6.3-59}$$

而最大 Lyapunov 指数为

$$\lambda_1=(\mu_1+\mu_2)/2+(\mu_1-\mu_2)[F_1(\alpha_1^*)+F_1(0)]/$$
$$2[F_1(\alpha_1^*)-F_1(0)]=\mu_2 \tag{6.3-60}$$

系统(6.3-36)之平凡解以概率 1 渐近稳定的充要条件近似为 $\mu_2<0$，即

$$d_1+d_2>(2\Delta_1k_1^2/\omega_2)S(\omega_1+\omega_2)$$
$$=[\omega_1k_1^2/k(\omega_1+\omega_2)]S(\omega_1+\omega_2) \tag{6.3-61}$$

据此可得参数空间中的稳定域[38]。文献[39]中得到的系统(6.3-36)之平凡解均方渐近稳定的条件为

$$d_1+d_2>(k_1^2/k)S(\omega_1+\omega_2) \tag{6.3-62}$$

(6.3-62)严于(6.3-61)，这显然是合理的。

6.3.4 非线性随机系统的稳定性[36]

本节所提出的计算最大 Lyapunov 指数的方法的最大优点是可用来研究非线性随机动力学系统的概率为 1 渐近稳定性，下面用一个简单的例子说明。考虑系统

$$\dot{Q}_1=P_1$$
$$\dot{P}_1=-\omega_1^2Q_1-\beta_{11}P_1-\beta_{12}P_2+f_{11}Q_1\xi_1(t)+f_{12}Q_2^2\xi_2(t)$$
$$\dot{Q}_2=P_2$$

$$\dot{P}_2 = -\alpha Q_2^3 - \beta_{21} P_1 - \beta_{22} P_2 + f_{21} Q_1 \xi_1(t) + f_{22} Q_2^2 \xi_2(t)$$

(6.3-63)

式中 $\omega_1, f_{ik}, \alpha>0, \beta_{ij}>0$ 为常数，$\xi_k(t)$是强度为 $2D_k$ 的独立 Gauss 白噪声；β_{ij}与 D_k 同为 ε 阶小量。与(6.3-63)相应的 Hamilton 系统的 Hamilton 函数为

$$H = H_1 + H_2 \tag{6.3-64}$$

式中

$$H_1 = (p_1^2 + \omega_1^2 q_1^2)/2, H_2 = (p_2^2 + \alpha Q_2^4/2)/2 \tag{6.3-65}$$

应用5.3中的描述的拟可积 Hamilton 系统随机平均法，在非共振情形得形如(5.3-14)关于 H_i 的平均 Itô 方程，其中

$$\begin{aligned}
&\bar{m}_1(H_1, H_2) = -\beta_{11} H_1 + f_{11}^2 D_1 H_1/\omega_1^2 + \eta_1 f_{12}^2 D_2 H_2 \\
&\bar{m}_2(H_1, H_2) = -\eta_2 \beta_{22} H_2 + f_{21}^2 D_1 H_1/\omega_1^2 + \eta_1 f_{22}^2 D_2 H_2 \\
&\bar{\sigma}_{1k}\bar{\sigma}_{1k}(H_1, H_2) = f_{11}^2 D_1 H_1^2/\omega_1^2 \\
&\bar{\sigma}_{2k}\bar{\sigma}_{2k}(H_1, H_2) = 2\eta_3 f_{22}^2 D_2 H_2^2 \\
&\bar{\sigma}_{1k}\bar{\sigma}_{2k}(H_1, H_2) = 0
\end{aligned} \tag{6.3-66}$$

式中

$$\begin{aligned}
&\eta_1 = (8/9\alpha)^{1/2} \Big/ \int_0^1 (1-t^4)^{-1/2} \mathrm{d}t, \\
&\eta_2 = 2\int_0^1 (1-t^4)^{1/2} \mathrm{d}t \Big/ \int_0^1 (1-t^4)^{-1/2} \mathrm{d}t \\
&\eta_3 = (8/\alpha)\int_0^1 t^4 (1-t^4)^{1/2} \mathrm{d}t \Big/ \int_0^1 (1-t^4)^{-1/2} \mathrm{d}t
\end{aligned}$$

(6.3-67)

(6.3-66)满足条件(6.3-2)与(6.3-6)。引入范数(6.3-23)，并作变换(6.3-24)、(6.3-25)，得关于 ρ, α_1 形如(6.3-26)、(6.3-27)的 Itô 随机微分方程，其中

$$\begin{aligned}
Q(\alpha_1) = &(\mu_1 + f_{21}^2 D_1/\omega_1^2)\alpha_1 \\
&+ (\mu_2 + f_{12}^2 D_2 \eta_1)(1-\alpha_1) + A\alpha_1(1-\alpha_1)/4 \\
m(\alpha_1) = &[2(\mu_1 - \mu_2) + A(1-2\alpha_1)/2]\alpha_1(1-\alpha_1)
\end{aligned}$$

$$+f_{12}^2 D_2 \eta_1 (1-\alpha_1)^2 - f_{21}^2 D_1 \alpha_1^2/\omega_1^2$$

$$\sigma^2(\alpha_1) = A\alpha_1^2(1-\alpha_1)^2 \tag{6.3-68}$$

式中

$$\begin{aligned} \mu_1 &= -\beta_{11}/2 + f_{11}^2 D_1/4\omega_1^2 \\ \mu_2 &= -\beta_{22}\eta_2/2 + (\eta_1 - \eta_3) f_{22}^2 D_2/2 \\ A &= f_{11}^2 D_1/\omega_1^2 + 2\eta_3 f_{22}^2 D_2 \end{aligned} \tag{6.3-69}$$

$\sigma^2(\alpha_1)$在$0<\alpha_1<1$上不为零，而$\sigma^2(0)=\sigma^2(1)=0$，$\alpha=0,1$是$\alpha_1(t)$的第一类奇异边界，可证它们是进入边界，因此，$\alpha_1$在$0<\alpha_1<1$上遍历。从求解与$\alpha_1(t)$的Itô方程相应的平稳FPK方程可得平稳概率密度

$$p(\alpha_1) = \frac{C}{\alpha_1(1-\alpha_1)}\left(\frac{\alpha_1}{1-\alpha_1}\right)^{4(\mu_1-\mu_2)/A} \times \exp\left\{-\frac{2}{A}\left[\frac{\eta_1 f_{12}^2 D_2}{\alpha_1} + \frac{f_{21}^2 D_1}{\omega_1^2(1-\alpha_1)}\right]\right\} \tag{6.3-70}$$

从而最大Lyapunov指数

$$\lambda_1 = \int_0^1 Q(\alpha_1) p(\alpha_1) \mathrm{d}\alpha_1 \tag{6.3-71}$$

而(6.3-63)的平凡解以概率1渐近稳定的充要条件为$\lambda_1<0$。

6.4 拟部分可积Hamilton系统概率为1渐近稳定性[42]

上节所述通过求最大Lyapunov指数判定概率为1渐近稳定性的方法也适用于拟部分可积Hamilton系统。例如，(5.4-19)经线性化后，满足条件(6.3-2)、(6.3-6)，引入范数(6.3-16)，可按(6.3-8)～(6.3-15)类似步骤导出最大Lyapunov指数表达式，下面用一个例子说明。

考虑下列三自由度拟部分可积Hamilton系统

$$\dot{Q}_i = \frac{\partial H}{\partial P_i}$$

$$\dot{P}_i = -\frac{\partial H}{\partial Q_i} - \beta_{ij} P_j + f_{ik} P_k \xi_k(t) \tag{6.4-1}$$

$$i, j, k = 1, 2, 3$$

式中 β_{ij}与 f_{ik}为常数；$\xi_k(t)$是强度为 $2D_k$ 的独立 Gauss 的白噪声；β_{ij}与 D_k 同为 ε 阶小量。与(6.4-1)相应的 Hamilton 系统的 Hamilton 函数为

$$H = H_1 + H_2 \tag{6.4-2}$$

其中

$$H_1 = (p_1^2 + \omega_1^2 q_1^2)/2, H_2 = (p_2^2 + p_3^2)/2 + U(q_3, q_4)$$

$$U(q_3, q_4) = k(\omega_2^2 q_2^2 + \omega_3^2 q_3^2)^\gamma, k, \gamma > 0, \gamma \neq 1 \tag{6.4-3}$$

按 5.4.1 中描述的拟部分可积 Hamilton 系统随机平均法可导出平均 Itô 方程

$$\mathrm{d}H_r = \bar{m}_r(H_1, H_2)\mathrm{d}t + \bar{\sigma}_{rk}(H_1, H_2)\mathrm{d}B_k(t) \tag{6.4-4}$$

式中

$$\bar{m}_1 = a_{11} H_1 + a_{12} H_2, \bar{m}_2 = a_{21} H_1 + a_{22} H_2$$

$$\bar{\sigma}_{1k}\bar{\sigma}_{1k} = b_{11} H_1^2 + b_{12} H_1 H_2, \bar{\sigma}_{2k}\bar{\sigma}_{2k} = b_{22} H_2^2 + b_{21} H_1 H_2$$

$$\bar{\sigma}_{1k}\bar{\sigma}_{2k} = 0$$

$$a_{11} = 2f_{11}^2 D_1 - \beta_{11}$$

$$a_{12} = [\gamma/(1+\gamma)](f_{12}^2 D_2 + f_{13}^2 D_3)$$

$$a_{21} = (f_{21}^2 + f_{31}^2) D_1$$

$$a_{22} = [\gamma/(1+\gamma)][(2f_{22}^2 + f_{32}^2) D_2 + (2f_{33}^2 + f_{23}^2) D_3 - \beta_{22} - \beta_{33}]$$

$$b_{11} = 3f_{11}^2 D_1, b_{12} = 2[\gamma/(1+\gamma)](f_{12}^2 D_2 + f_{13}^2 D_3)$$

$$b_{21} = 2[\gamma/(1+\gamma)](f_{21}^2 + f_{31}^2) D_1$$

$$b_{22} = [2\gamma^2/(1+\gamma)(1+2\gamma)][(3f_{22}^2 + f_{32}^2) D_2 + (3f_{33}^2 + f_{23}^2) D_3] \tag{6.4-5}$$

$\bar{m}_r, \bar{\sigma}_{rk}$满足条件(6.3-2)、(6.3-6)。作变换

$$\rho = (\ln H)/2 \tag{6.4-6}$$

$$\alpha_1 = H_1 / H \tag{6.4-7}$$

应用 Itô 微分公式(2.6-1),从(6.4-4)可导出关于 ρ, α_1 的 Itô 随机微分方程

$$\mathrm{d}\rho = Q(\alpha_1)\mathrm{d}t + \Sigma(\alpha_1)\mathrm{d}B(t) \tag{6.4-8}$$

$$\mathrm{d}\alpha_1 = m(\alpha_1)\mathrm{d}t + \sigma(\alpha_1)\mathrm{d}B(t) \tag{6.4-9}$$

式中

$$Q(\alpha_1) = \mu_1\alpha_1 + \mu_2(1-\alpha_1) + \varphi(\alpha_1)/4 + b_{21}\alpha_1/4\gamma$$

$$m(\alpha_1) = 2(\mu_1 - \mu_2)\alpha_1(1-\alpha_1) + (1/2 - \alpha_1)\varphi(\alpha_1) - b_{21}\alpha_1^2/2\gamma$$

$$\sigma^2(\alpha_1) = \alpha_1(1-\alpha_1)\varphi(\alpha_1)$$

$$\mu_1 = a_{11}/2 - b_{11}/4, \mu_2 = a_{22}/2 - b_{22}/4 \tag{6.4-10}$$

$$\begin{aligned}\varphi(\alpha_1) &= (b_{11} + b_{22})\alpha_1(1-\alpha_1) + b_{12}(1-\alpha_1)^2 + b_{21}\alpha_1^2 \\ &= a\alpha_1^2 + b\alpha_1 + c\end{aligned} \tag{6.4-11}$$

$$a = b_{12} + b_{21} - b_{11} - b_{22}, b = b_{11} + b_{22} - 2b_{12}, c = b_{12}$$

$\alpha_1 = 0, 1$ 是 α_1 的第一类奇异边界,可证,$\alpha_1(t)$在 $0 < \alpha_1 < 1$ 上遍历。从求解与(6.4-9)相应的平稳 FPK 方程得到 $\alpha_1(t)$的平稳概率密度

$$p(\alpha_1) = \frac{C}{\varphi(\alpha_1)}\exp\left[4(\mu_1 - \mu_2)\int_0^{\alpha_1}\frac{\mathrm{d}\alpha_1}{\varphi(\alpha_1)} - \frac{b_{21}}{\gamma}\int_0^{\alpha_1}\frac{\alpha_1\mathrm{d}\alpha_1}{(1-\alpha_1)\varphi(\alpha_1)}\right] \tag{6.4-12}$$

完成积分后,其值取决于 $\Delta = b^2 - 4ac = (b_{11} + b_{22})^2 - 4b_{12}b_{21}$。

$$p(\alpha_1) = \frac{C(1-\alpha_1)^{1/\gamma}}{[\varphi(\alpha_1)]^{(1+1/2\gamma)}}\exp\left[\frac{4(\mu_1 - \mu_2) + (b_{11} + b_{22})/2\gamma}{\sqrt{\Delta}} \times \ln\left[\frac{2a\alpha_1 + b - \sqrt{\Delta}}{2a\alpha_1 + b + \sqrt{\Delta}}\right]\right], \Delta > 0 \tag{6.4-13}$$

$$p(\alpha_1) = \frac{C(1-\alpha_1)^{1/\gamma}}{[\varphi(\alpha_1)]^{(1+1/\gamma)}}\exp\left[\frac{8(\mu_1 - \mu_2) + (b_{11} + b_{12})/\gamma}{\sqrt{-\Delta}} \times \arctan\frac{2a\alpha_1 + b}{\sqrt{-\Delta}}\right], \Delta < 0 \tag{6.4-14}$$

$$p(\alpha_1)=\frac{C(1-\alpha_1)^{1/\gamma}}{[\varphi(\alpha_1)]^{(1+1/2\gamma)}}$$
$$\times\exp\left[-\frac{8(\mu_1-\mu_2)+(b_{11}+b_{22})/\gamma}{2a\alpha_1+b}\right],\Delta=0 \quad (6.4\text{-}15)$$

最大 Lyapunov 指数为

$$\lambda_1=\int_0^1 Q(\alpha_1)p(\alpha_1)\mathrm{d}\alpha_1 \quad (6.4\text{-}16)$$

由 $\lambda_1<0$ 可得参数空间系统(6.4-1)之平凡解以概率 1 渐近稳定域。

6.5 求概率为 1 渐近稳定域的一种新方法[43]

最大 Lyapunov 指数为零给出参数空间中概率为 1 渐近稳定与不稳定域的边界。对多维随机系统,用(6.1-28)求最大 Lyapunov 指数的主要困难在于确定单位球面上多维过程 $\boldsymbol{U}(t)$的平稳概率密度。虽然应用随机平均法可使随机系统降维,但对高维随机系统,仍需求解多维平稳 FPK 方程,很多情形下得不到解析解。此时,可将平稳 FPK 方程的系数与解展成多重 Fourier 级数,将平稳 FPK 方程化为关于解的 Fourier 系数的一系列较低维数方程。另一方法是数值求解 $\boldsymbol{U}(t)$,然后按(6.1-27)求最大 Lyapunov 指数(应用该法之例见文献[44]).下面叙述一种利用 Lyapunov 指数对不同范数定义的不变性,不必求解平稳 FPK 方程而直接确定概率为 1 渐近稳定与不稳定域边界的近似方法。

考虑 n 维 Itô 随机微分方程

$$\begin{gathered}\mathrm{d}X_i=F_i(\boldsymbol{X})\mathrm{d}t+G_{ik}(\boldsymbol{X})\mathrm{d}B_k(t)\\ i=1,2,\cdots,n;k=1,2,\cdots,m\end{gathered} \quad (6.5\text{-}1)$$

F_i, G_{ik}或为 X_j 的线性函数,或为 X_j 的齐一次式,满足条件(6.1-30)、(6.1-31),$\boldsymbol{X}=0$ 是(6.5-1)之平凡解。采用范数

$$\|\boldsymbol{X}\|=(d_{ij}X_iX_j)^{1/2} \quad (6.5\text{-}2)$$

定义 Lyapunov 指数

$$\lambda=\lim_{t\to\infty}\frac{1}{t}\ln\|\boldsymbol{X}(t)\| \quad (6.5\text{-}3)$$

作变换

$$\rho = \ln \| \boldsymbol{X} \| \tag{6.5-4}$$

$$\alpha_i = X_i/(X_j X_j)^{1/2}, i = 1,2,\cdots,n \tag{6.5-5}$$

注意,(6.5-5)右端分母不同于 $\| \boldsymbol{X} \|$。应用 Itô 微分公式(2.6-1),从(6.5-1)可导得关于 ρ, α_i 的 Itô 随机微分方程

$$\mathrm{d}\rho = Q(\alpha)\mathrm{d}t + \Sigma_k(\alpha)\mathrm{d}B_k(t) \tag{6.5-6}$$

$$\mathrm{d}\alpha_i = m_i(\alpha)\mathrm{d}t + \sigma_{ik}(\alpha)\mathrm{d}B_k(t) \tag{6.5-7}$$

$$i = 1,2,\cdots,n; k = 1,2,\cdots,m$$

式中

$$Q(\alpha) = [d_{ij}\alpha_i F_j(\alpha) + d_{ij} G_{il}(\alpha) G_{lj}(\alpha)/2 - (d_{ij}\alpha_i)(d_{kl}\alpha_k) G_{js}(\alpha) G_{sl}(\alpha)/\| \alpha \|^2]/\| \alpha \|^2$$

$$\Sigma_k(\alpha) = d_{ij}\alpha_i G_{jk}(\alpha)/\| \alpha \|^2$$

$$m_i(\alpha) = F_i(\alpha) - \alpha_i \alpha_j F_j(\alpha) + 3\alpha_i \alpha_j \alpha_u G_{js}(\alpha) G_{us}(\alpha)/2 - \alpha_j G_{iu}(\alpha) G_{ju}(\alpha)/2 \tag{6.5-8}$$

$$\sigma_{ik}(\alpha) = G_{ik}(\alpha) - \alpha_i \alpha_j G_{jk}(\alpha)$$

$$\| \alpha \| = (d_{ij}\alpha_i \alpha_j)^{1/2} \tag{6.5-9}$$

注意,$\sum_{i=1}^{n} \alpha_i^2 = 1$,(6.5-7)中只有 $n-1$ 个方程独立。

最大 Lyapunov 指数

$$\lambda_1 = \int_{\Omega} Q(\alpha) p(\alpha) \mathrm{d}\alpha \tag{6.5-10}$$

式中 $p(\alpha)$是定义在单位球面上扩散过程 $\alpha(t)$的平稳概率密度。$Q(\alpha)$与 $p(\alpha)$是 d_{ij}的函数,而 λ_1 应与 d_{ij}的选取无关,只要 d_{ij}是某正定二次型的系数。由于 $p(\alpha)$非负,若对所有 α,$Q(\alpha)$非正,则 λ_1 非正。因此,对所有可能 $\alpha \in \Omega, d_{ij} \in D, Q(\alpha) \leqslant 0$ 是 $\lambda_1 < 0$,也是系统(6.5-1)的平凡解以概率 1 渐近稳定的充分条件,由此可确定参数空间中概率为 1 渐近稳定域。类似地,对所有可能 $\alpha \in \Omega, d_{ij} \in D, Q(\alpha) > 0$ 是系统(6.5-1)之平凡解以概率 1 不稳定的充分条件,由此确定参数空间中以概率 1 不稳定域。若上述

两个域之补是一个超曲面,则此曲面就是参数空间中概率为 1 稳定域与不稳定域的分界面。否则,该补域大小是所建议方法的有效性的一个度量:补域越小,效果越好。下面用例子说明。

例 6.5-1 考虑 $n=2$ 系统(6.3-19),设在包括 $2\omega_i$ 的很宽频带上 $\xi(t)$的谱密度为常数 S。作 van der Pol 变换

$$Q_i = A_i\cos\Theta_i,\quad P_i = -A_i\omega_i\sin\Theta_i,\quad \Theta_i = \omega_i t + \Gamma_i \tag{a}$$

应用 Stratonovich 随机平均法[2,6]或 5.5.2 中所述随机平均法,在非内共振情形可得如下平均 Itô 随机微分方程:

$$\begin{aligned} &\mathrm{d}A_i = F_i(A_1, A_2)\mathrm{d}t + G_{ik}(A_1, A_2)\mathrm{d}B_k(t) \\ &i, k = 1, 2 \end{aligned} \tag{b}$$

式中

$$\begin{aligned} &F_1(A_1, A_2) = -\beta_{11}A_1 + (3k_{11}^2A_1 + 2k_{12}^2A_2^2/A_1)S/16 \\ &F_2(A_1, A_2) = -\beta_{22}A_2 + (3k_{22}^2A_2 + 2k_{21}^2A_1^2/A_2)S/16 \\ &G_{1k}G_{1k}(A_1, A_2) = (k_{11}^2A_1^2 + 2k_{12}^2A_2^2)S/8 \\ &G_{2k}G_{2k}(A_1, A_2) = (k_{22}^2A_2^2 + 2k_{21}^2A_1^2)S/8 \\ &G_{1k}G_{2k}(A_1, A_2) = 0 \end{aligned} \tag{c}$$

显然,$A_1 = A_2 = 0$ 是 b 之平凡解,F_i 与 G_{ik}满足齐一次式条件(6.3-6)。[45]中已得到(b)的最大 Lyapunov 指数表达式:

$$\begin{aligned} &\lambda_1 = \frac{1}{2}\left[(\mu_1 + \mu_2) + (\mu_1 - \mu_2)\coth\left(\frac{\mu_1 - \mu_2}{\sqrt{\Delta}}\delta\right)\right], \\ &\tanh\delta = \{1 - [4k_{12}k_{21}/(k_{11}^2 + k_{22}^2)]^2\}^{1/2}, \Delta > 0 \end{aligned} \tag{d}$$

$$\begin{aligned} &\lambda_1 = \frac{1}{2}\left[(\mu_1 + \mu_2) + (\mu_1 - \mu_2)\coth\left(\frac{\mu_1 - \mu_2}{\sqrt{-\Delta}}\delta\right)\right], \\ &\tanh\delta = \{[4k_{12}k_{21}/(k_{11}^2 + k_{22}^2)]^2 - 1\}^{1/2}, \Delta < 0 \end{aligned} \tag{e}$$

$$\lambda_1 = \frac{1}{2}\left[(\mu_1 + \mu_2) + (\mu_1 - \mu_2)\coth\frac{2(\mu_1 - \mu_2)}{|k_{12}k_{21}|S}\right], \Delta = 0 \tag{f}$$

其中

$$\begin{aligned} &\mu_1 = -\beta_{11} + k_{11}^2S/8, \mu_2 = -\beta_{22} + k_{22}^2S/8 \\ &\Delta = [(k_{11}^2 + k_{22}^2)^2 - 16k_{12}^2k_{21}^2]S^2/64 \end{aligned} \tag{g}$$

下面用所建议的方法求(6.3-19)概率为1渐近稳定域与不稳定域。引入范数

$$\| \boldsymbol{A} \| = (d_{ij} A_i A_j)^{1/2}, i, j = 1, 2 \tag{h}$$

d_{ij}构成正定二次型系数之域为

$$\boldsymbol{D} = \{ d_{ij} \mid d_{11} > 0, d_{22} > 0, d_{11} d_{22} - d_{12}^2 > 0 \} \tag{i}$$

作变换

$$\rho = \ln \| \boldsymbol{A} \| \tag{j}$$

$$\alpha_i = A_i / (A_1^2 + A_2^2)^{1/2} \tag{k}$$

应用Itô微分公式,从(b)得关于ρ的Itô方程

$$\mathrm{d}\rho = Q(\alpha_1)\mathrm{d}t + \Sigma(\alpha_1)\mathrm{d}B(t) \tag{l}$$

式中

$$\begin{aligned} Q(\alpha_1) = \Big\{ & d_{11} \alpha_1 F_1(\alpha_1) + d_{22} \sqrt{1 - \alpha_1^2} F_2(\alpha_1) \\ & + [d_{11} \Phi_{11}(\alpha_1) + d_{22} \Phi_{22}(\alpha_1)] /2 \\ & - \Big[\Phi_{11}(\alpha_1) \Big(d_{11} \alpha_1 + d_{12} \sqrt{1 - \alpha_1^2} \Big)^3 \\ & + \Phi_{22}(\alpha_1) \Big(d_{21} \alpha_1 + d_{22} \sqrt{1 - \alpha_1^2} \Big)^2 \Big] \Big/ \| \alpha \|^2 \Big\} \Big/ \| \alpha \|^2 \end{aligned}$$

$$\| \alpha \| = \Big[d_{11} \alpha_1^2 + 2 d_{12} \alpha_1 \sqrt{1 - \alpha_1^2} + d_{22} (1 - \alpha_1^2) \Big]^{1/2} \tag{m}$$

$$F_1(\alpha_1) = - \beta_{11} \alpha_1 + [3 k_{11}^2 \alpha_1 + 2 k_{12}^2 (1 - \alpha_1^2)/\alpha_1]5/16$$

$$\begin{aligned} F_2(\alpha) = & - \beta_{22} (1 - \alpha_1^2)^{1/2} + [3 k_{22}^2 (1 - \alpha_1^2)^{1/2} \\ & + 2 k_{21}^2 \alpha_1^2 / (1 - \alpha_1^2)^{1/2}] S/16 \end{aligned}$$

$$\Phi_{11}(\alpha_1) = [k_{11}^2 \alpha_1^2 + 2 k_{12}^2 (1 - \alpha_1^2)] S/8$$

$$\Phi_{22}(\alpha_1) = [2 k_{21}^2 \alpha_1^2 + k_{22}^2 (1 - \alpha_1^2)] S/8$$

α_1 的定义域为

$$\Omega = \{ \alpha_1 \mid 0 \leqslant \alpha_1 \leqslant 1 \} \tag{n}$$

在阻尼系数平面(β_{11}, β_{22})上,系统(6.3-19)之平凡解以概率1渐近稳定域为

$$Q(\alpha_1) < 0, \quad \alpha_1 \in \Omega, \quad d_{ij} \in \boldsymbol{D} \tag{o}$$

而不稳定域为

$$Q(\alpha_1) > 0, \quad \alpha_1 \in \Omega, \quad d_{ij} \in D \tag{p}$$

不难设计计算机程序确定这两个域,图 6.5-1 上给出了用上述方法得到的稳定域与不稳定域边界以及由(d)～(f)中 $\lambda_1=0$ 得到的稳定域与不稳定域边界。由图可见,两者吻合很好。

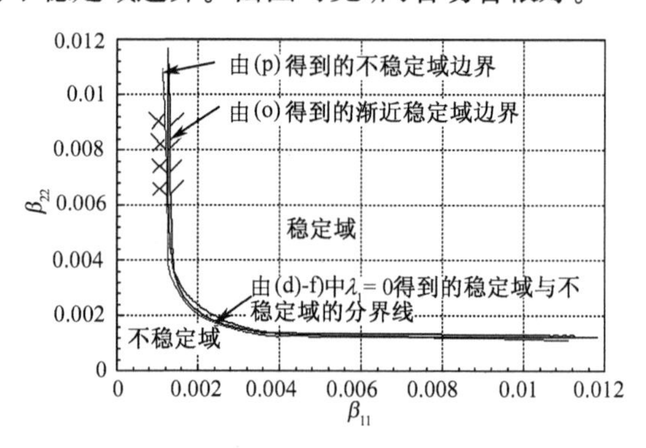

图 6.5-1

在按(o),(p)确定稳定域与不稳定域边界时,如何选取 α_1, d_{ij} 之值使计算量最少需一些经验和技巧。上述方法还曾用于确定三自由度线性随机系统(6.3-19)的稳定域与不稳定域边界[43]。

6.6 拟不可积 Hamilton 系统的随机 Hopf 分岔[46]

设 n 自由度拟不可积 Hamilton 系统(5.2-2)含参数 $\alpha \in R^l$,它生成一个 $2n$ 维随机动态系统参数族。研究该系统族的随机分岔,一要确定分岔参数值,二要揭示分岔前后系统族的性态。应用拟不可积 Hamilton 系统随机平均法,可使随机分岔分析大为简化。

类似于(5.2-5),此时平均 Itô 方程形为

$$dH = \bar{m}(H, \alpha)dt + \bar{\sigma}(H, \alpha)dB(t) \tag{6.6-1}$$

(5.2-2)只含 Gauss 白噪声参激,因此,$\bar{m}$, $\bar{\sigma}$ 满足条件(6.1-43)。设 $\bar{\sigma}$ 满足条件(6.1-44)。由于 $H \geqslant 0$,(6.6-1)只可能发生随机跨临界分岔。

(6.6-1)的随机跨临界 D-分岔参数值 α_D 由不变测度 δ_α 的

Lyapunov 指数为零确定。按(6.2-4),该 Lyapunov 指数为

$$\lambda(\delta_\alpha)=\frac{1}{2}\left[\frac{\partial \bar{m}}{\partial H}(0,\alpha)-\frac{1}{2}\left(\frac{\partial \bar{\sigma}}{\partial H}(0,\alpha)\right)^2\right] \tag{6.6-2}$$

$\lambda<0$ 时,δ_α 稳定,不变测度的密度为 $\delta(H)$,这对应于原系统(5.2-2)不变测度密度 $\delta(\boldsymbol{q})\delta(\boldsymbol{p})$,这表明原系统之平凡解以概率 1 渐近稳定。$\lambda>0$ 时,(6.6-1)有稳定的非平凡不变测度 υ_α,其密度由(5.2-14)、(5.2-15)确定,即

$$p(H,\alpha)=\frac{C}{\bar{\sigma}^2(H,\alpha)}\exp\left[\int_0^H\frac{2\bar{m}(u,\alpha)}{\bar{\sigma}^2(u,\alpha)}\mathrm{d}u\right] \tag{6.6-3}$$

对应的原系统(5.2-2)之平凡解以概率 1 不稳定,存在非平凡平稳概率密度(5.2-18),即

$$p(\boldsymbol{q},\boldsymbol{p},\alpha)=p(H,\alpha)/T(H,\alpha)\mid_{H=H(\boldsymbol{q},\boldsymbol{p})} \tag{6.6-4}$$

由 6.1.2 知,在 D-分岔后,(6.6-1)描述的平均动态系统族还会发生 P-分岔。分岔前,概率密度的极大值在 $H=0$ 上,分岔后,概率密度的极大值在某个非零 H 值上。使 $p(H,\alpha)$取极大值的 H 值由

$$\partial p(H,\alpha)/\partial H=0 \tag{6.6-5}$$

确定。而使原系统概率密度 $p(\boldsymbol{q},\boldsymbol{p},\alpha)$达最大值的 $\boldsymbol{q},\boldsymbol{p}$ 值由

$$\partial p(\boldsymbol{q},\boldsymbol{p},\alpha)/\partial q_i=0,\partial p(\boldsymbol{q},\boldsymbol{p},\alpha)/\partial p_i=0$$
$$i=1,2,\cdots,n \tag{6.6-6}$$

确定。由于

$$\frac{\partial p}{\partial q_i}=\frac{\partial p}{\partial H}\frac{\partial H}{\partial q_i},\frac{\partial p}{\partial p_i}=\frac{\partial p}{\partial H}\frac{\partial H}{\partial p_i} \tag{6.6-7}$$

因此,平均系统(6.6-1)的 P-分岔意味着原系统(5.2-2)的 P-分岔。此外,原系统的概率密度极大值还可发生在使

$$\frac{\partial H(\boldsymbol{q},\boldsymbol{p},\alpha)}{\partial q_i}=0,\frac{\partial H(\boldsymbol{q},\boldsymbol{p},\alpha)}{\partial p_i}=0,i=1,2,\cdots,n \tag{6.6-8}$$

的 $\boldsymbol{q},\boldsymbol{p}$ 值上。这取决于 Hamilton 函数的构造。下面只考虑前一情形。

由 6.2.2 知，在原系统只含随机参激时，由(6.6-1)描述的扩散过程 $H(t)$ 的边界常常是奇异的，边界的性态可用扩散指数、漂移指数及特征标值描述。在第一类奇异边界 $H=0$ 邻域，它们同(6.6-1)的漂移与扩散系数之间的关系为

$$\bar{m}(H,\alpha)=O(H^{\beta_l}),\beta_l>0 \tag{6.6-9}$$

$$\bar{\sigma}^2(H,\alpha)=O(H^{\alpha_l}),\alpha_l>0 \tag{6.6-10}$$

$$c_l(H,\alpha)=\lim_{H\to 0^+}\frac{2\bar{m}(H,\alpha)H^{\alpha_l-\beta_l}}{\bar{\sigma}^2(H,\alpha)} \tag{6.6-11}$$

将(6.6-9)～(6.6-11)代入(6.6-3)，得 $H=0$ 邻域 $p(H,\alpha)$ 的渐近表达式

$$p(H,\alpha)=O\left\{H^{-\alpha_l}\exp\left[c_l\int_0^H u^{(\beta_l-\alpha_l)}\mathrm{d}u\right]\right\},H\to 0 \tag{6.6-12}$$

其性态可分成两种情形。

情形 1：$\beta_l-\alpha_l=-1$。此时

$$p(H,\alpha)=O(H^{\upsilon}),H\to 0 \tag{6.6-13}$$

式中

$$\upsilon=c_l-\alpha_l \tag{6.3-14}$$

当 $\upsilon<-1$ 时，(6.6-13)不可积，$p(H,\alpha)$ 是一个 δ 函数。当 $-1<\upsilon<0$ 时，(6.6-13)可积，存在非平凡概率密度 $p(H,\alpha)$，其极大值在 $H=0$ 处。当 $\upsilon>0$ 时，(6.6-13)可积，存在非平凡概率密度 $p(H,\alpha)$，其极大值在 $H\neq 0$ 处。于是，在 $\upsilon=-1$ 上发生第一次分岔，它是(6.6-1)的 D-分岔，在 $\upsilon=0$ 上发生的二次分岔，它是(6.6-1)的 P-分岔。根据上述讨论，它们分别对应于原系统(5.2-2)的 D-分岔与 P-分岔。一般地，这两次分岔构成原系统的随机 Hopf 分岔，见例 6.6-1 与 6.6-2。

情形 2：$\beta_l-\alpha_l\neq -1$。此时

$$p(H,\alpha)=O\left\{H^{-\alpha_l}\exp\left[\frac{c_l}{1+\beta_l-\alpha_l}H^{\beta_l-\alpha_l+1}\right]\right\},H\to 0 \tag{6.6-15}$$

它不能表示成(6.6-13)之形式。可证,若存在非平凡概率密度 $p(H,\alpha)$,则它不可能在 $H=0$ 上或其领域有极大值。换言之,在此情况,(6.6-1)只可能发生 D-分岔,不可能发生 P-分岔,从而不可能发生随机 Hopf 分岔。

可以证明,$\beta_l-\alpha_l=-1$ 是(6.6-2)中 $\lambda=0$ 的必要条件。从下面例子中可看出,$\lambda=0$ 与 $\beta_l-\alpha_l=-1$, $c_l-\alpha_l=-1$ 给出同样的 D-分岔参数值。

例 6.6-1 考虑随机 Rayleigh-van der Pol 振子

$$
\begin{aligned}
\dot{Q} &= P \\
\dot{P} &= -Q+(\alpha-\beta Q^2-\gamma P^2)P+Q\xi_1(t)+P\xi_2(t)
\end{aligned}
\tag{a}
$$

式中 $\xi_k(t)$是相关函数为 $E[\xi_k(t)\xi_l(t+\tau)]=2D_{kl}\delta(\tau)$的 Gauss 白噪声,$\alpha,\beta,\gamma,D_{kl}$同为 ε 阶小量,α 是分岔参数。无随机激励时,在 $\alpha=0$ 上发生 Hopf 分岔,$\alpha<0$ 时平衡点(0,0)稳定,$\alpha>0$ 时系统有一极限环。现考察系统(a)的随机 Hopf 分岔。

在将(a)化为 Itô 随机微分方程时有 Wong-Zakai 修正项 $D_{12}Q+D_{22}P$。$D_{12}Q$ 属保守力,使(a)的 Hamilton 函数变成

$$
H=[p^2+(1-D_{12})q^2]/2 \tag{b}
$$

应用能量包线随机平均法[2]或拟不可积 Hamilton 系统随机平均法,从(a)可得平均 Itô 方程(6.6-1),其中

$$
\begin{aligned}
\bar{m}(H,\alpha) &= [\alpha+2D_{22}+D_{11}/(1-D_{12})]H \\
&\quad -[\beta/2(1-D_{12})+3\gamma/2]H^2 \\
\bar{\sigma}^2(H,\alpha) &= [D_{11}/(1-D_{12})+3D_{22}]H^2
\end{aligned}
\tag{c}
$$

按(6.6-2)可得不动点的 Lyapunov 指数

$$
\lambda(\delta_\alpha)=\alpha/2+[D_{22}+D_{11}/(1-D_{12})]/4 \tag{d}
$$

可知,在

$$
\alpha_D=-[D_{22}+D_{11}/(1-D_{12})]/2 \tag{e}
$$

上(a)发生 D-分岔。

由(b)知,当 $D_{12}<1$ 时,H 在$[0,\infty)$上变化。由(c)知,$H=0$ 与 $H\to\infty$分别是$H(t,\alpha)$的第一、二类奇异边界。按(2.8-7)~

(2.8-9)可算出 $H=0$ 上的扩散指数、漂移指数及特征标值为

$$\alpha_l = 2,\beta_l = 1$$

$$c_l = [2\alpha + 4D_{22} + 2D_{11}/(1-D_{12})]/[3D_{22} + D_{11}/(1-D_{12})] \tag{f}$$

属情形 1。而

$$\upsilon = c_l - \alpha_l = 2(\alpha - D_{22})/[3D_{22} + D_{11}/(1-D_{12})] \tag{g}$$

由 $\upsilon=-1$ 得与(e)相同的 α_D 值。由 $\upsilon=0$ 得

$$\alpha_P = D_{22} \tag{h}$$

于是,系统(a)在 $\alpha=\alpha_D<0$ 上发生 D-分岔,在 $\alpha=\alpha_P=D_{22}>0$ 上发生 P-分岔,它们构成了系统(a)的随机 Hopf 分岔。

文献[2]中已用能量包线随机平均法得到了(a)得平稳概率密度

$$p(H,\alpha) = C\{[D_{11} + 3D_{22}(1-D_{12})]H\}^{\eta} \times \exp\left[-\frac{\beta + 3\gamma(1-D_{12})}{D_{11} + 3D_{22}(1-D_{12})}H\right] \tag{i}$$

与 $T(H)=2\pi/(1-D_{12})^{1/2}$ 及

$$p(q,p,\alpha) = C_1\{[D_{11} + 3D_{22}(1-D_{12})]\times[p^2 + (1-D_{12})q^2]\}^{\eta} \times \exp\left\{-\frac{\beta + 3\gamma(1-D_{12})}{2[D_{11} + 3D_{22}(1-D_{12})]}[p^2 + (1-D_{12})q^2]\right\} \tag{j}$$

其中

$$\eta = 2(\alpha - D_{22})/[3D_{22} + D_{11}/(1-D_{12})] \tag{k}$$

$\eta<-1$,$p(H,\alpha)$与 $p(q,p,\alpha)$皆为 δ 函数;$0>\eta>-1$,$p(H,\alpha)$与 $p(q,p,\alpha)$)分别是峰值在 $H=0$ 与 $q=p=0$ 处的概率密度曲线与曲面;$\eta>0$,$p(H,\alpha)$是峰在 $H\neq0$ 处的单峰曲线,而 $p(q,p,\alpha)$是像火山口的曲面。因此,由 $\eta=-1$、0 确定两个分岔参数 α 之值。由于 $\eta=\upsilon$,由 $\eta=-1$、0 确定之值正是 α_D 与 α_P。说明本节所述分析方法的正确性。

例 6.6-2 考虑非线性耦合的两个随机 van der Pol 振子

$$
\begin{aligned}
\dot{Q}_1 &= P_1 \\
\dot{P}_1 &= -\omega_1^2 Q_1 - aQ_2 - b\,|Q_1 - Q_2|^{\delta}\operatorname{sgn}(Q_1 - Q_2) \\
&\quad + (\alpha_1 - \beta_1 Q_1^2)P_1 + f_1 Q_1 \xi_1(t) + f_3 P_1 \xi_3(t) \\
\dot{Q}_2 &= P_2 \\
\dot{P}_2 &= -\omega_2^2 Q_2 - aQ_1 - b\,|Q_1 - Q_2|^{\delta}\operatorname{sgn}(Q_2 - Q_1) \\
&\quad + (\alpha_2 - \beta_2 Q_2^2)P_2 + f_2 Q_2 \xi_2(t) + f_4 P_2 \xi_4(t)
\end{aligned}
\tag{l}
$$

式中 $\xi_k(t)$是强度为 $2D_k$ 的独立 Gauss 白噪声，$b\neq 0$，$\delta\neq 0,1,3$，α_i，β_i，f_k^2 及 D_k 同为 ε 阶小量，α_i 为分岔参数。将(l)模型化为 Itô 随机微分方程时需加 Wong-Zakai 修正项 $f_3^2 D_3 P_1$ 与 $f_4^2 D_4 P_2$，它们不含保守分量，因而不影响 Hamilton 函数。与(l)相应的 Hamilton 系统的 Hamilton 函数为

$$
\begin{aligned}
H &= (p_1^2 + p_2^2 + \omega_1^2 q_1^2 + \omega_2^2 q_2^2)/2 \\
&\quad + aq_1 q_2 + [b/(1+\delta)]\,|q_1 - q_2|^{1+\delta}
\end{aligned}
\tag{m}
$$

应用拟不可积 Hamilton 系统随机平均法，可得形如(6.6-1)的平均 Itô 方程，其中

$$
\begin{aligned}
\bar{m}(H,\alpha_1,\alpha_2) &= \omega_1\omega_2 \frac{2\pi}{T(H)}\int_0^{\pi}\Big[(\alpha_1 + \alpha_2 + f_3^2 D_3 + f_4^2 D_4) \\
&\quad \times A(H,\theta) - \left(\frac{\beta_1}{\omega_1^2}\cos^2\theta + \frac{\beta_2}{\omega_2^2}\sin^2\theta\right) B(H,\theta) \\
&\quad + \frac{R^4}{2}\left(\frac{f_1^2 D_1}{\omega_1^2}\cos^2\theta + \frac{f_2^2 D_2}{\omega_2^2}\sin^2\theta\right)\Big]\,\mathrm{d}\theta
\end{aligned}
\tag{n}
$$

$$
\begin{aligned}
\bar{\sigma}^2(H,\alpha_1,\alpha_2) &= \omega_1\omega_2 \frac{4\pi}{T(H)}\int_0^{\pi}\Big[\left(\frac{f_1^2 D_1}{\omega_1^2}\cos^2\theta + \frac{f_2^2 D_2}{\omega_2^2}\sin^2\theta\right) \\
&\quad \times B(H,\theta) + 3(f_3^2 D_3 + f_4^2 D_4) D(H,\theta)\Big]\mathrm{d}\theta
\end{aligned}
$$

$$
T(H) = (2\pi/\omega_1\omega_2)\int_0^{\pi} R^2\,\mathrm{d}\theta
$$

$$
A(H,\theta) = HR^2 - \frac{R^4}{4}\left(1 + \frac{a}{\omega_1\omega_2}\sin 2\theta\right)
$$

$$-\frac{2b}{(1+\delta)(3+\delta)}R^{3+\delta}\left|\frac{\cos\theta}{\omega_1}-\frac{\sin\theta}{\omega_2}\right|^{1+\delta}$$

$$B(H,\theta)=\frac{HR^4}{2}-\frac{R^6}{6}\left(1+\frac{a}{\omega_1\omega_2}\sin 2\theta\right)$$

$$-\frac{2b}{(1+\delta)(5+\delta)}R^{5+\delta}\left|\frac{\cos\theta}{\omega_1}-\frac{\sin\theta}{\omega_2}\right|^{1+\delta} \quad \text{(o)}$$

$$D(H,\theta)=\frac{H^2R^2}{2}-\frac{HR^4}{4}\left(1+\frac{a}{\omega_1\omega_2}\sin 2\theta\right)$$

$$-\frac{2bH}{(1+\delta)(3+\delta)}R^{3+\delta}\left|\frac{\cos\theta}{\omega_1}-\frac{\sin\theta}{\omega_2}\right|^{1+\delta}$$

$$+\frac{R^6}{24}\left(1+\frac{a}{\omega_1\omega_2}\sin 2\theta\right)$$

$$+\frac{bR^{5+\delta}}{(1+\delta)(5+\delta)}\left(1+\frac{a}{\omega_1\omega_2}\sin 2\theta\right)\left|\frac{\cos\theta}{\omega_1}-\frac{\sin\theta}{\omega_2}\right|^{1+\delta}$$

$$+\frac{b^2R^{4+2\delta}}{(1+\delta)^2(4+2\delta)}\left|\frac{\cos\theta}{\omega_1}-\frac{\sin\theta}{\omega_2}\right|^{2(1+\delta)}$$

R 是下列方程之解：

$$H-\frac{R^2}{2}\left(1+\frac{a}{\omega_1\omega_2}\sin 2\theta\right)-\frac{b}{1+\delta}R^{1+\delta}\left|\frac{\cos\theta}{\omega_1}-\frac{\sin\theta}{\omega_2}\right|^{1+\delta}=0$$

由(m)知，$a,b>0$ 时，$H=0$ 与 $H\to\infty$ 是 $H(t)$的两个边界。下面分两种情形讨论。

情形 1：$0<\delta<1$。当 $H\to 0$ 时，$\bar{m}$，$\bar{\sigma}^2$ 的渐近式为

$$\begin{aligned}\bar{m}(H,\alpha_1,\alpha_2)&=\mu_1 H+o(H)\\ \bar{\sigma}^2(H,\alpha_1,\alpha_2)&=\mu_2 H^2+o(H^2)\end{aligned} \quad \text{(p)}$$

式中

$$\mu_1=\frac{1}{3}(\alpha_1+\alpha_2+f_3^2D_3+f_4^2D_4)\eta_1+\frac{7}{9}\frac{f_1^2D_1+f_2^2D_2}{2a+\omega_1^2+\omega_2^2}$$

$$\mu_2=(f_3^2D_3+f_4^2D_4)\eta_3+\frac{2}{3}\frac{f_1^2D_1+f_2^2D_2}{2a+\omega_1^2+\omega_2^2}\eta_2$$

$$\eta_1=\frac{11}{6}-\frac{1+\delta}{4(4+\delta)}-\frac{2(2-\delta)}{(2+\delta)(3+\delta)}+\frac{\delta^2-1}{48(5+\delta)}$$

$$\eta_2 = \frac{13}{12} - \frac{16}{(2+\delta)(5+\delta)} + \frac{4}{3+\delta} - \frac{3+\delta}{2(4+\delta)} + \frac{(3+\delta)(1+\delta)}{24(5+\delta)}$$

$$\eta_3 = \frac{31}{24} + \frac{1}{(4+\delta)} + \frac{1-2\delta}{3+2\delta} + \frac{1+\delta}{2(5+2\delta)} - \frac{1+\delta}{6(5+\delta)}$$
$$- \frac{\delta(1+\delta)}{24(5+\delta)} - \frac{32}{(2+\delta)(3+\delta)(5+\delta)} \tag{q}$$

按(6.6-2)，由(p)得不动点的 Lyapunov 指数

$$\lambda(\delta_\alpha) = \mu_1/2 - \mu_2/4 \tag{r}$$

由 $\lambda=0$ 给出 D-分岔参数值

$$(\alpha_1+\alpha_2)_D = \frac{f_1^2 D_1 + f_2^2 D_2}{2a + \omega_1^2 + \omega_2^2}\left(\frac{\eta_2}{\eta_1} - \frac{7}{3\eta_1}\right) + (f_3^2 D_3 + f_4^2 D_4)\left(\frac{3\eta_3}{2\eta_1} - 1\right) \tag{s}$$

$H=0$ 是 $H(t)$的第一类奇异边界。按(2.8-7)～(2.8-9)可算出 $H=0$ 上的扩散指数、漂移指数及特征标值为

$$\alpha_l = 2, \beta_l = 1, c_l = 2\mu_1/\mu_2 \tag{t}$$

它们满足条件 $\beta_l - \alpha_l = -1$。

$$\upsilon = c_l - \alpha_l = 2(\mu_1 - \mu_2)/\mu_2 \tag{u}$$

$\upsilon=-1$ 正好给出(s)中$(\alpha_1+\alpha_2)_D$之值。由 $\upsilon=0$ 给出 P-分岔参数值

$$(\alpha_1+\alpha_2)_P = \frac{f_1^2 D_1 + f_2^2 D_2}{2a + \omega_1^2 + \omega_2^2}\left(\frac{2\eta_2}{\eta_1} - \frac{7}{3\eta_1}\right) + (f_3^2 D_3 + f_4^2 D_4)\left(\frac{3\eta_3}{\eta_1} - 1\right) \tag{v}$$

易证，$(\alpha_1+\alpha_2)_P > (\alpha_1+\alpha_2)_D$。

情形 2：$\delta>1$。当 $H\to 0$ 时，$\overline{m}$、$\overline{\sigma}^2$ 的渐近式为

$$\begin{aligned} \overline{m}(H, \alpha_1, \alpha_2) &= \mu_3 H + o(H) \\ \overline{\sigma}^2(H, \alpha_1, \alpha_2) &= \mu_4 H^2 + o(H^2) \end{aligned} \tag{w}$$

式中

$$\mu_3 = \frac{1}{2}\left[(\alpha_1+\alpha_2+f_3^2 D_3 + f_4^2 D_4) + \left(\frac{f_3^2 D_3}{\omega_1^2} + \frac{f_4^2 D_4}{\omega_2^2}\right)\eta\right]$$

$$\mu_4 = f_3^2 D_3 + f_4^2 D_4 + \frac{1}{3}\left(\frac{f_3^2 D_3}{\omega_1^2} + \frac{f_4^2 D_4}{\omega_2^2}\right)\eta \tag{x}$$

$$\eta = \int_0^{\pi}\left[1 + (a/\omega_1\omega_2)\sin 2\theta\right]^{-2} \mathrm{d}\theta \Big/ \int_0^{\pi}\left[1 + (a/\omega_1\omega_2)\sin 2\theta\right]^{-1} \mathrm{d}\theta$$

按(6.6-2),由(w)得不动点的 Lyapunov 指数

$$\lambda(\delta_\alpha) = \mu_3/2 - \mu_4/4 \tag{y}$$

由 $\lambda=0$ 给出 D-分岔参数值

$$(\alpha_1 + \alpha_2)_D = -\frac{2}{3}\left(\frac{f_1^2 D_1}{\omega_1^2} + \frac{f_2^2 D_2}{\omega_2^2}\right)\eta \tag{z}$$

$H=0$ 是 $H(t)$的第一类奇异边界。按(2.8-7)~(2.8-9)可算出 $H=0$ 上的扩散指数、漂移指数及特征标值为

$$\alpha_l = 2, \beta_l = 1, c_l = 2\mu_3/\mu_4 \tag{aa}$$

它们满足条件 $\beta_l - \alpha_l = -1$。

$$\upsilon = c_l - \alpha_l = 2(\mu_3 - \mu_4)/\mu_4 \tag{bb}$$

$\upsilon = -1$ 正好给出(z)中$(\alpha_1 + \alpha_2)_D$ 值。由 $\upsilon=0$ 给出 P-分岔参数值

$$(\alpha_1 + \alpha_2)_P = -\frac{1}{3}\left(\frac{f_1^2 D_1}{\omega_1^2} + \frac{f_2^2 D_2}{\omega_2^2}\right)\eta + f_3^2 D_3 + f_4^2 D_4 \tag{cc}$$

易证,$(\alpha_1 + \alpha_2)_P > (\alpha_1 + \alpha_2)_D$。

以上分析结果可用按(5.2-18)得到的概率密度或其边缘概率密度证实。虽然本例中可能出现按(6.6-8)确定的概率密度峰值,但它与分岔参数无关。

顺便指出,对拟可积与拟部分可积 Hamilton 系统,6.3 与 6.4 给出了求最大 Lyapunov 指数的方法,5.3 与 5.4 中给出了求平稳概率密度的方法,原则上可分别根据最大 Lyapunov 指数与平稳概率密度作 D-分岔与 P-分岔分析,此处不予详述。

6.7 Duffing 振子的随机跳跃及其分岔

自 1961 年 Lyon 等人发现在窄带随机激励下硬弹簧 Duffing 振子跳跃现象以来,许多学者用多种不同方法对它进行过研究,他

们中多数用均方值的多值性解释跳跃。10 年前,作者根据数字模拟得到的位移与速度平稳概率密度,对这个随机跳跃现象作了全新的解释[2,47],指出,平稳概率密度的一个峰,表示一种较大可能的响应状态,对应于确定性激励情形的一个稳定的平稳运动(平衡状态、稳态周期运动等)。当平稳概率密度有两个(种)峰时,系统的响应可从一种较大可能状态过渡到另一种较大可能状态或反之,这就是随机跳跃。Duffing 振子在谐和激励下的确定性跳跃与在窄带随机激励下的随机跳跃的基本差别在于,确定性跳跃只发生在幅频曲线多值域拐弯处两个频率比(激励频率与退化线性振子固有频率之比)上,在一个频率比上跳跃是单向的,即在较大频率比上,从大幅值跳向小幅值,在较小频率比上,从小幅值跳向大幅值。而随机跳跃可发生在上述两个频率比间的任一个频率比上,跳跃是双向的,可往返反复进行。系统有随机跳跃,即平稳概率密度有两个(种)峰时,平稳响应的均方值仍只有一个,它是系统响应所有可能状态的总均方值,其根据是平稳 FPK 方程解的惟一性。由等效线性化法得到的两个"稳定"均方值,只是两种较大可能响应状态的各自均方值,而不是系统响应的总均方值。要发生随机跳跃,系统与激励参数(主要是激励中心频率与退化线性振子固有频率之比、非线性强度、激励的强度与带宽)要满足一定条件,即只发生在这些参数构成的空间中的某一区域内。随着这些参数的变化,系统从有随机跳跃过渡到无随机跳跃或反之,对应于平稳概率密度有两个(种)峰过渡到一个(种)峰或反之,是一种典型的 P-分岔,称为随机跳跃的分岔。下面用由随机平均法得到的硬弹簧 Duffing 振子分别在谐和与白噪声共同激励及有界噪声激励下的解析结果对随机跳跃与分岔作进一步说明。

硬弹簧 Duffing 振子在谐和外激与白噪声外激及参激下的运动方程为例 5.6-1 中之(a),在主外共振情形的平均 Itô 方程为(i),与之对应的平均 FPK 方程为(5.6-13),其中漂移与扩散系数由(j)确定。用路径积分法求解(5.6-13)可得幅值与相位的平稳概率密度。图 6.7-1 上所示为谐和与白噪声外激($D_2=0$)情形的一个位移幅值与相位的平稳概率密度，它有两个峰，根据上面的讨论，此时系统将发生随机跳跃。图 6.7-2 上所示的(由数字模拟得到)位移样本证实了这一结论。注意，位移幅值从小变大，又从大变小，说明随机跳跃的确可双向反复进行。

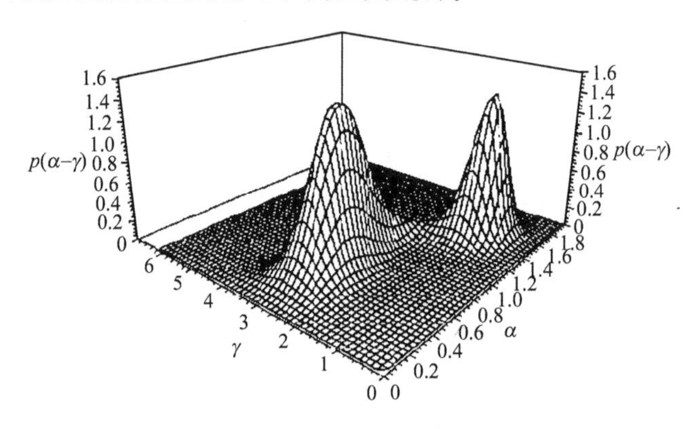

图 6.7-1　例 5.6-1 中系统(a)外激情形的位移幅值与相位的平稳概率密度 $p(a,\delta)$

$\alpha=0.3$，$\beta=0.1$，$\omega=1.0$，$\Omega=1.2$，$E=0.2$，$D_1=0.004$，$D_2=0$

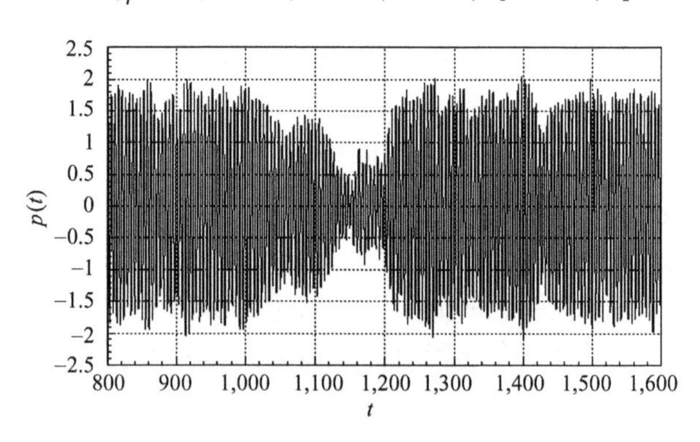

图 6.7-2　由数字模拟产生的例 5.6-1 中系统(a)外激情形的广义动量的样本函数 $p(t)$

系统参数与图 6.7-1 中相同

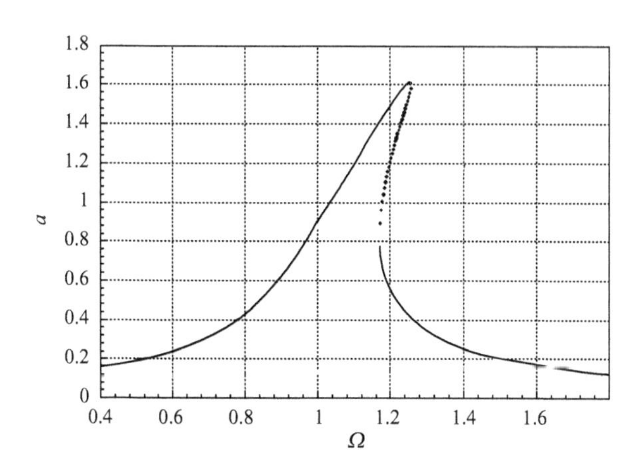

图 6.7-3　在纯谐和外激下 Duffing 振子的幅频曲线

系统参数与图 6.7-1 中相同

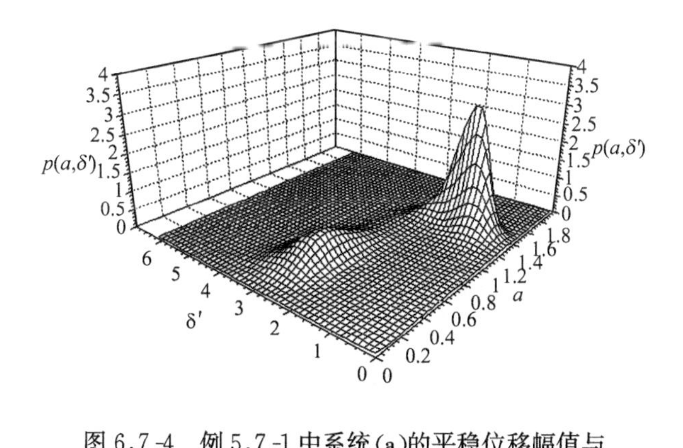

图 6.7-4　例 5.7-1 中系统(a)的平稳位移幅值与相位的概率密度 $p(a,\delta')$

$\omega_0=1.0$，$\alpha=0.3$，$\beta=0.1$，$\Omega=1.2$，$E=0.2$，$\sigma^2=0.02$

对仅有白噪声外激情况之例 5.6-1 系统(a)求期望，得纯谐和外激下 Duffing 振子方程。因此，平均来说，发生随机跳跃之频率比、非线性强度及谐和激励幅值范围同发生确定性跳跃的相应参数值范围相同。图 6.7-3 所示为纯谐和外激下 Duffing 振子响应的幅频曲线。由该图知，与图 6.7-1 对应的频率比乃在该幅频曲线两拐弯处所对应频率比之间，在此频率比上，不会发生确定性跳跃，但加上白噪声外激后却发生了随机跳跃。文献[48]中讨论了随机跳跃随外激白噪声强度的增大而发生的变化。

如文献[2,47]中一样，不难证实，即使发生随机跳跃时，位移的均方值也是只有一个。文献[48]还指出，硬弹簧 Duffing 振子在谐和外激与白噪声参激下也可能发生随机跳跃。

硬弹簧 Duffing 振子在有界噪声外激下的运动方程为例 5.7-1中之(a)，其平均 Itô 方程形如(5.7-13)，其中系数由(b)确定。当 $\sigma=\chi=0$ 时，(5.7-13)化为谐和激励下的确定性平均方程。积分该方程得幅频曲线，由此可确定发生确定性跳跃的频率比，谐和激励幅值及非线性强度。当 σ, χ 不为零时，用路径积分法求解与平均 Itô 方程相应的平均 FPK 方程可得响应幅值与相位的平稳概率密度。图 6.7-4 上给出了这样一个概率密度，它有两个峰，预期可发生随机跳跃，图 6.7-5 上所示由数值模拟得到的位移样本证实了这一预期。由图还可以看出，随机跳跃的确可双向

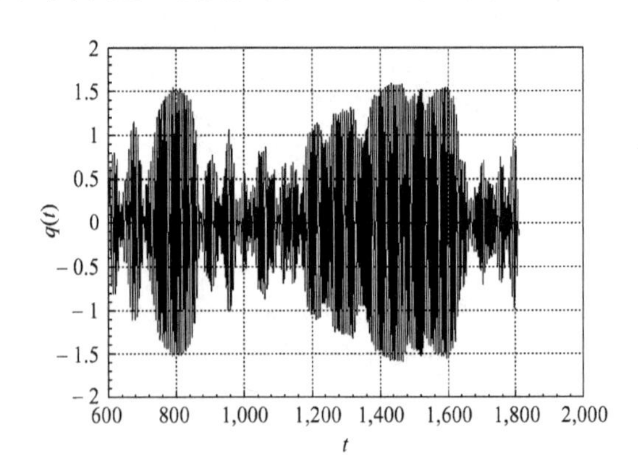

图 6.7-5　由数字模拟得到的例 5.7-1 中系统(a)的位移样本 $q(t)$

系统参数与图 6.7-4 中相同

反复进行。此时频率比也不是在通常发生确定性跳跃之值上，见图 6.7-3。不难证实，此时位移均方值仍只有一个。[49]中讨论了随机跳跃随 σ 大小的变化。

6.8 拟 Hamilton 系统的随机同(异)宿分岔与混沌

设 Hamilton 系统含双曲鞍点与联结鞍点的同宿或异宿轨道，在弱确定性与/或随机扰动下，同宿或异宿轨道分裂成通过鞍点的稳定流形与不稳定流形，在一定条件下，稳定流形与不稳定流形在 Poincaré 截面上横截相交，从而系统具有 Smale 变换意义下的混沌。

1963 年，Melnikov 提出一种判断受弱周期扰动下二维 Hamilton 系统出现横截同(异)宿点的解析方法；1979 年 Holmes 将 Melnikov 方法应用于混沌振动研究。Melnikov 方法已被推广于受概周期扰动的有限维可积保守系统与受周期扰动的无限维可积保守系统[50～52]。

在 Melnikov 方法中用到 Melnikov 函数，它正比于稳定流形与不稳定流形之间的距离。Melnikov 函数有简单零点，就意味着稳定流形与不稳定流形在 Poincaré 截面上横截相交，从而，出现 Smale 变换意义下的混沌。于是，Melnikov 函数具有简单零点成为判断系统出现混沌的准则。

在弱随机扰动下，Melnikov 函数变成随机 Melnikov 过程。因此，需从某种概率或统计意义上说随机 Melnikov 过程是否具有简单零点，因而有 Melnikov 均方准则等。具有负线性刚度 Duffing 振子在谐和与随机扰动下的随机 Melnikov 过程及均方准则在[53,54]中提出。

Melnikov 函数具有简单零点只是系统出现混沌的必要条件，因为 Melnikov 方法以混沌的拓扑描述为基础，而拓扑意义上的混沌与可观测混沌运动之间并非完全一致。在许多问题中，从 Melnikov 方法得到的混沌出现条件与试验或数值结果之间差别较大。因此，由 Melnikov 方法得到的解析结果往往需用数值方法证实。

混沌运动的数值识别是指根据数值方法得到的系统动力学行为判断它是否为混沌运动。在确定性系统中主要用(最大)Lyapunov 指数、分形维数、功率谱、熵等数值特征作判断。而在随机系统中,则主要用(最大)Lyapunov 指数与概率密度[55]作判断。

关于随机系统中的混沌的研究尚处初期,仍存在许多问题。下面只介绍由弱有界噪声引起的 Hamilton 系统的同(异)宿分岔与混沌。

6.8.1 单自由度系统[56]

考虑在小耗散与弱有界噪声扰动下的单自由度 Hamilton 系统,其运动方程为

$$
\begin{aligned}
\dot{Q} &= \frac{\partial H}{\partial P} \\
\dot{P} &= -\frac{\partial H}{\partial Q} - \varepsilon c(Q,P)\frac{\partial H}{\partial P} + \varepsilon f(Q,P)\xi(t)
\end{aligned}
\tag{6.8-1}
$$

式中

$$
H = p^2/2 + U(q) \tag{6.8-2}
$$

设相应 Hamilton 系统具有一个双曲鞍点与同宿轨道 $q_0(t)$、$p_0(t)$。$\xi(t)$是 5.7.1 中描述的有界噪声,耗散与有界噪声幅值足够小,使得受扰系统仍具有双曲鞍点。

有界噪声可用多个具有随机相位的谐和函数之和近似,从而(6.8-1)可看成是 Wiggins[51]分类中第一类系统。按[51]中的公式,(6.8-1)的随机 Melnikov 过程为

$$
M(t_0) = \int_{-\infty}^{+\infty} \frac{\partial H}{\partial P}\left[-c(Q,P)\frac{\partial H}{\partial P} + f(Q,P)\xi(t+t_0)\right]\mathrm{d}t \tag{6.8-3}
$$

上式之被积函数中,$Q = q_0(t)$,$P = P_0(t)$。鉴于 $E[\xi(t)] = 0$,随机 Melnikov 过程的均值为

$$
E[M(t_0)] = -\int_{-\infty}^{\infty} c(Q,P)\left(\frac{\partial H}{\partial P}\right)^2 \mathrm{d}t < 0 \tag{6.8-4}
$$

因此,随机 Melnikov 过程在均值意义上不可能有简单零点,从而

系统(6.8-1)在均值意义上不可能出现混沌。

随机 Melnikov 过程的均方值为

$$E[M^2(t_0)] = -\sigma_d^2 + \sigma_Z^2 \tag{6.8-5}$$

式中

$$\sigma_d^2 = E\left[\left\{\int_{-\infty}^{\infty} c(Q,P)\left(\frac{\partial H}{\partial P}\right)^2 \mathrm{d}t\right\}^2\right] \tag{6.8-6}$$

$$\sigma_Z^2 = E\left[\left\{\int_{-\infty}^{\infty} f(Q,P)\left(\frac{\partial H}{\partial P}\right)\xi(t+t_0)\mathrm{d}t\right\}^2\right] \tag{6.8-7}$$

(6.8-7)中的积分

$$\begin{aligned} Z(t_0) &= \int_{-\infty}^{\infty} f(Q,P)\left(\frac{\partial H}{\partial P}\right)\xi(t+t_0)\mathrm{d}t \\ &= h(t) * \xi(t) \end{aligned} \tag{6.8-8}$$

是一个卷积积分,其中

$$h(t) = f(Q,P)\left(\frac{\partial H}{\partial P}\right)\Bigg|_{Q=q_0(t),P=p_0(t)} \tag{6.8-9}$$

可看成一个脉冲响应函数。因此,

$$\sigma_z^2 = \int_{-\infty}^{\infty} |H(\omega)|^2 S_\xi(\omega)\mathrm{d}\omega \tag{6.8-10}$$

其中 $H(\omega)$是 $h(t)$的 Fourier 变换,即频率响应函数,$S_\xi(\omega)$为 $\xi(t)$的谱密度(5.7-4)。随机 Melnikov 过程在均方意义上有简单零点的条件,即系统出现混沌的均方准则为

$$\sigma_Z^2 = \sigma_d^2 \tag{6.8-11}$$

作为一个例子,考虑在有界噪声参激下的具有负线性刚度的 Duffing 振子,其运动方程为

$$\begin{aligned} \dot{Q} &= P \\ \dot{P} &= Q - \alpha Q^3 - \beta P + \mu Q\xi(t) \end{aligned} \tag{a}$$

式中 α、β、μ 为常数,β与 μ 同为 ε 阶小量。未扰 Hamilton 系统的 Hamilton 函数

$$H(q,p) = \frac{1}{2}\left(p^2 - q^2 + \frac{1}{2}\alpha q^4\right) \tag{b}$$

(0,0)是双曲鞍点。联结该鞍点有两条同宿轨道

$$q_0(t)=\pm(2/\alpha)^{1/2}\operatorname{sech} t,\quad q_0(t)=\mp(2/\alpha)^{1/2}\operatorname{sech} t\tanh t \tag{c}$$

按(6.8-3),(a)之随机 Melnikov 过程为

$$\begin{aligned}M(t_0)&=\int_{-\infty}^{\infty}[-\beta p_0^2(t)+\mu q_0(t)p_0(t)\sin(\Omega(t+t_0)+\Lambda)]\mathrm{d}t\\&=4\beta/3\alpha+Z(t_0)\end{aligned} \tag{d}$$

对本例,脉冲响应函数为

$$h(t)=q_0(t)p_0(t)=-(2/\alpha)\operatorname{sech}^2 t\tanh t \tag{e}$$

相应频率响应函数为

$$\begin{aligned}H(\omega)&=-(2/\alpha)\int_{-\infty}^{\infty}\operatorname{sech}^2 t\tanh t e^{-\mathrm{j}\omega t}dt\\&=\mathrm{j}(\pi\omega^2/\alpha)\operatorname{csch}(\pi\omega/2)\end{aligned} \tag{f}$$

按(6.8-10),有

$$\sigma_Z^2=\frac{\pi\mu^2\sigma^2}{4\alpha^2}\int_{-\infty}^{\infty}\omega^4\operatorname{csch}^2(\pi\omega/2)\frac{\omega^2+\Omega^2+\sigma^4/4}{(\omega^2-\Omega^2-\sigma^4/4)^2+\sigma^4\omega^2}\mathrm{d}\omega \tag{g}$$

按均方准则(6.8-11)可确定系统(a)产生混沌的临界幅值 $\mu_{c\gamma}$。图 6.8-1 上实线 1 表示当 $\alpha=1.0,\beta=0.2,\Omega=1.0$ 时 $\mu_{c\gamma}$随 σ 的变化。随频率的随机扰动增大,激励带宽增大,激励的能量按频率分布更分散,激励的效果差,因而发生混沌需更大激励幅值。因此,上述结果是合理的。

为证实上述结果,计算了(a)的最大 Lyapunov 指数。应注意的是,6.1～6.6 中所述的是在平凡解邻域的 Lyapunov 指数,而此处所用的是在同宿轨道邻域的 Lyapunov 指数,它表示该区域动态系统的相邻轨道的指数收敛或发散平均速率,最大 Lyapunov 指数为正是混沌运动的一个表征。图 6.8-1 上的实线 2 表示由最大 Lyapunov 指数为零得到的临界幅值 $\mu_{c\gamma}$,它比由随机 Melnikov 过程均方准则得到的 $\mu_{c\gamma}$值小。正如均方稳定性条件严于概率为 1 稳定性条件,这一结果也是合理的。

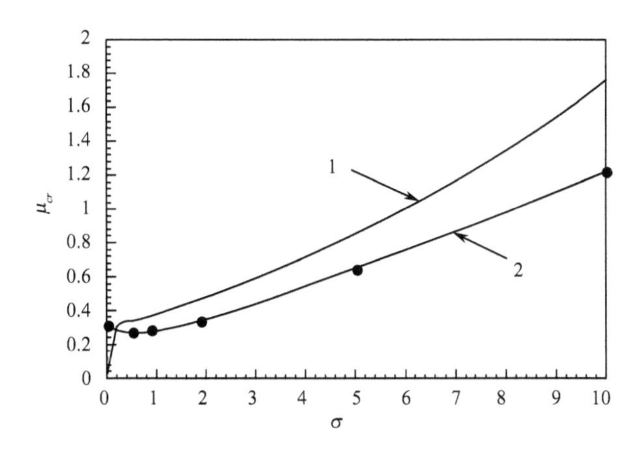

图 6.8-1　系统(a)发生混沌的临界幅值

1.Melnikov 过程的均方准则;2.最大 Lyapunov 指数为零

6.8.2　两自由度系统

上小节描述的方法可推广于两自由度拟 Hamilton 系统,为便于叙述,以弱耦合的单摆与谐振子受有界噪声激励为例说明,该系统的运动方程为

$$
\begin{aligned}
\dot{Q}_1 &= P_1 \\
\dot{P}_1 &= -\sin Q_1 + \varepsilon(Q_2 - Q_1) - \beta P_1 + \mu\xi(t) \\
\dot{Q}_2 &= P_2 \\
\dot{P}_2 &= -\omega_0^2 Q_2 + \varepsilon(Q_1 - Q_2)
\end{aligned}
\tag{h}
$$

Q_1, P_1 为单摆的转角与角动量,Q_2, P_2 为谐振子的位移与动量,ε, β, μ 为同阶小量。未扰 Hamilton 系统可积,其 Hamilton 函数为

$$
H(q, p) = p_1^2/2 - \cos q_1 + (p_2^2 + \omega_0^2 q_2^2)/2 \tag{i}
$$

引入谐振子的作用-角变量 I、θ,使

$$
q_2 = (2I/\omega_0)^{1/2}\sin\theta, p_2 = \omega_0(2I/\omega_0)^{1/2}\cos\theta \tag{j}
$$

(i)变成

$$
H(q_1, p_1, I) = F(q_1, p_1) + G(I) \tag{k}
$$

式中

$$F(q_1,p_1)=p_1^2/2-\cos q_1, G(I)=\omega_0 I \tag{l}$$

在相平面(q_1,p_1)上，单摆有两个鞍点$(-\pi,0)$和$(\pi,0)$，它们在相柱面上重合为一个鞍点，联结该鞍点的有两条同宿轨道

$$q_{10}(t)=\pm\arcsin(\tanh t), p_{10}(t)=\pm 2\operatorname{sech} t \tag{m}$$

当 $\beta=\mu=0$ 时，(h)为一近可积 Hamilton 系统，其 Hamilton 函数为

$$H^{\varepsilon}(q_1,p_1,\theta,I)=F(q_1,p_1)+G(I)+\varepsilon H'(q_1,p_1,\theta,I) \tag{n}$$

式中

$$H'(q_1,p_1,\theta,I)=[(2I/\omega_0)^{1/2}\sin\theta-q_1]^2/2 \tag{o}$$

而运动方程为

$$\begin{gathered}\dot{q}_1=\frac{\partial F}{\partial p_1}+\varepsilon\frac{\partial H'}{\partial p_1}, \dot{p}_1=-\frac{\partial F}{\partial q_1}-\varepsilon\frac{\partial H'}{\partial p_1}\\ \dot{\theta}=\omega_0+\varepsilon\frac{\partial H'}{\partial I}, \dot{I}=-\varepsilon\frac{\partial H'}{\partial\theta}\end{gathered} \tag{p}$$

按 Wiggins[51]分类，(p)属第三类，其 Melnikov 函数为

$$\begin{aligned}M(t_0)&=\int_{-\infty}^{\infty}\{F,H'\}(t+t_0)\mathrm{d}t\\ &=\int_{-\infty}^{\infty}[-p_{10}(t)q_{10}(t)+(2I/\omega_0)p_{10}(t)\sin\theta(t+t_0)]\mathrm{d}t\\ &=\pm 2\pi[2(h-1)]^{1/2}\operatorname{sech}(\pi\omega_0/2)\sin\omega_0 t_0\end{aligned} \tag{q}$$

式中 h 为 H^{ε} 之值。(q)是单摆受谐振子 Hamilton 扰动的 Melnikov 函数。显然，只有当系统的总能量 $h\geqslant 1$ 时，$M(t_0)$才可能有简单零点，从而系统中才可能有混沌运动。

当 β,μ 不为零时，由阻尼与有界噪声引起单摆的随机 Melnikov 过程可按(6.8-3)求得，其中由阻尼引起的分量为

$$-\beta\int_{-\infty}^{\infty}p_{10}^2(t)\mathrm{d}t=-4\beta\int_{-\infty}^{\infty}\operatorname{sech}^2 t\mathrm{d}t=-8\beta\mathrm{B}(1,1) \tag{r}$$

式中 B(1,1)为 beta 函数。由有界噪声引起的分量为

$$Z(t_0)=\mu\int_{-\infty}^{\infty}p_{10}(t)\xi(t+t_0)\mathrm{d}t$$

$$=\pm 2\mu\int_{-\infty}^{\infty}\mathrm{sech}\, t\sin[\Omega(t+t_0)+\Lambda]\mathrm{d}t \qquad \text{(s)}$$

脉冲响应函数为

$$h(t)=p_{10}(t)=\pm 2\mathrm{sech}\, t \qquad \text{(t)}$$

相应的频率响应函数为

$$H(\omega)=\pm 2\int_{-\infty}^{\infty}\mathrm{sech}\, te^{-j\omega t}\mathrm{d}t=\pm 2\pi\mathrm{sech}(\pi\omega/2) \qquad \text{(u)}$$

从而

$$\sigma_Z^2=\int_{-\infty}^{\infty}|H(\omega)|^2S_\xi(\omega)\mathrm{d}\omega$$

$$=\pi\mu^2\sigma^2\int_{-\infty}^{\infty}\mathrm{sech}^2(\pi\omega/2)\frac{\omega^2+\Omega^2+\sigma^4/4}{(\omega^2-\Omega^2-\sigma^4/4)^2+\sigma^4\omega^2}\mathrm{d}\omega$$

$$\text{(v)}$$

系统(h)的随机 Melnikov 过程为

$$M(t_0)=-8\beta B(1,1)$$

$$\pm 2\pi[2(h-1)]^{1/2}\mathrm{sech}(\pi\omega_0/2)\sin\omega_0 t_0+Z(t_0)$$

$$\text{(w)}$$

它有简单零点的均方条件为

$$8\pi^2(h-1)\mathrm{sech}^2(\pi\omega_0/2)\sin^2\omega_0 t_0+\sigma_Z^2=64\beta^2B^2(1,1) \qquad \text{(x)}$$

由此可确定系统(h)产生混沌的临界幅值 μ_{cr}。

参 考 文 献

[1] Kozin F. A survey of stability of stochastic systems. Automatica, 1969, 5:95—112

[2] 朱位秋. 随机振动. 北京:科学出版社,1998

[3] Kushner H J. Stochastic Stability and Control. New York: Academic Press, 1967

[4] Khasminskii R Z. Stochastic Stability of Differential Equations. Alphen aan den Rijn: Sijthoff & Noordhoff, 1980

[5] Kozin F, Sugimoto S. Relations between sample and moment stability for linear

stochastic differential equations. Proceedings of the Conference on Stochastic Differential Equations and Applications, New York: Academic Press, 1977, 145—162

[6] Lin Y K, Cai G Q. Probabilistic Structural Dynamics, Advanced Theory and Applications. New York: McGraw-Hill, 1995

[7] Oseledec V I. A multiplicative ergodic theorem, Lyapunov characteristic numbers for dynamical systems. Transactions of Moscow Mathematics Society, 1968, 19: 197—231

[8] Khasminskii R Z. Necessary and sufficient conditions for the asymptotic stability of linear stochastic systems. Theory of Probability and Application, 1967, 11: 144—147

[9] Khasminskii R Z. On robustness of some concepts in stability of stochastic differential equations. Fields Institute Communications, 1996, 9: 131—137

[10] Arnold L, Kliemann W, Oeljeklaus E. Lyapunov exponents of linear stochastic systems. Lecture Notes in Mathematics, Vol, 1186, New York: Springer-Verlag, 1986

[11] Kozin F, Zhang Z Y. On almost sure sample stability of nonlinear Itô differential equations. Probabilistic Engineering Mechanics, 1991, 6: 92—95

[12] Talay D. The Lyapunov exponent of Euler scheme for stochastic differential equations. Stochastic Dynamics, Crauel H, Gundlach M. (Eds.), New York: Springer-Verlag, 1999, 241—258

[13] Kloeden P, Platen E. Numerical Solution of Stochastic Differential Equations. Berlin: Springer-Verlag, 1992

[14] Wihstutz W. Perturbation methods for Lyapunov exponents. Stochastic Dynamics, Crauel H, Gundlach M. (Eds.), New York: Springer-Verlag, 1999, 210—239

[15] Arnold L. A Formula connecting sample and moment stability of linear stochastic systems. SIAM Journal of Applied Mathematics, 1984, 44: 793—802

[16] Arnold L, Oeljeklaus E, Pardoux E. Almost sure and moment stability for linear Itô equations. Lecture Notes in Mathematics, Vol, 1186, New York: Springer-Verlag, 1986, 129—159

[17] Arnold L, Kliemann W. Large deviation of linear stochastic differential equations. Lecture Notes in Control and Information Science, Vol, 96, New York: Springer-Verlag, 1987, 117—151

[18] Doyle M M, Sri Namachchivaya N, Arnold L. Small noise expansion of moment Lyapunov exponents for two-dimensional systems. Advances in Nonlinear Stochastic Mechanics, Naess A, Krenk. S (Eds.), Dordrecht: Kluwer Academic Publishers, 1996, 153—168

[19] Sri Namachchivaya N, Van Rossel H J, Doyle M M. Moment Lyapunov exponent

for two coupled oscillators driven by real noise, SIAM Journal of Applied Mathematics, 1996, 56:1400－1423

[20] Horsthemke W, Lefever R. Noise-Induced Transitions. Berlin: Springer-Verlag, 1984

[21] Sri Namachchivaya N. Stochastic bifurcation. Applied Mathematics and Computation, 1990, 38:101－159

[22] To C W S, Li D M. Largest Lyapunov exponents and bifurcation of stochastic nonlinear systems. Shock and Vibrations, 1996, 3:313－320

[23] 刘先斌,陈虬. 非线性随机系统的稳定性和分岔研究. 力学进展, 1996, 26: 437－452

[24] Arnold L. Random Dynamical Systems. Berlins: Springer, 1998

[25] Arnold L. Recent progress in stochastic bifurcation theory. Nonlinearity and Stochastic Structural Dynamics, Narayanan S, Iyengar R N. (Eds.), Dordrecht: Kluwer Academic Publishers, 2001, 15－27

[26] Arnold L, Sri Namachchivaya N, Schenk-Hoppé. Toward an understanding of stochastic Hopf bifurcation: a case study. International Journal of Bifurcation and Chaos, 1996, 6:1947－1975

[27] Ebeling W, Herzel H, Richert W, Schimansky-Geier L. Influence of noise on Duffing-van der Pol oscillators. Zeitschrift f. Angew. Math. u. Mechanik, 1986, 66: 141－146

[28] Pardoux E, Wihstutz V. Lyapunov exponent and rotation number of two-dimensional linear stochastic systems with small diffusion. SIAM Journal of Applied Mathematics, 1988, 48:442－457

[29] Keller H, Ochs G. Numerical approximation of random attractors. Stochastic Dynamics, Crauel H, Gundlach M (Eds.), New York: Springer-Verlag, 1999, 93－116

[30] Liang Y, Sri Namachchivaya N. P-bifurcation in the noisy Duffing-van der Pol equation. Stochastic Dynamics, Crauel H, Gundlach M. (Eds.), New York: Springer-Velag, 1999, 49－70

[31] Zhu W Q, Huang Z L. Stochastic stability of quasi-non-integrable -Hamiltonian systems. Journal of Sound and Vibration, 1998, 218:769－789

[32] Zhu W Q, Huang Z L, Suzuki Y. Response and stability of strongly non-linear oscillators under wide-band random excitation, International Journal of Non-Linear Mechanics, 2001, 36: 1235－1250

[33] Kozin F, Sunahara Y. Application of the averaging method for noise stabilization of nonlinear systems. Proceedings of 20th Midwestern Conference, West Lafayette,

IN , 1987 ,Vol. 14(a):291—298

[34] Sri Namachchivay N . Instability theorem based on the nature of the boundary behavior for one dimensional diffusion. Solid Mechanics Arichives, 1989 ,14 :131—142

[35] Zhang Z Y . New developments in almost sure sample stability of nonlinear stochastic dynamical systems. Ph. D. dissertation, Polytechnic University. New York, 1991

[36] Zhu W Q, Huang Z L. Lyapunov exponent and stochastic stability of quasi-Hamiltonian systems. ASME Journal of Applied Mechanics, 1999, 66: 211—217

[37] Ariaratnam S T, Xie W C. Lyapunov exponent and stochastic stability of coupled linear systems under real noise excitation. ASME Journal of Applied Mechanics, 1992, 59:664—673

[38] Huang Z L, Zhu W Q. Lyapunov exponent and almost sure asymptotic stability of quasi-linear gyroscopic systems. International Journal of Non-Linear Mechanics, 2000, 35:645—655

[39] Sri Namchchivaya N. Stochastic stability of a gyropendulum under random vertical support excitation. Journal of Sound and Vibration, 1987, 119:363—373

[40] Asokanthan S F, Ariaratnam S T. Almost-sure stability of a gyro pendulum subjedted to white-noise random support motion. Journal of Sound and Vibration, 2000, 235:801—812

[41] Arnold R N, Maunder L. Gyrodynamics and Its Engineering Applications. New York: Academic Press, 1961

[42] Zhu W Q, Huang Z L, Suzuki Y. Stochastic averaging and Lyapunov exponent of quasi partially integrable Hamiltonian systems. International Journal of Non-Linear Mechanics, 2002, 37:419—437

[43] Huang Z L, Zhu W Q. A new approach to almost-sure asymptotic stability of stochastic systems of higher dimension. International Journal of Non-Linear Mechanics, 2003, 38: 239—247

[44] Pandey M D, Ariaratnam S T. Stochastic stability of lateral-torsional motion of slender bridges under turbulent wind. Nonlinearity and Stochastic Structural Dynamics, Narayanan S, Iyengar R N (Eds.), Dordrecht: Kluwer Academic Publishers, 2001,185—196

[45] Ariaratnam S T, Tam D S F, Xie W C. Lyapunov exponents and stochastic stability of coupled linear systems under white noise excitation. Probabilistic Engineering Mechanics, 1991, 6:51—56

[46] Zhu W Q, Huang Z L. Stochastic Hopf bifurcation of quasinonintegrable-Hamiltonian systems. International Journal of Non-Linear Mechanics, 1999, 34:437—447

[47] Zhu W Q, Lu M Q, Wu Q T. Stochastic jump and bifurcation of a Duffing oscillator

under narrow-band excitation. Journal of Sound and Vibration, 1993, 165:285—304

[48] Huang Z L, Zhu W Q, Suzuki Y. Stochastic averaging of strongly non-linear oscillators under combined harmonic and white-noise excitations. Journal of Sound and Vibration, 2000, 238:233—256

[49] Huang Z L, Zhu W Q, Ni Y Q, Ko J M. Stochastic averaging of strongly non-linear oscillators under bounded noise excitation. Journal of Sound and Vibration, 2002, 254:245—267

[50] Guckenheimer J, Holmes P. Nonlinear Oscillations, Dynamical Systems, and Bifurcations of Vector Fields. 3rd ed., New York: Springer-Verlag, 1990

[51] Wiggins S. Global Bifurcation and Chaos: Analytical Method. New York:Springer-Verlag, 1988

[52] 刘曾荣. 混沌的微扰判据. 上海:上海科技教育出版社,1994

[53] Frey M, Simiu E. Noise-induced chaos and phase space flux. Physica D, 1993, 63: 321—340

[54] Lin H, Yim S C S. Analysis of nonlinear system exhibiting chaotic, noisy chaotic, and random behaviors. ASME Journal of Applied Mechanics, 1996, 63:509—516

[55] Yim S C S, Lin H. Unified analysis of complex nonlinear motion via densities. Nonlinear Dynamics, 2001, 24: 103—127

[56] Liu W Y, Zhu W Q, Huang Z L. Effect of bounded noise on chaotic motion of Duffing oscillator under parametric excitation. Chaos, Solitons and Fractals, 2001, 12: 527—537

第七章　首 次 穿 越

随机稳定性是随机动力学系统的状态在半无限长时间内保持在某平衡点邻域的概率或统计特性，首次穿越则是该系统状态在一个时间区间内停留在一个较大区域内的概率或统计特性。首次穿越同动力学系统的状态过渡及结构可靠性紧密相关。本章主要叙述拟 Hamilton 系统的首次穿越。

7.1　时齐扩散过程首次穿越问题的一般提法

随机稳定性理论研究在纯随机参激下动力学系统的状态在半无限长时间内保持在某平衡点邻域的概率或统计特性。当系统受纯随机参激不稳定，或受随机外激时(此时系统恒不稳定)，系统将在较大范围内做随机运动。实践中，常需知道系统状态停留在相空间中某一区域(例如，动力学系统平衡点的吸引域，结构性能的允许域或安全域)的概率或统计特性。对结构系统，系统状态停留在安全域内的概率就是可靠性，系统状态首次越出安全域就意味着损坏，系统状态首次穿越安全域边界的时间就是寿命。显然，研究随机动力学系统的首次穿越具有重大理论与实际意义。

首次穿越是随机动力学中最困难问题之一，迄今，只有当动力学系统状态为时齐扩散过程时才可能有精确解，已知解则限于一维情形[1,2]。自 20 世纪 70 年代以来，一些学者应用古典随机平均法，将单自由度系统的随机响应化为幅值或能量的一维时齐扩散过程，得到了首次穿越问题的解析解，这些成果已概括于专著[3,4]之中。

考虑定义于空间 R^n 中的 n 维时齐扩散过程 $\boldsymbol{X}(t)$，其漂移与扩散系数分别为 $a_i(\boldsymbol{x})$与 $b_{ij}(\boldsymbol{x})$。设空间中有一开域 Ω，其逐段光滑边界为 Γ，欲研究该过程停留于 Ω 内的概率，即可靠性，以及

首次穿越边界 Γ的时间的概率与统计量。为此，引入条件可靠性函数

$$R(t|\boldsymbol{x}_0)=P\{\boldsymbol{X}(s)\in\Omega,s\in(0,t]|\boldsymbol{X}(0)=\boldsymbol{x}_0\in\Omega\}$$

(7.1-1)

它表示该过程初始处于 Ω而在$(0,t]$内一直保持在 Ω内之概率。为导出 $R(t|\boldsymbol{x}_0)$所满足的微分方程，引入条件转移概率密度 $q(\boldsymbol{x},t|\boldsymbol{x}_0)$，它是该过程在$[0,t]$内始终停留在 Ω内的样本函数的转移概率密度，显然，它满足 FPK 方程与后向 Kolmogorov 方程，即

$$\frac{\partial q}{\partial t}=Lq \tag{7.1-2}$$

式中 L 为椭圆算子，按(2.1-46)，它为

$$L=a_i(\boldsymbol{x}_0)\frac{\partial}{\partial x_{i0}}+\frac{1}{2}b_{ij}(\boldsymbol{x}_0)\frac{\partial^2}{\partial x_{i0}\partial x_{j0}} \tag{7.1-3}$$

(7.1-2)的初始条件为

$$q(\boldsymbol{x},0|\boldsymbol{x}_0)=\delta(\boldsymbol{x}-\boldsymbol{x}_0) \tag{7.1-4}$$

边界条件可有几种不同情形。一是 Γ全为越出边界，此时边界条件为

$$q(\boldsymbol{x},t|\boldsymbol{x}_0)=0,\boldsymbol{x}_0\in\Gamma \tag{7.1-5}$$

其意为，$\boldsymbol{X}(t)$一旦到达 Γ就越出而不再返回 Ω，或说被 Γ吸收，因此，称 Γ为吸收边界。另一种可能情形是，一部分边界 Γ_a 为吸收边界，边界条件为(7.1-5)，另一部分边界 Γ_r 为反射边界，按(2.1-56)，Γ_r 上的边界条件为

$$n_ib_{ij}(\boldsymbol{x}_0)\frac{\partial}{\partial x_{j0}}q(\boldsymbol{x},t|\boldsymbol{x}_0)=0,\quad \boldsymbol{x}_0=\Gamma_r \tag{7.1-6}$$

当 $n=1,b\neq0$ 时，(7.1-6)化为

$$\frac{\partial}{\partial x_0}q(x,t|x_0)=0 \tag{7.1-7}$$

还可有其他形式边界条件，详见 7.2～7.4。

按定义(7.1-1)，条件可靠性函数是该过程在$[0,t]$上始终保

持在 Ω 内的样本数与总样本数之比，因此，

$$R(t \mid \boldsymbol{x}_0) = \int_{\Omega} q(\boldsymbol{x}, t \mid \boldsymbol{x}_0) \mathrm{d}\boldsymbol{x} \tag{7.1-8}$$

(7.1-2)两边对 $\boldsymbol{x}$ 在 Ω 上积分，即可导出如下条件可靠性函数所满足的后向 Kolmogorov 方程：

$$\frac{\partial R}{\partial t} = LR \tag{7.1-9}$$

由(7.1-4)对 $\boldsymbol{x}$ 在 Ω 上积分，得(7.1-9)的初始条件

$$R(0 \mid \boldsymbol{x}_0) = 1, \quad \boldsymbol{x}_0 \in \Omega \tag{7.1-10}$$

类似可导出(7.1-9)的边界条件。例如，Γ 全为吸收边界时，边界条件为

$$R(t \mid \boldsymbol{x}_0) = 0, \quad \boldsymbol{x}_0 = \Gamma \tag{7.1-11}$$

于是，确定条件可靠性函数是一个抛物型偏微分方程的边初值问题。因为所要求的是瞬态解，而且边界在有限远处，所以该问题十分困难。

过程初始位于 Ω 而在 $(0, t]$ 内穿越 Ω 边界 Γ 的概率，即条件损坏概率为

$$P_f(t \mid \boldsymbol{x}_0) = 1 - R(t \mid \boldsymbol{x}_0) \tag{7.1-12}$$

记过程首次到达边界 Γ 的时间，即首次穿越时间(寿命)为 τ，则它的条件概率密度为

$$p(\tau \mid \boldsymbol{x}_0) = \left.\frac{\partial P_f(t \mid \boldsymbol{x}_0)}{\partial t}\right|_{t=\tau} = -\left.\frac{\partial R(t \mid \boldsymbol{x}_0)}{\partial t}\right|_{t=\tau} \tag{7.1-13}$$

首次穿越时间的 k 阶条件矩定义为

$$\mu_k(\boldsymbol{x}_0) = \int_0^{\infty} \tau^k p(\tau \mid \boldsymbol{x}_0) \mathrm{d}\tau \tag{7.1-14}$$

(7.1-13)代入(7.1-14)，进行分部积分，得

$$\mu_k(\boldsymbol{x}_0) = k\int_0^{\infty} \tau^{k-1} R(\tau \mid \boldsymbol{x}_0) \mathrm{d}\tau \tag{7.1-15}$$

由定义(7.1-14)，$\mu_0(\boldsymbol{x}_0) = 1$。

(7.1-9)两边同乘以 t^k，对 τ 从 0 到 ∞ 积分，并利用(7.1-15)，可导出如下支配首次穿越时间的条件矩的广义 Pontryagin 方程：

$$L\mu_k = -k\mu_{k-1}, \quad k = 1, 2, \cdots \tag{7.1-16}$$

对 $k=1$,

$$L\mu_1 = -1 \tag{7.1-17}$$

它是描述实践中最感兴趣的平均首次穿越时间的 Pontryagin 方程。(7.1-16)的边界条件可从(7.1-9)的边界条件导出。当 Γ 全为吸收边界时,边界条件为

$$\mu_k(\boldsymbol{x}_0) = 0, \quad \boldsymbol{x}_0 \in \Gamma \tag{7.1-18}$$

注意,以上求得的可靠性函数,首次穿越时间的概率密度与 k 阶矩皆为依赖于系统初始状态 x_0 的条件量。若已知系统初始状态的概率密度,则相应的无条件量可按下列各式求得:

$$R(t) = \int R(t|\boldsymbol{x}_0)p(\boldsymbol{x}_0)\mathrm{d}\boldsymbol{x}_0 \tag{7.1-19}$$

$$p(\tau) = \int p(\tau|\boldsymbol{x}_0)p(\boldsymbol{x}_0)\mathrm{d}\boldsymbol{x}_0 \tag{7.1-20}$$

$$\mu_k = \int \mu_k(\boldsymbol{x}_0)p(\boldsymbol{x}_0)\mathrm{d}\boldsymbol{x}_0 \tag{7.1-21}$$

7.2 拟不可积 Hamilton 系统

考虑形如(5.2-2)的 n 自由度拟不可积 Hamilton 系统,其 Hamilton 过程 $H(t)$近似为一维时齐扩散过程,由平均 Itô 方程(5.2-5)描述。对机械结构系统,Hamilton 过程表示系统总能量,可表征系统的状态。设 $H(t)$可在$[H_{\min},\infty)$上变化,$(H_{\min}, H_c)$为系统安全域,$H(t)$一旦超过 H_c 系统就损坏。欲确定系统的可靠性与寿命的统计量。显然,这是上节描述的首次穿越的特殊情形。

按(7.1-9),条件可靠性函数 $R(t|H_0)$满足后向 Kolmogorov 方程

$$\frac{\partial R}{\partial t} = \overline{m}(t_0)\frac{\partial R}{\partial H_0} + \frac{1}{2}\,\overline{\sigma}^2(H_0)\frac{\partial^2 R}{\partial H_0^2} \tag{7.2-1}$$

其中 $\overline{m}(H_0)$与 $\overline{\sigma}^2(H_0)$由(5.2-6)中 $\overline{m}(H_0)$与 $\overline{\sigma}^2(H)$以 H_0 代

H 得到。按(7.1-10),(7.2-1)的初始条件为

$$R(0|H_0)=1, \quad H_0\in(H_{\min},H_c) \tag{7.2-2}$$

安全域($H_{\min}$,H_c)有两个边界,右边界 H_c 是吸收边界,按(7.11),其边界条件为

$$R(t|H_0)=0, \quad H_0=H_c \tag{7.2-3}$$

左边界 $H_{\min}$非为吸收边界,$R(t|H_0)$在 $H_0=H_{\min}$上应为有限值,因此,其边界条件为

$$R(t|H_0)=\text{有限}, \quad H_0=H_{\min} \tag{7.2-4}$$

(7.2-1)~(7.2-4)构成了求 n 自由度拟不可积 Hamilton 系统首次穿越可靠性问题的数学提法。一般只能数值求解,在特殊情形下可用特征展开法求其解析解,例见文献[3,4]。

按(7.1-13),可从条件可靠性函数导出首次穿越时间的条件概率密度

$$p(\tau|H_0)=-\left.\frac{\partial R(t|H_0)}{\partial t}\right|_{t=\tau} \tag{7.2-5}$$

由此,按定义(7.1-14)得首次穿越时间的 n 阶条件矩 $\mu_k(H_0)$。按(7.1-16),$\mu_k(H_0)$也可直接从求解下列广义 Pontryagin 方程得到:

$$\frac{1}{2}\bar{\sigma}^2(H_0)\frac{\mathrm{d}^2\mu_k(H_0)}{\mathrm{d}H_0^2}+\bar{m}(H_0)\frac{\mathrm{d}\mu_k(H_0)}{\mathrm{d}H_0}=-k\mu_{k-1}(H_0),$$

$$k=1,2,\cdots \tag{7.2-6}$$

与(7.2-3)、(7.2-4)相应,其边界条件为

$$\mu_k(H_0)=0, \quad H_0=H_c \tag{7.2-7}$$

$$\mu_k(H_0)=\text{有限}, \quad H_0=H_{\min} \tag{7.2-8}$$

(7.2-6)~(7.2-8)构成了求 n 自由度拟不可积 Hamilton 系统首次穿越时间 k 阶条件矩问题的数学提法。(7.2-6)可按 $k=1$,2,…逐步求解。在[$H_{\min}$,H_c]上无奇点,$H_{\min}$为反射壁,H_c 为吸收壁时,积分得

$$\mu_1(H_0) = 2\int_{H_0}^{H_c} \frac{\mathrm{d}u}{\psi(u)} \int_{H_{\min}}^{u} \frac{\psi(v)}{\bar{\sigma}^2(v)} \mathrm{d}v \tag{7.2-9}$$

式中

$$\psi(H_0) = \exp\left[\int \frac{2\,\bar{m}(H_0)}{\bar{\sigma}^2(H_0)} \mathrm{d}H_0\right] \tag{7.2-10}$$

然而，n 自由度拟不可积 Hamilton 系统的平均 Itô 方程系数在边界上常是奇异的，(7.2-9)不适用。

注意，边界条件(7.2-4)与(7.2-8)乃是定性边界条件，为求解(7.2-1)与(7.2-6)，需将它们化为定量边界条件。这可分别利用(7.2-1)与(7.2-6)及在 $H_{\min}$上的 $\bar{m}_1$，$\bar{\sigma}^2$ 之值得到。对拟不可积 Hamilton 系统，$H_{\min}$常是 $H(t)$的奇点，定量边界条件形式决定于该奇点的类别。对第一类奇异边界($\bar{\sigma}^2(H_{\min})=0$)，$H_{\min}$为流动点($\bar{m}(H_{\min})\neq 0$)时，与(7.2-4)、(7.2-8)相应的定量边界条件分别为

$$\frac{\partial R}{\partial t} = \bar{m}\frac{\partial R}{\partial H_0}\bigg|_{H_0=H_{\min}} \tag{7.2-11}$$

与

$$\frac{\mathrm{d}\mu_k}{\mathrm{d}H_0} = -\frac{k\mu_{k-1}}{\bar{m}}\bigg|_{H_0=H_{\min}} \tag{7.2-12}$$

$H_{\min}$为套点($\bar{m}(H_{\min})=0$)时，相应的定量边界条件分别为

$$\frac{\partial R}{\partial t}\bigg|_{H_0=H_{\min}} = 0 \tag{7.2-13}$$

与

$$O\left(\bar{m}\frac{\mathrm{d}\mu_k}{\mathrm{d}H_0}\bigg|_{H_0=H_{\min}}\right) \sim O\left(\mu_{k-1}\big|_{H_0=H_{\min}}\right), k = 2,3,\cdots$$

$$\bar{m}\frac{\mathrm{d}\mu_1}{\mathrm{d}H_0}\bigg|_{H_0=H_{\min}} - \text{有限} \tag{7.2-14}$$

对第二类奇异边界($\bar{m}(H_{\min})\to\infty$)，相应的定量边界条件分别为

$$\left.\frac{\partial R}{\partial H_0}\right|_{H_0=H_{\min}} \sim O(\overline{m}^{-1}(H_{\min})) \tag{7.2-15}$$

与

$$\left.\frac{\mathrm{d}\mu_k}{\mathrm{d}H_0}\right|_{H_0=H_{\min}} \sim O(\overline{m}^{-1}(H_{\min})) \tag{7.2-16}$$

例 7.2-1 考虑受 Gauss 白噪声外激与参激的非线性刚度耦合系统,其运动微分方程为

$$\begin{aligned}
&\dot{Q}_1 = P_1\\
&\dot{P}_1 = -\omega_1^2 Q_1 - \alpha_1 P_1 - b(\omega_1^2 Q_1^2 + \omega_2^2 Q_2^2)\omega_1^2 Q_1\\
&\qquad + (f_{11} + f_{12} Q_1)\xi_1(t)\\
&\dot{Q}_2 = P_2\\
&\dot{P}_2 = -\omega_2^2 Q_2 - \alpha_2 P_2 - b(\omega_1^2 Q_1^2 + \omega_2^2 Q_2^2)\omega_2^2 Q_2\\
&\qquad + (f_{21} + f_{22} Q_2)\xi_2(t)
\end{aligned} \tag{a}$$

式中 ω_i,α_i,b 及 f_{ik} 为常数,$\omega_1 \neq \omega_2$,$\xi_k(t)$是强度为 $2D_k$ 的独立 Gauss 白噪声,α_i 与 D_k 同为 ε 阶小量。Wong-Zakai 修正项为零。相应的 Hamilton 函数为

$$\begin{aligned}
&H = (p_1^2 + p_2^2)/2 + U(q_1, q_2)\\
&U(q_1, q_2) = (\omega_1^2 q_1^2 + \omega_2^2 q_2^2)/2 + b(\omega_1^2 q_1^2 + \omega_2^2 q_2^2)^2/4
\end{aligned} \tag{b}$$

$U(q_1, q_2)$不可分离,(a)为拟不可积 Hamilton 系统。$H(t)$可在$[0,\infty)$上变化。设$(0, H_c)$为安全域。

按 5.2 中描述的随机平均法,可得形如(5.2-5)平均 Itô 方程,其中漂移与扩散系数为[5]

$$\begin{aligned}
\overline{m}(H) = &(f_{11}^2 D_1 + f_{21}^2 D_2) - (\alpha_1 + \alpha_2) H\\
&+ \frac{1}{4}\left(\frac{f_{12}^2 D_1}{\omega_1^2} + \frac{f_{22}^2 D_2}{\omega_2^2} + \alpha_1 + \alpha_2\right) R^2 + \frac{1}{12}(\alpha_1 + \alpha_2) b R^4
\end{aligned}$$

$$\begin{aligned}
\overline{\sigma}^2(H) = &2(f_{11}^2 D_1 + f_{21}^2 D_2) H - \frac{1}{2}(f_{11}^2 D_1 + f_{21}^2 D_2) R^2\\
&- \frac{1}{6}\left[b(f_{11}^2 D_1 + f_{21}^2 D_2) + \left(\frac{f_{12}^2 D_1}{\omega_1^2} + \frac{f_{22}^2 D_2}{\omega_2^2}\right)\right] R^4
\end{aligned}$$

$$+\frac{1}{2}\left(\frac{f_{12}^2 D_1}{\omega_1^2}+\frac{f_{22}^2 D_2}{\omega_2^2}\right) HR^2-\frac{b}{16}\left(\frac{f_{12}^2 D_1}{\omega_1^2}+\frac{f_{22}^2 D_2}{\omega_2^2}\right) R^6 \quad \text{(c)}$$

式中 R 是方程

$$(b/4)R^4+R^2/2=H \quad \text{(d)}$$

之正根。

含随机外激时，$f_{11}, f_{21}\neq 0$，$\overline{m}$ 与 $\overline{\sigma}^2$ 在 $H\to 0$ 时之渐近表达式为

$$\begin{aligned} \overline{m}(H)&=f_{11}^2 D_1+f_{21}^2 D_2+O(H) \\ \overline{\sigma}^2(H)&=2(f_{11}^2 D_1+f_{21}^2 D_2)H+O(H^2) \end{aligned} \quad \text{(e)}$$

$H=0$ 是第一类奇点，为流动点。扩散指数、漂移指数及特征标值为

$$\alpha_l=1,\quad \beta_l=0,\quad c_l=2 \quad \text{(f)}$$

按表 2.8-2，$H=0$ 为进入边界，系统(a)之平凡解概率不稳定。

在纯随机参激情形，$f_{11}=f_{21}=0$，$\overline{m}$，$\overline{\sigma}^2$ 在 $H\to 0$ 时之渐近表达式为

$$\begin{aligned} \overline{m}(H)&=\frac{1}{2}\left[\frac{f_{12}^2 D_1}{\omega_1^2}+\frac{f_{22}^2 D_2}{\omega_2^2}-(\alpha_1+\alpha_2)\right] H+O(H^2) \\ \overline{\sigma}^2(H)&=\frac{1}{3}\left[\frac{f_{12}^2 D_1}{\omega_1^2}+\frac{f_{22}^2 D_2}{\omega_2^2}\right] H^2+O(H^3) \end{aligned} \quad \text{(g)}$$

$H=0$ 是第一类奇点，为套点。扩散指数、漂移指数及特征标值为

$$\begin{aligned} &\alpha_l=2,\ \beta_l=1 \\ &c_l=3\left[\frac{f_{12}^2 D_1}{\omega_1^2}+\frac{f_{22}^2 D_2}{\omega_2^2}-(\alpha_1+\alpha_2)\right]\Bigg/\left(\frac{f_{12}^2 D_1}{\omega_1^2}+\frac{f_{22}^2 D_2}{\omega_2^2}\right) \end{aligned} \quad \text{(h)}$$

当 $c_l>\beta_l$，即

$$\alpha_1+\alpha_2<\frac{2}{3}\left(\frac{f_{12}^2 D_1}{\omega_1^2}+\frac{f_{22}^2 D_2}{\omega_2^2}\right) \quad \text{(i)}$$

时，系统(a)之平凡解概率不稳定。

以上两种情形存在首次穿越问题，可按本节描述的方法建立后向 Kolmogorov 方程与广义 Pontryagin 方程及其初始、边界条

件。对本例,安全域为$(0, H_c)$。$H=0$上的定量边界条件,在有随机外激时,分别为(7.2-11)与(7.2-12)。在纯随机参激而不稳定时,分别为(7.2-13)与(7.2-14)。鉴于$\overline{\sigma^2}(0)=0$,(7.2-9)不适用于本例,只能数值求解后向 Kolmogorov 方程与 Pontryagin 方程。解析结果与数字模拟结果颇为吻合[5]。

例 7.2-2 考虑纯随机参激下非线性惯性耦合系统,其运动微分方程为

$$\begin{aligned}
\dot{Q}_1 &= P_1 \\
\dot{P}_1 &= -\omega_1^2 Q_1 - aQ_2 - b(Q_1 - Q_2)^3 - \lambda_1 P_1 + f_1 Q_1^2 \xi_1(t) \\
\dot{Q}_2 &= P_2 \\
\dot{P}_2 &= -\omega_2^2 Q_2 - aQ_1 - b(Q_2 - Q_1)^3 - \lambda_2 P_2 + f_2 Q_2^2 \xi_2(t)
\end{aligned} \tag{j}$$

式中$\omega_i, \lambda_i, f_i, a>0, b>0$为常数;$\xi_k(t)$是强度为$2D_k$的独立 Gauss 白噪声;$\lambda_i$、$D_k$同为$\varepsilon$阶小量。与(j)相应的 Hamilton 函数同例 4.2-1 中之(b)、(c)。设$U(q_1, q_2)$不可分离,(j)为拟不可积 Hamilton 系统。$H(t)$可在$[0,\infty)$上变化。设安全域为$(0, H_c)$。应用 5.2 中描述的拟不可积 Hamilton 系统随机平均法,可得形如(5.2-5)的平均 Itô 方程,当$a=\omega_1\omega_2$时,可得下列$\overline{m}$,$\overline{\sigma^2}$之显式[5]:

$$\overline{m}(H)=\left\{\left[k_0 \mathrm{B}\left(\frac{1}{4},\frac{3}{2}\right)+\frac{4}{3}k_1\mathrm{B}\left(\frac{1}{4},\frac{5}{2}\right)+4k_2\mathrm{B}\left(\frac{5}{4},\frac{3}{2}\right)\right]H + \frac{8}{3}k_5\mathrm{B}\left(\frac{3}{4},\frac{5}{2}\right)H^{3/2}+\frac{16}{5}k_3\mathrm{B}\left(\frac{1}{4},\frac{7}{2}\right)H^2\right\}\Big/ (\omega_1+\omega_2)^4 B\left(\frac{1}{4},\frac{3}{2}\right) \tag{k}$$

$$\overline{\sigma^2}(H)=2\left\{k'_2\left[4\mathrm{B}\left(\frac{5}{4},\frac{3}{2}\right)-\frac{4}{3}\mathrm{B}\left(\frac{5}{4},\frac{5}{2}\right)-4\mathrm{B}\left(\frac{9}{4},\frac{3}{2}\right)\right]H^2 + k_5\left[\frac{8}{3}\mathrm{B}\left(\frac{3}{4},\frac{5}{2}\right)-\frac{8}{3}\mathrm{B}\left(\frac{3}{4},\frac{7}{2}\right)-\frac{8}{3}\mathrm{B}\left(\frac{7}{4},\frac{5}{2}\right)\right]H^{5/2}\right.$$

$$+k_3\left[\frac{16}{5}B\left(\frac{1}{4},\frac{7}{2}\right)-\frac{16}{7}B\left(\frac{1}{4},\frac{9}{2}\right)-\frac{16}{5}B\left(\frac{5}{4},\frac{7}{2}\right)\right]H^3\Big\}\Big/$$

$$(\omega_1+\omega_2)^4B\left(\frac{1}{4},\frac{3}{2}\right)$$

式中B(,)为 beta 函数，

$$\begin{aligned}
k_0 &= -(\lambda_1+\lambda_2)(\omega_1+\omega_2)^4\\
k_1 &= (\lambda_1+\lambda_2)(\omega_1+\omega_2)^4/4=-k_0/4\\
k_2 &= (f_1^2\omega_2^4D_1+f_2^2\omega_1^4D_2)/b+k_1\\
k_3 &= (f_1^2D_1+f_2^2D_2)/4\\
k_4 &= 2\sqrt{2}(f_1^2\omega_2^3D_1-f_2^2\omega_1^3D_2)/b^{3/4}\\
k_5 &= 3(f_1^2\omega_2^2D_1+f_2^2\omega_1^2D_2)/b^{1/2}\\
k_6 &= \sqrt{2}(f_1^2\omega_2D_1-f_2^2\omega_1D_2)/b^{1/4}\\
k'_2 &= k_2-k_1
\end{aligned}\tag{l}$$

$H\to0$ 时，$\overline{m}$，$\overline{\sigma}^2$ 的渐近表达式为

$$\begin{aligned}
\overline{m}(H) &= \eta_1H+O(H^{3/2})\\
\overline{\sigma}^2(H) &= \eta_2H^2+O(H^{5/2})
\end{aligned}\tag{m}$$

式中

$$\eta_1=\left[k_0B\left(\frac{1}{4},\frac{3}{2}\right)+\frac{4}{3}k_1B\left(\frac{1}{4},\frac{5}{2}\right)+4k_2B\left(\frac{5}{4},\frac{3}{2}\right)\right]\Big/$$

$$(\omega_1+\omega_2)^4B\left(\frac{1}{4},\frac{3}{2}\right)$$

$$\eta_2=8k'_2\left[B\left(\frac{5}{4},\frac{3}{2}\right)-\frac{1}{3}B\left(\frac{5}{4},\frac{5}{2}\right)-B\left(\frac{9}{4},\frac{3}{2}\right)\right]\Big/\tag{n}$$

$$(\omega_1+\omega_2)^4B\left(\frac{1}{4},\frac{3}{2}\right)$$

可见，$H=0$ 是一个第一类奇点，为套点，其扩散指数、漂移指数及特征标值为

$$\alpha_l=2,\ \beta_l=1,\ c_l=2\eta_1/\eta_2\tag{o}$$

当 $c_l > \beta_2 = 1$ 时，$H=0$ 为排斥自然边界，系统(j)的平凡解概率不稳定，可按本节描述方法考虑首次穿越问题。此时，$H=0$ 上的定量边界条件，对后向 Kolmogorov 方程与广义 Pontryagin 分别是(7.2-13)与(7.2-14)。数值计算结果与数字模拟结果亦颇为吻合[5]。

7.3 拟可积 Hamilton 系统[6]

考虑形如(5.2-2)的 n 自由度拟可积 Hamilton 系统的非共振情形，相应 Hamilton 系统的 n 个首次积分构成的矢量 $\boldsymbol{H}(t)$是一个近似的 n 维时齐扩散过程，由平均 Itô 方程(5.3-14)描述。对机械/结构系统，H_i 常表示第 i 个自由度能量，可表征系统的状态。当该系统的平凡解不稳定时，$\boldsymbol{H}(t)$将在某个 n 维域内随机变化。设安全域为 Ω，其边界 Γ 常由临界边界 Γ_c 与非临界边界 Γ_0 组成，系统只能通过临界边界越出安全域，今按 7.1 描述的方法研究其首次穿域问题。

在此情形，条件可靠性函数定义为

$$R(t \mid \boldsymbol{H}_0) = P\{\boldsymbol{H}(s) \in \Omega, s \in (0,t] \mid \boldsymbol{H}(0) = \boldsymbol{H}_0 \in \Omega\} \tag{7.3-1}$$

按(7.1-9)，支配 $R(t \mid \boldsymbol{H}_0)$的后向 Kolmogorov 方程为

$$\frac{\partial R}{\partial t} = \overline{m}_r(\boldsymbol{H}_0)\frac{\partial R}{\partial H_{r0}} + \frac{1}{2}\,\overline{\sigma}_{rk}\,\overline{\sigma}_{sk}(\boldsymbol{H}_0)\frac{\partial^2 R}{\partial H_{r0}\partial H_{s0}}$$

$$r,s = 1,2,\cdots,n;k = 1,2,\cdots,m \tag{7.3-2}$$

式中 $\overline{m}_r(\boldsymbol{H}_0)$与 $\overline{\sigma}_{rk}(\boldsymbol{H}_0)$由(5.3-15)中 $\overline{m}_r(\boldsymbol{H})$与 $\overline{\sigma}_{rk}(\boldsymbol{H})$以 $\boldsymbol{H}_0$ 代 $\boldsymbol{H}$ 得到。初始条件为

$$R(0 \mid \boldsymbol{H}_0) = 1, \quad \boldsymbol{H}_0 \in \Omega \tag{7.3-3}$$

边界条件为

$$R(t \mid \boldsymbol{H}_0) = 0, \quad \boldsymbol{H}_0 \in \Gamma_c \tag{7.3-4}$$

$$R(t \mid \boldsymbol{H}_0) = 有限, \boldsymbol{H}_0 \in \Gamma_0 \tag{7.3-5}$$

(7.3-2)～(7.3-5)构成了 n 自由度拟可积 Hamilton 系统非共振

情形首次穿越可靠性问题的数学提法。这是 n 维抛物型偏微分方程的边初值问题,一般只能数值求解。

按(7.1-13),首次穿越时间的条件概率密度为

$$p(\tau \mid \boldsymbol{H}_0) = -\left.\frac{\partial R(t \mid \boldsymbol{H}_0)}{\partial t}\right|_{t=\tau} \tag{7.3-6}$$

首次穿越时间的 k 阶条件矩 $\mu_k(\boldsymbol{H}_0)$ 可按(7.1-14)或(7.1-15)得到,也可从求解下列广义 Pontryagin 方程得到:

$$\frac{1}{2}\overline{\sigma_{rk}\sigma_{sk}}(\boldsymbol{H}_0)\frac{\partial^2 \mu_k}{\partial H_{r0}\partial H_{s0}} + \overline{m}_r(\boldsymbol{H}_0)\frac{\partial \mu_k}{\partial H_{r0}} = -k\mu_{k-1}$$

$$k = 1, 3\cdots \tag{7.3-7}$$

类似于(7.3-4)与(7.3-5),(7.3-7)的边界条件为

$$\mu_k(\boldsymbol{H}_0) = 0, \quad \boldsymbol{H}_0 \in \Gamma_c \tag{7.3-8}$$

$$\mu_k(\boldsymbol{H}_0) = 有限, \quad \boldsymbol{H}_0 \in \Gamma_0 \tag{7.3-9}$$

(7.3-7)~(7.3-9)构成 n 自由度拟可积 Hamilton 系统非共振情形首次穿越时间的 n 阶条件矩的数学提法,一般也只能数值求解。

对 n 自由度拟可积 Hamilton 系统的共振情形,宽带、谐和加白噪声及有界噪声激励情形,可类似建立支配条件可靠性函数的后向 Kolmogorov 方程与支配首次穿越时间 k 阶条件矩的广义 Pontryagin 方程。

例 7.3-1 考虑 Gauss 白噪声外激与参激下两个非线性阻尼耦合的线性振子,其运动微分方程为

$$\begin{aligned}
\dot{Q}_1 &= P_1 \\
\dot{P}_1 &= -\omega_1^2 Q_1 - [c_{11} + d_1(Q_1^2 + Q_2^2)]P_1 \\
&\quad - c_{12}P_2 + \xi_1(t) + Q_1\xi_3(t) \\
\dot{Q}_2 &= P_2 \\
\dot{P}_2 &= -\omega_2^2 Q_2 - c_{21}P_1 - [c_{22} + d_2(Q_1^2 + Q_2^2)]P_2 + \xi_2(t) + \\
&\quad Q_2\xi_4(t)
\end{aligned} \tag{a}$$

式中 ω_i、c_{ij}，d_i 为常数；$\xi_k(t)$是强度为 $2D_k$ 的独立 Gauss 白噪声，c_{ij}，d_i，D_k 同为 ε 阶小量。Wong-Zakai 修正项为零。相应的 Hamilton 函数为

$$H = H_1 + H_2, H_i = (p_i^2 + \omega_i^2 q_i^2)/2 \tag{b}$$

显然，(a)为拟可积 Hamilton 系统。设 ω_i 不满足形如(5.3-3)的共振关系。按 5.3.1 中描述的随机平均法，可得(a)之平均 Itô 方程

$$\begin{gathered}\mathrm{d}H_r = \overline{m}_r(H_1, H_2)\mathrm{d}t + \overline{\sigma}_{rk}(H_1, H_2)\mathrm{d}B_k(t) \\ r = 1,2; \quad k = 1,2,3,4\end{gathered} \tag{c}$$

式中

$$\begin{aligned}\overline{m}_1(H_1, H_2) =& -c_{11}H_1 - (d_1/2\omega_1^2)H_1^2 - (d_1/\omega_2^2)H_1H_2 \\ &+ D_1 + (D_3/\omega_1^2)H_1 \\ \overline{m}_2(H_1, H_2) =& -c_{22}H_2 - (d_2/\omega_1^2)H_1H_2 - (d_2/2\omega_2^2)H_2^2 \\ &+ D_2 + (D_4/\omega_2^2)H_2\end{aligned}$$

$$\begin{aligned}&\overline{\sigma}_{1k}\,\overline{\sigma}_{1k}(H_1, H_2) = 2D_1H_1 + (D_3/\omega_1^2)H_1^2 \\ &\overline{\sigma}_{2k}\,\overline{\sigma}_{2k}(H_1, H_2) = 2D_2H_2 + (D_4/\omega_2^2)H_2^2 \\ &\overline{\sigma}_{1k}\,\overline{\sigma}_{2k}(H_1, H_2) = 0\end{aligned} \tag{d}$$

由于系统(a)有随机外激，平凡解恒不稳定，可考虑首次穿越问题。由(b)知，H_1，H_2 均可在$[0,\infty)$上变化。设安全域边界由 Γ_c 与 Γ_0 组成，即

$$\Gamma_c: H_1 + H_2 = H_c, \quad H_1, H_2 \geqslant 0$$

$$\Gamma_0 = \Gamma_{01} + \Gamma_{02} + \Gamma_{03} \tag{e}$$

$$\begin{aligned}&\Gamma_{01}: H_1 = 0, 0 < H_2 < H_c \\ &\Gamma_{02}: H_2 = 0, 0 < H_1 < H_c \\ &\Gamma_{03}: H_1 = H_2 = 0\end{aligned} \tag{f}$$

见图 7.3-1。

按(7.3-2)，条件可靠性函数 $R(t|H_{10}, H_{20})$满足下列后向 Kolmogorov 方程：

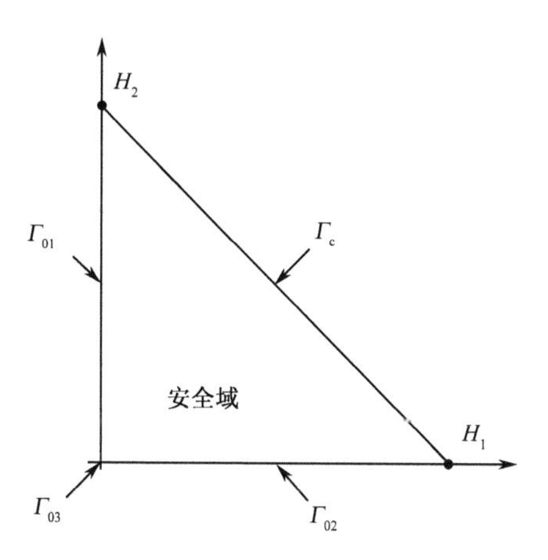

图 7.3-1　安全域及其边界

$$\frac{\partial R}{\partial t}=\overline{m_1}\frac{\partial R}{\partial H_{10}}+\overline{m_2}\frac{\partial R}{\partial H_{20}}+\frac{1}{2}\overline{\sigma_{1k}}\ \overline{\sigma_{1k}}\frac{\partial^2 R}{\partial H_{10}^2}+\frac{1}{2}\overline{\sigma_{2k}}\ \overline{\sigma_{2k}}\frac{\partial^2 R}{\partial H_{20}^2}\tag{g}$$

式中 $\overline{m_r}$，$\overline{\sigma_{rk}}$由(d)中 $\overline{m_r}$，$\overline{\sigma_{rk}}$以 H_{10}与 H_{20}分别代 H_1 与 H_2 得到。初始条件为(7.3-3)。Γ_c 上边界条件为(7.3-4)。定性边界条件(7.3-5)需利用方程(g)与 $\overline{m_r}$，$\overline{\sigma_{rk}}$在 Γ_0 上之值化为定量边界条件。它们是

Γ_{01}上：

$$\frac{\partial R}{\partial t}=D_1\frac{\partial R}{\partial H_{10}}+\left(D_2-c_{22}H_{20}-\frac{d_2}{2\omega_2^2}H_{20}^2+\frac{D_4}{\omega_2^2}H_{20}\right)\frac{\partial R}{\partial H_{20}}+\left(D_2H_{20}+\frac{D_4}{2\omega_2^2}H_{20}^2\right)\frac{\partial^2 R}{\partial H_{20}^2}\tag{h}$$

Γ_{02}上：

$$\frac{\partial R}{\partial t}=\left(D_1-c_{11}H_{10}-\frac{d_1}{2\omega_1^2}H_{10}^2+\frac{D_3}{\omega_1^2}H_{10}\right)\frac{\partial R}{\partial H_{10}}+D_2\frac{\partial R}{\partial H_{20}}$$

$$+\left(D_1 H_{10}+\frac{D_3}{2\omega_1^2}H_{10}^2\right)\frac{\partial^2 R}{\partial H_{10}^2} \tag{i}$$

Γ_{03}上：

$$\frac{\partial R}{\partial t}=D_1\frac{\partial R}{\partial H_{10}}+D_2\frac{\partial R}{\partial H_{20}} \tag{j}$$

可用有限差分法 Peaceman-Rachford 格式求解上述方程。

按(7.3-7)，首次穿越时间的 k 阶条件矩 $\mu_k(H_{10},H_{20})$满足下列广义 Pontryagin 方程：

$$\frac{1}{2}\bar{\sigma}_{1k}\bar{\sigma}_{1k}\frac{\partial^2\mu_k}{\partial H_{10}^2}+\frac{1}{2}\bar{\sigma}_{2k}\bar{\sigma}_{2k}\frac{\partial^2\mu_k}{\partial H_{20}^2}$$
$$+\bar{m}_1\frac{\partial\mu_k}{\partial H_{10}}+\bar{m}_2\frac{\partial\mu_k}{\partial H_{20}}=-k\mu_{k-1} \tag{k}$$

Γ_c 上的边界条件为(7.3-8)。Γ_0 上的定性边界条件(7.3-9)可用方程(k)与 $\bar{m}_r$，$\bar{\sigma}_{rk}$在 Γ_0 上之值变成定量边界条件。它们是

Γ_{01}上：

$$\left(D_2 H_{20}+\frac{D_4}{2\omega_2^2}H_{20}^2\right)\frac{\partial^2\mu_k}{\partial H_{20}^2}+D_1\frac{\partial\mu_k}{\partial H_{10}}$$
$$+\left(D_2-c_{22}H_{20}-\frac{d_2}{2\omega_2^2}H_{20}^2+\frac{D_4}{\omega_2^2}H_{20}\right)\frac{\partial\mu_k}{\partial H_{20}}=-k\mu_{k-1} \tag{l}$$

Γ_{02}上：

$$\left(D_1 H_{10}+\frac{D_3}{2\omega_1^2}H_{10}^2\right)\frac{\partial^2\mu_k}{\partial H_{10}^2}+\left(D_1-c_{11}H_{10}-\frac{d_1}{2\omega_1^2}H_{10}^2+\frac{D_3}{\omega_1^2}H_{10}\right)\frac{\partial\mu_k}{\partial H_{10}}$$
$$+D_2\frac{\partial\mu_k}{\partial H_{20}}=-k\mu_{k-1} \tag{m}$$

Γ_{03}上：

$$D_1\frac{\partial\mu_k}{\partial H_{10}}+D_2\frac{\partial\mu_k}{\partial H_{20}}=-k\mu_{k-1} \tag{n}$$

上述方程可用有限差分法五点格式求解。

一些数值结果示于图7.3-2～图7.3-7上。由图7.3-2～

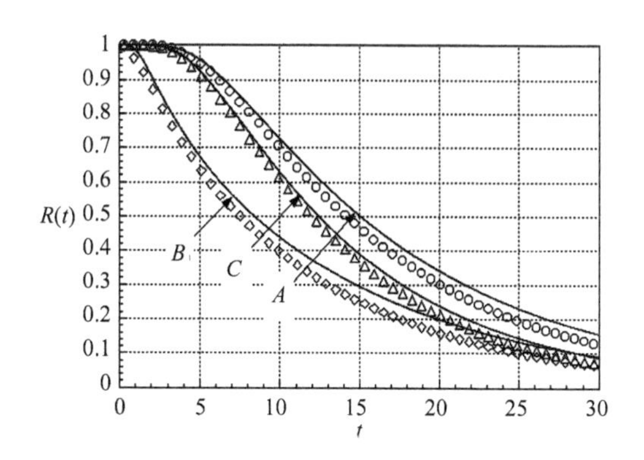

图 7.3-2 例 7.3-1 系统(a)的可靠性函数 $R(t)$

$\omega_1=1.0$, $\omega_2=0.707$, $c_{11}=0.01$, $c_{12}=0.03$, $c_{21}=0.04$, $c_{22}=0.04$, $d_1=0.1$, $d_2=0.4$, $2D_1=0.03$, $2D_2=0.01$。A：$D_3=D_4=0$, $H_{10}=H_{20}=0$；B：$D_3=D_4=0$, $H_{10}=0.09$, $H_{20}=0.03$；C：$2D_3=0.1$, $2D_4=0.01$, $H_{10}=H_{20}=0$

—表示解析结果；○◇△表示数字模拟结果

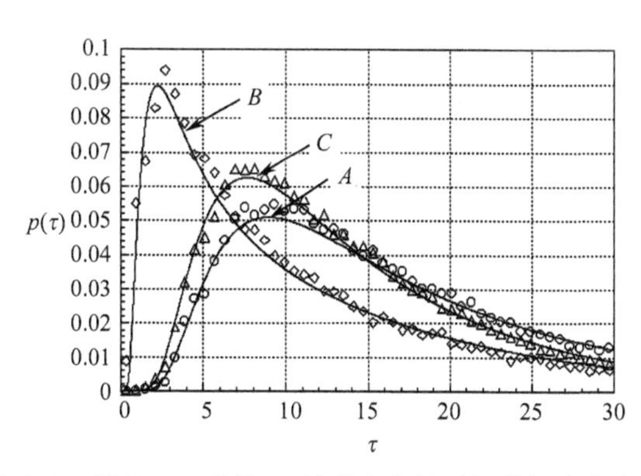

图 7.3-3 例 7.3-1 系统(a)的首次穿越时间的概率密度 $p(\tau)$

参数与符号同图 7.3-2

7.3-4 知，解析结果与数字模拟结果甚为吻合，条件可靠性函数是时间 t 的单调减函数。由图 7.3-5～7.3-7 知，可靠性函数与平均首次穿越时间是 H_{r0} 的单调减函数。

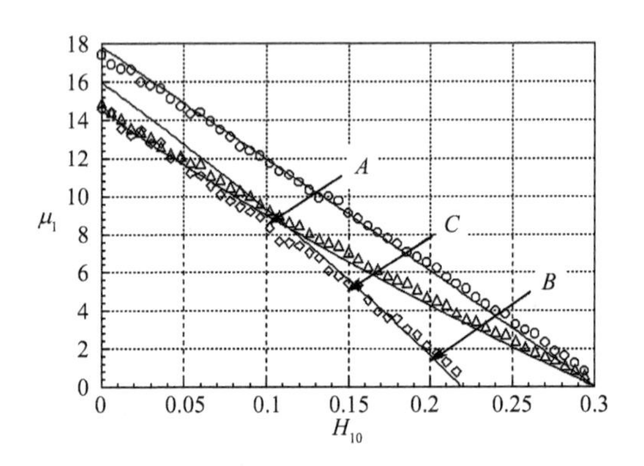

图 7.3-4　例 7.3-1 系统(a)的平均首次穿越时间 μ_1

A：$D_3=D_4=0$，$H_{20}=0$；B：$D_3=D_4=0$，$H_{20}=0$

C：$2D_3=0.1$，$2D_4=0.01$，$H_{20}=0$，其他参数与符号同图 7.3-2

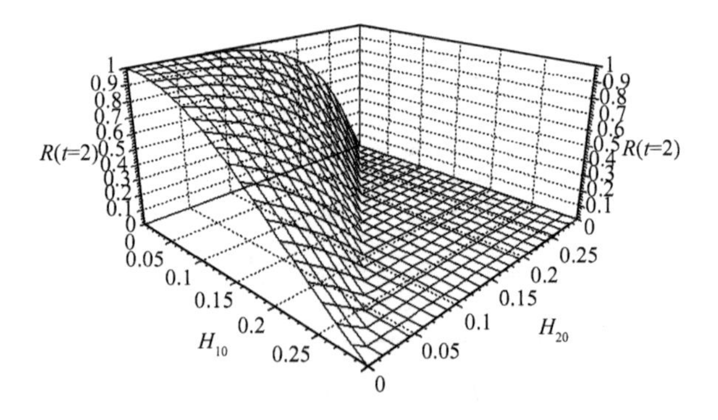

图 7.3-5　$t=2$(s)时作为 H_{10}，H_{20} 函数的例 7.3-1 系统(a)的可靠性 $R(t)$

$2D_3=0.1$，$2D_4=0.01$。其他参数同图 7.3-2

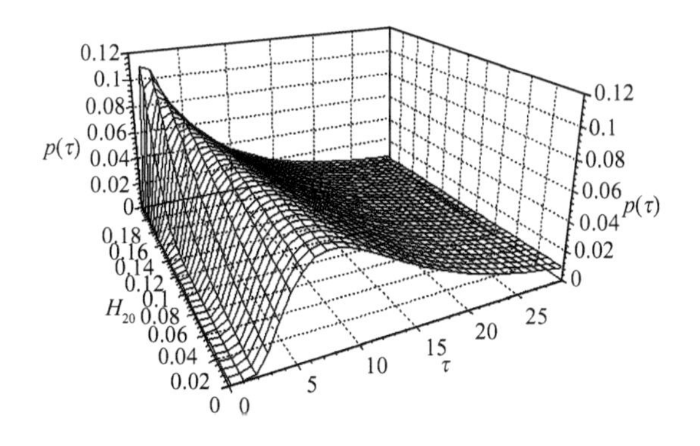

图 7.3-6　作为 H_{20} 与 τ 的函数的例 7.3-1 系统(a)的首次穿越时间概率密度 $p(\tau)$

$2D_3=0.1$,$2D_4=0.01$,$H_{10}=0$,其他参数同图 7.3-2

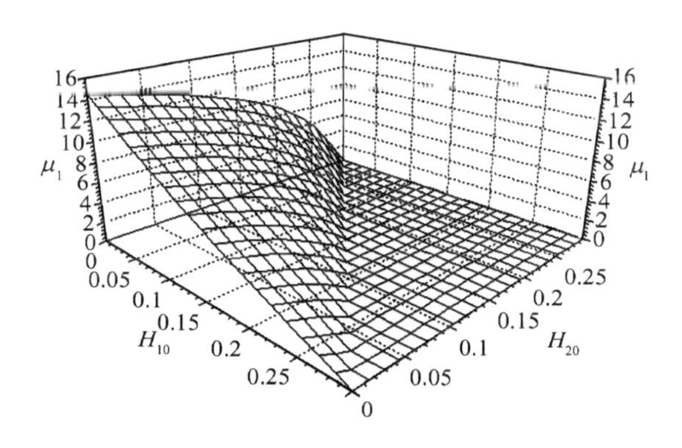

图 7.3-7　作为 H_{10} 与 H_{20} 函数的例 7.3-1 系统(a)的平均首次穿越时间 μ_1

$2D_3=0.1$,$2D_4=0.01$。其他参数同图 7.3-2

7.4　拟部分可积 Hamilton 系统[7]

7.3 中描述的确定条件可靠性、首次穿越时间的条件概率密度与 k 阶条件矩的方法可很容易推广于拟部分可积 Hamilton 系统的非共振情形,只要将首次积分个数 n 改为 $r<n$ 即可。下面

用一个例子说明。

例 7.4-1 考虑 Gauss 白噪声外激与参激下三自由度拟部分可积 Hamilton 系统,其运动微分方程为

$$
\begin{aligned}
\dot{Q}_1 &= P_1 \\
\dot{P}_1 &= -\omega_1^2 Q_1 - (\alpha_{10} + \alpha_{11} P_1^2 + \alpha_{12} P_2^2 + \alpha_{13} P_3^2) P_1 \\
&\quad + \xi_1(t) + Q_1 \xi_4(t) \\
\dot{Q}_2 &= P_2 \\
\dot{P}_2 &= -\frac{\partial U}{\partial Q_2} - (\alpha_{20} + \alpha_{21} P_1^2 + \alpha_{22} P_2^2 + \alpha_{23} P_3^2) P_2 \\
&\quad + \xi_2(t) + Q_2 \xi_5(t) \qquad \text{(a)} \\
\dot{Q}_3 &= P_3 \\
\dot{P}_3 &= -\frac{\partial U}{\partial Q_3} - (\alpha_{30} + \alpha_{31} P_1^2 + \alpha_{32} P_2^2 + \alpha_{33} P_3^2) P_3 \\
&\quad + \xi_3(t) + Q_3 \xi_6(t)
\end{aligned}
$$

式中 ω_i , α_{ij} 为常数;

$$
\begin{aligned}
U &= U(q_2, q_3) \\
&= (\omega_2^2 q_2^2 + \omega_3^2 q_3^2)/2 + b(\omega_2^2 q_2^2 + \omega_3^2 q_3^2)^2/4 \qquad \text{(b)}
\end{aligned}
$$

$b>0$ 为常数;$\xi_k(t)$是强度为 $2D_k$ 的独立 Gauss 白噪声;α_{ij} 与 D_k 同为 ε 阶小量。Wong-Zakai 修正项为零。与(a)相应的 Hamilton 函数为

$$H = H_1 + H_2 \qquad \text{(c)}$$

$$H_1 = (p_1^2 + \omega_1^2 q_1^2)/2, H_2 = (p_2^2 + p_3^2)/2 + U(q_1, q_2) \qquad \text{(d)}$$

(a)为拟部分可积 Hamilton 系统的非共振情形。应用 5.4.1 中描述的随机平均法,可得如下平均 Itô 方程:

$$
\begin{aligned}
\mathrm{d}H_1 &= \overline{m_1}(H_1, H_2)\mathrm{d}t + \overline{\sigma}_{1k}(H_1, H_2)\mathrm{d}B_k(t) \\
\mathrm{d}H_2 &= \overline{m_2}(H_1, H_2)\mathrm{d}t + \overline{\sigma}_{2k}(H_1, H_2)\mathrm{d}B_k(t) \qquad \text{(e)} \\
k &= 1, 2, \cdots, 6
\end{aligned}
$$

式中

$$\overline{m_1}(H_1, H_2) = -\alpha_{10} H_1 - 3\alpha_{11} H_1^2/2 - (\alpha_{12} + \alpha_{13})(H_2 - R^2/4$$

$$-bR^4/12)H_1 + D_1 + D_4 H_1/\omega_1^2$$

$$\overline{m_2}(H_1, H_2) = -(\alpha_{20} + \alpha_{30} + \alpha_{21} H_1 + \alpha_{31} H_1)(H_2 - R^2/4 - bR^4/12)$$
$$-[(3\alpha_{22} + \alpha_{23} + \alpha_{32} + 3\alpha_{33})/8][4H_2^2 - 8R^2(1/4$$
$$+ bR^2/12)H_2 + R^4(1/3 + b^2R^4/20 + bR^2/4)] + D_2$$
$$+ D_3 + D_5 R^2/4\omega_2^2 + D_6 R^2/4\omega_3^2$$

$$\overline{\sigma_{1k}\sigma_{1k}}(H_1, H_2) = 2D_1 H_1 + D_4 H_1^2/\omega_1^2$$

$$\overline{\sigma_{2k}\sigma_{2k}}(H_1, H_2) = 2(D_2 + D_3)(H_2 - R^2/4 - bR^4/12) \quad (f)$$
$$+ (D_5/\omega_2^2 + D_6/\omega_3^2)(H_2 - R^2/3$$
$$- bR^4/8)R^2/2$$

$$\overline{\sigma_{1k}\sigma_{2k}} = 0$$

$$R = sqrt[(\sqrt{1 + 4bH_2} - 1)/b]$$

由(c),(d)知,H_1 与 H_2 皆可在$[0,\infty)$上变化。设系统安全域形同图 7.3 1,其边界由 Γ_c 与 Γ_0 组成。它们分别同例 7.3-1 中之(e)与(f)。Γ_c 为吸收边界,Γ_0 非为吸收边界。按(7.3-2),条件可靠性函数 $R(t|H_{10}, H_{20})$满足后向 Kolmogorov 方程

$$\frac{\partial R}{\partial t} = \overline{m_1}\frac{\partial R}{\partial H_{10}} + \overline{m_2}\frac{\partial R}{\partial H_{20}} + \frac{1}{2}\overline{\sigma_{1k}\sigma_{1k}}\frac{\partial^2 R}{\partial H_{10}^2}$$
$$+ \frac{1}{2}\overline{\sigma_{2k}\sigma_{2k}}\frac{\partial^2 R}{\partial H_{20}^2} \quad (g)$$

式中 $\overline{m_r}$ 与 $\overline{\sigma_{rk}}$由(f)中的 $\overline{m_r}$ 与 $\overline{\sigma_{rk}}$以H_{10}与 H_{20}分别代替 H_1 与 H_2 得到。初始条件形同(7.3-3)。Γ_c 上的边界条件为(7.3-4)。定性边界条件(7.3-5)需利用(g)与 $\overline{m_r}$,$\overline{\sigma_{rk}}$在 Γ_0 上之值化为定量边界条件,它们是

Γ_{01}上:

$$\frac{\partial R}{\partial t} - D_1\frac{\partial R}{\partial H_{10}} + a_2'\frac{\partial R}{\partial H_{20}} + \frac{1}{2}\overline{\sigma_{2k}\sigma_{2k}}\frac{\partial^2 R}{\partial H_{20}^2} \quad (h)$$

Γ_{02}上:

$$\frac{\partial R}{\partial t}=a_1'\frac{\partial R}{\partial H_{10}}+(D_2+D_3)\frac{\partial R}{\partial H_{20}}+\frac{1}{2}\overline{\sigma}_{1k}\overline{\sigma}_{1k}\frac{\partial^2 R}{\partial H_{20}^2} \quad \text{(i)}$$

Γ_{03}上：

$$\frac{\partial R}{\partial t}=D_1\frac{\partial R}{\partial H_{10}}+(D_2+D_3)\frac{\partial R}{\partial H_{20}} \quad \text{(j)}$$

式中

$$a_1'=-\alpha_{10}H_1-3\alpha_{11}H_1^2/2+D_1+D_4H_1/\omega_1^2$$

$$a_2'=-(\alpha_{20}+\alpha_{30})(H_2-R^2/4-bR^4/12)-[(3\alpha_{22}+\alpha_{32}+\alpha_{23}+3\alpha_{33})/8][4H_2^2-8R^2(1/4+bR^2/12)H_2+(1/3+b^2R^4/20+bR^2/4)R^4]+D_2+D_3+D_5R^2/4\omega_2^2+D_6R^2/4\omega_3^2 \quad \text{(k)}$$

上述方程可用有限差分法 Peaceman-Rachford 格式求解。

按(7.3-7),首次穿越时间的 k 阶条件矩 $\mu_k(H_{10},H_{20})$满足下列广义 Pontryagin 方程：

$$\frac{1}{2}\overline{\sigma}_{1k}\overline{\sigma}_{1k}\frac{\partial^2\mu_k}{\partial H_{10}^2}+\frac{1}{2}\overline{\sigma}_{2k}\overline{\sigma}_{2k}\frac{\partial^2\mu_k}{\partial H_{20}^2}+\overline{m}_1\frac{\partial\mu_k}{\partial H_{10}}+\overline{m}_2\frac{\partial\mu_k}{\partial H_{20}}=-k\mu_{k-1} \quad \text{(l)}$$

Γ_c 上的边界条件为(7.3-8)。Γ_0 上的定性边界条件(7.3-9)可用方程(l)与 $\overline{m}_r$，$\overline{\sigma}_{rk}$在 Γ_0 上之值变成定量边界条件。它们是

Γ_{01}上：

$$\frac{1}{2}\overline{\sigma}_{2k}\overline{\sigma}_{2k}\frac{\partial^2\mu_k}{\partial H_{20}^2}+D_1\frac{\partial\mu_k}{\partial H_{10}}+a_2'\frac{\partial\mu_k}{\partial H_{20}}=-k\mu_{k-1} \quad \text{(m)}$$

Γ_{02}上：

$$\frac{1}{2}\overline{\sigma}_{1k}\overline{\sigma}_{1k}\frac{\partial^2\mu_k}{\partial H_{10}^2}+a_1'\frac{\partial\mu_k}{\partial H_{10}}+(D_2+D_3)\frac{\partial\mu_k}{\partial H_{20}}=-k\mu_{k-1} \quad \text{(n)}$$

Γ_{03}上：

$$D_1\frac{\partial\mu_k}{\partial H_{10}}+D_2\frac{\partial\mu_k}{\partial H_{20}}=-k\mu_{k-1} \quad \text{(o)}$$

上述方程可用有限差分法五点格式求解。

以上解析结果与数字模拟结果颇为吻合[7]。

7.5 谐和与白噪声激励下的单自由度强非线性系统

在 7.3、7.4 中考虑的是非共振情形拟可积与拟部分可积 Hamilton 系统。对存在内、外共振的拟可积与拟部分可积 Hamilton 系统,在平均 Itô 方程中将含有角变量组合与(或)响应与激励间的相位差角。一般,安全区与这些角变量无关。支配条件可靠性函数的后向 Kolmogorov 方程与支配首次穿越时间的条件矩的广义 Pontryagin 方程,除了前面提到过的边界条件外,将还有关于这些角变量的周期性边界条件,这是共振情形与非共振情形的基本差别。下面将以谐和与白噪声激励下的单自由度强非线性系统的共振情形为例加以说明。系统的运动方程为(5.6-1),其平均 Itô 方程为(5.6-11),$[A,\Delta]^T$ 为二维时齐扩散过程。按 7.1,可写出如下支配条件可靠性函数的后向 Kolmogorov 方程:

$$\left(-\frac{\partial}{\partial t}-\overline{m}_1\frac{\partial}{\partial a_0}+\overline{m}_2\frac{\partial}{\partial \delta_0}+\frac{1}{2}b_{11}\frac{\partial^2}{\partial a_0^2}\right.$$
$$\left.+\frac{1}{2}b_{12}\frac{\partial^2}{\partial a_0\partial\delta_0}+\frac{1}{2}b_{22}\frac{\partial^2}{\partial^2\delta_0^2}\right)R(t\mid a_0,\delta_0)=0 \qquad (7.5\text{-}1)$$

式中

$$\overline{m}_i=\overline{m}_i(a_0,\delta_0),\quad b_{ij}=\overline{\sigma}_{ik}\,\overline{\sigma}_{jk}(a_0,\delta_0) \qquad (7.5\text{-}2)$$
$$i,j=1,2;k=1,2,\cdots,m$$

$\overline{m}_i(a_0,\delta_0)$与 $\overline{\sigma}_{ik}(a_0,\delta_0)$由(5.6-14)以 a_0 与 δ_0 分别取代 a 与 δ 得到。

设安全域为$[0,a_c)$,(7.5-1)将有下列边界条件:

$$R(t\mid a_c,\delta_0)=0 \qquad (7.5\text{-}3)$$

$$R(t\mid 0,\delta_0)=\text{有限} \qquad (7.5\text{-}4)$$

$$R(t\mid a_c,\delta_0+2n\pi)=R(t\mid a_c,\delta_0) \qquad (7.5\text{-}5)$$

此外,还有初始条件

$$R(0|a_0,\delta_0)=1,a_0<a_c \tag{7.5-6}$$

(7.5-1)、(7.5-3)～(7.5-6)构成了系统(5.6-1)的首次穿越可靠性问题的数学提法，是一个二维抛物型偏微分方程的边初值问题，一般只能数值求解。

类似地，可写出支配系统(5.6-1)首次穿越时间的条件矩的广义 Pontryagin 方程

$$\left(\frac{1}{2}b_{11}\frac{\partial^2}{\partial a_0^2}+b_{12}\frac{\partial^2}{\partial a_0\partial\delta_0}+\frac{1}{2}b_{22}\frac{\partial^2}{\partial^2\delta_0^2}+\overline{m_1}\frac{\partial}{\partial a_0}\right.$$
$$\left.+\overline{m_2}\frac{\partial}{\partial\delta_0}\right)\mu_k(a_0,\delta_0)=-k\mu_{k-1} \tag{7.5-7}$$

及其边界条件

$$\mu_k(a_c,\delta_0)=0 \tag{7.5-8}$$

$$\mu_k(0,\delta_0)=\text{有限} \tag{7.5-9}$$

$$\mu_k(a_0,\delta_0+2n\pi)=\mu_k(a_0,\delta_0) \tag{7.5-10}$$

(7.5-7)～(7.5-10)构成了系统(5.6-1)首次穿越时间的条件矩问题的数学提法，是一个二维椭圆型偏微分方程的边值问题，一般也只能数值求解。

定性边界条件(7.5-4)与(7.5-9)可分别用方程(7.5-1)与(7.5-7)及 $a_0=0$ 上的 $\overline{m_i}$，b_{ij}之值变成定量边界条件。

例 7.5-1　仍考虑例 5.6-1，系统运动方程为(a)，平均 Itô 方程为(i)，其中漂移系数与扩散系数在主外共振情形为(j)，在主参数共振情形为(q)。文献[8]中用差分法求解了该系统的后向 Kolmogorov 方程与关于平均首次穿越时间 μ_1 的 Pontryagin 方程，所得结果与数字模拟结果颇为吻合。

上述方法可应用于研究谐和与 Gauss 白噪声激励下双稳或多稳系统各稳定域间的状态过渡。

参 考 文 献

[1] Bharucha-Reid A T. Elements of Markov Pocesses and Their Applications. New

York: McGraw-Hill, 1960

[2] Cox D R, Miller H D. The Theory of Stochastic Processes. New York: Chapman and Hall, 1965

[3] 朱位秋 . 随机振动 . 北京:科学出版社, 1998

[4] Lin Y K, Cai G Q. Probabilistic Structural Dynamics, Advanced Theory and Applications. New York: McGraw-Hill, 1995

[5] Gan C B, Zhu W Q. First-passage failure of quasi-non-integrable -Hamiltonian systems. International Journal of Non-Linear Mechanics, 2001, 36: 209—220

[6] Zhu W Q, Deng M L, Huang Z L. First-passage failure of quasi-integrable Hamiltonian systems. ASME Journal of Applied Mechanics, 2002, 69: 274—282

[7] Zhu W Q, Huang Z L, Deng M L. First-passage failure and its feedback minimization of quasi-partially integrable Hamiltonian systems. International Journal of Non-Linear Mechanics, in press

[8] Zhu W Q, Wu Y J. First-passage time of strongly nonlinear oscillators under combined harmonic and white noise excitations. Nonlinear Dynamics, in press

第八章　非线性随机最优控制

本章先介绍随机最优控制的基本概念与动态规划方法，然后论述基于拟 Hamilton 系统随机平均法与 Bellman 最优性原理的非线性随机最优控制策略，随机稳定化，以及以可靠度最大或平均首次穿越时间最长为目标的随机最优控制。

8.1　随机最优控制概论

8.1.1　引言

随机最优控制理论主要研究扩散过程的 Markov 反馈控制。控制的对象模型化为扩散过程，用 Itô 随机微分方程描述。控制器根据当时有的关于系统状态的最新信息，从满足约束条件的所有可能的控制中选出最优的，使控制后的系统达到预定目标的最优期望结果。随机最优控制理论目前主要应用于经济学，特别是金融问题，但它在物理、生物、工程、管理等科学领域有着广泛的应用前景。

解决确定性与随机最优控制问题的两个主要方法是 Pontryagin 的极大值原理与 Bellman 的动态规划，它们是最优控制的必要条件，在一定条件下，它们也是充分条件。极大值原理于 20 世纪 50 年代由 Pontryagin 与他的研究小组提出[1]，是最优控制理论的里程碑。该原理说，任意最优控制连同最优系统状态轨迹可通过求解增广 Hamilton 方程组得到，该方程组包括原受控系统方程及其初始条件，伴随方程及其终时条件，以及 Hamilton 函数的极大值条件。它是一个前向-后向确定性或随机常微分方程组，是一个初值-终值问题。极大值原理的数学意义在于，它将无限维的最优控制问题化为比它简单得多的函数的极大值问题。

动态规划于20世纪50年代由Bellman提出[2]。其基本思想是，考虑具有不同初始时刻与初始条件的一组最优控制问题，并用动态规划方程（Hamilton-Jacobi-Bellman方程，简称HJB方程）将它们联系起来，由该方程中相应的Hamilton函数取极小值或极大值条件确定一个最优的反馈控制律，将此最优控制律代回动态规划方程得最后动态规划方程，再求解最后动态规划方程得最优控制。古典的动态规划方法要求动态规划方程具有古典解，即足够光滑的解。然而，对确定性最优控制问题，即使在某些简单情形下，对随机最优控制问题，当扩散矩阵奇异时，动态规划方程都没有古典解。20世纪80年代初，Crandall与Lions[3]首先引入了所谓黏性解，使动态规划方法成为解决最优控制问题的强有力工具。这里所说的黏性解，是指偏微分方程的连续但非光滑之解，其关键特性是使用超/亚微分取代通常的微分，使之在适度的条件下维持解的惟一性。

历史上，极大值原理与动态规划乃分别独立地发展起来的。然而，它们是解决同一问题的两种不同方法，如同古典力学中的Hamilton正则方程与Hamilton-Jacobi（HJ）方程（见第一章），极大值原理中的扩展的Hamilton方程组与动态规划中的HJB方程是等价的，前者之解可用所谓四步法用后者直接表示，反之，后者之解可通过广义的Feynman-Kac公式用前者表示[4]。

对随机最优控制问题，动态规划方法较为有效，因为目前关于HJB方程之解的理论[5~7]与数值解法[8]已有较多的研究成果，而对极大值原理中前向-后向随机微分方程组之解的研究尚处于初始阶段。

8.1.2 随机最优控制问题的提法

随机最优控制问题的特定提法取决于受控系统运动方程的类型，对控制所施加的约束，性能指标及控制时间区间，等等。

一、受控系统运动方程

设受控系统运动方程为如下形式Itô随机微分方程

$$
\begin{aligned}
&\mathrm{d}\boldsymbol{X}(t)=\boldsymbol{m}(\boldsymbol{X},\boldsymbol{u},t)\mathrm{d}t+\sigma(\boldsymbol{X},\boldsymbol{u},t)\mathrm{d}\boldsymbol{B}(t), \quad t\in[t_0,t_f]\\
&\boldsymbol{X}(t_0)=\boldsymbol{X}_0
\end{aligned}
\tag{8.1-1}
$$

式中 $\boldsymbol{X}(t)$为 n 维矢量系统状态过程；$\boldsymbol{B}(t)$为 m 维矢量标准 Wiener 过程；$\boldsymbol{u}(t)$为同一时刻上状态 $\boldsymbol{X}(t)$的函数 $\boldsymbol{u}(\boldsymbol{X}(t),t)$，为 r 维矢量 Markov 反馈控制过程；t_0 为初始时刻，当 $\boldsymbol{m}$，σ 不显含 t 时，常取 $t_0=0$；t_f 为控制终了时刻，可为有限值、无限值或随机变量；$\boldsymbol{m}$ 与 σ 分别为给定的 n 维矢量函数与 $n\times m$ 维矩阵值函数，满足解存在与惟一性条件。

(8.1-1)为受控系统方程之一般形式，应用中常遇到下列特殊情形：

1．σ 中不含控制 $\boldsymbol{u}$；

2．$\boldsymbol{m}$ 与 σ 不显含时间 t；

3．$\boldsymbol{m}$ 与 σ 为 $\boldsymbol{X}(t)$的线性函数；

4．上述情形的某种组合。

二、控制约束

控制常受到某种约束，其形式取决于控制器。一种约束形为

$$
\boldsymbol{u}\in U, U\subset R^r \tag{8.1-2}
$$

它表明所有控制过程的样本属于集合 U，可解释为对控制力大小的限制。另一类可能的约束形为

$$
E\left[\int_{t_0}^{t_f}|\boldsymbol{u}(t)|^{\gamma}\mathrm{d}t\right]\leqslant u_0<\infty \tag{8.1-3}
$$

式中 $\gamma>0$，$u_0>0$ 为常数，$E[\cdot]$为期望算子。$\gamma=1$ 时，(8.1-3)可解释为对平均总控制动量的限制。$\gamma=2$ 时，它可解释为对平均总控制能量的限制。还可有其他形式的控制约束。凡满足控制约束的控制称为可实现控制。而使(8.1-1)有惟一解的可实现控制称为允许控制。

三、性能指标

最优控制的目标常用一个泛函的极小或极大来表示，该泛函称为成本泛函或性能指标。对随机最优控制，受控系统的状态与控制皆为随机过程，该泛函则为随机变量。因此，性能指标取为该

泛函的数学期望。

对固定的有限时间区间控制问题，性能指标通常形为

$$J(\boldsymbol{u}) = E\left[\int_{t_0}^{t_f} f(\boldsymbol{X},\boldsymbol{u},t)\mathrm{d}t + g(\boldsymbol{X}(t_f))\right] \qquad (8.1\text{-}4)$$

式中 f 与 g 为给定函数，分别称为流动成本与终时成本。f 与 g 同不为零时，控制问题(8.1-1)与(8.1-4)称为 Boltz 问题；$f \neq 0$，$g = 0$时称为 Lagrange 问题；$f = 0$，$g \neq 0$ 时称为 Mayer 问题。令

$$\begin{aligned} \dot{X}_{n+1} &= f(\boldsymbol{X},\boldsymbol{u},t) \\ X_{n+1}(t_0) &= 0 \end{aligned} \qquad (8.1\text{-}5)$$

可将 Boltz 问题化为 Mayer 问题。此时，受控系统运动方程由(8.1-1)与(8.1-5)组成，维数为 $n+1$，而新的性能指标为

$$J_1(\boldsymbol{u}) = E[g(\boldsymbol{X}(t_f)) + X_{n+1}(t_f)] \qquad (8.1\text{-}6)$$

对半无限长时间区间上的随机最优控制问题，可考虑折扣成本泛函[7]，此处只考虑遍历控制。对于长时间后能达到平稳遍历状态的系统，例如 $\boldsymbol{m}$，σ，$\boldsymbol{u}$ 皆不显含 t 或为 t 的周期或概周期函数时，最终的稳态分布与受控系统的初始状态无关，可考虑如下长期运行的平均性能指标

$$J(\boldsymbol{u}) = \lim_{t_f \to \infty} \frac{1}{t_f}\int_0^{t_f} f(\boldsymbol{x},\boldsymbol{u},t)\mathrm{d}t \qquad (8.1\text{-}7)$$

相应的控制问题称为遍历控制。

对定义在有限域 $D \subset R^n$ 上的受控系统，性能指标中的积分上限可为系统首次越出 D 的时间

$$\tau = \inf(t \geqslant 0, \boldsymbol{X}(t) \notin D) \qquad (8.1\text{-}8)$$

inf 表示下确界，当该值确能达到时，可代之以 min。相应的性能指标形为

$$J(\boldsymbol{u}) = E\left[\int_{t_0}^{\tau} f(\boldsymbol{X},\boldsymbol{u},t)\mathrm{d}t + g(\boldsymbol{X}(\tau))\right] \qquad (8.1\text{-}9)$$

$f=1$，$g=0$ 时，(8.1-9)表示平均首次穿越时间

$$J(\boldsymbol{u}) = E[\tau(\boldsymbol{X},\boldsymbol{u})] \qquad (8.1\text{-}10)$$

性能指标还可为系统停留在有限域 D 中的概率，即可靠性

函数

$$J(\boldsymbol{u}) = P(\boldsymbol{X}(t) \in D, t_0 \leqslant t \leqslant \tau) \tag{8.1-11}$$

虽然还可有其他形式的性能指标,本书中主要考虑(8.1-4)、(8.1-7)、(8.1-10)及(8.1-11)。

随机最优控制问题,就是在允许控制集合中选取一个控制,在满足(8.1-1)条件下,使性能指标达到最优(极小或极大),如

$$J(\boldsymbol{u}^*) = \inf_{\boldsymbol{u} \in U} J(\boldsymbol{u}) \tag{8.1-12}$$

式中 $\boldsymbol{u}^*$ 称为最优控制,由最优控制产生的系统状态,即(8.1-1)之解 $\boldsymbol{X}^*(t)$,称为最优状态或轨迹,$\boldsymbol{u}^*$ 与 $\boldsymbol{X}^*(t)$则构成最优对。

如同 Itô 随机微分方程有强解与弱解之分(见 2.5.1),随机最优控制问题也可有强弱两种提法[4]。用动态规划方法求解的本质上是随机最优控制问题的弱提法,这是因为随机最优控制的目标是使某随机变量的数学期望最小,这只取决于所涉及过程的概率分布而非它的轨迹。对大多数随机控制问题,弱提法已足够。

8.1.3 随机动态规划方法

随机动态规划方法就是对给定的随机最优控制问题,建立与求解随机动态规划方程,确定最优控制,然后求解最优状态。

一、值函数

值函数,或 Bellman 函数,或最优成本泛函是指作为初始时刻与初始状态的函数的性能指标(或成本泛函)的极小值或极大值,它是用动态规划方法分析最优控制问题的一个工具。对不同的控制问题,它有着不同的含义。

考虑具有不同初始时刻与不同初始状态的一族随机最优控制问题,包括受控系统运动方程

$$\begin{aligned} d\boldsymbol{X}(s) &= m(\boldsymbol{X}, \boldsymbol{u}, s)ds + \sigma(\boldsymbol{X}, \boldsymbol{u}, s)d\boldsymbol{B}(s) \\ \boldsymbol{X}(t) &= \boldsymbol{x} \end{aligned} \tag{8.1-13}$$

与性能指标

$$J(\boldsymbol{u}) = E\left[\int_t^{t_f} f(\boldsymbol{X}, \boldsymbol{u}, s)ds + g(\boldsymbol{X}(t_f))\right] \tag{8.1-14}$$

以 $\boldsymbol{X}_{tx}(\boldsymbol{x},s)$记在初始状态 $\boldsymbol{X}_{tx}(\boldsymbol{u},t)=\boldsymbol{x}$ 下由反馈控制 $\boldsymbol{u}=\boldsymbol{u}(\boldsymbol{X},s)$产生的方程(8.1-13)之解。在控制约束(8.1-2)下,值函数定义为

$$V(\boldsymbol{x},t)=\inf_{\boldsymbol{u}\in U} E\left[\int_t^{t_f} f(\boldsymbol{X}_{tx},\boldsymbol{u},s)\mathrm{d}s+g(\boldsymbol{X}_{tx}(t_f))\right] \tag{8.1-15}$$

式中 $\inf\limits_{\boldsymbol{u}\in U}$ 表示对 U 内所有允许控制取极小值,期望算子 E 应理解为如下条件期望算子 E_{tx}:

$$E_{tx}[F(\boldsymbol{Y})]=\int_D F(\boldsymbol{y})p(\boldsymbol{y},s\mid\boldsymbol{x},t)\mathrm{d}\boldsymbol{y} \tag{8.1-16}$$

其中 $p(\boldsymbol{y},s\mid\boldsymbol{x},t)$是扩散过程 $\boldsymbol{X}_{tx}(\boldsymbol{u},s)$的转移概率密度。在控制终了时刻,值函数之值为

$$V(\boldsymbol{x},t_f)=g(\boldsymbol{X}_{tx}(t_f)) \tag{8.1-17}$$

(8.1-15)与(8.1-17)中 $\boldsymbol{X}_{tx}$常简记为 $\boldsymbol{X}$。

对其他随机最优控制问题,可类似定义值函数。例如,对受控系统(8.1-1),在控制约束(8.1-2)下,最大平均首次超越时间(8.1-10)的最优控制问题,值函数定义为

$$V(\boldsymbol{x},t)=\sup_{\boldsymbol{u}\in U} E[\tau_{tx}(\boldsymbol{X}_{tx},\boldsymbol{u}] \tag{8.1-18}$$

二、随机动态规划方程的建立

随机动态规划方程表示随机最优控制的必要条件,它由动态规划原理(Bellman 最优性原理)导出。下面先给出随机最优控制问题(8.1-1)、(8.1-2)、(8.1-4)的动态规划方程的形式推导,再简述其他随机最优控制问题的动态规划方程。

动态规划原理说,若 $\boldsymbol{u}^*$ 是某个最优控制问题在整个时间区间$[t,t_f]$上的最优反馈控制,则 $\boldsymbol{u}^*$ 具有如下性质:不管时刻 $t+h\in[t,t_f]$与时间区间$[t,t+h]$上的允许控制 $\boldsymbol{u}$ 怎么取,$\boldsymbol{u}^*$ 必然是同一最优控制问题在时间区间$[t+h,t_f]$上关于由$[t,t+h]$上控制 $\boldsymbol{u}$ 产生的状态 $\boldsymbol{X}_{tx}(\boldsymbol{u},t+h)$的最优控制。

对随机最优控制问题(8.1-1)、(8.1-2)、(8.1-4),按值函数定义(8.1-15),以 $V(\boldsymbol{x},t)$记整个区间$[t,t_f]$上值函数,以 $V(\boldsymbol{x}(t$

$+h)$，$t+h)$记区间$[t+h, t_f]$上值函数。根据上述动态规划原理，有

$$
\begin{aligned}
V(\boldsymbol{x},t) &= \inf_{\boldsymbol{u}\in U} E\left[\int_t^{t_f} f(\boldsymbol{X},\boldsymbol{u},s)\mathrm{d}s + g(\boldsymbol{X}(t_f))\right] \\
&= \inf_{\boldsymbol{u}\in U} E\left[\int_t^{t+h} f(\boldsymbol{X},\boldsymbol{u},s)\mathrm{d}s + \int_{t+h}^{t_f} f(\boldsymbol{X},\boldsymbol{u},s)\mathrm{d}s + g(\boldsymbol{X}(t_f))\right] \\
&= \inf_{\boldsymbol{u}\in U} E\left[\int_t^{t+h} f(\boldsymbol{X},\boldsymbol{u},s)\mathrm{d}s\right] + V(\boldsymbol{x}(t+h),t+h) \\
&\leqslant E\left[\int_t^{t+h} f(\boldsymbol{X},\boldsymbol{u},s)\mathrm{d}s\right] + V(\boldsymbol{x}(t+h),t+h)
\end{aligned}
$$

即

$$
V(\boldsymbol{x}(t+h),t+h) - V(\boldsymbol{x},t) + E\left[\int_t^{t+h} f(\boldsymbol{X},\boldsymbol{u},s)\mathrm{d}s\right] \geqslant 0 \tag{8.1-19}
$$

上式除以 h，并取 $h\to 0^+$ 的极限，有

$$
\lim_{h\to 0^+} \frac{1}{h} E\left[\int_t^{t+h} f(\boldsymbol{x},\boldsymbol{u},s)\mathrm{d}s\right] = f(\boldsymbol{x},\boldsymbol{u},t) \tag{8.1-20}
$$

假定 $V(\boldsymbol{x},t)$对 t 一次可微，对 $\boldsymbol{x}$ 二次可微，注意到值函数是形如(8.1-16)的条件期望，期望括号内是 $\boldsymbol{X}, t$ 的函数，而 $\boldsymbol{X}$ 满足 Itô 方程(8.1-1)。应用 Itô 微分公式(2.6-1)，可导得

$$
\begin{aligned}
&\lim_{h\to 0^+} \frac{1}{h}[V(\boldsymbol{x}(t+h),t+h) - V(\boldsymbol{x},t)] \\
&\quad = \frac{1}{\mathrm{d}t} \lim_{h\to 0^+} \int_t^{t+h} \left\{\frac{\partial V(\boldsymbol{x},s)}{\partial t} + L_x V(\boldsymbol{x},s)\right\} \mathrm{d}s \\
&\quad = \frac{\partial V}{\partial t} + L_x V = \frac{\mathrm{d}V(\boldsymbol{x},t)}{\mathrm{d}t}
\end{aligned} \tag{8.1-21}
$$

式中

$$
L_x V = \frac{1}{2}\sigma_{il}\sigma_{jl}\frac{\partial^2 V}{\partial x_i \partial x_j} + m_i \frac{\partial V}{\partial x_i} \tag{8.1-22}
$$

由(8.1-19)～(8.1-21)得

$$
\frac{\partial V}{\partial t} + L_x V + f(\boldsymbol{x},\boldsymbol{u},t) \geqslant 0 \tag{8.1-23}
$$

另一方面，若在时间区间$[t,t+h]$也取最优控制 $\boldsymbol{u}^*$，则有

$$\frac{\partial V}{\partial t}+L_x V+f(\boldsymbol{x},\boldsymbol{u}^*,t)=0 \tag{8.1-24}$$

组合(8.1-23)与(8.1-24)给出

$$\begin{aligned}\frac{\partial V}{\partial t}&=-\inf_{\boldsymbol{u}\in U}[L_x V+f(\boldsymbol{x},\boldsymbol{u},t)]\\&=[L_x^{\boldsymbol{u}^*}V+f(\boldsymbol{x},\boldsymbol{u}^*,t)]\end{aligned} \tag{8.1-25}$$

式中 $L_x^{\boldsymbol{u}^*}$ 是 $\boldsymbol{u}=\boldsymbol{u}^*$ 时之 L_x。按(8.1-17)，(8.1-25)须满足终值条件

$$V(\boldsymbol{x},t_f)=g(\boldsymbol{x}(t_f)) \tag{8.1-26}$$

(8.1-25)还常写成

$$-\frac{\partial V}{\partial t}+\sup_{\boldsymbol{u}\in U}G(-V_{xx},-V_x,\boldsymbol{x},\boldsymbol{u},t)=0 \tag{8.1-27}$$

式中

$$G(-V_{xx},-V_x,\boldsymbol{x},\boldsymbol{u},t)=-L_x V-f(\boldsymbol{x},\boldsymbol{u},t) \tag{8.1-28}$$

sup 表示上确界，当该值确能达到时，可以 max 代之。(8.1-19)是有限形式随机动态规划方程，(8.1-25)或(8.1-27)则为微分形式随机动态规划方程，(8.1-27)常称为 Hamilton-Jacobi-Bellman 方程，或简称 HJB 方程。(8.1-28)中 G 称为广义 Hamilton 函数。随机动态规划方程(8.1-25)或(8.1-27)是一个非齐次的二阶非线性抛物型偏微分方程。

对自治受控系统，$\boldsymbol{m},\sigma,\boldsymbol{u}$ 均不显含 t，(8.1-27)化为

$$\sup_{\boldsymbol{u}\in U}G(-V_{xx},-V_x,\boldsymbol{x},\boldsymbol{u})=0 \tag{8.1-29}$$

它是非齐次的二阶非线性椭圆型偏微分方程。

设(8.1-1)中 $\boldsymbol{m},\sigma$ 为 t 的周期或概周期函数，(8.1-1)存在惟一的周期或概周期的稳态解。考虑遍历控制(8.1-1)、(8.1-2)、(8.1-7)，令值函数

$$V(\boldsymbol{x},t)=\inf_{\boldsymbol{u}\in U}E\left[\int_t^{t_f}(f(\boldsymbol{X},\boldsymbol{u},t)-J(\boldsymbol{u}))\mathrm{d}t\right] \tag{8.1-30}$$

由动态规划原理经类似推导得动态规划方程

$$\frac{\partial V}{\partial t}=-\inf_{u\in U}[L_x V+f(\boldsymbol{x},\boldsymbol{u},t)-J(\boldsymbol{u})]$$

$$=-L_x^{u^*}V-f(\boldsymbol{x},\boldsymbol{u}^*,t)+\gamma \qquad (8.1\text{-}31)$$

式中

$$\gamma=\lim_{t_f\to\infty}\frac{1}{t_f}\int_0^{t_f}f(\boldsymbol{x},\boldsymbol{u}^*,t)\mathrm{d}t \qquad (8.1\text{-}32)$$

为最优平均成本。当(8.1-1)为自治系统,$\boldsymbol{m}$,σ,$\boldsymbol{f}$不显含t时,V也不显含t,动态规划方程(8.1-31)化为

$$\inf_{u\in U}[L_x V+f(\boldsymbol{x},\boldsymbol{u})]=L_x^{u^*}V+f(\boldsymbol{x},\boldsymbol{u}^*)=\gamma \qquad (8.1\text{-}33)$$

设Ω是(8.1-1)的安全域,$q(\boldsymbol{y},s|\boldsymbol{x},t)$是条件转移概率密度(从$t$到$s$始终保持在$\Omega$内的样本函数的转移概率密度),则条件可靠性函数为

$$R(s|\boldsymbol{x},t)=\int_\Omega q(\boldsymbol{y},s|\boldsymbol{x},t)\mathrm{d}\boldsymbol{y} \qquad (8.1\text{-}34)$$

对系统(8.1-1)在控制约束(8.1-2)下的可靠度最大的控制问题,值函数可由(8.1-15)中令$f=0$,$g=1$,inf→sup,(8.1-16)中$p(\boldsymbol{y},s|\boldsymbol{x},t)$代之以$q(\boldsymbol{y},s|\boldsymbol{x},t)$得到,即

$$V(\boldsymbol{x},t)=\sup_{u\in U}\int_\Omega q(\boldsymbol{y},s|\boldsymbol{x},t)\mathrm{d}\boldsymbol{y},\quad t\leqslant s\leqslant t_f \qquad (8.1\text{-}35)$$

类似的推导给出如下动态规划方程

$$\frac{\partial V}{\partial t}=-\sup_{u\in U}L_x V,\quad \boldsymbol{x}\in\Omega \qquad (8.1\text{-}36)$$

与最终条件

$$V(\boldsymbol{x},t_f)=1 \qquad (8.1\text{-}37)$$

据题意,$V(\boldsymbol{x},t)$还应有边界条件

$$V(\boldsymbol{x},t)=0,\quad \boldsymbol{x}\in\Gamma \qquad (8.1\text{-}38)$$

式中Γ为安全域Ω的边界。

设(8.1-1)为自治系统,在控制约束(8.1-2)下的平均首次穿越时间最长的最优控制问题,值函数为

$$V(\boldsymbol{x})=\sup_{u\in U}E\left[\int_t^{t+\tau}\mathrm{d}s\right],\ \boldsymbol{x}\in\Omega \qquad (8.1\text{-}39)$$

此处 τ 为首次穿越时间，$E[\cdot]$亦应理解为条件期望（即对 $q(\boldsymbol{y},s|\boldsymbol{x},t)$的加权平均）。类似地推导给出如下动态规划方程

$$\sup_{u\in U} L_x V=-1,\quad \boldsymbol{x}\in\Omega \tag{8.1-40}$$

也有边界条件

$$V(\boldsymbol{x})=0,\quad \boldsymbol{x}\in\Gamma \tag{8.1-41}$$

三、随机动态规划方程的求解

建立好随机动态规划方程之后，以下的步骤为：

1. 通过对动态规划方程求 inf 或 sup 确定 $\boldsymbol{u}^*$ 为 V 的函数的表达式(最优控制律)；

2. 将 $\boldsymbol{u}^*$ 代入动态规划方程得最后动态规划方程，在适当的最终与边界条件下求解后一方程得值函数 V，代入 $\boldsymbol{u}^*$ 的表达式得最优控制；

3. 将最优控制代入(8.1-1)，求解该方程或相应的 FPK 方程得最优状态轨迹或概率密度。

最后一步所用方法如同无控系统，见第三至第五章。下面简单讨论随机动态规划方程之解。

动态规划方程之解有两类，一类是光滑解，称为古典解，另一类是连续但非光滑解，称为黏性解。对动态规划方程(8.1-25)、(8.1-27)、(8.1-31)、(8.1-36)，若对任意矢量 $\alpha\in R^n$，存在常数 $c>0$满足条件

$$b_{ij}(\boldsymbol{x},\boldsymbol{u},t)\alpha_i\alpha_j\geqslant c|\alpha|^2 \tag{8.1-42}$$

式中 $b_{ij}=\sigma_{il}\sigma_{jl}$，即二次型 $b_{ij}\alpha_i\alpha_j$ 正定，则称它们为均匀抛物型的，否则，就称它们为退化抛物型的。对动态规划方程(8.1-29)、(8.1-33)、(8.1-40)，若满足条件

$$b_{ij}(\boldsymbol{x},\boldsymbol{u})\alpha_i\alpha_j\geqslant c|\alpha|^2 \tag{8.1-43}$$

则称它们为均匀椭圆型的，否则，就称为退化椭圆型的。对均匀抛物型与均匀椭圆型动态规划方程，在适度条件下，存在惟一的古典解。对退化抛物型与椭圆型动态规划方程，只能有黏性解。

一个连续函数 $V(\boldsymbol{x},t)$，称为随机动态规划方程(8.1-27)在

终值条件(8.1-26)下的黏性亚解,若

$$V(\boldsymbol{x},t_f)\leqslant g(\boldsymbol{x}(t_f)) \tag{8.1-44}$$

且对任一个对 t 一次连续可微、对 $\boldsymbol{x}$ 二次连续可微的函数 $\varphi(\boldsymbol{x},t)$,一旦 $V-\varphi$ 在某点上达到局部极大值,就有

$$-\frac{\partial \varphi}{\partial t}+\sup_{u\in U} G(-\varphi_{xx},-\varphi_x,\boldsymbol{x},\boldsymbol{u},t)\leqslant 0 \tag{8.1-45}$$

若(8.1-44)、(8.1-45)中的不等号改成“$\geqslant$”,“局部极大”改成“局部极小”,则称 $V(\boldsymbol{x},t)$ 为在终值条件(8.1-26)下(8.1-27)的黏性超解。若 $V(\boldsymbol{x},t)$ 同为黏性亚解与黏性超解,则称它为黏性解。黏性解还可等价地用所谓亚微分与超微分代替随机动态规划方程中的微分来定义[4]。若值函数对 t 一次连续可微,对 $\boldsymbol{x}$ 二次连续可微,则只有当它为随机动态规划方程的古典解时,它才能是黏性解。可见,黏性解是随机动态规划方程的一种广义解,在适度条件下,它也是惟一的[4,7]。

对机械与结构系统的随机最优控制问题,条件(8.1-42)与(8.1-43)常常不能满足,因此,相应的随机动态规划方程只能有黏性解。但在应用了随机平均法后,对平均 Itô 方程的随机控制问题,这些条件往往能满足,从而有古典解。因此,随机平均法与动态规划原理相结合,可使随机动态规划方程之解规则化。

只有极少数情形随机动态规划方程有解析解,大多数应用中,只能求数值解。文献[8]中提出了求解随机动态规划方程的 Markov 链近似解法。该法的基本思想是用一个适当的受控 Markov 链来近似原来受控 Markov 过程,并用一个相应的成本泛函近似原来的成本泛函,选取这些近似式使得能以合理的计算量得到随机最优控制问题之解。这种方法同时适用于古典解与黏性解,而且可证明解的收敛性。

四、线性二次 Gauss(LQG)控制

作为随机动态规划方法的一个应用,考虑如下线性 Itô 随机微分方程描写的线性系统控制问题:

$$\mathrm{d}\boldsymbol{X}(t)=[\boldsymbol{A}(t)\boldsymbol{X}(t)\mathrm{d}t+\boldsymbol{D}(t)\boldsymbol{u}(t)]\mathrm{d}t+\sigma(t)\mathrm{d}\boldsymbol{B}(t)$$

$$X(t_0) = X_0 \tag{8.1-46}$$

式中 $\boldsymbol{X}(t)$为 n 维矢量过程；初值 $\boldsymbol{X}_0$ 为 Gauss 随机矢量；$\boldsymbol{B}(t)$为 m 维标准 Wiener 过程，它与 $\boldsymbol{X}_0$ 独立；$\boldsymbol{u}(t)$为 r 维矢量控制过程；$\boldsymbol{A}(t)$，$\boldsymbol{D}(t)$，$\sigma(t)$分别为 $n\times n$，$n\times r$，$n\times m$ 系数矩阵。性能指标为二次型泛函

$$J(\boldsymbol{u}) = E\left[\int_{t_0}^{t_f}(\boldsymbol{X}^{\mathrm{T}}(t)\boldsymbol{Q}(t)\boldsymbol{X}(t) + \boldsymbol{u}^{\mathrm{T}}(t)\boldsymbol{R}(t)\boldsymbol{u}(t))\mathrm{d}t \right.$$

$$\left. + \boldsymbol{X}^{\mathrm{T}}(t_f)\boldsymbol{Q}_T(t_f)\boldsymbol{X}(t_f)\right] \tag{8.1-47}$$

此时，随机动态规划方程(8.1-25)化为

$$\frac{\partial V}{\partial t} = -\inf_{\boldsymbol{u}}\left[\boldsymbol{x}^{\mathrm{T}}\boldsymbol{A}^{\mathrm{T}}\frac{\partial V}{\partial \boldsymbol{x}} + \boldsymbol{u}^{\mathrm{T}}\boldsymbol{D}^{\mathrm{T}}\frac{\partial V}{\partial \boldsymbol{x}} + \frac{1}{2}(\sigma\sigma^{\mathrm{T}})_{ij}\frac{\partial^2 V}{\partial x_i \partial x_j}\right.$$

$$\left. + \boldsymbol{x}^{\mathrm{T}}\boldsymbol{Q}\boldsymbol{x} + \boldsymbol{u}^{\mathrm{T}}\boldsymbol{R}\boldsymbol{u}\right] \tag{8.1-48}$$

由极小值条件

$$\inf_{\boldsymbol{u}}\left[\boldsymbol{u}^{\mathrm{T}}\boldsymbol{D}^{\mathrm{T}}\frac{\partial V}{\partial \boldsymbol{x}} + \boldsymbol{u}^{\mathrm{T}}\boldsymbol{R}\boldsymbol{u}\right] \tag{8.1-49}$$

得最优控制律

$$\boldsymbol{u}^* = -\frac{1}{2}\boldsymbol{R}^{-1}\boldsymbol{D}^{\mathrm{T}}\frac{\partial V}{\partial \boldsymbol{x}} \tag{8.1-50}$$

将(8.1-50)代入(8.1-48)，得最后随机动态规划方程

$$\frac{\partial V}{\partial t} + \boldsymbol{x}^{\mathrm{T}}\boldsymbol{A}^{\mathrm{T}}\left[\frac{\partial V}{\partial \boldsymbol{x}}\right] - \frac{1}{4}\left[\frac{\partial V}{\partial \boldsymbol{x}}\right]^{\mathrm{T}}\boldsymbol{D}\boldsymbol{R}^{-1}\boldsymbol{D}^{\mathrm{T}}\left[\frac{\partial V}{\partial \boldsymbol{x}}\right]$$

$$+ \frac{1}{2}(\sigma\sigma^{\mathrm{T}})_{ij}\frac{\partial^2 V}{\partial x_i \partial x_j} + \boldsymbol{x}^{\mathrm{T}}\boldsymbol{Q}\boldsymbol{x} = 0 \tag{8.1-51}$$

终值条件为

$$V(\boldsymbol{x}, t_f) = \boldsymbol{x}^{\mathrm{T}}(t_f)\boldsymbol{Q}(t_f)\boldsymbol{x}(t_f) \tag{8.1-52}$$

设(8.1-51)、(8.1-52)之解形为

$$V(\boldsymbol{x}, t) = \boldsymbol{x}^{\mathrm{T}}(t)\boldsymbol{P}(t)\boldsymbol{x}(t) + p(t) \tag{8.1-53}$$

代入(8.1-51)，得对称矩阵 $\boldsymbol{P}$ 应满足的矩阵 Riccati 方程

$$
\begin{aligned}
&\dot{\boldsymbol{P}}(t)+\boldsymbol{A}^{\mathrm{T}}(t)\boldsymbol{P}(t)+\boldsymbol{P}(t)\boldsymbol{A}(t)+\boldsymbol{Q}(t)\\
&-\boldsymbol{P}(t)\boldsymbol{D}(t)\boldsymbol{R}^{-1}(t)\boldsymbol{D}^{\mathrm{T}}(t)\boldsymbol{P}(t)=0\\
&t_0\leqslant t<t_f,\quad \boldsymbol{P}(t_f)=\boldsymbol{Q}(t_f)
\end{aligned}
\tag{8.1-54}
$$

与 $\dot{p}(t)=-(\sigma\sigma^{\mathrm{T}})_{ij}P_{ij}(t)$。(8.1-53)代入(8.1-50),得最优控制

$$
\boldsymbol{u}^*(t)=-\boldsymbol{R}^{-1}(t)\boldsymbol{D}^{\mathrm{T}}(t)\boldsymbol{P}(t)\boldsymbol{X}(t),\quad t_0\leqslant t\leqslant t_f
\tag{8.1-55}
$$

它表明最优控制是线性负反馈,控制增益为 $\boldsymbol{R}^{-1}\boldsymbol{D}^{\mathrm{T}}\boldsymbol{P}$。将(8.1-55)代入(8.1-46),知受控过程 $\boldsymbol{X}(t)$满足线性 Itô 随机微分方程,因此,它是 n 维矢量 Gauss Markov 过程,易用矩方程求其均值与方差矩阵。因为受控系统方程为线性,性能指标为二次型泛函,未控过程与已控过程均为 Gauss 过程,所以称这种控制为线性二次 Gauss 控制,简称 LQG 控制。

顺便指出,对 LQG 控制问题与确定性线性二次(LQ)控制问题,最优控制律与 Riccati 方程是相同的。

8.1.4 部分可观测系统的随机最优控制

在上述随机最优控制理论中,假定控制器能完全观测到受控系统的状态,并据此做出控制决定,这称为完全可观测的随机最优控制。在实际应用中,系统的状态往往只能通过其他变量部分地观测到,而且,在观测系统中往往存在噪声,控制器只能根据含有噪声的部分观测值作出控制决定,这称为部分可观测随机最优控制,它包括滤波(根据带噪声的部分观测值对系统状态作出估计)与控制两个互相耦合的部分。解决部分可观测随机最优控制问题的一个办法是将它转化成一个完全可观测的随机最优控制问题,后者一般是无限维随机最优控制问题[4],只对线性与少数非线性随机控制问题,可应用分离原理,先解滤波问题,再解完全可观测系统的随机最优控制问题。

一、滤波问题

设 n 维矢量信号过程满足 Itô 随机微分方程

$$\mathrm{d}\boldsymbol{X}(t)=\boldsymbol{m}(\boldsymbol{X},t)\mathrm{d}t+\sigma(\boldsymbol{X},t)\mathrm{d}\boldsymbol{B}(t),\quad t\in[t_0,\boldsymbol{T}]$$
$$\boldsymbol{X}(t_0)=\boldsymbol{X}_0 \tag{8.1-56}$$

l 维矢量观测过程 $\boldsymbol{Y}(t)$满足 Itô 随机微分方程

$$\begin{aligned}&\mathrm{d}\boldsymbol{Y}(t)=\boldsymbol{h}(\boldsymbol{X},t)\mathrm{d}t+\sigma_0(t)\mathrm{d}\boldsymbol{B}_0(t)\\&\boldsymbol{Y}(t_0)=\boldsymbol{0}\end{aligned} \tag{8.1-57}$$

$\boldsymbol{B}(t)$与 $\boldsymbol{B}_0(t)$分别为相互独立并与 $\boldsymbol{X}_0$ 独立的 m 维与 s 维标准 Wiener 过程。$\boldsymbol{m}$ 与 $\boldsymbol{h}$ 分别为 n 维与 l 维矢量函数，σ 与 σ_0 分别为 $n\times m$ 与 $l\times s$ 矩阵函数。设已得到在$[t_0,t]$上的观测值 $y_t=\{\boldsymbol{y}(s),t_0\leqslant s\leqslant t\}$，要求对 t 时刻的信号 $\boldsymbol{X}(t)$作出估计。该问题的最完全解答是条件概率密度 $p(\boldsymbol{x},t|\boldsymbol{y}_t)$，因为它包含了在观测值 $\boldsymbol{y}_t$ 与初始条件 $p(\boldsymbol{x}_0)$中含有的关于 $\boldsymbol{X}(t)$的所有统计信息。对线性滤波问题，$p(\boldsymbol{x},t|\boldsymbol{y}_t)$是 Gauss 的，均值与协方差就能确定 $p(\boldsymbol{x},t|\boldsymbol{y}_t)$。因此，线性滤波器的状态是有限维的。对非线性滤波器，$p(\boldsymbol{x},t|\boldsymbol{y}_t)$是非 Gauss 的，一般需无穷多个矩才能表征，因此，非线性滤波器的状态是无限维的。

已证[9]，$p(\boldsymbol{x},t|\boldsymbol{y}_t)$满足如下 Kushner-Stratonovich 方程：

$$\mathrm{d}p=L_{\boldsymbol{x}}^{*}(p)\mathrm{d}t+(\boldsymbol{h}-\widehat{\boldsymbol{h}})^{\mathrm{T}}\boldsymbol{R}_2^{-1}(\mathrm{d}\boldsymbol{Y}-\widehat{\boldsymbol{h}}\mathrm{d}t)p \tag{8.1-58}$$

式中

$$L_{\boldsymbol{x}}^{*}(p)=-\frac{\partial}{\partial x_i}(m_ip)+\frac{1}{2}\frac{\partial^2}{\partial x_i\partial x_j}[(\sigma\sigma^{\mathrm{T}})_{ij}p]$$

$$\widehat{\boldsymbol{h}}=E[\boldsymbol{h}(\boldsymbol{X},t)]=\int\boldsymbol{h}(\boldsymbol{x},t)p(\boldsymbol{x},t|\boldsymbol{y}_t)\mathrm{d}\boldsymbol{x} \tag{8.1-59}$$

$$\boldsymbol{R}_2=\sigma_0\sigma_0^{\mathrm{T}}$$

(8.1-58)是关于条件概率密度的随机偏微分方程。无观测值，即 $\boldsymbol{R}_2^{-1}=\boldsymbol{0}$ 时，它化为 FPK 方程。初始条件为

$$p(\boldsymbol{x},t_0|\boldsymbol{y}_t)=p(\boldsymbol{x}_0) \tag{8.1-60}$$

边界条件为

$$p, \frac{\partial p}{\partial x_i} \to 0, \qquad |\boldsymbol{x}| \to \infty \tag{8.1-61}$$

均方最优估计为条件均值或条件众数(使概率密度最大之 $\boldsymbol{x}$ 值)。设 $\varphi(\boldsymbol{x})$为试验函数,应用 Itô 微分公式(2.6-1),可由(8.1-56)与(8.1-58)导出条件期望 $\hat{\varphi}(\boldsymbol{x}) = E[\varphi(\boldsymbol{X})|\boldsymbol{y}_t] = \int \varphi(\boldsymbol{x})p(\boldsymbol{x},t|\boldsymbol{y}_t)\mathrm{d}\boldsymbol{x}$ 所满足的方程

$$\begin{aligned} \mathrm{d}\hat{\varphi} = & \left[\left\langle \varphi_x^{\mathrm{T}}\boldsymbol{m} + \frac{1}{2}\mathrm{tr}\left(\sigma\sigma^{\mathrm{T}}\varphi_{xx}\right)\right\rangle\right]\mathrm{d}t \\ & + (\widehat{\varphi\boldsymbol{h}} - \hat{\varphi}\hat{\boldsymbol{h}})^{\mathrm{T}}\boldsymbol{R}_2^{-1}(\mathrm{d}\boldsymbol{Y} - \hat{\boldsymbol{h}}\mathrm{d}t) \end{aligned} \tag{8.1-62}$$

由此可导得条件均值与估计误差的方差所满足之方程

引入新息(innovation)过程

$$\zeta(t) = \boldsymbol{Y}(t) - \int_0^t \hat{\boldsymbol{h}}(\tau)\mathrm{d}\tau \tag{8.1-63}$$

它抽出了所有观察过程 $\boldsymbol{Y}(t)$中有的信息。由(8.1-57)知,它满足方程

$$\begin{aligned} \mathrm{d}\zeta(t) &= \mathrm{d}\boldsymbol{Y}(t) - \hat{\boldsymbol{h}}(t)\mathrm{d}t \\ &= \tilde{\boldsymbol{h}}(t)\mathrm{d}t + \sigma_0(t)\mathrm{d}\boldsymbol{B}_0(t) \end{aligned} \tag{8.1-64}$$

$$\zeta(0) = \boldsymbol{0}$$

式中 $\hat{\boldsymbol{h}}(t)$是 $\boldsymbol{h}(t)$的条件期望,是用观测值 $\boldsymbol{y}_t$ 对 $\boldsymbol{h}(\boldsymbol{X},t)$做出的最优估计,$\tilde{\boldsymbol{h}} = \boldsymbol{h} - \hat{\boldsymbol{h}}$为估计误差。由(8.1-64)可证,$\mathrm{d}\zeta(t)$是一个均值矢量为零、方差矩阵为 $\sigma_0\sigma_0^{\mathrm{T}}\mathrm{d}t$ 的独立增量过程。(8.1-58)与(8.1-62)可分别改写成

$$\mathrm{d}p = L_x^*(p)\mathrm{d}t + \tilde{\boldsymbol{h}}^{\mathrm{T}}\boldsymbol{R}_2^{-1}\mathrm{d}\zeta p \tag{8.1-65}$$

与

$$\mathrm{d}\hat{\varphi} = \left[\left\langle \varphi_x^{\mathrm{T}}\boldsymbol{m} + \frac{1}{2}\mathrm{tr}\left(\sigma\sigma^{\mathrm{T}}\varphi_{xx}\right)\right\rangle\right]\mathrm{d}t + \left(\widehat{\varphi\boldsymbol{h}} - \hat{\varphi}\hat{\boldsymbol{h}}\right)^{\mathrm{T}}\boldsymbol{R}_2^{-1}\mathrm{d}\zeta \tag{8.1-66}$$

现设信号过程与观测过程服从线性 Itô 随机微分方程

$$
\begin{aligned}
&\mathrm{d}\boldsymbol{X}(t)=\boldsymbol{A}(t)\boldsymbol{X}(t)\mathrm{d}t+\sigma(t)\mathrm{d}\boldsymbol{B}(t)\\
&\boldsymbol{X}(t_0)=\boldsymbol{X}_0
\end{aligned}
\tag{8.1-67}
$$

$$
\begin{aligned}
&\mathrm{d}\boldsymbol{Y}(t)=\boldsymbol{H}(t)\boldsymbol{X}(t)\mathrm{d}t+\sigma_0(t)\mathrm{d}\boldsymbol{B}_0(t)\\
&\boldsymbol{Y}(t_0)=\boldsymbol{0}
\end{aligned}
\tag{8.1-68}
$$

此时,(8.1-65)化为

$$
\mathrm{d}p=\left[-p\,\mathrm{tr}(\boldsymbol{A})-p_x^{\mathrm{T}}\boldsymbol{A}\boldsymbol{x}+\mathrm{tr}\left(\sigma\sigma^{\mathrm{T}}p_{xx}\right)/2\right]\mathrm{d}t+(\boldsymbol{x}-\hat{\boldsymbol{x}})^{\mathrm{T}}\boldsymbol{H}^{\mathrm{T}}\boldsymbol{R}_2^{-1}\mathrm{d}\zeta p \tag{8.1-69}
$$

其中

$$
\mathrm{d}\zeta(t)=\mathrm{d}\boldsymbol{Y}(t)-\boldsymbol{H}(t)\hat{\boldsymbol{x}}\mathrm{d}t \tag{8.1-70}
$$

(8.1-69)之解为 Gauss 条件概率密度。在(8.1-66)中令 $\varphi(\boldsymbol{X})=\boldsymbol{X}$,$\boldsymbol{m}=\boldsymbol{A}\boldsymbol{X}$,$\boldsymbol{h}=\boldsymbol{H}\boldsymbol{X}$,注意$\left(\widehat{\boldsymbol{X}\boldsymbol{h}^{\mathrm{T}}}-\hat{\boldsymbol{X}}\hat{\boldsymbol{h}}^{\mathrm{T}}\right)=\left(\widehat{\boldsymbol{X}\boldsymbol{X}^{\mathrm{T}}}-\hat{\boldsymbol{X}}\hat{\boldsymbol{X}}^{\mathrm{T}}\right)\boldsymbol{H}^{\mathrm{T}}=\boldsymbol{P}_1(t)\boldsymbol{H}^{\mathrm{T}}$,$\boldsymbol{P}_1(t)=E\left[\tilde{\boldsymbol{X}}\tilde{\boldsymbol{X}}^{\mathrm{T}}\right]$为滤波估计误差的协方差矩阵,得条件均值满足的微分方程

$$
\begin{aligned}
&\mathrm{d}\hat{\boldsymbol{X}}(t)=\boldsymbol{A}(t)\hat{\boldsymbol{X}}(t)\mathrm{d}t+\boldsymbol{P}_1(t)\boldsymbol{H}^{\mathrm{T}}(t)\boldsymbol{R}_2^{-1}(t)\mathrm{d}\zeta(t)\\
&\hat{\boldsymbol{X}}(t_0)=E[\boldsymbol{X}_0]
\end{aligned}
\tag{8.1-71}
$$

(8.1-71)称为 Kalman-Bucy 滤波器,它与信号过程有着相同的动力学结构。$\boldsymbol{P}_1(t)\boldsymbol{H}^{\mathrm{T}}(t)\boldsymbol{R}_2^{-1}(t)$称为 Kalman 滤波器增益。类似地,令 $\varphi(\boldsymbol{X})=\left(\boldsymbol{X}-\hat{\boldsymbol{X}}\right)\left(\boldsymbol{X}-\hat{\boldsymbol{X}}\right)^{\mathrm{T}}$,并注意到 $\boldsymbol{X}$ 的三阶条件中心矩为零,从(8.1-66)得协方差矩阵 $\boldsymbol{P}_1(t)$满足的微分方程

$$
\begin{aligned}
\dot{\boldsymbol{P}}_1(t)=&\boldsymbol{A}(t)\boldsymbol{P}_1(t)+\boldsymbol{P}_1(t)\boldsymbol{A}^{\mathrm{T}}(t)+\boldsymbol{R}_1(t)\\
&-\boldsymbol{P}_1(t)\boldsymbol{H}^{\mathrm{T}}(t)\boldsymbol{R}_2^{-1}(t)\boldsymbol{H}(t)\boldsymbol{P}_1(t)
\end{aligned}
\tag{8.1-72}
$$

$$
\boldsymbol{P}_1(t_0)=\mathrm{Cov}(\boldsymbol{X}_0)
$$

$\boldsymbol{R}_1=\sigma\sigma^{\mathrm{T}}$。(8.1-72)是 Kalman 滤波器的矩阵 Riccati 方程。注意它与 LQG 控制的矩阵 Riccati 方程(8.1-54)不同。

顺便指出,除了上述 Kushner-Stratonovich 方程,未归一化的条件概率密度还满足 Duncan-Mortensen-Zakai 方程,它也是随机偏微分方程。这两个方程的积分形式是等价的[10]。

二、控制问题

有限时间区间$[t_0, t_f]$上部分可观测随机最优控制问题的一般提法如下。考虑受控信号方程

$$\mathrm{d}\boldsymbol{X}(t)=\boldsymbol{m}(\boldsymbol{X},\boldsymbol{Y},\boldsymbol{u},t)\mathrm{d}t+\sigma(\boldsymbol{X},\boldsymbol{Y},\boldsymbol{u},t)\mathrm{d}\boldsymbol{B}(t)+\alpha(\boldsymbol{X},\boldsymbol{Y},\boldsymbol{u},t)\mathrm{d}\boldsymbol{B}_0(t) \quad (8.1\text{-}73)$$

$$\boldsymbol{X}(t_0)=\boldsymbol{X}_0$$

与观测过程方程

$$\mathrm{d}\boldsymbol{Y}(t)=\boldsymbol{h}(\boldsymbol{X},\boldsymbol{Y},\boldsymbol{u},t)\mathrm{d}t+\sigma_0(t)\mathrm{d}\boldsymbol{B}_0(t) \quad (8.1\text{-}74)$$

$$\boldsymbol{Y}(t_0)=\boldsymbol{Y}_0$$

式中 α 描述信号噪声与观测噪声的相关性。问题是寻求最优控制 $\boldsymbol{u}^*(t)$使下列性能指标最小：

$$J(\boldsymbol{u})=E\left[\int_{t_0}^{t_f}f(\boldsymbol{X},\boldsymbol{Y},\boldsymbol{u},t)\mathrm{d}t+g(\boldsymbol{X}(t_f),\boldsymbol{Y}(t_f))\right] \quad (8.1\text{-}75)$$

与完全可观测随机最优控制问题相比,上述问题是一个困难得多的问题。解决该问题的一种办法是将上述问题化为完全可观测随机最优控制问题,在后一问题中,将条件概率密度 $p(\boldsymbol{x},t\,|\,\boldsymbol{y}_t)$看成受控系统状态,将它所满足的方程(Kushner-Stratonovich 方程(8.1-58)或 Duncan-Mortensen-Zakai 方程)看成受控系统方程,将(8.1-75)对该条件概率密度的加权平均作为性能指标。由于$p(\boldsymbol{x},t\,|\,\boldsymbol{y}_t)$为无限维,这是一个无限维的完全可观测随机最优控制问题,很难求解。

考虑一种特殊情形,设受控信号过程与观测过程满足下列线性 Itô 随机微分方程：

$$\mathrm{d}\boldsymbol{X}(t)=[\boldsymbol{A}(t)\boldsymbol{X}(t)+\boldsymbol{D}(t)+\boldsymbol{F}(\boldsymbol{u},t)]\mathrm{d}t+\sigma(t)\mathrm{d}\boldsymbol{B}(t)$$

$$\boldsymbol{X}(t_0)=\boldsymbol{X}_0 \quad (8.1\text{-}76)$$

$$\mathrm{d}\boldsymbol{Y}(t)=[\boldsymbol{H}(t)\boldsymbol{X}(t)+\boldsymbol{C}(t)]\mathrm{d}t+\sigma_0(t)\mathrm{d}\boldsymbol{B}_0(t)$$

$$\boldsymbol{Y}(t_0)=\boldsymbol{0} \quad (8.1\text{-}77)$$

式中 $\boldsymbol{X}_0$ 为一 Gauss 随机矢量，$\boldsymbol{X}_0$，$\boldsymbol{B}(t)$，$\boldsymbol{B}_0(t)$相互独立。性能指标为

$$J(\boldsymbol{u}) = E\left[\int_{t_0}^{t_f} f(\boldsymbol{X},\boldsymbol{u},t)\mathrm{d}t + g(\boldsymbol{X}(t_f))\right] \quad (8.1\text{-}78)$$

对部分可观测随机最优控制问题(8.1-76)～(8.1-78)，可应用分离原理[6,10,11]，将它化为下列完全可观测随机最优控制问题：

$$\begin{aligned}\mathrm{d}\hat{\boldsymbol{X}}(t) = &\left[\boldsymbol{A}(t)\hat{\boldsymbol{X}}(t) + \boldsymbol{D}(t) + \boldsymbol{F}(\boldsymbol{u},t)\right]\mathrm{d}t \\ &+ \boldsymbol{P}_1(t)\boldsymbol{H}^{\mathrm{T}}(t)\boldsymbol{R}_2^{-1}(t)\sigma_0(t)\mathrm{d}\hat{\boldsymbol{B}}(t) \quad (8.1\text{-}79)\end{aligned}$$

$$\boldsymbol{X}(t_0) = E[\boldsymbol{X}_0]$$

$$\hat{J}(\boldsymbol{u}) = E\left[\int_{t_0}^{t_f} \hat{f}(\hat{\boldsymbol{X}},\boldsymbol{u},t)\mathrm{d}t + \hat{g}(\hat{\boldsymbol{X}}(t_f))\right] \quad (8.1\text{-}80)$$

式中 $\hat{\boldsymbol{X}}(t) = E[\boldsymbol{X}(t)\,|\,y_t]$为条件均值，它由 Kalman 滤波获得。注意(8.1-79)形同(8.1-71)，$\hat{\boldsymbol{B}}(t)$为标准 Wiener 过程：

$$\hat{f}(\hat{\boldsymbol{x}},\boldsymbol{u},t) = \int f(\boldsymbol{x},\boldsymbol{u},t)p(\boldsymbol{x}-\hat{\boldsymbol{x}},t)\mathrm{d}\boldsymbol{x}$$

$$\hat{g}(\hat{\boldsymbol{x}}) = \int g(\boldsymbol{x})p(\boldsymbol{x}-\hat{\boldsymbol{x}},t)\mathrm{d}\boldsymbol{x} \quad (8.1\text{-}81)$$

$$\begin{aligned}p(\boldsymbol{x}-\hat{\boldsymbol{x}},t) = &(2\pi)^{-n/2}(\det \boldsymbol{P}_1(t))^{-1/2} \\ &\times \exp\left[-(1/2)(\boldsymbol{x}-\hat{\boldsymbol{x}})^{\mathrm{T}}\boldsymbol{P}_1^{-1}(t)(\boldsymbol{x}-\hat{\boldsymbol{x}})\right]\end{aligned}$$

已证[6,10,11]，完全可观测随机最优控制问题(8.1-79)、(8.1-80)之解是原来部分可观测随机最优控制问题(8.1-76)～(8.1-78)之解。注意，上述分离原理在性能指标非为 $\boldsymbol{X}$，$\boldsymbol{u}$ 二次式，最优控制非为 $\hat{\boldsymbol{X}}$ 的线性函数时也能成立。在更特殊情形，当 $\boldsymbol{F}$ 为 $\boldsymbol{u}$ 的线性函数，f 为 $\boldsymbol{X}$，$\boldsymbol{u}$ 的二次式，g 为 $\boldsymbol{X}$ 的二次式时，$\hat{f}$ 亦为 $\hat{\boldsymbol{X}}$，$\boldsymbol{u}$ 的二次式，$\hat{g}$ 为 $\hat{\boldsymbol{X}}$ 的二次式，最优控制 $\boldsymbol{u}^*$ 为 $\hat{\boldsymbol{x}}$ 的线性函数。

当受控系统与/或观测过程方程为非线性时，上述古典分离原理一般不适用。文献[12]中已识别出若干类等价于有限维状态完全可观测随机最优控制问题的非线性部分可观测随机最优控制问题，对它们可应用类似的分离原理。

8.2 拟不可积 Hamilton 系统的随机最优控制

8.2.1 一般方法

基于第五章中拟 Hamilton 系统随机平均法与 8.1 中介绍的随机动态规划方法，发展了下述拟 Hamilton 系统的随机最优控制的理论方法。

考虑受控的拟 Hamilton 系统，其运动方程形为

$$
\begin{aligned}
\dot{Q}_i &= \frac{\partial H'}{\partial P_i} \\
\dot{P}_i &= -\frac{\partial H'}{\partial Q_i} - \varepsilon c'_{ij}(\boldsymbol{Q},\boldsymbol{P})\frac{\partial H'}{\partial P_j} + u_i(\boldsymbol{Q},\boldsymbol{P}) \\
&\quad + \varepsilon^{1/2} f'_{ik}(\boldsymbol{Q},\boldsymbol{P})\xi_k(t) \qquad (8.2\text{-}1) \\
&\quad i,j = 1,2,\cdots,n;\ k = 1,2,\cdots,m
\end{aligned}
$$

式中 $H' = H'(\boldsymbol{Q},\boldsymbol{P})$ 与 $\varepsilon c'_{ij}$ 分别是未控、无激励系统的 Hamilton 函数与拟线性阻尼系数；$\xi_k(t)$ 为随机过程，可以包括谐和函数；$\varepsilon^{1/2} f'_{ik}$ 为激励的幅值。当 $\xi_k(t)$ 皆为白噪声、相关函数为 $2D_{kl}\delta(\tau)$ 时，如同 3.2，(8.2-1)可模型化为如下 Itô 随机微分方程：

$$
\begin{aligned}
\mathrm{d}Q_i &= \frac{\partial H''}{\partial P_i}\mathrm{d}t \\
\mathrm{d}P_i &= -\left(\frac{\partial H''}{\partial Q_i} - \varepsilon m'_{ij}(\boldsymbol{Q},\boldsymbol{P})\frac{\partial H''}{\partial P_j} - u_i(\boldsymbol{Q},\boldsymbol{P}\right)\mathrm{d}t \\
&\quad + \varepsilon^{1/2}\sigma'_{ik}(\boldsymbol{Q},\boldsymbol{P})\mathrm{d}B_k(t) \qquad (8.2\text{-}2) \\
&\quad i,j = 1,2,\cdots,n;\ k = 1,2,\cdots,m
\end{aligned}
$$

式中 $H'' = H''(\boldsymbol{Q},\boldsymbol{P})$ 与 $\varepsilon m'_{ij}$ 分别为经 Wong-Zakai 修正项修正后的 Hamilton 函数与拟线性阻尼系数；$\sigma'\sigma'^{\mathrm{T}} = 2\boldsymbol{f}'\boldsymbol{D}\boldsymbol{f}'^{\mathrm{T}}$。(8.2-1)、(8.2-2)中，$u_i$ 为广义反馈控制力。若系统中有 β 个控制执行机构，每个执行机构发出的控制力为 $U_\alpha = U_\alpha(\boldsymbol{Q},\boldsymbol{P})$，则 $u_i = g_{i\alpha}U_\alpha$，$[g_{i\alpha}]$为控制执行机构放置矩阵。若 $g_{i\alpha}$ 不依赖于 $\boldsymbol{Q},\boldsymbol{P}$，则称相应

u_i 为外加控制力；若 $g_{i\alpha}$为 $\boldsymbol{Q},\boldsymbol{P}$ 的函数，则 u_i 称为参数控制力。例如，在索的横向振动控制中，垂直于索轴向的控制力为外加控制力，而沿索的轴向的控制力为参数控制力。

研究的目的是，寻求最优反馈控制律使系统响应最小，并预测最优控制系统的响应。作者[13,14]提出的随机最优控制策略的基本思想是将反馈控制力 u_i 分成保守控制力 $u_i^{(1)}$ 与耗散控制力 $u_i^{(2)}$，用 $u_i^{(1)}$ 改变系统的 Hamilton 结构，从而改变系统中能量与响应的分布。用 $u_i^{(2)}$ 耗散系统能量，从而增大稳定性，减小系统的能量与响应。$u_i^{(1)}$ 按保 Hamilton 系统最优控制理论确定，$u_i^{(2)}$ 则在拟 Hamilton 系统随机平均基础上运用随机动态规划方法确定。

保 Hamilton 系统或保 Lagrange 系统控制，即未控与已控系统均为 Hamilton 系统或均为 Lagrange 系统的控制，是机械系统控制中的一个复杂问题，迄今所研究的主要是如何改变动能或势能使 Hamilton 系统或 Lagrange 系统稳定化[15]。在结构振动控制中，未控的 Hamilton 系统往往是稳定的，保守控制力 $u_i^{(1)}$ 主要用来改变系统的可积性与共振性，使系统内能量与响应的分布尽量满足要求。原则上，这可提为如下最优控制问题：设 H'为未控系统 Hamilton 函数，H 为所要求的 Hamilton 函数，选取 $u_i^{(1)}$ 使某一性能指标最小，即

$$\inf_{\boldsymbol{u}^{(1)}} J(H', H, \boldsymbol{u}^{(1)}) \tag{8.2-3}$$

式中 $\boldsymbol{u}^{(1)}=[u_1^{(1)}\ u_2^{(2)} \cdots u_n^{(2)}]^{\mathrm{T}}$。对此问题，目前尚无一般方法。下面只对具体例子作些说明。

在确定 $u_i^{(1)}$ 后，将 $u_i^{(1)}$ 与$-\partial H'/\partial Q_i$ 或$-\partial H''/\partial Q_i$ 合并，得到一个最优 Hamilton 函数 $H=H(\boldsymbol{Q},\boldsymbol{P})$。(8.2-1)与(8.2-2)分别变成

$$\dot{Q}_i=\frac{\partial H}{\partial P_i}$$

$$\dot{P}_i=-\frac{\partial H}{\partial Q_i}-\varepsilon c'_{ij}(\boldsymbol{Q},\boldsymbol{P})\frac{\partial H}{\partial P_j}+u_i^{(2)}(\boldsymbol{Q},\boldsymbol{P})$$

$$
+ \varepsilon^{1/2} f'_{ik}(\boldsymbol{Q},\boldsymbol{P})\xi_k(t) \tag{8.2-4}
$$

$$
i,j=1,2,\cdots,n;\ k=1,2,\cdots,m
$$

与

$$
\mathrm{d}Q_i=\frac{\partial H}{\partial P_i}\mathrm{d}t
$$

$$
\mathrm{d}P_i=-\left[\frac{\partial H}{\partial Q_i}-\varepsilon m'_{ij}(\boldsymbol{Q},\boldsymbol{P})\frac{\partial H}{\partial P_j}-u_i^{(2)}(\boldsymbol{Q},\boldsymbol{P})\right]\mathrm{d}t
$$

$$
+\varepsilon^{1/2}\sigma'_{ik}(\boldsymbol{Q},\boldsymbol{P})\mathrm{d}B_k(t) \tag{8.2-5}
$$

$$
i,j=1,2,\cdots,n;\ k=1,2,\cdots,m
$$

虽然对(8.2-5)可直接应用上节所述随机动态规划方法,对(8.2-4),在为激励 $\xi_k(t)$引入线性或非线性滤波器,使之成为增广的 Itô 随机微分方程后也可应用随机动态规划方法,但此时动态规划方程是 $2n$ 维或更高维,而且扩散矩阵常常是退化的,不能满足条件(8.1-42)或(8.1-43),从而无古典解。避免上述情况的一个办法是对(8.2-4)或(8.2-5)应用第五章叙述的拟 Hamilton 系统随机平均法,对平均 Itô 方程应用随机动态规划方法。这样做,不仅可降低动态规划方程的维数,而且使扩散矩阵变成非退化,即满足条件(8.1-42)或(8.1-43),从而使动态规划方程有古典解。

为应用拟 Hamilton 系统随机平均法,须假设(8.2-4)或(8.2-5)中 $u_i^{(2)}$ 为 ε 阶小量。相应的控制称为弱控制。应用中,只要随机激励输入系统的能量与阻尼力及控制力消耗的能量之差同系统本身能量相比较小,即可应用拟 Hamilton 系统随机平均法。

如第五章所述,平均 Itô 方程的维数与形式取决于相应 Hamilton 系统的可积性与共振性以及随机激励的种类。下面以(8.2-5)为例说明一般方法,且设相应 Hamilton 系统为不可积。对(8.2-5)应用 5.2 节中描述的拟不可积 Hamilton 系统随机平均法,得平均 Itô 方程

$$\mathrm{d}H=\left[\overline{m}(H)+\left\langle u_i^{(2)}\frac{\partial H}{\partial P_i}\right\rangle\right]\mathrm{d}t+\overline{\sigma}(H)\mathrm{d}B(t)$$

(8.2-6)

式中 $\overline{m}(H)$、$\overline{\sigma}(H)$按(5.2-6)确定,而

$$\langle\cdot\rangle=\frac{1}{T(H)}\int_{\Omega}\left(\cdot\Big/\frac{\partial H}{\partial p_1}\right)\mathrm{d}q_1\cdots\mathrm{d}q_n\mathrm{d}p_2\cdots\mathrm{d}p_n \quad (8.2\text{-}7)$$

注意,$u_i^{(2)}$ 为 $\boldsymbol{Q},\boldsymbol{P}$ 之函数,而$\langle u_i^{(2)}\partial H/P_i\rangle$为 H 之函数。鉴于 $u_i^{(2)}$ 尚未确定,暂时无法完成对(8.2-6)右边第二项的平均。

考虑(8.2-6)在有限时间区间$[0,t_f]$上的控制。设性能指标为

$$J(\boldsymbol{u}^{(2)})=E\left[\int_0^{t_f}f\left(H(s),\langle\boldsymbol{u}^{(2)}(s)\rangle\right)\mathrm{d}s+g\left(H(t_f)\right)\right]$$

(8.2-8)

引入值函数

$$V(H,t)=\inf_{\boldsymbol{u}^{(2)}}E\left[\int_t^{t_f}f\left(H(s),\langle\boldsymbol{u}^{(2)}(s)\rangle\right)\mathrm{d}s+g\left(H(t_f)\right)\right]$$

(8.2-9)

类似于(8.1-19)~(8.1-26),对控制问题(8.2-6)与(8.2-8)可建立如下动态规划方程:

$$\frac{\partial V}{\partial t}=-\inf_{\boldsymbol{u}^{(2)}}\left\{\frac{1}{2}\overline{\sigma}^2(H)\frac{\partial^2 V}{\partial H^2}+\left[\overline{m}(H)+\left\langle u_i^{(2)}\frac{\partial H}{\partial p_i}\right\rangle\right]\frac{\partial V}{\partial H}\right.$$
$$\left.+f(H,\langle\boldsymbol{u}^{(2)}\rangle)\right\} \quad (8.2\text{-}10)$$

与终值条件

$$V(H,t_f)=g(H(t_f)) \quad (8.2\text{-}11)$$

(8.2-10)右边取极小值的必要条件为

$$\frac{\partial}{\partial u_i^{(2)}}\left[\left\langle u_i^{(2)}\frac{\partial H}{\partial p_i}\right\rangle\frac{\partial V}{\partial H}+f(H,\langle\boldsymbol{u}^{(2)}\rangle)\right]=0,\ i=1,2,\cdots,n$$

(8.2-12)

由此可确定最优控制律 $u_i^{(2)*}$。例如，设

$$f(H,\langle \boldsymbol{u}^{(2)}\rangle) = f_1(H)+\langle \boldsymbol{u}^{(2)\mathrm{T}} \boldsymbol{R}\boldsymbol{u}^{(2)}\rangle \tag{8.2-13}$$

$\boldsymbol{R}$ 为正定对称常数矩阵，则最优控制律为

$$\begin{aligned} u_i^{(2)*} &= -\frac{1}{2}(\boldsymbol{R}^{-1})_{ij}\frac{\partial V}{\partial H}\frac{\partial H}{\partial P_j} \\ &= -\frac{1}{2}(\boldsymbol{R}^{-1})_{ij}\frac{\partial V}{\partial H}\dot{Q}_j \end{aligned} \tag{8.2-14}$$

当 $\partial V/\partial H>0$ 时，$u_i^{(2)*}$ 为耗散控制力。注意，$\partial V/\partial H$ 一般为 H 的函数，$u_i^{(2)*}$ 一般为广义速度的拟线性函数，(8.2-14)一般是非线性反馈控制。

$u_i^{(2)*}$ 确实为最优控制律的充分条件是

$$\left.\frac{\partial^2}{\partial u_i^{(2)2}} f(H,\langle \boldsymbol{u}^{(2)}\rangle)\right|_{u_i^{(2)}=u_i^{(2)*}} \geqslant 0 \tag{8.2-15}$$

当 f 为(8.2-13)时，(8.2-15)确实满足。因此，(8.2-14)中 $u_i^{(2)*}$ 确实为最优控制律。

将按上述步骤确定的 $u_i^{(2)*}$ 代入(8.2-10)以取代 $u_i^{(2)}$，并按(8.2-7)完成平均运算，可得最后动态规划方程。例如，当 $\boldsymbol{R}$ 为对角阵时，将(8.2-14)中的 $u_i^{(2)*}$ 代入(8.2-10)代替 $u_i^{(2)}$，完成平均运算，得如下最后动态规划方程：

$$\begin{aligned} \frac{\partial V}{\partial t} = -\Bigg\{ & \frac{1}{2}\,\bar{\sigma}^2(H)\frac{\partial^2 V}{\partial H^2} + \bar{m}(H)\frac{\partial V}{\partial H} \\ & - \frac{1}{4R_i}\left\langle \left(\frac{\partial H}{\partial p_i}\right)^2 \right\rangle \left(\frac{\partial V}{\partial H}\right)^2 + f_1(H) \Bigg\} \end{aligned} \tag{8.2-16}$$

它是一维非齐次非线性抛物型偏微分方程，终值条件仍为(8.2-11)。此外，尚需 $H(t)$ 两端的两个边界条件。将其解代入(8.2-14)，得最优控制力 $u_i^{(2)*}$。

在上述推导中，对控制力的大小并未加以限制，得到的是最优无界控制。若控制力有界，即

$$|u_i| \leqslant b_i,\ b_i > 0,\quad i = 1,2,\cdots,n \tag{8.2-17}$$

则相应的最优控制称为最优有界控制。此时,性能指标与 $\boldsymbol{u}^{(2)}$ 无关,即形为

$$J_1 = E\left[\int_0^{t_f} f_1(H(s))\mathrm{d}s + g(H(t_f))\right] \qquad (8.2\text{-}18)$$

值函数定义为

$$V_1(H,t) = \inf_{u^{(2)}} E\left[\int_t^{t_f} f_1(H(s))\mathrm{d}s + g(H(t_f))\right] \qquad (8.2\text{-}19)$$

相应的动态规划方程为

$$\frac{\partial V_1}{\partial t} = -\inf_{u^{(2)}}\left\{\frac{1}{2}\,\overline{\sigma}^2(H)\frac{\partial^2 V_1}{\partial H^2} + \left[\,\overline{m}(H) + \left\langle u_i^{(2)}\frac{\partial H}{\partial p_i}\right\rangle\right]\right.$$

$$\left.\times\frac{\partial V_1}{\partial H} + f_1(H)\right\} \qquad (8.2\text{-}20)$$

终值条件为

$$V_1(H,t_f) = g(H(t_f)) \qquad (8.2\text{-}21)$$

由(8.2-20)右边对 $u_i^{(2)}$ 求极小,考虑到(8.2-17),得

$$u_i^{(2)*} = -b_i\mathrm{sgn}\left(\frac{\partial H}{\partial P_i}\frac{\partial V_1}{\partial H}\right) \qquad (8.2\text{-}22)$$

由(8.2-19)知,$\partial V_1/\partial H$ 的正负取决于 $f_1'(H)$,若取 $f_1'(H)>0$,则

$$u_i^{(2)*} = -b_i\mathrm{sgn}\left(\frac{\partial H}{\partial P_i}\right) = -b_i\mathrm{sgn}(\dot{Q}_i) \qquad (8.2\text{-}23)$$

它是干摩擦型控制或 bang-bang 控制,控制力的大小不变,方向与广义速度方向相反,在 $\dot{Q}=0$ 时改变方向。由于 $u_i^{(2)*}$ 与 V_1 无关,不必求解动态规划方程。

对系统(8.2-6)在半无限长时间区间上的无界遍历控制,设性能指标为

$$J_2(\boldsymbol{u}^{(2)}) = \lim_{t_f\to\infty}\frac{1}{t_f}\int_0^{t_f} f(H(s),\langle\boldsymbol{u}^{(2)}(s)\rangle)\mathrm{d}s \qquad (8.2\text{-}24)$$

类似于(8.1-33),其动态规划方程为

$$\inf_{u^{(2)}}\left\{\frac{1}{2}\,\overline{\sigma}^2(H)\frac{\mathrm{d}^2 V_2}{\mathrm{d}H^2} + \left[\,\overline{m}(H) + \left\langle u_i^{(2)}\frac{\partial H}{\partial p_i}\right\rangle\right]\frac{\mathrm{d}V_2}{\mathrm{d}H}\right.$$

$$+ f(H, \langle \boldsymbol{u}^{(2)} \rangle) \Big\} = \gamma \tag{8.2-25}$$

式中

$$\gamma = \lim_{t_f \to \infty} \frac{1}{t_f} \int_0^{t_f} f(H(s), \langle \boldsymbol{u}^{(2)*}(s) \rangle) \mathrm{d}s \tag{8.2-26}$$

表示最优平均成本。通过对(8.2-25)左边求极小可得最优控制律。例如,设 $f(H, \langle \boldsymbol{u}^{(2)} \rangle)$形如(8.2-13),可得形如(8.2-14)的最优控制律 $u_i^{(2)*}$。当 $\boldsymbol{R}$ 为对角阵时,将 $u_i^{(2)*}$ 代入(8.2-25)取代 $u_i^{(2)}$,得最后动态规划方程

$$\frac{1}{2} \overline{\sigma^2}(H) \frac{\mathrm{d}^2 V_2}{\mathrm{d} H^2} + \overline{m}(H) \frac{\mathrm{d} V_2}{\mathrm{d} H} - \frac{1}{4 R_i} \left\langle \left(\frac{\partial H}{\partial p_i} \right)^2 \right\rangle$$

$$\times \left(\frac{\mathrm{d} V_2}{\mathrm{d} H} \right)^2 + f_1(H) = \gamma \tag{8.2-27}$$

它是一维非齐次非线性常微分方程,在适当的两端边界条件下求解。将其解代入(8.2-14),得最优控制力 $u_i^{(2)*}$。

对(8.2-6)在半无限时间区间上有界遍历控制,性能指标为

$$J_3 = \lim_{t_f \to \infty} \frac{1}{t_f} \int_0^{t_f} f_1(H(s)) \mathrm{d}s \tag{8.2-28}$$

相应的动态规划方程为

$$\inf_{\boldsymbol{u}^{(2)}} \left\{ \frac{1}{2} \overline{\sigma^2}(H) \frac{\mathrm{d}^2 V_3}{\mathrm{d} H^2} + \left[\overline{m}(H) + \left\langle u_i^{(2)} \frac{\partial H}{\partial p_i} \right\rangle \right] \right.$$

$$\left. \times \frac{\mathrm{d} V_3}{\mathrm{d} H} + f_1(H) \right\} = \gamma_1 \tag{8.2-29}$$

式中

$$\gamma_1 = \lim_{t_f \to \infty} \frac{1}{t_f} \int_0^{t_f} f_1(H(s)) \mathrm{d}s \tag{8.2-30}$$

当控制力受约束(8.2-17)时,由(8.2-29)左边最小化条件导致最优控制力(8.2-23)。这一情形也不必求解动态规划方程。

最后,将(8.2-14)或(8.2-23)中最优控制力 $u_i^{(2)*}$ 代入平均

Itô 方程(8.2-6)以取代 $u_i^{(2)}$,完成平均$\langle u_i^{(2)*} \partial H/\partial P_i \rangle$,得最优控制系统的平均 Itô 方程

$$\mathrm{d}H = \bar{\bar{m}}(H)\mathrm{d}t + \bar{\sigma}(H)\mathrm{d}B(t) \tag{8.2-31}$$

式中

$$\bar{\bar{m}}(H) = \bar{m}(H) + \left\langle u_i^{(2)*} \frac{\partial H}{\partial P_i} \right\rangle \tag{8.2-32}$$

求解与平均 Itô 方程(8.2-31)相应的平均 FPK 方程,可得最优控制系统的响应统计量。

为评价一个最优控制策略,引入如下两个准则。一是控制效果

$$K_h = \frac{\sigma_h^u - \sigma_h^c}{\sigma_h^u} \tag{8.2-33}$$

式中 σ表示标准差;$h = h(\boldsymbol{Q}, \boldsymbol{P})$为试验函数,例如,$h = Q_i^2$ 等;上标 u、c 分别表示未控与已控系统。K 表示最优控制引起的系统某响应量的标准差的相对减小。二是控制效率

$$\mu_h = K_h / \sigma_{\boldsymbol{u}^{(2)*}} \tag{8.2-34}$$

它表示单位标准差控制力的控制效果。显然,K,μ 越大,控制策略越优。

下面通过几个例子说明上述随机最优控制理论方法。

8.2.2 Duffing 振子的无界遍历控制

考虑 Duffing 振子在白噪声或平稳宽带随机外激下的随机最优控制,系统的运动方程为

$$\begin{aligned} \dot{Q} &= P \\ \dot{P} &= -a_0 Q - b_0 Q^3 - cP + u + e\xi(t) \end{aligned} \tag{8.2-35}$$

式中 a_0,b_0,c,e 为常数,$\xi(t)$为 Gauss 白噪声或平稳宽带过程。令控制力为

$$u = u^{(1)} + u^{(2)} \tag{8.2-36}$$

$$u^{(1)} = -(a_1 Q + b_1 Q^3) \tag{8.2-37}$$

$u^{(1)}$用以调整振子线性与非线性刚度。(8.2-36)与(8.2-37)代入(8.2-35),得

$$\dot{Q} = P$$
$$\dot{P} = -aQ - bQ^3 - cP + u^{(2)} + e\xi(t) \qquad (8.2\text{-}38)$$

式中 $a = a_0 + a_1$, $b = b_0 + b_1$。假定 a、$b > 0$。与(8.2-38)相应的 Hamilton 系统的 Hamilton 函数为

$$H = p^2/2 + aq^2/2 + bq^4/4 \qquad (8.2\text{-}39)$$

当 $\xi(t)$是强度为 $2D$ 的 Gauss 白噪声时,应用 5.2 节中描述的拟不可积 Hamilton 系统随机平均法,可得平均 Itô 方程

$$dH = \left[\overline{m}(H) + \left\langle u^{(2)} \frac{\partial H}{\partial P} \right\rangle \right] dt + \overline{\sigma}(H) dB(t) \qquad (8.2\text{-}40)$$

按(5.2-6),得

$$\overline{m}(H) = e^2 D - cG(H)$$
$$\overline{\sigma}^2(H) = 2e^2 DG(H) \qquad (8.2\text{-}41)$$

式中

$$\langle \cdot \rangle = \frac{1}{T(H)} \int_{\Omega} \left(\cdot \Big/ \frac{\partial H}{\partial p} \right) dq_1$$
$$G(H) = [4/T(H)] \int_0^A (2H - aq^2 - bq^4/2)^{1/2} dq$$
$$T(H) = \int_{\Omega} \left(1 \Big/ \frac{\partial H}{\partial p} \right) dq_1 = 4 \int_0^A (2H - aq^2 - bq^4/2)^{1/2} dq$$
$$\Omega = \{ q \mid (aq^2/2 + bq^4/4) \leqslant H \} \qquad (8.2\text{-}42)$$
$$A = \{ [(a^2 + 4bH)^{1/2} - a] / b \}^{1/2}$$

对半无限时间区间上无界遍历控制,设性能指标(8.2-24)中的成本函数为

$$f(H, \langle u^{(2)} \rangle) = f_1(H) + R \langle u^{(2)^2} \rangle \qquad (8.2\text{-}43)$$
$$f_1(H) = s_0 + s_1 H + s_2 H^2 + s_3 H^3 \qquad (8.2\text{-}44)$$

按(8.2-25),动态规划方程为

$$\inf_{u^{(2)}} \left\{ \frac{1}{2} \overline{\sigma}^2(H) \frac{d^2 V_2}{dH^2} + \left[\overline{m}(H) + \left\langle u^{(2)} \frac{\partial H}{\partial p} \right\rangle \right] \frac{dV_2}{dH} \right.$$

$$\left.+f(H,\langle u^{(2)}\rangle)\right\}=\gamma \tag{8.2-45}$$

式中

$$\gamma=\lim_{t_f\to\infty}\frac{1}{t_f}\int_0^{t_f}f(H,\langle u^{(2)*}\rangle)\mathrm{d}t \tag{8.2-46}$$

由(8.2-45)左边对 $u^{(2)}$ 求极小值,得最优控制律

$$u^{(2)*}=-\frac{1}{2R}\frac{\mathrm{d}V_2}{\mathrm{d}H}\frac{\partial H}{\partial P}=-\frac{1}{2R}\frac{\mathrm{d}V_2}{\mathrm{d}H}P \tag{8.2-47}$$

(8.2-47)代入(8.2-45)取代 $u^{(2)}$,并完成平均,得最后动态规划方程

$$\frac{1}{2}\bar{\sigma}^2(H)\frac{\mathrm{d}^2V_2}{\mathrm{d}H^2}+\bar{m}(H)\frac{\mathrm{d}V_2}{\mathrm{d}H}$$
$$-\frac{G(H)}{4R}\left(\frac{\mathrm{d}V_2}{\mathrm{d}H}\right)^2+f_1(H)=\gamma \tag{8.2-48}$$

这是一个非齐次非线性常微分方程。由于(8.2-47)中只用到 $\mathrm{d}V_2/\mathrm{d}H$,只需从求解(8.2-48)得 $\mathrm{d}V_2/\mathrm{d}H$。当 $H\to 0$ 时,$G(H)$、$\bar{\sigma}^2(H)\to 0$,$\bar{m}(H)\to e^2D$,(8.2-48)化为

$$\left.\frac{\mathrm{d}V_2}{\mathrm{d}H}\right|_{H=0}=\frac{\gamma-s_0}{e^2D} \tag{8.2-49}$$

这是 $\mathrm{d}V_2/\mathrm{d}H$ 在 $H=0$ 处的边界条件。将从(8.2-48)解得之 $\mathrm{d}V_2/\mathrm{d}H$ 代入(8.2-47),得最优控制力 $u^{(2)*}$。

将最优控制力 $u^{(2)*}$ 代入(8.2-40)取代 $u^{(2)}$,注意

$$\left\langle u^{(2)*}\frac{\partial H}{\partial P}\right\rangle=-\frac{G(H)}{2R}\frac{\mathrm{d}V_2}{\mathrm{d}H} \tag{8.2-50}$$

得最优控制系统的平均 Itô 方程

$$\mathrm{d}H=\bar{\bar{m}}(H)\mathrm{d}t+\bar{\sigma}(H)\mathrm{d}B(t) \tag{8.2-51}$$

式中

$$\bar{\bar{m}}(H)=\bar{m}(H)-[G(H)/2R]\mathrm{d}V_2/\mathrm{d}H \tag{8.2-52}$$

求解与(8.2-51)相应的平稳 FPK 方程,得最优控制系统 Hamilton 过程的平稳概率密度

$$p^c(H)=C^c\exp\left\{-\int_0^H[(-2\overline{m}(u)+\mathrm{d}\,\overline{\sigma}^2(u)/\mathrm{d}u\right.$$

$$\left.+(G(u)/R)\mathrm{d}V_2/\mathrm{d}u)/\overline{\sigma}^2(u)]\mathrm{d}u\right\} \tag{8.2-53}$$

只要在(8.2-40)中令 $u^{(2)}=0$,求解与(8.2-40)相应的平稳 FPK 方程可得未控系统的平稳概率密度

$$p^u(H)=C^u\exp\left\{-\int_0^H[(-2\overline{m}(u)+\mathrm{d}\,\overline{\sigma}^2(u/\mathrm{d}u)/\overline{\sigma}^2(u)]\mathrm{d}u\right\}$$

(8.2-54)

按(5.2-18),最优控制的与未控的系统的位移与动量的平稳概率密度为

$$p^c(q,p)=p^c(H)/T(H)\Big|_{H=H(q,p)} \tag{8.2-55}$$

$$p^u(q,p)=p^u(H)/T(H)\Big|_{H=H(q,p)} \tag{8.2-56}$$

由此可得最优控制的与未控的系统的位移与动量的平稳方差 $(\sigma_Q^2)_c$,$(\sigma_P^2)_c$,$(\sigma_Q^2)_u$,$(\sigma_P^2)_u$,而最优控制力的方差 $\sigma^2_{u^{(2)*}}$ 则可从(8.2-47)与(8.2-55)求得。最后,按(8.2-33)、(8.2-34)可计算控制效果 K_Q,K_P 与控制效率 μ_Q,μ_P,从而对控制策略作出评价。

当 $\xi(t)$为平稳宽带过程时,上述步骤仍适用,所不同的只是(8.2-40)中 $\overline{m}(H)$与 $\overline{\sigma}(H)$表达式按(5.5-36)从例 5.5-1 中之(i)令 $\omega_0^2=a$,$\alpha=b$,$-\beta_1=c$,$\beta_2=0$,$S_1(\omega)=0$,$S_2(\omega)=e^2S(\omega)$得到。

文献[14]中列出上述两种激励情形的若干数值结果,并与修正的最优多项控制的结果作了比较,结论是本节所叙述的非线性随机最优控制策略在控制效果与效率方面皆优于修正的最优多项式控制。

8.2.3 滞迟系统的无界遍历控制

如例 5.5-3 所述,滞迟系统是一类典型的强非线性系统。本节通过一个例子说明如何将非线性随机控制策略应用于随机激励

的滞迟系统。

考虑一受水平与垂直地面运动激励的滞迟柱的控制，其运动方程形为

$$\dot{Q}= P$$
$$\dot{P}=-(\alpha-k_1)Q-(1-\alpha)Z-2\zeta P+u+\xi_1(t)+k_2Q\xi_2(t) \tag{8.2-57}$$

式中 α 表示屈服后与屈服前刚度比；ζ 为黏性阻尼比；k_1、k_2 为常数；$\xi_1(t)$ 与 $\xi_2(t)$ 分别表示水平与垂直地面运动加速度，为简单起见，此处假设它们是强度分别为 $2D_1$ 与 $2D_2$ 的独立 Gauss 白噪声。Z 表示恢复力的滞迟分量，此处采用 Bonc-Wen 模型，用下述一阶微分方程描述：

$$\dot{Z}=AP-\beta P|Z|^n-\gamma|P|Z|Z|^{n-1} \tag{8.2-58}$$

式中 A，β，γ，n 为滞迟参数。

鉴于滞迟恢复力不仅依赖于当时位移，还依赖于过去的位移，同时包含弹性力与耗散力两部分，较为复杂，为便于应用随机平均法，宜先用一个如下非滞迟非线性系统等价上述滞迟系统：

$$\dot{Q}=\frac{\partial H}{\partial P}$$
$$\dot{P}=-\frac{\partial H}{\partial Q}-[2\zeta+2\zeta_1(H)]\frac{\partial H}{\partial P}+u+\xi_1(t)+k_2Q\xi_2(t) \tag{8.2-59}$$

式中

$$H=p^2/2+U(q) \tag{8.2-60}$$

U 是等效势能。等效非线性阻尼系数 $2\zeta_1$ 由振动一周内滞迟力消耗的能量即滞迟回线所包围面积 A_r 确定，即

$$2\zeta_1(H)=A_r\Big/2\int_{-a}^{a}[2H-2U(q)]^{1/2}\mathrm{d}q \tag{8.2-61}$$

其中 a 为位移幅值，按 $U(a)=H$ 确定。

按 Z、P 的正负分四种情形积分方程(8.2-58)并将它们连接起来得滞迟回线的代数表达式，然后按例 5.5.3 中类似方法确定

$U(q)$、A_r 的表达式。例如，$n=1$，$A=1$ 时，

$$Z(q)=\begin{cases}\left[1-e^{-(\gamma-\beta)(q+q_0)}\right]/(\gamma-\beta), & -a\leqslant q\leqslant -q_0,\ \gamma\neq\pm\beta\\ \left[1-e^{-(\gamma+\beta)(q+q_0)}\right]/(\gamma+\beta), & -q_0\leqslant q\leqslant a,\ \gamma\neq\pm\beta\end{cases}$$

(8.2-62a)

$$Z(q)=\begin{cases}q+q_0, & -a\leqslant q\leqslant -q_0,\ \gamma=\beta\\ \left[1-e^{-2\gamma(q+q_0)}\right]/2\gamma, & -q_0\leqslant q\leqslant a,\ \gamma=\beta\end{cases}$$

(8.2-62b)

$$Z(q)=\begin{cases}\left[1-e^{-2\gamma(q+q_0)}\right]/2\gamma, & -a\leqslant q\leqslant -q_0,\ \gamma=-\beta\\ q+q_0, & -q_0\leqslant q\leqslant a,\ \gamma=-\beta\end{cases}$$

(8.2-62c)

$$U(q)=\begin{cases}(\alpha-k_1)q^2/2+(1-\alpha)\{q+q_0+\left[e^{-(\gamma-\beta)(q+q_0)}-1\right]/\\ (\gamma-\beta)\}/(\gamma-\beta), \quad -a\leqslant q\leqslant -q_0,\ \gamma\neq\pm\beta\\ (\alpha-k_1)q^2/2+(1-\alpha)\{1-e^{-(\gamma+\beta)(q+q_0)}-[(\gamma+\beta)/\\ (\gamma-\beta)]\ln[1+(\gamma+\beta)(1-e^{-(\gamma+\beta)(q+q_0)}/(\gamma+\beta)]\}/\\ (\gamma^2-\beta^2), \quad -q_0\leqslant q\leqslant a,\ \gamma\neq\pm\beta\end{cases}$$

(8.2-63a)

$$U(q)=\begin{cases}(\alpha-k_1)q^2/2+(1-\alpha)(q+q_0)^2/2\\ \qquad -a\leqslant q\leqslant -q_0,\ \gamma=\beta\\ (\alpha-k_1)q^2/2+(1-\alpha)\left[1-e^{-2\gamma(q+q_0)}\right]^2/8\gamma^2\\ \qquad -q_0\leqslant q\leqslant a,\quad \gamma=\beta\end{cases}$$

(8.2-63b)

$$U(q)=\begin{cases}(\alpha-k_1)q^2/2+(1-\alpha)(q+q_0)/2\gamma+(1-\alpha)\\ \quad\times\left[e^{-2\gamma(q+q_0)}-1\right]/4\gamma^2, \quad -a\leqslant q\leqslant -q_0,\ \gamma=-\beta\\ (\alpha-k_1)q^2/2+(1-\alpha)\{q+q_0-(1/2\gamma)\ln[1+2\gamma\\ \times(q+q_0)]\}/2\gamma, \quad -q_0\leqslant q\leqslant a,\ \gamma=-\beta\end{cases}$$

(8.2-63c)

$$A_r = [4(1-\alpha)/(\gamma^2-\beta^2)]\{\gamma a - \beta q_0$$
$$+ \gamma[e^{-(\gamma+\beta)(a+q_0)} - 1]/(\gamma+\beta)\}, \gamma \neq \pm \beta \quad (8.2\text{-}64a)$$
$$A_r = (1-\alpha)[2q_0/\gamma - (a-q_0)^2], \gamma = \beta \quad (8.2\text{-}64b)$$
$$A_r = (1-\alpha)[(a+q_0)^2 - 2q_0/\gamma], \gamma = -\beta \quad (8.2\text{-}64c)$$

上式中 q_0 为剩余滞迟位移。a 与 q_0 可按下式由 H 确定：

$$(\gamma+\beta)e^{(\gamma-\beta)(a-q_0)} + (\gamma-\beta)e^{-(\gamma+\beta)(a+q_0)}$$
$$= 2\gamma, \quad \gamma \neq \pm \beta \quad (8.2\text{-}65a)$$
$$2\gamma(a-q_0) = 1 - e^{-2\gamma(a+q_0)}, \quad \gamma = \beta \quad (8.2\text{-}65b)$$
$$2\gamma(a+q_0) = e^{2\gamma(a-q_0)} - 1, \quad \gamma = -\beta \quad (8.2\text{-}65c)$$
$$2H - (\alpha - k_1)a^2 = (1-\alpha)[-a + q_0 + (e^{-(\gamma-\beta)(a-q_0)} - 1)/$$
$$(\gamma-\beta)]/(\gamma-\beta), \quad \gamma \neq \pm \beta \quad (8.2\text{-}66a)$$
$$2H - (\alpha - k_1)a^2 = (1-\alpha)(a-q_0)^2 \quad \gamma = \beta$$
$$(8.2\text{-}66b)$$
$$2H - (\alpha - k_1)a^2 = -(1-\alpha)(a-q_0)/2\gamma$$
$$+ (1-\alpha)[e^{2\gamma(a-q_0)} - 1]/4\gamma^2, \quad \gamma = -\beta \quad (8.2\text{-}66c)$$

按 5.2 中方法对(8.2-59)进行随机平均,得平均 Itô 方程(8.2-40),其中

$$\overline{m}(H) = [1/T(H)]\{-A_r - 4\zeta\int_{-a}^{a}[2H - 2U(q)]^{1/2}dq$$
$$+ 2k_2^2 D_2\int_{-a}^{a} q^2[2H - 2U(q)]^{-1/2}dq\} + D_1 \quad (8.2\text{-}67)$$
$$\overline{\sigma}^2(H) = [2/T(H)]\int_{-a}^{a}(2D_1 + 2k_2^2 D_2 q^2)[2H - 2U(q)]^{1/2}dq$$
$$T(H) = 2\int_{-a}^{a}[2H - 2U(q)]^{-1/2}dq$$

然后可按(8.2-43)～(8.2-56)确定最优控制力与最优控制系统的响应。

文献[16]中给出了一些数值结果。图 8.2-1 上就控制效果与控制效率同修正的最优多项式控制作了比较。显然，所提出的非线性随机最优控制策略优于修正的最优多项式控制。

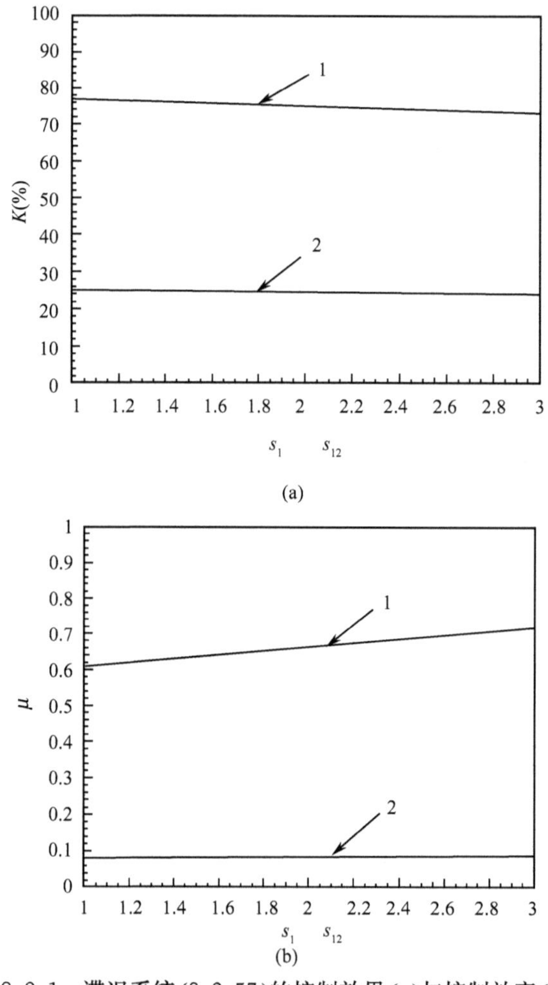

图 8.2-1 滞迟系统(8.2-57)的控制效果(a)与控制效率(b)

1. 非线性随机最优控制；2. 修正的最优多项式控制

s_1 与 s_{12}分别是这两种控制中相应的权系数

8.2.4 弹簧摆的有界遍历控制

考虑如图 8.2-2 所示悬挂于作水平与垂直随机振动的天花板上的弹簧摆，假定摆在垂直平面内运动。摆的动能与势能为

$$
\begin{aligned}
T &= m\dot{q}_1^2/2 + m(l_1 + q_1)^2 \dot{q}_2^2/2 \\
U &= kq_1^2/2 + mg(l_1 + q_1)(1 - \cos q_2)
\end{aligned}
\tag{8.2-68}
$$

式中 $l_1 = l_0 + mg/k$，l_0 为无重物时弹簧长度。Lagrange 函数为

$$
L = T - U \tag{8.2-69}
$$

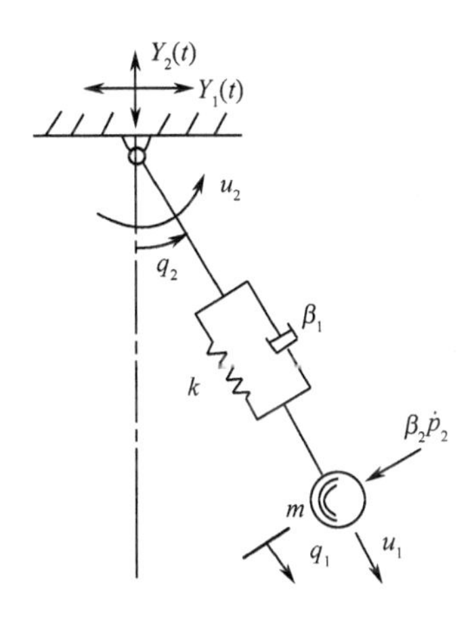

图 8.2-2 受控弹簧摆示意图

按(1.1-3)，广义动量为

$$
\begin{aligned}
p_1 &= \partial L/\partial \dot{q}_1 = m\dot{q}_1 \\
p_2 &= \partial L/\partial \dot{q}_2 = m(l_1 + q_1)^2 \dot{q}_2
\end{aligned}
\tag{8.2-70}
$$

按(1.1-5)，Hamilton 函数为

$$
\begin{aligned}
H(q_1, q_2, p_1, p_2) = {} & p_1^2/2m + p_2^2/2m(l_1 + q_1)^2 + kq_1^2/2 \\
& + mg(l_1 + q_1)(1 - \cos q_2)
\end{aligned}
\tag{8.2-71}
$$

若 q_1 与 l_1 相比不可忽略，H 不可分离，弹簧摆是一个不可积

Hamilton 系统。

在天花板作水平与垂直随机振动时，受控弹簧摆的运动方程为

$$
\begin{aligned}
\dot{Q}_1 &= P_1/m \\
\dot{P}_1 &= -kQ_1 - mg(1-\cos Q_2) - \beta_1 P_1/m + P_2^2/m(l_1+Q_1)^3 \\
&\quad + u_1(\boldsymbol{Q},\boldsymbol{P}) - (m\sin Q_2)\xi_1(t) + (m\cos Q_2)\xi_2(t) \\
\dot{Q}_2 &= P_2/m(l_1+Q_1)^2 \qquad\qquad (8.2\text{-}72) \\
\dot{P}_2 &= -mg(l_1+Q_1)\sin Q_2 - \beta_2 P_2/m + u_2(\boldsymbol{Q},\boldsymbol{P}) \\
&\quad - [m(l_1+Q_1)\cos Q_2]\xi_1(t) - [m(l_1+Q_1)\sin Q_2]\xi_2(t)
\end{aligned}
$$

式中 β_i 为阻尼系数；$\xi_{1,2}(t)=\ddot{Y}_{1,2}(t)$是摆悬挂点的水平与垂直加速度，假定它们是强度为 $2D_{1,2}$的独立 Gauss 白噪声；u_i 为反馈控制力。假定 β_i, u_i, D_k 同为 ε 阶小量，则(8.2-72)描述一个弱控制的拟不可积 Hamilton 系统。

应用 5.2 中拟不可积 Hamilton 系统随机平均法，可得如下平均 Itô 方程：

$$
\mathrm{d}H = \left[\ \overline{m}(H) + \left\langle u_i \frac{\partial H}{\partial p_i} \right\rangle \right]\mathrm{d}t + \overline{\sigma}(H)\mathrm{d}B(t), \quad i=1,2 \qquad (8.2\text{-}73)
$$

式中

$$
\overline{m}(H) = -(\beta_1+\beta_2)B(H) + D_1 + D_2
$$

$$
\overline{\sigma}^2(H) = 2(D_1+D_2)B(H)
$$

$$
B(H) = \frac{\int_{-a}^{a}(l_1+q_1)\left[(H-kq_1^2/2)\theta - g(l_1+q_1)(\theta-\sin\theta)\right]\mathrm{d}q_1}{\int_{-a}^{a}(l_1+q_1)\theta\mathrm{d}q_1} \qquad (8.2\text{-}74)
$$

$a=(2H/k)^{1/2}$，$\theta=\theta(H,q_1)$是方程 $H(q_1,q_2,0,0)=H$ 之大根。上述推导中，已假设 $m=1$。

考虑(8.2-73)在半无限长时间区间上有界遍历控制。设控制力约束形如(8.2-17)，性能指标形如(8.2-28)，则动态规划方程形

如(8.2-29)。最优控制力形如(8.2-23),其中 $i=1,2$。将 $u_i^{(2)*}$ 代入(8.2-73),按(8.2-7)进行平均,得最优有界控制系统的平均 Itô 方程

$$dH = \bar{\bar{m}}(H)dt + \bar{\sigma}(H)dB(t) \tag{8.2-75}$$

式中

$$\bar{\bar{m}}(H) = -(\beta_1 + \beta_2)B(H) + D_1 + D_2 + A(H)$$

$$A(H) = -\sqrt{2}\int_{-a}^{a}\left\{[b_1(l_1+q_1)+b_2]\int_{-\theta}^{\theta}\left[H - kq_1^2/2 - g(l_1+q_1)(1-\cos q_2)\right]^{1/2}dq_2\right\}dq_1 \Big/ \pi\int_{-a}^{a}(l_1+q_1)\theta dq_1 \tag{8.2-76}$$

由求解与(8.2-75)相应的平稳 FPK 方程可得最优控制系统的响应统计量,据此可讨论参数对控制效果与效率的影响。

8.3 拟可积 Hamilton 系统的随机最优控制

8.3.1 一般方法

仍考虑受控 Hamilton 系统(8.2-1),在确定保守控制力 $u_i^{(1)}$ 后,方程为(8.2-4)或(8.2-5)。现设与之相应的 Hamilton 系统可积,对(8.2-4)与(8.2-5)分别应用5.5与5.3中随机平均法,可导出平均 Itô 方程。当 Hamilton 系统非共振时,平均 Itô 方程形为

$$dH_r = \left[\bar{m}_r(\boldsymbol{H}) + \left\langle u_i^{(2)}\frac{\partial H_r}{\partial P_i}\right\rangle\right]dt + \bar{\sigma}_{rk}(\boldsymbol{H})dB_k(t)$$

$$r,i=1,2,\cdots,n;\qquad k=1,2,\cdots,m \tag{8.3-1}$$

其中 $\bar{m}_r$、$\bar{\sigma}_{rk}$,对(8.2-5),按(5.3-15)或(5.3-18)确定;对(8.2-4),按(5.5-44)与(5.5-54)确定。$\langle\cdot\rangle$也按相应公式确定。

对有限时间区间$[0,t_f]$上的无界控制,设性能指标为

$$J(\boldsymbol{u}^{(2)}) = E\left[\int_0^{t_f} f(\boldsymbol{H}(s),\langle\boldsymbol{u}^{(2)}(s)\rangle)ds + g(\boldsymbol{H}(t_f))\right] \tag{8.3-2}$$

定义值函数

$$V(\boldsymbol{H},t)=\inf_{\boldsymbol{u}^{(2)}} E\left[\int_t^{t_f} f(\boldsymbol{H}(s),\langle \boldsymbol{u}^{(2)}(s)\rangle)\mathrm{d}s+g(\boldsymbol{H}(t_f))\right] \tag{8.3-3}$$

类似于(8.1-19)～(8.1-26),对控制问题(8.3-1)与(8.3-2),可导出如下动态规划方程

$$\begin{aligned}\frac{\partial V}{\partial t}=-\inf_{\boldsymbol{u}^{(2)}}\Big\{&\frac{1}{2}\overline{\sigma_{rk}}\ \overline{\sigma_{sk}}\frac{\partial^2 V}{\partial H_r\partial H_s}\\&+\left[\overline{m_r}+\left\langle u_i^{(2)}\frac{\partial H_r}{\partial p_i}\right\rangle\right]\frac{\partial V}{\partial H_r}+f(\boldsymbol{H},\langle \boldsymbol{u}^{(2)}\rangle)\Big\}\end{aligned} \tag{8.3-4}$$

与终值条件

$$V(\boldsymbol{H},t_f)=g(\boldsymbol{H}(t_f)) \tag{8.3-5}$$

最优控制律由(8.3-4)右边对 $u_i^{(2)}$ 求极小确定。设

$$f(\boldsymbol{H},\langle \boldsymbol{u}^{(2)}\rangle)=f_1(\boldsymbol{H})+\langle \boldsymbol{u}^{(2)\mathrm{T}}\boldsymbol{R}\boldsymbol{u}^{(2)}\rangle \tag{8.3-6}$$

$\boldsymbol{R}$ 为正定对称矩阵,则

$$u_i^{(2)*}=-\frac{1}{2}(\boldsymbol{R}^{-1})_{ij}\frac{\partial V}{\partial H_r}\frac{\partial H_r}{\partial P_j} \tag{8.3-7}$$

将(8.3-7)代入(8.3-4)取代 $u_i^{(2)}$,完成平均,得最后动态规划方程

$$\begin{aligned}\frac{\partial V}{\partial t}=-\Big\{&\frac{1}{2}\overline{\sigma_{rk}}\ \overline{\sigma_{sk}}\frac{\partial^2 V}{\partial H_r\partial H_s}\\&+\left[\overline{m}+\left\langle u_i^{(2)*}\frac{\partial H_r}{\partial p_i}\right\rangle\right]\frac{\partial V}{\partial H_r}+f(\boldsymbol{H},\langle \boldsymbol{u}^{(2)*}\rangle)\Big\}\end{aligned} \tag{8.3-8}$$

在终值条件(8.3-5)与适当边界条件下求解(8.3-8)得$\partial V/\partial H_r$,代入(8.3-7)得最优控制力 $u_i^{(2)*}$。

对有限时间区间$[0,t_f]$上的有界控制,设控制力约束形如(8.2-17),性能指标

$$J_1=E\left[\int_0^{t_f} f_1(\boldsymbol{H}(s))\mathrm{d}s+g(\boldsymbol{H}(t_f))\right] \tag{8.3-9}$$

引入值函数

$$V_1(\boldsymbol{H},t)=\inf_{\boldsymbol{u}^{(2)}} E\left[\int_t^{t_f} f_1(\boldsymbol{H}(s))\mathrm{d}s+g(\boldsymbol{H}(t_f))\right] \tag{8.3-10}$$

可导出动态规划方程

$$\frac{\partial V_1}{\partial t}=-\inf_{u^{(2)}}\left\{\frac{1}{2}\overline{\sigma_{rk}}\ \overline{\sigma_{sk}}\frac{\partial^2 V}{\partial H_r\partial H_s}\right.$$
$$\left.+\left[\overline{m_r}+\left\langle u_i^{(2)}\frac{\partial H_r}{\partial p_i}\right\rangle\right]\frac{\partial V_1}{\partial H_r}+f_1(\boldsymbol{H})\right\} \tag{8.3-11}$$

与终值条件

$$V_1(\boldsymbol{H},t_f)=g(\boldsymbol{H}(t_f)) \tag{8.3-12}$$

最优控制律由(8.3-11)对 $u_i^{(2)}$ 求极小得到。鉴于通常$\partial H_r/\partial P_i=P_i\delta_{ir}(\delta_{ir}=1,i=r;\delta_{ir}=0,i\neq r)$,得最优控制律

$$u_i^{(2)*}=-b_i\mathrm{sgn}\left(\frac{\partial H_i}{\partial P_i}\frac{\partial V_1}{\partial H_i}\right) \tag{8.3-13}$$

$\partial V_1/\partial H_i$ 的正负取决于$\partial f_1(\boldsymbol{H})/\partial H_i$,一般为正,因此,(8.3-13)化为

$$u_i^{(2)*}=-b_i\mathrm{sgn}\left(\frac{\partial H_i}{\partial P_i}\right) \tag{8.3-14}$$

它表示最优控制是 bang-bang 控制。由于 $u_i^{(2)*}$ 不依赖于 V_1,因此,不必求解动态规划方程即可确定最优控制力。

对半无限长时间区间上无界遍历控制,设性能指标为

$$J_2(\boldsymbol{u}^{(2)})=\lim_{t_f\to\infty}\frac{1}{t_f}\int_0^{t_f}f(\boldsymbol{H}(s),\langle\boldsymbol{u}^{(2)}(s)\rangle)\mathrm{d}s \tag{8.3-15}$$

类似于(8.2-25),可建立动态规划方程

$$\inf_{u^{(2)}}\left\{\frac{1}{2}\overline{\sigma_{rk}}\ \overline{\sigma_{sk}}\frac{\partial^2 V_2}{\partial H_r\partial H_s}+\left[\overline{m}+\left\langle u_i^{(2)}\frac{\partial H_r}{\partial p_i}\right\rangle\right]\frac{\partial V_2}{\partial H_r}\right.$$
$$\left.+f(\boldsymbol{H},\langle\boldsymbol{u}^{(2)}\rangle)\right\}=\gamma \tag{8.3-16}$$

式中

$$\gamma=\lim_{t_f\to\infty}\frac{1}{t_f}\int_0^{t_f}f(\boldsymbol{H}(s),\langle\boldsymbol{u}^{(2)*}(s)\rangle)\mathrm{d}s \tag{8.3-17}$$

表示最优平均成本。若成本函数 f 形如(8.3-6),则由(8.3-16)左边对 $u_i^{(2)}$ 求极小,可得形如(8.3-7)最优控制律。以最优控制律 $u_i^{(2)*}$ 代替 $u_i^{(2)}$,代入并求解(8.3-16)得$\partial V/\partial H_r$,代入(8.3-7),得最优控制力。

对半无限长时间区间上有界遍历控制，设控制力约束形如(8.2-17)，性能指标为

$$J_3 = \lim_{t_f \to \infty} \frac{1}{t_f} \int_0^{t_f} f_1(\boldsymbol{H}(s))\mathrm{d}s \tag{8.3-18}$$

类似于(8.2-29)，可建立动态规划方程

$$\inf_{u^{(2)}} \left\{ \frac{1}{2} \overline{\sigma_{rk}}\, \overline{\sigma_{sk}} \frac{\partial^2 V_3}{\partial H_r \partial H_s} + \left[\overline{m_r} + \left\langle u_i^{(2)} \frac{\partial H_r}{\partial p_i} \right\rangle \right] \frac{\partial V_3}{\partial H_r} + f_1(\boldsymbol{H}) \right\} = \gamma_1 \tag{8.3-19}$$

式中

$$\gamma = \lim_{t_f \to \infty} \frac{1}{t_f} \int_0^{t_f} f_1(\boldsymbol{H}(s))\mathrm{d}s \tag{8.3-20}$$

由(8.3-19)左边对 $u_i^{(2)}$ 求极小，可得形如(8.3-13)或(8.3-14)的最优控制力。

将由上述四种控制策略确定的最优控制力 $u_i^{(2)*}$ 代入(8.3-1)，完成平均，得最优控制系统的平均 Itô 方程

$$\mathrm{d}H_r = \overline{\overline{m}}_r(\boldsymbol{H})\mathrm{d}t + \overline{\sigma_{rk}}(\boldsymbol{H})\mathrm{d}B_k(t)$$
$$r = 1,2,\cdots,n; \qquad k = 1,2,\cdots,m \tag{8.3-21}$$

式中

$$\overline{\overline{m}}_r(\boldsymbol{H}) = \overline{m_r}(\boldsymbol{H}) + \left\langle u_i^{(2)*} \frac{\partial H_r}{\partial P_i} \right\rangle \tag{8.3-22}$$

求解与(8.3-21)相应的 FPK 方程，可得最优控制系统的响应统计量。最后，可按(8.2-33)与(8.2-34)评价控制策略。

上述求最优控制力与最优控制系统响应统计量的步骤可容易地推广于受控拟可积 Hamilton 系统的共振情形及受控拟部分可积 Hamilton 系统的非共振与共振情形。

8.3.2 非线性阻尼耦合谐振子的无界遍历控制

考虑两个线性与非线性阻尼耦合的谐振子受 Gauss 白噪声外

激的随机最优控制，系统的运动方程为

$$\dot{Q}_i = P_i$$

$$\dot{P}_i = k_i Q_i - c_{ij} P_j - d_i Q_j Q_j P_i + u_i^{(2)}(\boldsymbol{Q}, \boldsymbol{P}) + e_i \xi_i(t)$$

$$i, j = 1, 2 \tag{8.3-23}$$

式中 k_i，c_{ij}，d_i，e_i 为常数；$\xi_i(t)$是强度为 $2D_i$ 的独立 Gauss 白噪声。设已确定保守控制力，并已并入刚度项，此处只考虑最优耗散控制。与(8.3-23)相应的 Hamilton 系统的 Hamilton 函数为

$$H = H_1 + H_2, \; H_i = (p_i^2 + k_i q_i^2)/2, \; i = 1, 2 \tag{8.3-24}$$

设 c_{ij}，d_i，D_i，$u_i^{(2)}$ 同为 ε 阶小量，(8.3-23)描述一个弱控制的拟可积 Hamilton 系统。假定已选取保守控制力使相应 Hamilton 系统为非内共振。应用 5.3.1 中描述的拟可积 Hamilton 系统随机平均法，可得如下平均 Itô 方程：

$$\mathrm{d}H_i = \left[\overline{m_i}(\boldsymbol{H}) + \left\langle u_i^{(2)} \frac{\partial H_i}{\partial P_i} \right\rangle \right] \mathrm{d}t + \sigma_i(\boldsymbol{H}) \mathrm{d}B_i(t), \; i = 1, 2 \tag{8.3-25}$$

式中 $\boldsymbol{H} = [H_1 \;\; H_2]^{\mathrm{T}}$，按(5.3-18)得到 $\overline{m_i}$ 与 $\overline{\sigma_i}$ 为

$$\overline{m_i}(\boldsymbol{H}) = - c_{ii} H_i - d_i H_i (H_i / 2k_i + H_j / k_j) + e_i^2 D_i$$

$$\overline{\sigma}_i^2(\boldsymbol{H}) = 2 e_i^2 D_i H_i, \quad i, j = 1, 2; \quad j \neq i \tag{8.3-26}$$

考虑半无限长时间区间上无界遍历控制，性能指标形如(8.3-15)，其中成本函数

$$f(\boldsymbol{H}, \langle \boldsymbol{u}^2 \rangle) = f_1(\boldsymbol{H}) + \langle \boldsymbol{u}^{(2)\mathrm{T}} \boldsymbol{R} \boldsymbol{u}^{(2)} \rangle \tag{8.3-27}$$

式中

$$\boldsymbol{u}^{(2)} = [u_1^{(2)} \quad u_2^{(2)}]^{\mathrm{T}}, \boldsymbol{R} = [R_{ij}]_{2\times 2}$$

$$f_1 \boldsymbol{H} = s_0 + s_{11} H_1 + s_{12} H_2 + s_{21} H_1^2 + s_{22} H_1 H_2 + s_{23} H_2^2 + s_{31} H_1^3 + s_{32} H_1^2 H_2 + s_{33} H_1 H_2^2 + s_{34} H_2^3 \tag{8.3-28}$$

动态规划方程形如(8.3-16)。按(8.3-7)，最优控制律为

$$u_i^{(2)*} = -\frac{1}{2} (\boldsymbol{R}^{-1})_{ij} \frac{\partial V_2}{\partial H_j} \frac{\partial H_j}{\partial P_j}$$

$$= -\frac{1}{2}(\boldsymbol{R}^{-1})_{ij}\frac{\partial V_2}{\partial H_j}P_j \tag{8.3-29}$$

(8.3-29)代入(8.3-16),完成平均,得最后动态规划方程。其解形为

$$V_2(\boldsymbol{H}) = b_1 H_1 + b_2 H_2 + b_3 H_1^2 + b_4 H_1 H_2 + b_5 H_2^2 \tag{8.3-30}$$

式中

$$\begin{aligned}
b_1 &= 2\left[(c_{11}^2 + (\boldsymbol{R}^{-1})_{11}(4b_3 e_1^2 D_1 + s_{11}))^{1/2} - c_{11}\right]\Big/(\boldsymbol{R}^{-1})_{11} \\
b_2 &= 2\left[(c_{22}^2 + (\boldsymbol{R}^{-1})_{22}(4b_5 e_2^2 D_2 + s_{12}))^{1/2} - c_{22}\right]\Big/(\boldsymbol{R}^{-1})_{22} \\
b_3 &= \left[(d_1^2 + 4s_{31}k_1^2(\boldsymbol{R}^{-1})_{11})^{1/2} - d_1\right]\Big/(2k_1(\boldsymbol{R}^{-1})_{11}) \\
b_4 &= 0 \\
b_5 &= \left[(d_2^2 + 4s_{34}k_2^2(\boldsymbol{R}^{-1})_{22})^{1/2} - d_2\right]\Big/(2k_2)\boldsymbol{R}^{-1})_{22})
\end{aligned} \tag{8.3-31}$$

$$\begin{aligned}
(R^{-1})_{11} &= R_{22}\big/(R_{11}R_{22} - R_{12}^2) \\
(R^{-1})_{22} &= R_{11}\big/(R_{11}R_{22} - R_{12}^2)
\end{aligned} \tag{8.3-32}$$

$$\begin{aligned}
s_0 &= \gamma - (b_1 e_1^2 D_1 + b_2 e_2^2 D_2) \\
s_{21} &= 2c_{11}b_3 + b_1(d_1^2 + 4s_{31}k_1^2(\boldsymbol{R}^{-1})_{11})^{1/2}\big/2k_1 \\
s_{22} &= d_1(b_1 + b_2)/k_2 \\
s_{23} &= 2c_{22}b_5 + b_2(d_2^2 + 4s_{34}k_2^2(\boldsymbol{R}^{-1})_{22})^{1/2}\big/2k_2 \\
s_{32} &= 2d_1 b_3/k_2 \\
s_{33} &= 2d_2 b_5/k_1
\end{aligned} \tag{8.3-33}$$

由(8.3-33)知,(8.3-28)中,只有 $s_{11}, s_{12}, s_{31}, s_{34}$ 可任意给定。将(8.3-30)代入(8.3-29)得最优控制力 $u_i^{(2)*}$。将 $u_i^{(2)*}$ 代入(8.3-25)取代 $u_i^{(2)}$,并按(5.3-18)第一式完成平均 $\langle u_i^{(2)*}P_i\rangle$,得最优控制系统的平均 Itô 方程。求解与之相应的平稳 FPK 方程得最优控制系统的平稳概率密度

$$p^c(\boldsymbol{H}) = C^c \exp[-\lambda^c(\boldsymbol{H})] \tag{8.3-34}$$

式中

$$\lambda^c(\boldsymbol{H}) = \lambda^u(\boldsymbol{H}) + [(\boldsymbol{R}^{-1})_{11}/2e_1^2 D_1] V_2(\boldsymbol{H}) \tag{8.3-35}$$

$$\lambda^u(\boldsymbol{H}) = \frac{c_{11} H_1}{2e_1^2 D_1} + \frac{c_{22} H_2}{2e_2^2 D_2} + \frac{d_1 H_1^2}{8k_1 e_1^2 D_1} + \frac{d_2 H_2^2}{8k_2 e_2^2 D_2} + \frac{d_1 H_1 H_2}{2k_2 e_1^2 D_1} \tag{8.3-36}$$

而未控系统的平稳概率密度为

$$p^u(\boldsymbol{H}) = C^u \exp[-\lambda^u(\boldsymbol{H})] \tag{8.3-37}$$

在求(8.3-34)与(8.3-37)中,假定满足相容条件

$$d_1 k_1 e_2^2 D_2 = d_2 k_2 e_1^2 D_1, e_1^2 D_1 R_{11} = e_2^2 D_2 R_{22} \tag{8.3-38}$$

由(8.3-34)与(8.3-37)可导出最优控制与未控系统的各响应统计量,并确定控制效果与效率。

文献[14]中给出了若干数值结果及在 $d_1 = d_2 = 0$ 情形与 LQG 控制的比较。结论是上述非线性随机最优控制优于 LQG 控制。

8.3.3 非线性阻尼耦合的 Duffing 振子的有界遍历控制

考虑非线性阻尼耦合的两个 Duffing 振子受平衡宽带随机外激与参激的有界控制,系统的运动方程形为

$$\begin{aligned}
\dot{Q}_i &= P_i \\
\dot{P}_i &= -\omega_{0i}^2 Q_i - \alpha_i Q_i^3 - (\beta_0 + \beta_1 Q_1^2 + \beta_2 Q_2^2) P_i \\
&\quad + u_i + Q_i \xi_1(t) + \xi_2(t), \quad i = 1, 2
\end{aligned} \tag{8.3-39}$$

系统(8.3-39)在 $u_i = 0$ 时的平均 Itô 方程已在例 5.5-4 中导出。设只考虑耗散控制力,即 $u_i = u_i^{(2)}$。此时,(8.3-39)关于 Hamilton 函数的平均 Itô 方程形为

$$\mathrm{d}H_i = \left[\overline{m_i}(\boldsymbol{H}) + \left\langle u_i \frac{\partial H_i}{\partial P_i} \right\rangle\right] \mathrm{d}t + \overline{\sigma_{ik}}(\boldsymbol{H}) \mathrm{d}B_k(t),$$

$$i, k = 1, 2 \tag{8.3-40}$$

式中 $\overline{m_i}$, $\overline{\sigma_{ik}}$按(5.5-54)从例 5.5.4 中(jj)得到。设 u_i 受控制约束(8.2-17)。对有限时间区间$[0, t_f]$上的有界控制,设性能指标

形如(8.3-9),则动态规划方程形如(8.3-11),而最优控制力形如(8.3-14)。将此最优控制力代入(8.3-40)并完成平均,得最优控制系统的平均 Itô 方程

$$\mathrm{d}H_i = \overline{\overline{m}}_i(\boldsymbol{H})\mathrm{d}t + \overline{\sigma_{ik}}(\boldsymbol{H})\mathrm{d}B_k(t) \tag{8.3-41}$$

式中

$$\begin{aligned}\overline{\overline{m}}_i(\boldsymbol{H}) &= \overline{m_i}(\boldsymbol{H}) + \langle u_i^* P_i \rangle \\ &= \overline{m_i}(\boldsymbol{H}) - \frac{2A_i b_i}{\pi g_i(A_i)}\left(b_{0i} - \frac{b_{2i}}{3} - \frac{b_{4i}}{15} - \frac{b_{6i}}{35} \right)\Bigg|_{A_i = U_i^{-1}(H_i)}\end{aligned} \tag{8.3-42}$$

其中 b_i 为控制力上界,b_{0i},b_{2i},b_{4i},b_{6i}由例 5.5-4 中(hh)给出。求解与(8.3-41)相应的 FPK 方程可得最优控制系统的响应统计量。

对半无限时间区间上的有界遍历控制,设性能指标形如(8.3-18),则动态规划方程形如(8.3-19)。最优控制力仍形为(8.3-14),代入(8.3-40),完成平均后,得平均 Itô 方程(8.3-41)。最优控制系统的平稳响应统计量由求解与(8.3-41)相应的平稳 FPK 方程得到。

8.4 应用 ER/MR 阻尼器的随机最优半主动控制

按上两节中描述方法确定的最优控制力须用作动器去执行。对大型结构的振动控制,需大功率的作动器。此外,在发生地震时,电源通常遭破坏,作动器无法工作。为克服上述困难,近来在研究小功率的新型作动器,ER/MR(电流变/磁流变)阻尼器是其中一类。这种阻尼器的阻尼与刚度特性可随外加电场或磁场迅速变化,只需小功率电源即可提供大的控制力,而且结构简单可靠,因而备受重视。

ER/MR 阻尼器是一种可调阻尼器,需由结构运动引发控制力,一般不能完全执行最优控制律,而需一种半主动控制策略使其发挥作用,其控制效果在很大程度上取决半主动控制策略的优劣。迄今,已为 ER/MR 阻尼器发展了若干半主动控制策略[17,18],效

果均不理想。本节讨论如何设法利用ER/MR阻尼器去执行上两节中导出的最优控制律。

考虑应用 s 个ER/MR阻尼器控制的 n 自由度拟Hamilton系统,其运动方程为(8.2-1),其中

$$u_i(\boldsymbol{Q},\boldsymbol{P})=d_{ir}U_r(\boldsymbol{Q},\boldsymbol{P}) \tag{8.4-1}$$

U_r 为第 r 个ER/MR阻尼器产生的控制力,d_{ir} 为放置系数。通常,ER/MR阻尼器产生的控制力可分成被动与主动两部分,即

$$U_r(\boldsymbol{Q},\boldsymbol{P})=U_{rp}(\boldsymbol{Q},\boldsymbol{P})+U_{ra}(\boldsymbol{Q},\boldsymbol{P}) \tag{8.4-2}$$

U_{rp} 是无电源时阻尼器的被动控制力,U_{ra} 则是外加电场或磁场引起的阻尼器的主动控制力。已有多个描述ER/MR阻尼器特性的模型,其中最简单的是Bingham[19]模型,它由一个黏性阻尼器与一个Coulomb摩擦元件并联而成,其控制力

$$U_r=-c_r\dot{X}_r-F_r\mathrm{sgn}(\dot{X}_r) \tag{8.4-3}$$

$\dot{X}_r$ 是阻尼器两端的相对速度,c_r 为黏性阻尼系数,$-c_r\dot{X}_r$ 为被动控制力,$-F_r\mathrm{sgn}(\dot{X}_r)$ 则是主动控制力。通常ER/MR阻尼器的一端固定,另一端联接于受控系统,此时,$\dot{X}_r$ 就是系统上安装第 r 个ER/MR阻尼器部位系统的速度,其与广义速度之间的关系为

$$\dot{X}_r=d_{ir}\dot{Q}_i \tag{8.4-4}$$

于是,(8.4-3)变成

$$U_r(\boldsymbol{Q},\boldsymbol{P})=-c_rd_{ir}\dot{Q}_i-F_r\mathrm{sgn}(d_{ir}\dot{Q}_i) \tag{8.4-5}$$

上式右边不对 r 求和。F_r 是外加电压 V_{re} 的函数,一个简单的关系是[19]

$$F_r=C_{ra}V_{re}^{\alpha_r} \tag{8.4-6}$$

C_{ra} 与 α_r 为正常数。ER/MR阻尼器只能产生与速度相反方向的主动控制力,即 $F_r\geqslant 0$。

将ER/MR阻尼器的被动控制力同(8.2-1)中的结构阻尼力合并,最后变成(8.2-4),在Gauss白噪声激励情形,则变成(8.2-5)。对拟不可积Hamilton系统,可由(8.2-5)导得平均Itô方程

$$\mathrm{d}H=\left[\overline{m}(H)+\left\langle d_{ir}U_{r\alpha}\frac{\partial H}{\partial P_i}\right\rangle\right]\mathrm{d}t+\overline{\sigma}(H)\mathrm{d}B(t)$$

(8.4-7)

式中 $\overline{m}$, $\overline{\sigma}$ 按(5.2-6)确定,$\langle\cdot\rangle$按(8.2-7)定义。对有限时间区间上的无界控制,性能指标形为

$$J(\boldsymbol{U}_a)=E\left[\int_0^{t_f}f(H(s),\langle\boldsymbol{U}_a(s)\rangle)\mathrm{d}s+g(H(t_f))\right]$$

(8.4-8)

式中 $\boldsymbol{U}_a=[U_{1a}\ U_{2a}\cdots\ U_{sa}]^{\mathrm{T}}$。对最优控制问题(8.4-7)与(8.4-8),动态规划方程为

$$\frac{\partial V}{\partial t}=-\inf_{U_a}\left[\frac{1}{2}\overline{\sigma}^2(H)\frac{\partial^2 V}{\partial H^2}+\left[\overline{m}(H)+\left\langle d_{ir}U_{ra}\frac{\partial H}{\partial p_i}\right\rangle\right]\frac{\partial V}{\partial H}+f(\boldsymbol{H},\langle\boldsymbol{U}_a\rangle)\right]$$

(8.4-9)

注意,此处独立的控制力为 s 个 U_{ra}。(8.4-9)右边对 $\boldsymbol{U}_a$ 取极小的必要条件是

$$\frac{\partial}{\partial U_{ra}}\left[f(H,\langle\boldsymbol{U}_a\rangle)+\left\langle d_{ir}U_{ra}\frac{\partial H}{\partial p_i}\right\rangle\frac{\partial V}{\partial H}\right]=0,\ r=1,2,\cdots,s$$

(8.4-10)

设

$$f(H,\langle\boldsymbol{U}_a\rangle)=f_1(H)+\langle\boldsymbol{U}_a^{\mathrm{T}}\boldsymbol{R}\boldsymbol{U}_a\rangle \qquad (8.4\text{-}11)$$

$\boldsymbol{R}$ 为正定对称矩阵。则(8.4-10)给出最优控制律

$$U_{ra}^*=-\frac{1}{2}(\boldsymbol{R}^{-1})_{rs}\frac{\partial V}{\partial H}d_{is}\frac{\partial H}{\partial P_i}$$

$$=-\frac{1}{2}(\boldsymbol{R}^{-1})_{rs}\frac{\partial V}{\partial H}d_{is}\dot{Q}_i \qquad (8.4\text{-}12)$$

它可改写成

$$U_{ra}^*=-F_{ra}^*\mathrm{sgn}(d_{ir}\dot{Q}_i) \qquad (8.4\text{-}13)$$

$$F_{ra}^*=\frac{1}{2}(\boldsymbol{R}^{-1})_{rs}d_{is}\dot{Q}_i\mathrm{sgn}(d_{jr}\dot{Q}_j)\frac{\partial V}{\partial H} \qquad (8.4\text{-}14)$$

(8.4-12)或(8.4-13)与(8.4-14)是上述最优控制问题所要求的最优控制律。另一方面,ER/MR阻尼器能提供的主动控制力是(8.4-5)右边第二项,即

$$U_{ra}=-F_r\mathrm{sgn}(d_{ir}\dot{Q}_i) \tag{8.4-15}$$

比较(8.4-13)与(8.4-15)知,ER/MR阻尼器能执行最优控制律的条件是

$$F_r\geqslant F_{ra}^*\geqslant 0 \tag{8.4-16}$$

当阻尼器容量足够大时,$F_r\geqslant F_{ra}^*$,条件(8.4-16)就化为 $F_{ra}^*\geqslant 0$。当此条件满足时,ER/MR阻尼器有可能执行最优控制律,即实现完全的主动控制。当此条件不满足时,ER/MR阻尼器不能执行最优控制律。特别是当 $F_{ra}^*<0$ 时,需切断ER/MR阻尼器的电源,ER/MR阻尼器只能作被动阻尼器用。一般情形下,部分时间内 $F_{ra}^*\geqslant 0$,部分时间内 $F_{ra}^*<0$,则ER/MR阻尼器只能部分执行最优控制律,此时ER/MR阻尼器只能实现半主动控制。显然,$F_{ra}^*\geqslant 0$ 所占时间比例越大,控制效果越好。一个特殊情形是 $\boldsymbol{R}$ 为对角阵,选取 $f_1(H)$使$\partial V/\partial H>0$,(8.4-12)变成

$$\begin{aligned}U_{ra}^*&=-\frac{1}{2R_{rr}}\frac{\partial V}{\partial H}d_{ir}\dot{Q}_i\\&=-\frac{1}{2R_{rr}}\frac{\partial V}{\partial H}\left|d_{ir}\dot{Q}_i\right|\mathrm{sgn}(d_{ir}\dot{Q}_i)\end{aligned} \tag{8.4-17}$$

此时,只要具有足够大容量($F_r\geqslant F_{ra}^*=\left|d_{ir}\dot{Q}_i\right|(\partial V/\partial H)/2R_{ii}$),ER/MR阻尼器就能完全实现最优主动控制。

将ER/MR阻尼器能实现的最优控制律代入(8.4.9)(不能实现时为零),完成平均,并求解所得之最后动态规划方程,将解得之$\partial V/\partial H$代入(8.4-12)或(8.4-17),得最优(主动或半主动)控制力。再将此力代入(8.4-7),完成平均,求解与之相应的FPK方程,得最优(主动或半主动)控制系统的响应统计量。

对拟不可积Hamilton系统在半无限长时间区间上的最优无界控制,系统方程仍为(8.4-7),性能指标为

$$J(\boldsymbol{U}_a)=\lim_{t_f\to\infty}\frac{1}{t_f}\int_0^{t_f} f(H(s),\langle \boldsymbol{U}_a(s)\rangle)\mathrm{d}s \qquad (8.4\text{-}18)$$

可建立形如(8.2-25)的动态规划方程，只是以 $d_{ir}U_{ra}$代替 $u_i^{(2)}$，且对 $\boldsymbol{U}_a$ 取最小。最优控制律仍为(8.4-12)或(8.4-17)。关于ER/MR阻尼器能否执行最优控制律与控制效果问题可进行类似的讨论。

对拟不可积 Hamilton 系统在有限时间或半无限时间区间上的最优有界控制，性能指标形如(8.2-18)或(8.2-28)，动态规划方程形如(8.2-20)或(8.2-29)，只是其中 $u_i^{(2)}$ 代之以 $d_{ir}U_{ra}$，并将 U_{ra}看成独立控制力，对 U_{ra}取最小。最优控制律形为

$$U_{ra}^*=-b_r\mathrm{sgn}\left((\partial V_1/\partial H)d_{ir}\dot{Q}_i\right) \qquad (8.4\text{-}19)$$

式中 b_r 为第 r 个 ER/MR 阻尼器的最大主动控制力。若选取 $f_1(H)$使$\partial V_1/\partial H>0$，则(8.4-19)化为

$$U_{ra}^*=-b_r\mathrm{sgn}(d_{ir}\dot{Q}_i) \qquad (8.4\text{-}20)$$

它形同(8.4-15)。这样，ER/MR 阻尼器完全有可能实现最优主动控制，所需电压由(8.4-6)确定。

对拟可积与拟部分可积 Hamilton 系统的各种最优控制问题，可进行类似的讨论。

上述随机最优半主动控制策略曾应用于 8.2.2 中的 Duffing 振子与 8.2.3 中的滞迟系统的控制。8.2.2 中 Duffing 振子的无界遍历控制所要求的最优控制力为(8.2-47)，其中 $\mathrm{d}V_2/\mathrm{d}H$ 由求解动态规划方程(8.2-48)得到。选取 $f_1(H)$使 $\mathrm{d}V_2/\mathrm{d}H>0$，(8.2-47)可改写成

$$u^{(2)*}=-F^*\mathrm{sgn}(\dot{Q}) \qquad (8.4\text{-}21)$$

式中

$$F^*=\frac{1}{2R}\frac{\mathrm{d}V_2}{\mathrm{d}H}P\mathrm{sgn}(P)=\frac{1}{2R}\frac{\mathrm{d}V_2}{\mathrm{d}H}|\dot{Q}| \qquad (8.4\text{-}22)$$

选取一个满足条件 $F\geqslant F^*$ 的 ER/MR 阻尼器就可执行上述最优控制律。按上述方法，该阻尼器的被动控制力预先已并入系统的结构阻尼。在 8.2.3 中描述的滞迟系统的无界遍历控制中同样可应用 ER/MR 阻尼器执行最优控制律。而在 LQG 控制策略中，一

般地，最优反馈控制力一部分正比于位移，与位移反向，一部分正比于速度，与速度反向，不可能始终由只能产生与速度反向控制力的 ER/MR 阻尼器提供最优控制力，必须在所要求的控制力与速度同向时切断阻尼器的电源。因此，由 LQG 导出的常常是削去的(clipped)LQG 半主动控制策略。数值结果表明，本节叙述的随机最优半主动控制策略优于削去的 LQG 控制策略[20]，例见图 8.4-1。

上述随机最优半主动控制策略可推广于更精确的 ER/MR 阻

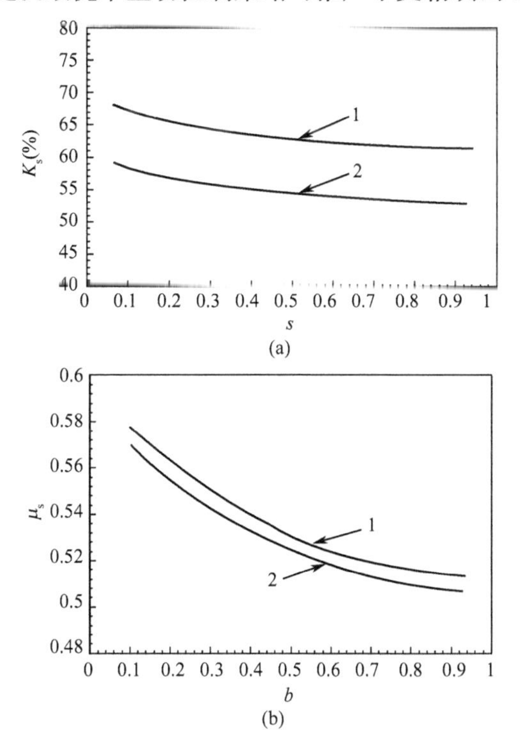

图 8.4-1 Duffing 振子的半主动控制

(a)控制效果；(b)控制效率

1. 非线性随机最优半主动控制；2. 削去的线性 LQG 控制。

s 表示平衡位移响应；b 表示非线性强度

尼器模型。例如,MR 阻尼器的一个更为精确而简单的模型乃由一个黏性阻尼器与一个 Bouc-Wen 滞迟元件并联组成[17]。第 r 个 MR 阻尼器产生的控制力为

$$U_r = c_r\dot{X}_r + \alpha_r Z_r \tag{8.4-23}$$

式中

$$\dot{Z}_r = A_r\dot{X}_r - \beta_r\dot{X}_r|Z_r|^{n_r} - \gamma_r|\dot{X}_r|Z_r|Z_r|^{n_r-1} \tag{8.4-24}$$

$$c_r = c_{rp} + c_{ra}u_r,\ \alpha_r = \alpha_{rp} + \alpha_{ra}u_r \tag{8.4-25}$$

$$\dot{u}_r = -\eta_r(u_r - v_r) \tag{8.4-26}$$

Z_r 为滞迟力,(8.4-24)为滞迟力的 Bouc-Wen 模型,A_r,β_r,γ_r,n_r 为滞迟参数;v_r 为外加电压,u_r 为一阶滤波器的输出,(8.4-26)为描述 MR 阻尼器内磁流变体状态的动力学模型,η_r 为滤波器参数;c_r,c_{ra},c_{rp},α_r,α_{rp},α_{ra}为常数。

按(8.4-4),$\dot{X}_r$ 可代之以 $\dot{Q}_i$。控制力(8.4-23)可按(8.4-2)分解为被动与主动两部分:

$$U_r = U_{rp} + U_{ra} \tag{8.4-27}$$

式中

$$U_{rp} = c_{rp}d_{ir}\dot{Q}_i + \alpha_{rp}Z_r \tag{8.4-28}$$

$$U_{ra} = (c_{ra}d_{ir}\dot{Q}_i + \alpha_{ra}Z_r)u_r \tag{8.4-29}$$

如同在 8.2.3 中,被动控制力 U_{rp}可分解为保守力与耗散力两部分,先分别同(8.2-1)中$-\partial H'\partial Q_i$ 及$-\varepsilon c'_{ij}\partial H'/\partial P_j$ 合并,使方程变成(8.2-4)或(8.2-5)形式。主动控制力 U_{ra}执行所要求的最优控制律 $u_i^{(2)*}$,由此确定 u_r,再由(8.4-26)确定需加的电压 v_r。具体做法将在以后论文中评述。

8.5 部分可观测线性系统的非线性随机最优控制

8.2 与 8.3 中所述乃是完全可观测的拟 Hamilton 系统的随机最优控制。对部分可观测的拟 Hamilton 系统的随机最优控制,目前尚无一般方法。本节以受具有有理渐近谱密度的宽带随机激励的 n 层剪切结构为例,叙述如何应用分离原理与 8.3 中所述方法

研究部分可观测线性系统的非线性随机最优控制问题[21]。与一般部分可观测线性系统随机最优控制理论所不同的是，这里成本函数一般不是系统状态的二次型，因而反馈控制一般是非线性的。

8.5.1 问题的提法

考虑一个在水平地面运动激励下受控的 n 层剪切结构，系统的运动方程为

$$\boldsymbol{M}\ddot{\boldsymbol{X}}+\boldsymbol{C}\dot{\boldsymbol{X}}+\boldsymbol{K}\boldsymbol{X}=-\boldsymbol{M}\boldsymbol{E}\ddot{X}_g+\boldsymbol{P}\boldsymbol{U} \tag{8.5-1}$$

式中 $\boldsymbol{X}=[X_1\ \ X_2\cdots X_n]^{\mathrm{T}}$，$X_i$ 为第 i 层楼板相对于地面的位移；$\boldsymbol{M}$，$\boldsymbol{C}$，$\boldsymbol{K}$ 分别是 $n\times n$ 系统质量、阻尼及刚度矩阵；$\boldsymbol{E}$ 为 n 维单位矢量；$\ddot{X}_g$ 为水平地面加速度；$\boldsymbol{U}=[U_1\ \ U_2\cdots U_k]^{\mathrm{T}}$，$U_j$ 为第 j 个控制执行机构产生的控制力，例如，对一个质量为 m_j、冲程为 δ_j 的主动质量阻尼器(AMD)，$U_j=-m_j\ddot{\delta}_j$；$\boldsymbol{P}$ 是 $n\times k$ 控制执行机构放置矩阵。

引入模态变换

$$\boldsymbol{X}=\Phi\boldsymbol{Q} \tag{8.5-2}$$

式中 Φ 为 $n\times n$ 归一化系统实模态矩阵，(8.5-1)可解耦为

$$\ddot{\boldsymbol{Q}}+2\zeta\Omega\dot{\boldsymbol{Q}}+\Omega^2\boldsymbol{Q}=-\beta\ddot{X}_g+\boldsymbol{u} \tag{8.5-3}$$

式中 $\boldsymbol{Q}=[Q_1\ \ Q_2\cdots Q_n]^{\mathrm{T}}$ 为广义位移矢量；，$\Omega^2=\mathrm{diag}[\omega_i^2]=\Phi^{\mathrm{T}}\boldsymbol{K}\Phi$，$\omega_i$ 为第 i 个模态的固有频率；$2\zeta\Omega=\Phi^{\mathrm{T}}\boldsymbol{C}\Phi$，$\zeta=\mathrm{diag}[\zeta_i]$，$\zeta_i$ 为第 i 个模态的阻尼比；$\beta=\Phi^{\mathrm{T}}\boldsymbol{M}\boldsymbol{E}$；$\boldsymbol{u}=\Phi^{\mathrm{T}}\boldsymbol{P}\boldsymbol{U}$，$u_i$ 为第 i 个模态广义控制力。

设水平地面加速度 $\ddot{X}_g$ 为一匀调平稳随机过程，具有如下渐近有理谱密度：

$$S_{\ddot{X}_g}(\omega)=\sigma^2(\tau)\left(\sum_{j=0}^{r-1}b_j\omega^{2j}\right)\Big/\left(\sum_{j=0}^{r}a_j\omega^{2j}\right) \tag{8.5-4}$$

式中 $\tau=\varepsilon t$ 为慢变时间，ε 为小参数，$\sigma^2(\tau)$表示慢变水平地面加速度强度；a_j、b_j 为常数。当 $a_2=1$，$a_1=4\zeta_g^2\omega_g^2-2\omega_g^2$，$a_0=\omega_g^4$，$b_1=4\zeta_g^2\omega_g^2$，$b_0=\omega_g^4$ 时，(8.5-4)表示慢变 Kanai-Tajimi 谱密度。

$\ddot{X}_g(t)$可看成如下线性滤波器对 Gauss 白噪声的响应：

$$\ddot{X}_g = \left(\sum_{j=0}^{r-1} d_j \frac{\mathrm{d}^j}{\mathrm{d}t^j}\right) f, \left(\sum_{j=1}^{r} c_j \frac{\mathrm{d}^j}{\mathrm{d}t^j}\right) f = \sigma(\tau) W(t) \quad (8.5\text{-}5)$$

式中 $W(t)$为单位强度高斯白噪声；c_j，d_j 为常数，其与 a_j，b_j 之间的关系为

$$\sum_{i_1+i_2=2i} (-1)^{i_1+i_2} c_{i1} c_{i2} = a_i,$$

$$\sum_{i_1+i_2=2i} (-1)^{i_1+i_2} d_{i1} d_{i2} = b_i \quad (8.5\text{-}6)$$

引入状态矢量 $\boldsymbol{Z}=[\boldsymbol{Q}^{\mathrm{T}}\ \dot{\boldsymbol{Q}}^{\mathrm{T}}\ \boldsymbol{F}^{\mathrm{T}}]^{\mathrm{T}}$ 与 $\boldsymbol{F}=[f\quad \dot{f}\cdots f^{(r-1)}]^{\mathrm{T}}$，增广系统(8.5-3)与(8.5-5)可模型化为如下 Itô 随机微分方程：

$$\begin{aligned} \mathrm{d}\boldsymbol{Z} &= (\boldsymbol{AZ} + \boldsymbol{Bu})\mathrm{d}t + \boldsymbol{C}\mathrm{d}B(t) \\ \boldsymbol{Z}(0) &= \boldsymbol{Z}_0 \end{aligned} \quad (8.5\text{-}7)$$

式中 $B(t)$为标准 Wiener 过程；$\boldsymbol{Z}_0$ 为$(2n+r)$维 Gauss 随机矢量；

$$\boldsymbol{A} = \begin{bmatrix} 0 & \boldsymbol{I}_n & 0 \\ -\Omega^2 & -2\zeta\Omega & -\boldsymbol{Bd}_g \\ 0 & 0 & \boldsymbol{c}_g \end{bmatrix}_{2(n+r)\times 2(n+r)}$$

$$\boldsymbol{B} = \begin{bmatrix} 0 \\ \boldsymbol{I}_n \\ 0 \end{bmatrix}_{2(n+r)\times n} \quad \boldsymbol{C} = \begin{bmatrix} 0 \\ \cdots \\ 0 \\ \sigma(\tau) \end{bmatrix}_{2(n+r)\times 1} \quad (8.5\text{-}8)$$

$$\boldsymbol{c}_g = \begin{bmatrix} 0 & & \boldsymbol{I}_{r-1} & \\ -c_0 & -c_1 & \cdots & -c_{r-1} \end{bmatrix} \quad \boldsymbol{d}_g = \begin{bmatrix} d_0 \\ d_1 \\ \cdots \\ d_{r-1} \end{bmatrix}$$

(8.5-7)是所研究控制问题的受控系统方程。

设测量装置可测 l_1 个绝对加速度 $\boldsymbol{a}=[a_1\ a_2\cdots a_{l_1}]^{\mathrm{T}}$ 与 l_2 个层间位移 $\boldsymbol{d}=[d_1\ d_2\cdots d_{l_2}]^{\mathrm{T}}$，它们可用 $\boldsymbol{Q}$，$\dot{Q}$ 及 $\boldsymbol{u}$ 表示如下：

$$
\begin{bmatrix} \boldsymbol{a} \\ \boldsymbol{d} \end{bmatrix}_{(l_1+l_2)\times 1} = \boldsymbol{P}_0 \begin{bmatrix} \ddot{\boldsymbol{X}} + \boldsymbol{E}\ddot{X}_g \\ \boldsymbol{X} \end{bmatrix} + \sigma_1(\tau)\boldsymbol{W}_1(t)
$$

$$
= \boldsymbol{P}_0 \left(\begin{bmatrix} -\Phi\Omega^2 & -2\Phi\zeta\Omega \\ \Phi & 0 \end{bmatrix} \begin{bmatrix} \boldsymbol{Q} \\ \dot{\boldsymbol{Q}} \end{bmatrix} + \begin{bmatrix} \Phi \\ 0 \end{bmatrix} \boldsymbol{u} \right) + \sigma_1(\tau)\boldsymbol{W}_1(t)
$$

(8.5-9)

式中 $\boldsymbol{P}_0$ 是$(l_1+l_2)\times 2n$传感器放置矩阵;$\boldsymbol{W}_1(t)$是 m 维独立单位强度 Gauss 白噪声矢量;$\sigma_1(\tau)$是$(l_1+l_2)\times m$ 测量精度矩阵。(8.5-9)可模型化为如下 Itô 随机微分方程:

$$
\begin{aligned}
\mathrm{d}\boldsymbol{V} &= (\boldsymbol{DZ} + \boldsymbol{Gu})\mathrm{d}t + \sigma_1(\tau)\mathrm{d}\boldsymbol{B}_1(t) \\
\boldsymbol{V}(0) &= \boldsymbol{0}
\end{aligned}
\qquad (8.5\text{-}10)
$$

式中 $\mathrm{d}\boldsymbol{V}/\mathrm{d}t = [\boldsymbol{a}^{\mathrm{T}}, \boldsymbol{d}^{\mathrm{T}}]^{\mathrm{T}}$;$\boldsymbol{B}_1(t)$是 m 维标准 Wiener 过程,与 $B(t)$及 $\boldsymbol{Z}_0$ 独立。

$$
\boldsymbol{D}_{(l_1+l_2)\times(2n+r)} = \boldsymbol{P}_0 \begin{bmatrix} -\Phi\Omega^2 & -2\Phi\zeta\Omega & \boldsymbol{0} \\ \Phi & \boldsymbol{0} & \boldsymbol{0} \end{bmatrix}
$$

$$
\boldsymbol{G}_{(l_1+l_2)\times n} = \boldsymbol{P}_0 \begin{bmatrix} \Phi \\ \boldsymbol{0} \end{bmatrix} \qquad (8.5\text{-}11)
$$

为测量矩阵。(8.5-10)是所研究控制问题的观测方程。

对有限时间区间控制,设性能指标为

$$
J(\boldsymbol{u}) = E\left[\int_0^{t_f} f(\boldsymbol{Q}, \dot{\boldsymbol{Q}}, \boldsymbol{u})\mathrm{d}t + g(\boldsymbol{Q}(t_f), \dot{\boldsymbol{Q}}(t_f))\right]
$$

(8.5-12)

对半无限长时间区间控制,性能指标为

$$
J(\boldsymbol{u}) = \lim_{t_f\to\infty} \frac{1}{t_f}\int_0^{t_f} f(\boldsymbol{Q}, \dot{\boldsymbol{Q}}, \boldsymbol{u})\mathrm{d}t \qquad (8.5\text{-}13)
$$

在后一情形,假设 $\sigma(\tau)$与 $\sigma_1(\tau)$分别为常数与常数矩阵,受控系统有遍历平稳解。

(8.5-7)、(8.5-10)及(8.5-12)或(8.5-13)构成一个部分可观测线性系统随机最优控制问题的数学提法。当 f 与 g 为 $\boldsymbol{Q}$、$\dot{\boldsymbol{Q}}$ 及 $\boldsymbol{u}$ 的二次型时,就是一个部分可观测 LQG 控制问题。此处设 f、g 非为 $\boldsymbol{Q}$,$\dot{\boldsymbol{Q}}$ 的二次型,因而反馈控制将是系统状态的非线性

函数。

8.5.2 等价的完全可观测随机最优控制问题

解决上述部分可观测随机最优控制问题的办法是，按 8.1.4 中所述方法将它化为完全可观测随机最优控制问题，在后一问题中，系统的状态是由给定观测数据 $\boldsymbol{V}(s)$，$0\leqslant s\leqslant t$，经 Kalman-Bucy 滤波得到的原系统状态 $\boldsymbol{Z}(t)$的条件均值 $\hat{\boldsymbol{Z}}(t)$，按(8.1-79)，受控系统方程为

$$\begin{aligned}&\mathrm{d}\hat{\boldsymbol{Z}}=(\boldsymbol{A}\hat{\boldsymbol{Z}}+\boldsymbol{B}\boldsymbol{u})\mathrm{d}t+\boldsymbol{F}(t)\sigma_1(\tau)\mathrm{d}\hat{\boldsymbol{B}}(t)\\&\hat{\boldsymbol{Z}}(0)=\hat{\boldsymbol{Z}}_0\end{aligned}\tag{8.5-14}$$

式中 $\hat{\boldsymbol{B}}(t)$为 m 维矢量标准维纳过程：

$$\boldsymbol{F}(t)=\boldsymbol{R}_e(t)\boldsymbol{D}^{\mathrm{T}}\boldsymbol{S}_a^{-1}\tag{8.5-15}$$

$\boldsymbol{S}_a=\sigma_1\sigma_1^{\mathrm{T}}$，$\boldsymbol{R}_e(t)$是估计误差 $\tilde{\boldsymbol{Z}}=\boldsymbol{Z}-\hat{\boldsymbol{Z}}$的协方差矩阵，它满足形如(8.1-72)的矩阵 Riccati 方程

$$\begin{aligned}\dot{\boldsymbol{R}}_e=\boldsymbol{A}\boldsymbol{R}_e+\boldsymbol{R}_e\boldsymbol{A}^{\mathrm{T}}+\boldsymbol{S}_c-\boldsymbol{R}_e\boldsymbol{D}^{\mathrm{T}}\boldsymbol{S}_a^{-1}\boldsymbol{D}\boldsymbol{R}_e,\ \boldsymbol{R}_e(0)\\=\operatorname{cov}(\boldsymbol{Z}_0)\end{aligned}\tag{8.5-16}$$

$\boldsymbol{S}_c=\boldsymbol{C}\boldsymbol{C}^{\mathrm{T}}$。转换后的完全可观测随机最优控制问题的性能指标是原问题性能指标的加权平均，对有限时间区间无界控制，它是

$$\hat{J}(\boldsymbol{u})=E\left[\int_0^{t_f}\hat{f}(\hat{\boldsymbol{Q}},\hat{\dot{\boldsymbol{Q}}},\boldsymbol{u})\mathrm{d}t+\hat{g}(\hat{\boldsymbol{Q}}(t_f),\hat{\dot{\boldsymbol{Q}}}(t_f))\right]\tag{8.5-17}$$

对半无限长时间区间无界控制，它是

$$\hat{J}(\boldsymbol{u})=\lim_{t_f\to\infty}\frac{1}{t_f}\int_0^{t_f}\hat{f}(\hat{\boldsymbol{Q}},\hat{\dot{\boldsymbol{Q}}},\boldsymbol{u})\,\mathrm{d}t\tag{8.5-18}$$

式中

$$\begin{aligned}&\hat{f}(\hat{\boldsymbol{Q}},\hat{\dot{\boldsymbol{Q}}},\boldsymbol{u})=\int f(\boldsymbol{Q},\dot{\boldsymbol{Q}},\boldsymbol{u})p\,(\boldsymbol{Z}-\hat{\boldsymbol{Z}})\mathrm{d}\boldsymbol{Z}\\&\hat{g}(\hat{\boldsymbol{Q}},\hat{\dot{\boldsymbol{Q}}})=\int g(\boldsymbol{Q},\dot{\boldsymbol{Q}})p\,(\boldsymbol{Z}-\hat{\boldsymbol{Z}})\mathrm{d}\boldsymbol{Z}\end{aligned}\tag{8.5-19}$$

$p(\boldsymbol{Z}-\hat{\boldsymbol{Z}})=p(\tilde{\boldsymbol{Z}})$为估计误差 $\tilde{\boldsymbol{Z}}$ 的 Gauss 概率密度，即

$$p(\tilde{\boldsymbol{Z}})=(2\pi)^{-(n+r/2)}(\det \boldsymbol{R}_e)^{-1/2} \times \exp(-(1/2)\tilde{\boldsymbol{Z}}^{\mathrm{T}}\boldsymbol{R}_e^{-1}\tilde{\boldsymbol{Z}}) \tag{8.5-20}$$

8.5.3 随机平均

(8.5-14)中关于 $\hat{\boldsymbol{Q}}$、$\dot{\hat{\boldsymbol{Q}}}$的 $2n$ 个方程表示一个受控的、随机激励的、耗散的可积 Hamilton 系统。令

$$\hat{H}_i=(\dot{\hat{Q}}_i^2+\omega_i^2\hat{Q}_i^2)/2, \quad i=1,2,\cdots,n \tag{8.5-21}$$

它表示第 i 个模态能量的条件均值。引入变换

$$\omega_i\hat{Q}_i=\sqrt{2\hat{H}_i}\cos\Theta_i,\ \dot{\hat{Q}}_i=-\sqrt{2\hat{H}_i}\sin\Theta_i,\ \Theta_i=\omega_i t+\Phi_i \tag{8.5-22}$$

关于 $\hat{H}_i$ 与 Φ_i 的 Itô 方程可用 Itô 微分公式(2.6-1)从(8.5-14)导出，它们是

$$\begin{aligned}\mathrm{d}\hat{H}_i=&\Big(-4\zeta_i\omega_i\hat{H}_i\sin^2\Theta_i+\frac{1}{2}\sum_{k=1}^{m}\big[\omega_i^2(\boldsymbol{F}\sigma_1)_{ik}^2+(\boldsymbol{F}\sigma_1)_{n+i,k}^2\big]\\&+\frac{\partial\hat{H}_i}{\partial\dot{\hat{Q}}_i}u_i\Big)\mathrm{d}t+\sqrt{2\hat{H}_i}\beta\sin\Theta_i\mathrm{d}\dot{\hat{X}}_g(t)+\sqrt{2\hat{H}_i}\big[\omega_i(\boldsymbol{F}\sigma_1)_{ik}\cos\Theta_i\\&-(\boldsymbol{F}\sigma_1)_{n+i,k}\sin\Theta_i\big]\mathrm{d}\hat{B}_k(t)\end{aligned} \tag{8.5-23a}$$

$$\begin{aligned}\mathrm{d}\Phi_i=&\Big\{\frac{\cos\Theta_i}{\sqrt{2\hat{H}_i}}\Big(-2\zeta_i\omega_i\sqrt{2\hat{H}_i}\sin\Theta_i-u_i\Big)\\&+\Big[\omega_i^2\sin\Theta_i\cos\Theta_i\sum_{k=1}^{m}(\boldsymbol{F}\sigma_1)_{ik}^2-\sin\Theta_i\cos\Theta_i\sum_{k=1}^{m}(\boldsymbol{F}\sigma_1)_{n+i,k}^2\\&+\omega_i(\cos^2\Theta_i-\sin^2\Theta_i)\sum_{k=1}^{m}(\boldsymbol{F}\sigma_1)_{ik}(\boldsymbol{F}\sigma_1)_{n+i,k}\Big]\Big\}\mathrm{d}t\\&+\frac{\beta}{\sqrt{2\hat{H}_i}}\cos\Theta_i\mathrm{d}\dot{\hat{X}}_g-\frac{1}{\sqrt{2\hat{H}_i}}\Big[\omega_i(\boldsymbol{F}\sigma_1)_{ik}\sin\Theta_i\end{aligned}$$

$$+(\boldsymbol{F}\sigma_1)_{n+i,k}\cos\Theta_i\Big]\ \mathrm{d}\hat{B}_k(t)$$

$$i=1,2,\cdots,n;\qquad k=1,2,\cdots,m \tag{8.5-23b}$$

设地面加速度强度、阻尼力及控制力所引起的 $\hat{H}_i$ 在振动一周内的增量与 $\hat{H}_i$ 相比为小，且 n 个 ω_i 不满足形如(5.3-3)的共振关系。应用拟可积 Hamilton 系统随机平均法于(8.5-23)，得如下随机平均方程：

$$\mathrm{d}\hat{H}_i=\left[m_i(\hat{H}_i,\tau)+\left\langle\frac{\partial\hat{H}_i}{\partial\dot{\hat{Q}}_i}u_i\right\rangle\right]\mathrm{d}t$$

$$+\sigma_i(\hat{H}_i,\tau)\mathrm{d}\bar{B}_i(t) \tag{8.5-24}$$

式中 $\bar{B}_i(t)$为标准 Wiener 过程；

$$m_i(\hat{H}_i,\tau)=-2\zeta_i\omega_i\hat{H}_i+\sigma_i^2(\hat{H}_i,\tau)/(2\hat{H}_i)$$

$$\sigma_i^2(\hat{H}_i,\tau)=\hat{H}_i\sum_{k=1}^{m}\left[\omega_i^2(\boldsymbol{F}\sigma_1)_{ik}^2+(\boldsymbol{F}\sigma_1)_{n+i,k}^2\right]$$

$$+\beta_i^2\hat{H}_i S_{\hat{\ddot{X}}_g}(\omega,\tau) \tag{8.5-25}$$

$S_{\hat{\ddot{X}}_g}(\omega,\tau)$是 $\ddot{X}_g$ 的条件均值 $\hat{\ddot{X}}_g$ 的渐近谱密度，它可从(8.5-14)中最后 r 个方程导出：

$$S_{\hat{\ddot{X}}_g}(\omega,\tau)$$

$$=\sigma^2(\tau)\frac{\left|\sum_{i=0}^{r-1}d_i(j\omega)^i\right|^2\sum_{k=1}^{m}\sum_{i=1}^{r}\left|\sum_{i_1=i}^{r}c_{i_1}(j\omega)^{i_1-1}\right|^2(\boldsymbol{F}\sigma_1)_{2n+i,k}^2}{\left|\sum_{i=0}^{r}c_i(j\omega)^i\right|^2} \tag{8.5-26}$$

8.5.4 动态规划方程与最优控制力

(8.5-24)表明，$\hat{\boldsymbol{H}}(t)$是 n 维受控扩散过程。由于各 $\hat{H}_i$ 的方程可分离，可以只对其中 $n_1(\leqslant n)$个主要 $\hat{H}_i$ 进行控制。以 $\bar{\boldsymbol{Q}}$，$\dot{\bar{\boldsymbol{Q}}}$，$\bar{\boldsymbol{H}}$，$\bar{\boldsymbol{u}}$ 分别记 n_1 维受控的广义位移、广义速度、广义能量及广

义控制力矢量。受控系统方程为(8.5-24)中 n_1 个关于 $\overleftharpoon{H}_i$ 的方程。设性能指标为

$$J(\bar{\boldsymbol{u}})=E\left[\int_0^{t_f}\hat{f}\,\mathrm{d}t+\hat{g}\right] \tag{8.5-27}$$

其中

$$\hat{f}=f_1(\overleftharpoon{\boldsymbol{H}})+\bar{\boldsymbol{u}}^{\mathrm{T}}\boldsymbol{R}\bar{\boldsymbol{u}},\quad \hat{g}=\bar{g}(\overleftharpoon{\boldsymbol{H}}(t_f)) \tag{8.5-28}$$

式中 $\boldsymbol{R}$ 为 $n_1\times n_1$ 正定对称矩阵。对有限时间区间上无界控制，令值函数为

$$V(\overleftharpoon{\boldsymbol{H}},t)=\inf_{\boldsymbol{U}} E\left[\int_t^{t_f}\left(f_1(\overleftharpoon{\boldsymbol{H}})+\langle\bar{\boldsymbol{u}}^{\mathrm{T}}\boldsymbol{R}\bar{\boldsymbol{u}}\rangle\right)\mathrm{d}s+\bar{g}(\overleftharpoon{\boldsymbol{H}}(t_f))\right] \tag{8.5-29}$$

应用动态规划原理，可导出如下动态规划方程

$$\begin{aligned}\frac{\partial V}{\partial t}=-\inf_{\boldsymbol{U}}\Bigg\{&f_1(\overleftharpoon{\boldsymbol{H}})+\langle\bar{\boldsymbol{u}}^{\mathrm{T}}\boldsymbol{R}\bar{\boldsymbol{u}}\rangle+\left(\frac{\partial V}{\partial\overleftharpoon{\boldsymbol{H}}}\right)^{\mathrm{T}}\Bigg[\bar{\boldsymbol{m}}(\overleftharpoon{\boldsymbol{H}},\tau)\\&+\left\langle\frac{\partial\overleftharpoon{\boldsymbol{H}}}{\partial\boldsymbol{Q}}\bar{\boldsymbol{u}}\right\rangle\Bigg]+\frac{1}{2}\mathrm{tr}\left[\frac{\partial^2 V}{\partial\overleftharpoon{\boldsymbol{H}}^2}\bar{\sigma}(\overleftharpoon{\boldsymbol{H}},\tau)\bar{\sigma}^{\mathrm{T}}(\overleftharpoon{\boldsymbol{H}},\tau)\right]\Bigg\}\end{aligned} \tag{8.5-30}$$

式中 $\bar{\boldsymbol{m}}$ 与 $\bar{\sigma}$ 为(8.5-25)中与受控模态相应的漂移矢量与扩散矩阵。终值条件为

$$V(\overleftharpoon{\boldsymbol{H}},t_f)=\bar{g}(\overleftharpoon{\boldsymbol{H}}(t_f)) \tag{8.5-31}$$

对半无限时间区间无界遍历控制，类似地可导出如下动态规划方程：

$$\begin{aligned}-\inf_{\boldsymbol{U}}\Bigg\{&f_1(\overleftharpoon{\boldsymbol{H}})+\langle\bar{\boldsymbol{u}}^{\mathrm{T}}\boldsymbol{R}\bar{\boldsymbol{u}}\rangle+\left(\frac{\partial V}{\partial\overleftharpoon{\boldsymbol{H}}}\right)^{\mathrm{T}}\left[\bar{\boldsymbol{m}}(\overleftharpoon{\boldsymbol{H}})+\left\langle\frac{\partial\overleftharpoon{\boldsymbol{H}}}{\partial\boldsymbol{Q}}\bar{\boldsymbol{u}}\right\rangle\right]\\&+\frac{1}{2}\mathrm{tr}\left[\frac{\partial^2 V}{\partial\overleftharpoon{\boldsymbol{H}}^2}\bar{\sigma}(\overleftharpoon{\boldsymbol{H}})\bar{\sigma}^{\mathrm{T}}(\overleftharpoon{\boldsymbol{H}})\right]\Bigg\}=\gamma\end{aligned} \tag{8.5-32}$$

式中

$$\gamma = \lim_{t_f \to \infty} \frac{1}{t_f} \int_0^{t_f} [f_1(\breve{\boldsymbol{H}}) + \langle \bar{\boldsymbol{u}}^{*\mathrm{T}} \boldsymbol{R} \bar{\boldsymbol{u}}^* \rangle] \mathrm{d}t \qquad (8.5\text{-}33)$$

注意,(8.5-29)、(8.5-30)及(8.5-32)中乃对 $\boldsymbol{U}$ 而非对 $\bar{\boldsymbol{u}}$ 求极小值,因为 $\boldsymbol{U}$ 才是独立控制力矢量。

由(8.5-30)右边与(8.5-32)左边对 $\boldsymbol{U}$ 的极小的必要条件得最优控制律

$$\bar{\boldsymbol{u}}^* = -\frac{1}{2} \bar{\boldsymbol{\Phi}}^{\mathrm{T}} \boldsymbol{P} \boldsymbol{R}_P^{-1} \boldsymbol{P}^{\mathrm{T}} \bar{\boldsymbol{\Phi}} \left(\frac{\partial \breve{\boldsymbol{H}}}{\partial \boldsymbol{Q}} \right)^{\mathrm{T}} \frac{\partial V}{\partial \breve{\boldsymbol{H}}} \qquad (8.5\text{-}34)$$

式中 $\boldsymbol{R}_P = \boldsymbol{P}^{\mathrm{T}} \bar{\boldsymbol{\Phi}} \boldsymbol{R} \bar{\boldsymbol{\Phi}}^{\mathrm{T}} \boldsymbol{P}$, $\bar{\boldsymbol{\Phi}}$ 是 $\boldsymbol{\Phi}$ 中对应于 $\bar{\boldsymbol{Z}}$ 的子模态矩阵。将(8.5-34)代入(8.5-30)与(8.5-32)得最后动态规划方程

$$-\frac{\partial V}{\partial t} = f_1(\breve{\boldsymbol{H}}) + \sum_{i=1}^{n_1} \left[\overline{m_i}(\breve{H}_i, \tau) \frac{\partial V}{\partial \breve{H}_i} - \frac{1}{4} \bar{\phi}_i^{\mathrm{T}} \boldsymbol{P}_u \bar{\phi}_i \breve{H}_i \left(\frac{\partial V}{\partial \breve{H}_i} \right)^2 + \frac{1}{2} \overline{\sigma_i^2}(\breve{H}_i, \tau) \frac{\partial^2 V}{\partial \breve{H}_i^2} \right] \qquad (8.5\text{-}35)$$

与

$$\gamma = f_1(\breve{\boldsymbol{H}}) + \sum_{i=1}^{n_1} \left[\overline{m_i}(\breve{H}_i) \frac{\partial V}{\partial \breve{H}_i} - \frac{1}{4} \bar{\phi}_i^{\mathrm{T}} \boldsymbol{P}_u \bar{\phi}_i \breve{H}_i \left(\frac{\partial V}{\partial \breve{H}_i} \right)^2 + \frac{1}{2} \overline{\sigma_i^2}(\breve{H}_i) \frac{\partial^2 V}{\partial \breve{H}_i^2} \right] \qquad (8.5\text{-}36)$$

式中 $\boldsymbol{P}_u = \boldsymbol{P} \boldsymbol{R}_p^{-1} \boldsymbol{P}^{\mathrm{T}}$。在终值条件(8.5-31)下求解(8.5-35)或求解(8.5-36),将所得之 $\partial V / \partial \breve{\boldsymbol{H}}$ 代入(8.5-34)得最优控制力。(8.5-35)一般需数值求解,而(8.5-36)有可能求得近似解析解。例如,设

$$f_1(\breve{\boldsymbol{H}}) = s_0 + \sum_{i=1}^{n_1} \breve{\boldsymbol{H}}_i (s_{1i} + s_{2i} \breve{H}_i + s_{3i} \breve{H}_i^2) + \sum_{i \neq j} s_{2ij} \breve{H}_i \breve{H}_j + s_{331} \breve{H}_1^2 \breve{H}_2 + s_{332} \breve{H}_1 \breve{H}_2^2 + o(\breve{H}_i \breve{H}_j \breve{H}_k) \qquad (8.5\text{-}37)$$

则可得如下多项式解:

$$V(\overline{\boldsymbol{H}}) = \sum_{i=1}^{n_1} \overline{H}_i [p_{1i} + p_{2i}\overline{H}_i] + \sum_{i \neq j}^{n_1} p_{b_{ij}} \overline{H}_i \overline{H}_j \quad (8.5\text{-}38)$$

注意,(8.5-37)中,s_{1i},s_{3i}及s_{2ij}可预定,而其他系数需由(8.5-36)确定。(8.5-38)代入(8.5-34)知,最优控制力为确非线性的。

8.5.5 最优控制结构的响应

将最优控制力 $\overline{u}_i^*$ 代入随机平均方程(8.5-24)取代 u_i,并完成对 $\overline{u}_i^* \partial \hat{H}_i / \partial \overline{\boldsymbol{Q}}_i$ 的平均,得最优控制系统的平均 Itô 方程。对半无限长时间区间上的遍历控制,它为

$$\mathrm{d}\hat{H}_i = [m(\hat{H}_i) + m_i^{u^*}(\overline{\boldsymbol{H}})]\mathrm{d}t + \sigma_i(\hat{H}_i)\mathrm{d}\overline{B}_i(t) \quad (8.5\text{-}39)$$

式中

$$m_i^{u^*}(\overline{\boldsymbol{H}}) = \begin{cases} -\dfrac{1}{2}\overline{\phi}_i^{\mathrm{T}} \boldsymbol{P}_u \overline{\phi}_i \overline{H}_i \dfrac{\partial V}{\partial \overline{H}_i}, & i = 1, 2, \cdots, n_1 \\ 0, & i = n_1 + 1, \cdots, n \end{cases} \quad (8.5\text{-}40)$$

与(8.5-39)相应的 FPK 方程为

$$\frac{\partial p}{\partial t} = -\sum_{i=1}^{n} \frac{\partial}{\partial \overline{H}_i}[(\overline{m}_i(\overline{H}_i) + m_i^{u^*}(\hat{\boldsymbol{H}}))p] + \frac{1}{2}\sum_{i=1}^{n} \frac{\partial^2}{\partial \overline{H}_i^2}[\overline{\sigma}_i^2(\hat{H}_i)p] \quad (8.5\text{-}41)$$

其平稳解为

$$p(\hat{\boldsymbol{H}}) = C\exp\left\{-\sum_{i=1}^{n}\left[\int_0^{\hat{H}}\left(\widetilde{D}_i + \widetilde{G}_i \frac{\partial V}{\partial \hat{H}_i}\right)\mathrm{d}\hat{H}_i\right]\right\} \quad (8.5\text{-}42)$$

C 为归一化常数;

$$\widetilde{D}_i = \frac{4\zeta_i\omega_i}{\sum_{k=1}^{m}[\omega_i^2(\boldsymbol{F}\sigma_1)_{ik}^2 + (\boldsymbol{F}\sigma_1)_{n+i,k}^2] + \beta_i^2 S_{\ddot{X}_g}(\omega_i)}$$

$$\widetilde{G}_i = \frac{\phi_i^{\mathrm{T}} \boldsymbol{P}_u \phi_i}{\sum_{k=1}^{m}[\omega_i^2(\boldsymbol{F}\sigma_1)_{ik}^2 + (\boldsymbol{F}\sigma_1)_{n+i,k}^2] + \beta_i^2 S_{\ddot{X}_g}(\omega_i)} \quad (8.5\text{-}43)$$

最优控制结构的广义位移与广义速度的条件均值的联合概率密度为

$$p(\hat{\boldsymbol{Q}},\dot{\hat{\boldsymbol{Q}}})=\left[p(\hat{\boldsymbol{H}})/T(\hat{\boldsymbol{H}})\right]\Big|_{\hat{H}_i=(\dot{\hat{Q}}_i^2+\omega_i^2\hat{Q}_i^2)/2} \tag{8.5-44}$$

式中

$$T(\hat{\boldsymbol{H}})=\prod_{i=1}^{n}\oint\frac{\mathrm{d}\hat{Q}_i}{\sqrt{2\hat{H}_i-\omega_i^2\hat{Q}_i^2}}=\left(\frac{2\pi}{\omega_i}\right)^n \tag{8.5-45}$$

(8.5-38)代入(8.5-42),再代入(8.5-44)知,$p(\hat{\boldsymbol{Q}},\dot{\hat{\boldsymbol{Q}}})$为非 Gauss 的。广义位移与广义速度的条件期望的均方值为

$$E[\hat{Q}_i^2]=\int_{-\infty}^{\infty}\hat{q}_i^2 p(\hat{\boldsymbol{q}},\dot{\hat{\boldsymbol{q}}})\mathrm{d}\hat{\boldsymbol{q}}\mathrm{d}\dot{\hat{\boldsymbol{q}}}=\frac{1}{\omega_i^2}\int_0^{\infty}\hat{H}_i p(\hat{\boldsymbol{H}})\mathrm{d}\hat{\boldsymbol{H}} \tag{8.5-46a}$$

$$E[\dot{\hat{Q}}_i^2]=\int_{-\infty}^{\infty}\dot{\hat{q}}_i^2 p(\hat{\boldsymbol{q}},\dot{\hat{\boldsymbol{q}}})\mathrm{d}\hat{\boldsymbol{q}}\mathrm{d}\dot{\hat{\boldsymbol{q}}}=\int_0^{\infty}\hat{H}_i p(\hat{\boldsymbol{H}})\mathrm{d}\hat{\boldsymbol{H}} \tag{8.5-46b}$$

最优控制结构的广义位移与广义速度的均方值为

$$E[Q_i^2]=E[\hat{Q}_i^2]+E[\tilde{Q}_i^2] \tag{8.5-47a}$$

$$E[\dot{Q}_i^2]=E[\dot{\hat{Q}}_i^2]+E[\dot{\tilde{Q}}_i^2] \tag{8.5-47b}$$

式中 $E[\tilde{Q}^2]$ 与 $E[\dot{\tilde{Q}}^2]$ 是(8.5-16)中矩阵 $\boldsymbol{R}_e$ 的元素。

最优控制结构的均方位移、均方层间位移、均方绝对加速度及均方基础剪力可从(8.5-47)用模态变换(8.5-2)得到如下:

$$E[X_i^2]=E\left[\left(\sum_{j=1}^{n}\phi_{ij}Q_j\right)^2\right] \tag{8.5-48}$$

$$E[(X_i-X_{i-1})^2]=E\left\{\left[\sum_{j=1}^{n}(\phi_{ij}-\phi_{i-1,j})Q_j\right]^2\right\} \tag{8.5-49}$$

$$E[(\ddot{X}_i+\ddot{X}_g)^2]=E\left\{\left[\sum_{j=1}^{n}(\phi_{ij}(\omega_j^2Q_j+2\zeta_j\omega_j\dot{Q}_j-u_j^*)\right]^2\right\} \tag{8.5-50}$$

$$E\left[\left(\sum_{j=1}^{n}(m_{ii}(\ddot{X}_i+\ddot{X}_g)-(\boldsymbol{PU}^*)_i)\right)^2\right]$$

$$=E\left[\left(\sum_{i=1}^{n}m_{ii}\sum_{j=1}^{n}\phi_{ij}(\omega_j^2Q_j+2\zeta_j\omega_j\dot{Q}_j)\right)^2\right] \quad (8.5\text{-}51)$$

从(8.5-44)还可求相对于地面位移、层间位移、绝对加速度及基础剪力的高阶矩，注意，$\widetilde{\boldsymbol{Q}}(t)$、$\dot{\widetilde{\boldsymbol{Q}}}(t)$为联合 Gauss 分布，均值为零，所有奇阶中心矩为零，所有偶阶矩可用 $E[\widetilde{Q}_i^2]$ 与 $E[\dot{\widetilde{Q}}_i^2]$ 表出。未控系统的相应响应量可在(8.5-39)中令 $m_i^{u^*}=0$ 用类似步骤得到。

8.5.6 LQG 控制

为作比较，本小节叙述 8.5.1 中部分可观测控制问题的 LQG 法。此时，性能指标(8.5-12)与(8.5-13)中需设 f 为 $\boldsymbol{Q},\dot{\boldsymbol{Q}},\boldsymbol{u}$ 的二次式，g 为 $\boldsymbol{Q},\dot{\boldsymbol{Q}}$ 的二次式。按 8.5.2 中所述方法转变成完全可观测控制问题，受控系统方程为(8.5-14)，性能指标(8.5-17)与(8.5-18)中 $\hat{f}$ 为 $\hat{\boldsymbol{Q}},\hat{\dot{\boldsymbol{Q}}},\boldsymbol{u}$ 的二次式，$\hat{g}$ 为 $\hat{\boldsymbol{Q}},\hat{\dot{\boldsymbol{Q}}}$的二次式。若只控制 n_1 个主要模态，则受控系统方程为(8.5-14)中关于 $\check{\boldsymbol{Q}},\check{\dot{\boldsymbol{Q}}}$的方程，即

$$\mathrm{d}\check{\boldsymbol{Z}}=(\overline{\boldsymbol{A}}\check{\boldsymbol{Z}}+\overline{\boldsymbol{B}}\boldsymbol{u})\mathrm{d}t+\overline{\boldsymbol{F}\sigma_1}\mathrm{d}\boldsymbol{B}(t) \quad (8.5\text{-}52)$$

式中 $\check{\boldsymbol{Z}}=[\check{\boldsymbol{Q}}^{\mathrm{T}},\check{\dot{\boldsymbol{Q}}}^{\mathrm{T}}]$，$\overline{\boldsymbol{A}},\overline{\boldsymbol{B}},\overline{\boldsymbol{F}\sigma_1}$为 $\boldsymbol{A},\boldsymbol{B},\boldsymbol{F}\sigma_1$中对应于 $\check{\boldsymbol{Z}}$的子矩阵。性能指标(8.5-17)与(8.5-18)中 $\hat{f}$代之以

$$\hat{f}_{lq}=\check{\boldsymbol{Z}}^{\mathrm{T}}\boldsymbol{S}_{lq}\check{\boldsymbol{Z}}+\overline{\boldsymbol{u}}^{\mathrm{T}}\boldsymbol{R}_2\overline{\boldsymbol{u}} \quad (8.5\text{-}53)$$

式中 $\boldsymbol{S}_{lq}$为 $2n_1\times 2n_1$ 非负定矩阵，$\boldsymbol{R}_2$ 为 $n_1\times n_1$ 正定矩阵。对后一完全可观测问题可应用动态规划方法，对半无限长时间区间上控制问题，动态规划方程形为

$$\inf_{U}\left[\check{\boldsymbol{Z}}^{\mathrm{T}}\boldsymbol{S}_{lq}\check{\boldsymbol{Z}}+\overline{\boldsymbol{u}}^{\mathrm{T}}\boldsymbol{R}_{2P}\overline{\boldsymbol{u}}+(\check{\boldsymbol{Z}}^{\mathrm{T}}\overline{\boldsymbol{A}}^{\mathrm{T}}+\overline{\boldsymbol{u}}^{\mathrm{T}}\boldsymbol{P}^{\mathrm{T}}\overline{\boldsymbol{\Phi B}}^{\mathrm{T}})\frac{\partial V}{\partial\check{\boldsymbol{Z}}}\right.$$

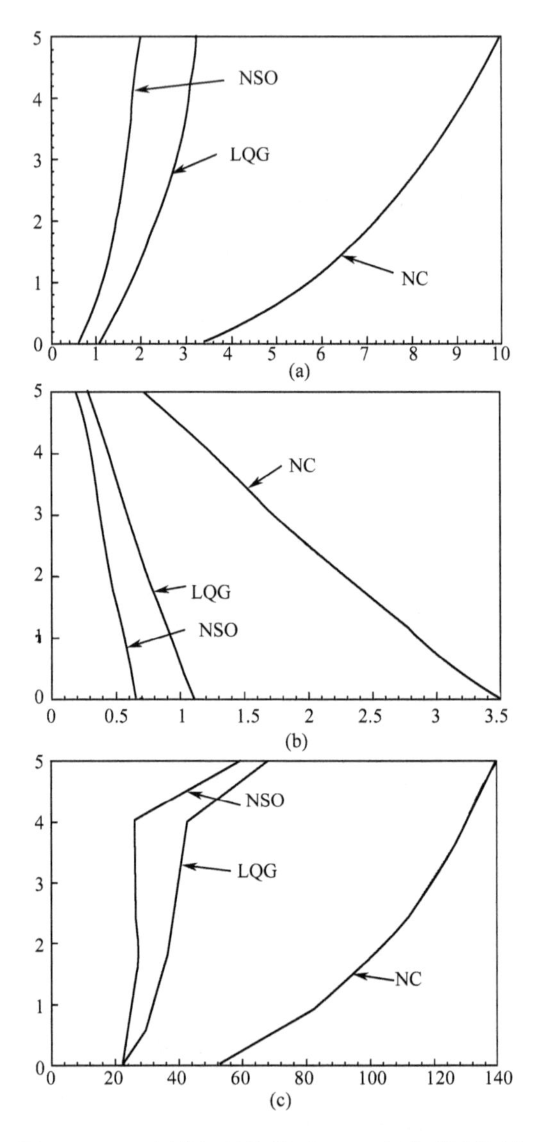

图 8.5-1　五层剪切结构模型 AMD 部分观测控制

(a) 相对位移；(b) 层间位移；(c) 绝对加速度

纵坐标表示楼层

$$\frac{1}{2}\mathrm{tr}\left[\frac{\partial^2 V}{\partial \breve{\boldsymbol{Z}}^2}\left(\overline{\boldsymbol{F}\sigma_1(\boldsymbol{F}\sigma_1)^{\mathrm{T}}}\right)\right] = \gamma \tag{8.5-54}$$

式中 $\boldsymbol{R}_{2P} = \boldsymbol{P}^{\mathrm{T}}\overline{\boldsymbol{\Phi}}\boldsymbol{R}_2\overline{\boldsymbol{\Phi}}^{\mathrm{T}}\boldsymbol{P}_{lq}$，其解为 $\breve{\boldsymbol{Z}}$的二次式，即

$$V = \widehat{\boldsymbol{Z}}^{\mathrm{T}}\boldsymbol{P}_{lq}\breve{\boldsymbol{Z}} \tag{8.5-55}$$

式中 $\boldsymbol{P}_{lq}$为 $2n_1 \times 2n_1$ 矩阵，它是下列代数 Riccati 方程之解：

$$\boldsymbol{P}_{lq}\overline{\boldsymbol{A}} + \overline{\boldsymbol{A}}^{\mathrm{T}}\boldsymbol{P}_{lq} - \boldsymbol{P}_{lq}\overline{\boldsymbol{B}\boldsymbol{\Phi}}^{\mathrm{T}}\boldsymbol{P}_{2u}\overline{\boldsymbol{\Phi}\boldsymbol{B}}^{\mathrm{T}}\boldsymbol{P}_{lq} + \boldsymbol{S}_{lq} = 0 \tag{8.5-56}$$

式中 $\boldsymbol{P}_{2u} = \boldsymbol{P}\boldsymbol{R}_{2p}^{-1}\boldsymbol{P}^{\mathrm{T}}$。最优控制力为

$$\boldsymbol{u}^* = -\frac{1}{2}\overline{\boldsymbol{\Phi}}^{\mathrm{T}}\boldsymbol{P}\boldsymbol{R}_{2p}^{-1}\boldsymbol{P}_{lq}^{\mathrm{T}}\overline{\boldsymbol{\Phi}}\frac{\partial V}{\partial \dot{\breve{\boldsymbol{Q}}}} \tag{8.5-57}$$

将 $\boldsymbol{u}^*$ 代入(8.5-24)取代 $\boldsymbol{u}$，完成对 $u_i^* \partial \widehat{H}_i / \partial \dot{\breve{Q}}_i$ 的平均，得完全平均 Itô 方程。再按 8.5.5 中步骤可得 LQG 控制的结构响应统计量。

8.5.7 数例

曾对顶部装有 AMD 的五层剪切结构模型作了数值计算。该结构模型的固有频率、振型及阻尼比见文献[21]。地面加速度看成一个二阶线性滤波器对不变强度的 Gauss 白噪声的响应，即在(8.5-5)中，$d_0=1$，$d_j=0(j>0)$，$c_0=\omega_0^2$，$c_1=2\zeta\omega_0$，$c_2=1$，$c_j=0$ $(j>2)$，σ为一常数，并取 $\omega_0=6$，$\zeta=0.1$，$\sigma^2=10^5$。AMD 质量为 0.006。只控制最低两个模态。观测装置只测量顶层绝对加速度，测量噪声强度 $\sigma_1^2=10$。用本节所提出非线性随机最优控制(NSO)与 LQG 控制及未控(NC)的相对位移、层间位移及绝对加速度的相对值示于图 8.5-1(a)～(c)上。由图可见，NSO 控制效果较 LQG 好。

8.6 随机稳定化

8.2～8.5 中叙述以响应最小为目标的随机最优控制，本节考虑随机稳定化，即通过反馈控制使原不稳定的随机动力学系统变成稳定，或提高随机动力学系统的稳定度。虽然上世纪 60 年代就

已有随机稳定化的基本提法与基本方程[5,22]，但长时间内局限于线性随机动力学系统的稳定化控制，直至最近才有一些非线性随机动力学系统稳定化的研究成果[23～26]。研究随机稳定化一直都用 Lyapunov 函数或随机控制 Lyapunov 函数，本节则用 Lyapunov 指数。

在以响应最小为目标的随机最优控制中，常以 H 或 $\boldsymbol{H}$ 的函数作为成本函数（见(8.2-8)、(8.2-18)、(8.2-24)、(8.2-28)、(8.3-2)、(8.3-9)、(8.3-15)、(8.3-18)），这是因为它们能表示随机响应的大小。在随机稳定化中，最大 Lyapunov 指数可作为随机动力学系统稳定性的一个度量，然而无法用 H 或 $\boldsymbol{H}$ 的显函数表示。因此，无法将随机稳定化提为以最大 Lyapunov 指数最小为目标的随机最优控制。鉴于遍历控制与随机稳定化皆为半无限长时间上的控制，此处将随机稳定化问题提为具有待定成本函数的遍历控制，然后以最大 Lyapunov 指数最小为准则确定成本函数。

8.6.1 拟不可积 Hamilton 系统：Lyapunov 指数法

考虑受控的拟不可积 Hamilton 系统，其平均 Itô 方程形同(8.2-6)，即

$$\mathrm{d}H = \left[\overline{m}(H) + \left\langle u_i \frac{\partial H}{\partial P_i} \right\rangle \right] \mathrm{d}t + \overline{\sigma}(H)\mathrm{d}B(t) \tag{8.6-1}$$

式中 $\overline{m}(H)$，$\overline{\sigma}^2(H)$按(5.2-6)确定，$\langle\cdot\rangle$由(8.2-7)定义。设 $\boldsymbol{Q}=0$，$\boldsymbol{P}=0$ 是原系统之平凡解，且原系统仅含 Gauss 白噪声参激，则 $H=0$ 是(8.6-1)的平凡解。现研究如何选取 u_i 使该平凡解稳定化。

考虑(8.6-1)的遍历控制，其性能指标形同(8.2-24)，即

$$J = \lim_{t_f \to \infty} \frac{1}{t_f} \int_0^{t_f} \left[f_1(H(s)) + \langle \boldsymbol{u}^{\mathrm{T}}(s) \boldsymbol{R} \boldsymbol{u}(s) \rangle \right] \mathrm{d}s \tag{8.6-2}$$

其中 $f_1(H)$与 $\boldsymbol{R}$ 分别为待定的函数与正定对称矩阵。该控制问题的动态规划方程形同(8.2-25)，即

$$\inf_{\boldsymbol{u}}\left\{\frac{1}{2}\sigma^2(H)\frac{\mathrm{d}^2V}{\mathrm{d}H^2}+\left[\overline{m}(H)+\left\langle u_i\frac{\partial H}{\partial p_i}\right\rangle\right]\frac{\mathrm{d}V}{\mathrm{d}H}\right.$$

$$\left.+f_1(H)+\langle\boldsymbol{u}^{\mathrm{T}}\boldsymbol{R}\boldsymbol{u}\rangle\right\}=\gamma \tag{8.6-3}$$

式中

$$\gamma=\lim_{t_f\to\infty}\frac{1}{t_f}\int_0^{t_f}[f_1(H(s))+\langle\boldsymbol{u}^{*\mathrm{T}}(s)\boldsymbol{R}\boldsymbol{u}^*(s)\rangle]\mathrm{d}s \tag{8.6-4}$$

(8.6-3)左边对 u_i 求极小得最优控制律

$$u_i^*=-\frac{1}{2}(\boldsymbol{R}^{-1})_{ij}\frac{\mathrm{d}V}{\mathrm{d}H}\dot{Q}_j \tag{8.6-5}$$

当 $\boldsymbol{R}$ 为对角阵时,最优控制律为

$$u_i^*=-\frac{1}{2R_i}\frac{\mathrm{d}V}{\mathrm{d}H}\dot{Q}_i \tag{8.6-6}$$

(8.6-6)右边不对 i 求和。当 $\mathrm{d}V/\mathrm{d}H>0$ 时,u_i^* 为拟线性阻尼力。将(8.6-6)代入(8.6-3),得最后动态规划方程

$$\frac{1}{2}\sigma^2(H)\frac{\mathrm{d}^2V}{\mathrm{d}H^2}+\overline{m}(H)\frac{\mathrm{d}V}{\mathrm{d}H}$$

$$-\frac{1}{4R_i}\left\langle\left(\frac{\partial H}{\partial p_i}\right)^2\right\rangle\left(\frac{\mathrm{d}V}{\mathrm{d}H}\right)^2+f_1(H)=\gamma \tag{8.6-7}$$

给定 $f_1(H)$,$\boldsymbol{R}$ 及 γ,求解(8.6-7)得 $\mathrm{d}V/\mathrm{d}H$,将它代入(8.6-6)得最优控制力 u_i^*,将 u_i^* 代入(8.6-1)取代 u_i,完成平均,得最优控制系统的平均 Itô 方程

$$\mathrm{d}(H)=\overline{\overline{m}}(H)\mathrm{d}t+\overline{\sigma}(H)\mathrm{d}B(t) \tag{8.6-8}$$

式中

$$\overline{\overline{m}}(H)=\overline{m}(H)+\langle u_i^*\partial H/\partial P_i\rangle \tag{8.6-9}$$

按(6.2-4),最优控制系统(8.6-8)的 Lyapunov 指数为

$$\lambda^c=[\overline{\overline{m}}'(0)-(\overline{\sigma}'(0))^2/2]/2 \tag{8.6-10}$$

而未控系统,即(8.6-1)在 $u_i=0$ 时的 Lyapunov 指数为

$$\lambda^u=[\overline{m}'(0)-(\overline{\sigma}'(0))^2/2]/2 \tag{8.6-11}$$

两者之差为

$$\lambda^c - \lambda^u = [\bar{\bar{m}}'(0) - \bar{m}'(0)]/2 \tag{8.6-12}$$

因此,拟不可积 Hamilton 系统的稳定化就是选取 $f_1(H)$,$\boldsymbol{R}$ 及 γ 使(8.6-12)为负且绝对值尽可能大。鉴于 $f_1(H)$、$\boldsymbol{R}$ 及 γ 须满足方程(8.6-7),γ 不能任选。下面用两个例子说明。

例 8.6-1 考虑受 Gauss 白噪声参激的 Duffing 振子的随机稳定化,其运动方程为

$$\begin{aligned}\dot{Q} &= P \\ \dot{P} &= -\omega_0^2 Q \alpha Q^3 - 2\zeta\omega_0 P + u - \omega_0^2 Q\xi(t)\end{aligned} \tag{a}$$

ω_0、α、ζ 为正常数;$\xi(t)$是强度为 $2D$ 的 Gauss 白噪声。Hamilton 函数为

$$H = p^2/2 + U(q) \tag{b}$$

$$U(q) = \omega_0^2 q^2/2 + \alpha q^4/4 \tag{c}$$

应用拟不可积 Hamilton 系统随机平均法,可得平均 Itô 方程

$$\mathrm{d}H = [\bar{m}(H) + \langle uP\rangle]\mathrm{d}t + \bar{\sigma}(H)\mathrm{d}B(t) \tag{d}$$

按(5.2-6)

$$\begin{aligned}\bar{m}(H) &= \frac{4}{T(H)}\left\{-2\zeta\omega_0\int_0^A [2H - 2U(q)]^{1/2}\mathrm{d}q\right. \\ &\quad \left. + \omega_0^4 D\int_0^A q^2[2H - 2U(q)]^{-1/2}\mathrm{d}q\right\} \\ \bar{\sigma}^2(H) &= \frac{8\omega_0^4 D}{T(H)}\int_0^A q^2[2H - 2U(q)]^{1/2}\mathrm{d}q \\ T(H) &= 4\int_0^A [2H - 2U(q)]^{-1/2}\mathrm{d}q \\ A &= \left\{[(\omega_0^4 + 4\alpha H)^{1/2} - \omega_0^2]/\alpha\right\}^{1/2}\end{aligned} \tag{e}$$

按(8.6-6),最优控制律为

$$u^* = -\frac{1}{2R}\frac{\mathrm{d}V}{\mathrm{d}H}P \tag{f}$$

从而

$$\langle u^* P\rangle = -\frac{1}{2R}\frac{dV}{dH}\langle P^2\rangle \tag{g}$$

按(8.2-7)

$$\langle P^2\rangle = \frac{4}{T(H)}\int_0^A [2H - 2U(q)]^{1/2} dq \tag{h}$$

易证,当 $H\to 0$ 时,

$$\overline{m}(H) = m_0 H + o(H), \quad m_0 = -2\zeta\omega_0 + \omega_0^2 D \tag{i}$$

$$\overline{\sigma}^2(H) = \overline{\sigma}_0^2 H^2 + o(H^2), \quad \overline{\sigma}_0^2 = \omega_0^2 D \tag{j}$$

$$\langle P^2\rangle = H + o(H) \tag{k}$$

为满足动态规划方程(8.6-7),需假定在 $H\to 0$ 时,

$$f_1(H) - \gamma = kH + o(H) \tag{l}$$

$$\frac{dV}{dH} = C + o(H^0) \tag{m}$$

将(i)~(m)代入(8.6-7),得

$$C = 2R[(m_0^2 + k/R)^{1/2} + m_0] \tag{n}$$

(n)代入(m),再将(m)、(k)代入(g),(g)、(i)代入(8.6-9),得

$$\overline{\overline{m}}(H) = m_0 H - (C/2R)H + o(H), \quad H\to 0 \tag{o}$$

将(o)、(i)、(j)代入(8.6-10)与(8.6-11),得最优控制系统 Lyapunov 指数

$$\lambda^c = m_0/2 - [(m_0^2 + k/R)^{1/2} + m_0]/2 - \sigma_0^2/4 \tag{p}$$

与未控系统 Lyapunov 指数

$$\lambda^u = m_0/2 - \sigma_0^2/4 \tag{q}$$

两者之差为

$$\lambda^c - \lambda^u = -[(m_0^2 + k/R)^{1/2} + m_0]/2 \tag{r}$$

显然,不管未控系统是否稳定,只要选取 k、$R>0$,反馈控制总可使 Lyapunov 指数减小。特别当未控系统不稳定($\lambda^u>0$)时,可选取 k、R 使最优控制系统稳定($\lambda^c<0$),例见图 8.6-1。

例 8.6-2 考虑刚度与阻尼项皆受 Gauss 白噪声参激的两个非线性耦合的 van der Pol 振子的随机稳定化,其运动方程为

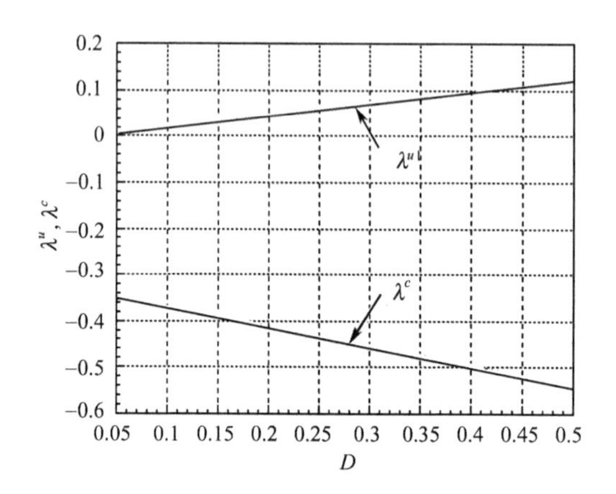

图 8.6-1　未控与已控 Duffing 振子在
Gauss 白噪声参激下的 Lyapunov 指数
$\omega_0=1.0, \zeta=0.01, k=0.5, R=1.0$

$$
\begin{aligned}
\dot{Q}_1 &= P_1 \\
\dot{P}_1 &= -\omega_1^2 Q_1 - aQ_2 - b\left|Q_1 - Q_2\right|^{\delta}\operatorname{sgn}(Q_1 - Q_2) \\
&\quad + (\alpha_1 - \beta_1 Q_1^2)P_1 + u_1 + f_1 Q_1 \xi_1(t) + f_3 P_1 \xi_3(t) \qquad \text{(s)} \\
\dot{Q}_2 &= P_2 \\
\dot{P}_2 &= -\omega_2^2 Q_2 - aQ_1 - b\left|Q_1 - Q_2\right|^{\delta}\operatorname{sgn}(Q_2 - Q_1) \\
&\quad + (\alpha_2 - \beta_2 Q_2^2)P_2 + u_2 + f_2 Q_2 \xi_2(t) + f_4 P_2 \xi_4(t)
\end{aligned}
$$

例 6.6-2 中已研究过未控系统(s)的随机 Hopf 分岔。(s)之平均 Itô 方程为

$$
\mathrm{d}H = [\bar{m}(H) + \langle u_1 P_1 + u_2 P_2 \rangle] + \bar{\sigma}(H)\mathrm{d}B(t) \qquad \text{(t)}
$$

$\bar{m}(H)$、$\bar{\sigma}^2(H)$由例 6.6-2 中(n)确定。下面分两种情形讨论。

情形 1：$0<\delta<1$。在 $H\to 0$ 时 $\bar{m}(H)$、$\bar{\sigma}^2(H)$由例 6.6-2 中(p)确定。按(8.6-6)，最优控制律为

$$
u_i^* = -(P_i/2R_i)\mathrm{d}V/\mathrm{d}H, \qquad i = 1,2 \qquad \text{(u)}
$$

从而

$$
\langle u_1^* P_1 + u_2^* P_2 \rangle = -\langle P_1^2/2R_1 + P_2^2/2R_2 \rangle \mathrm{d}V/\mathrm{d}H \qquad \text{(v)}
$$

$\langle\cdot\rangle$由(8.2-7)定义。完成平均得

$$\langle P_1^2/2R_1 + P_1^2/2R_2\rangle = (1/R_1 + 1/R_2)\eta_1 H/6 + o(H) \quad \text{(w)}$$

η_1 由例 6.6-2 中(q)确定。令

$$f_1(H) - \gamma = k_1 H + o(H), \qquad H \to 0 \quad \text{(x)}$$

则动态规划方程(8.6-7)之解形为

$$\mathrm{d}V/\mathrm{d}H = C_1 + o(H^0), \qquad H \to 0 \quad \text{(y)}$$

式中

$$C_1 = \left\{\left[\mu_1^2 + \frac{k_1}{3}\left(\frac{1}{R_1} + \frac{1}{R_2}\right)\eta_1\right]^{1/2} + \mu_1\right\} \Big/ \frac{1}{6}\left[\frac{1}{R_1} + \frac{1}{R_2}\right]\eta_1 \quad \text{(z)}$$

将(y)代入(v),再代入(8.6-9),得

$$\bar{\bar{m}}(H) = \mu_1 H - \left\{\left[\mu_1^2 + \frac{k_1}{3}\left(\frac{1}{R_1} + \frac{1}{R_2}\right)\eta_1\right]^{1/2} + \mu_1\right\} H + o(H), \qquad H \to 0 \quad \text{(aa)}$$

将(aa)与例 6.6-2 中(p)代入(8.6-10)与(8.6-11),得最优控制系统 Lyapunov 指数

$$\lambda^c = \frac{1}{2}\mu_1 - \frac{1}{2}\left\{\left[\mu_1^2 + \frac{k_1}{3}\left(\frac{1}{R_1} + \frac{1}{R_2}\right)\eta_1\right]^{1/2} + \mu_1\right\} - \frac{1}{4}\mu_2 \quad \text{(bb)}$$

与未控系统 Lyapunov 指数

$$\lambda^u = \mu_1/2 - \mu_2/4 \quad \text{(cc)}$$

显然,只要选取 $k_1, R_1, R_2 > 0$,恒有 $\lambda^c < \lambda^u$,即反馈控制使系统变成稳定或更加稳定。

情形 2:$\delta > 1$。$H \to 0$ 时 $\bar{m}(H)$、$\bar{\sigma}^2(H)$由例 6.6-2 中(w)确定。(u)、(v)仍适用,但

$$\langle P_1^2/R_1 + P_2^2/R_2\rangle = (1/R_1 + 1/R_2)H/4 + o(H) \quad \text{(dd)}$$

令

$$f_1(H) - \gamma = k_2 H + o(H), \qquad H \to 0 \quad \text{(ee)}$$

则动态规划方程(8.6-7)之解形为

$$\mathrm{d}V/\mathrm{d}H = C_2 + o(H^0), \qquad H \to 0 \quad \text{(ff)}$$

式中

$$C_2=\left\{\left[\mu_3^2+\frac{k_2}{2}\left(\frac{1}{R_1}+\frac{1}{R_2}\right)\right]^{1/2}+\mu_3\right\}\Big/\frac{1}{4}\left[\frac{1}{R_1}+\frac{1}{R_2}\right] \tag{gg}$$

μ_3 由例 6.6-2 中(x)确定。(ff)代入(v),再代入(8.6-9),得

$$\overline{\overline{m}}(H)=\mu_3 H-\left\{\left[\mu_3^2+\frac{k_2}{2}\left(\frac{1}{R_1}+\frac{1}{R_2}\right)\right]^{1/2}+\mu_3\right\}H + o(H),\ H\rightarrow 0 \tag{hh}$$

将(hh)与例 6.6-2 中(w)代入(8.6-10)与(8.6-11),得最优控制系统 Lyapunov 指数

$$\lambda^c=\frac{1}{2}\mu_3-\frac{1}{2}\left\{\left[\mu_3^2+\frac{k_2}{2}\left(\frac{1}{R_1}+\frac{1}{R_2}\right)\right]^{1/2}+\mu_3\right\}-\frac{1}{4}\mu_4 \tag{ii}$$

与未控系统 Lyapunov 指数

$$\lambda^u=\mu_3/2-\mu_4/4 \tag{jj}$$

显然,只要选取 $k_2,R_1,R_2>0$,恒有 $\lambda_c<\lambda_u$,即反馈控制使系统稳定化或更加稳定。

8.6.2 拟不可积 Hamilton 系统:边界类别法

上述以 Lyapunov 指数最小为准则的遍历控制使不可积 Hamilton 系统稳定化的方法很简单,但所涉及的只是平凡解的局部概率为 1 渐进稳定性,不能用该法来研究拟不可积 Hamilton 系统的全局(或大范围)稳定化。6.2.2 中叙述了用平均扩散过程 $H(t)$的边界类别判定拟不可积 Hamilton 系统的全局(大范围)概率渐近稳定性的方法,本节中将它与遍历控制相结合以研究拟不可积 Hamilton 系统全局(大范围)稳定化。

从上节知,反馈控制改变了平均 Itô 方程的漂移系数。显然,可通过适当选取成本函数中 $f_1(H)$,即适当选取控制律,使受控系统具有所需要的平均漂移系数与边界类别,下面用一个例子来说明。

例 8.6-3 考虑具有幂律非线性恢复力的振子的全局稳定化,其运动方程为

$$\dot{Q} = P \tag{a}$$
$$\dot{P} = -\omega_0^2 Q - \eta |Q|^{\delta} \operatorname{sgn} Q - 2\zeta\omega_0 P + u - \omega_0^2 Q \xi(t)$$

$\omega_0, \eta, \delta, \zeta$ 为正常数；$\xi(t)$是强度为 $2D$ 的 Gauss 白噪声。设 $\zeta\omega_0, \omega_0^2 D$ 及 u 同为 ε 阶小量。无控系统(a)的全局概率渐近稳定性已在文献[27]中研究过。此处研究(a)的全局稳定化。

与(a)相应的 Hamilton 函数为

$$H = p^2/2 + U(q) \tag{b}$$
$$U(q) = \omega_0^2 q^2/2 + \eta |q|^{1+\delta}/(1+\delta) \tag{c}$$

类似于例 8.6-1，其平均 Itô 方程为

$$\mathrm{d}H = [\overline{m}(H) + \langle uP \rangle]\mathrm{d}t + \overline{\sigma}(H)\mathrm{d}B(t) \tag{d}$$

$\overline{m}(H)$，$\overline{\sigma}^2(H)$按例 8.6-1 中(e)确定，只是其中 $U(q)$代之以本节之(c)。$H=0$ 与 $H\to\infty$是(d)中 $H(t)$的两个奇异边界。分两种情形讨论。

情形 1：$0<\delta<1$。$H\to 0$ 时，

$$\begin{aligned} \overline{m}(H) &= m_0 H + o(H) \\ \overline{\sigma}^2(H) &= \sigma_0^2 H^{(3+\delta)/(1+\delta)} + o(H^{(3+\delta)/(1+\delta)}) \end{aligned} \tag{e}$$

式中

$$\begin{aligned} m_0 &= -4\zeta\omega_0(1+\delta)/(3+\delta) \\ \sigma_0^2 &= 4\omega_0^2 D[2(1+\delta)/\eta]^{2/(1+\delta)} B(3/1+\delta, 3/2)/ \\ &\quad B(1/1+\delta, 1/2) \end{aligned} \tag{f}$$

$B(\cdot,\cdot)$为 Beta 函数。未控系统扩散指数 $\alpha_l=(3+\delta)/(1+\delta)$，漂移指数 $\beta_l=1$。由于 $\alpha_l>1+\beta_l$，$\overline{m}(0^+)<0$，$H=0$ 恒为吸引自然边界。

最优控制律形同例 8.6-1 中(f)，该例中(g)也仍适用。只是此处

$$\begin{aligned} \langle P^2/4R \rangle &= [(1+\delta)/2(3+\delta)R]H + o(H) \\ &= R_0 H + o(H) \end{aligned} \tag{g}$$

若选取成本函数使

$$f_1(H)-\gamma = k_0 H^{\vartheta_0} + o(H^{\vartheta_0}) \tag{h}$$

则 $H\to 0$ 时动态规划方程(8.6-7)之解为

$$\mathrm{d}V/\mathrm{d}H = C_0 H^{\delta_0} + o(H^{\delta_0}) \tag{i}$$

其中

$$\delta_0 = \begin{cases} \theta_0 - 1 > 0 \\ 0 \\ (\theta_0 - 1)/2 < 0 \end{cases}$$

$$C_0 = \begin{cases} -k_0/m_0, & \theta_0 > 1 \\ \left[(m_0^2 + 4R_0 k_0)^{1/2} + m_0\right]/2R_0 > 0, & \theta_0 = 1 \\ (k_0/R_0)^{1/2} > 0, & 0 < \theta_0 < 1 \end{cases} \tag{j}$$

按(8.6-9),受控系统平均 Itô 方程的漂移系数为

$$\overline{\overline{m}}(H) = m_0 H - 2C_0 R_0 H^{1+\delta_0} + o(\max(H, H^{1+\delta_0})) \tag{k}$$

$H=0$ 处的扩散与漂移指数为

$$\alpha_l = (3+\delta)/(1+\delta), \qquad \beta_l = \min(1, 1+\delta_0) \tag{l}$$

α_l 不随控制而变,若取 $\theta_0 \geqslant 1$,β_l 也不随控制而变,左边界 $H=0$ 性质不变,仍为吸引自然边界。若取 $0<\theta_0<1$,则左边界 $H=0$ 变成越出边界,因为 $\alpha_l > 1+\beta_l$,$\beta_l<1$ 及 $\overline{\overline{m}}(0^+)<0$。未控与已控系统都满足全局概率渐近稳定对 $H=0$ 边界的要求。

$H\to\infty$ 时,

$$\begin{aligned} \overline{m}(H) &= m_\infty H + o(H) \\ \overline{\sigma}^2(H) &= \sigma_\infty^2 H^2 + o(H^2) \end{aligned} \tag{m}$$

式中

$$m_\infty = -2\zeta\omega_0 + \omega_0^2 D, \qquad \sigma_\infty^2 = \omega_0^2 D \tag{n}$$

扩散指数 $\alpha_r=2$,漂移指数 $\beta_r=1$,特征标值为 $c_r=-2m_\infty/\sigma_\infty^2$。边界类别取决于 c_r 值。$\zeta>\omega_0 D/4$ 时为排斥自然,$\zeta=\omega_0 D/4$ 时为严格自然,$\zeta<\omega_0 D/4$ 时为吸引自然。全局概率稳定条件为 $\zeta>\omega_0 D/4$。

最优控制律仍形同例 8.6-1 中(f),该例中(g)也适用,只是

$$\langle P^2/4R\rangle = H/2R + o(H) = R_\infty H + o(H) \tag{o}$$

若选取成本函数使

$$f_1(H) - \gamma = k_\infty H^{\theta_\infty} + o(H^{\theta_\infty}) \tag{p}$$

则 $H\to\infty$时动态规划方程(8.6-7)之解

$$\mathrm{d}V/\mathrm{d}H = C_\infty H^{\delta_\infty} + o(H^{\delta_\infty}) \tag{q}$$

其中

$$\delta_\infty = \begin{cases} (\theta_\infty - 1)/2 > 0 \\ 0 \\ \theta_\infty - 1 < 0 \end{cases}$$

$$C_\infty = \begin{cases} (k_\infty/R_\infty)^{1/2} > 0, & \theta_\infty > 1 \\ \left[(m_\infty^2 + 4R_\infty k_\infty)^{1/2} + m_\infty\right]/2R_\infty, & \theta_\infty = 1 \\ -k_\infty/(m_\infty + \sigma_\infty^2\delta_\infty/2) > 0, & 0 < \theta_\infty < 1 \end{cases} \tag{r}$$

按(8.6-9),受控系统平均 Itô 方程的漂移系数在 $H\to\infty$时为

$$\bar{m}(H) = m_\infty H - 2C_\infty R_\infty H^{1+\delta_\infty} + o(\max(H, H^{1+\delta_\infty})) \tag{s}$$

相应的扩散指数、漂移指数及特征值为

$$\alpha_r = 2, \qquad \beta_r = \begin{cases} 1 \\ 1 \\ 1 + \delta_\infty \end{cases}$$

$$c_r = \begin{cases} -2m_\infty/\sigma_\infty^2, & 0 < \theta_\infty < 1 \\ -2(m_\infty - C_\infty/2R)/\sigma_\infty^2, & \theta_\infty = 1 \\ \bar{\bar{m}}(\infty) < 0, & \theta_\infty > 1 \end{cases} \tag{t}$$

可见,若 $0 < \theta_\infty < 1$,则 $H\to\infty$的边界类别不随控制而变。若 $\theta_\infty = 1$,则控制改变 c_r 值,从而改变 $H\to\infty$自然边界分类的参数值,即 $\zeta + C_\infty/4\omega_0 R > \omega_0 D/4$ 时为排斥自然,$\zeta + C_\infty/4\omega_0 R = \omega_0 D/4$ 时为严格自然,$\zeta + C_\infty/4\omega_0 R < \omega_0 D/4$ 为吸引自然。若 $\theta_\infty > 1$,则 $H\to\infty$恒为进入边界。

按照一维扩散过程全局概率渐近稳定对边界的要求,稳定性

由 $H \to \infty$ 边界类别决定，选取成本函数使

$$f_1(H) - \gamma = kH^{\theta}, \qquad k > 0 \tag{u}$$

若 $\theta > 1$，则受控系统无条件全局概率渐近稳定；若 $\theta = 1$，则在 $\zeta + C_\infty / 4\omega_0 R > \omega_0 D / 4$ 时全局渐进概率稳定，控制使稳定性增大。

情形 2：$\delta > 1$。$H \to 0$ 时，

$$\begin{aligned} \overline{m}(H) &= m_0 H + o(H) \\ \overline{\sigma}^2(H) &= \sigma_0^2 H_0 + o(H^2) \end{aligned} \tag{v}$$

式中

$$m_0 = -2\zeta\omega_0 + \omega_0^2 D, \qquad \sigma_0^2 = \omega_0^2 D \tag{w}$$

扩散指数、漂移指数及特征标值为

$$\alpha_l = 2, \qquad \beta_l = 1, \qquad c_l = 2m_0 / \sigma_0^2 \tag{x}$$

$H = 0$ 在 $\zeta > \omega_0 D/4$ 时为吸引自然边界，$\zeta = \omega_0 D/4$ 时为严格自然边界，$\zeta < \omega_0 D/4$ 时为排斥自然边界。未控系统之平凡解概率渐近稳定条件要求 $\zeta > \omega_0 D/4$。

最优控制律仍为例 8.6-1 中(f)，该例中(g)也适用，只是

$$\langle P^2 / 4R \rangle = H/4R + o(H) = R_0 H + o(H) \tag{y}$$

若选取成本函数使

$$f_1(H) - \gamma = k_0 H^{\theta_0} + o(H^{\theta_0}) \tag{z}$$

则 $H \to 0$ 时动态规划方程(8.6-7)之解为

$$\mathrm{d}V/\mathrm{d}H = C_0 H^{\delta_0} + o(H^{\delta_0}) \tag{aa}$$

式中

$$\delta_0 = \begin{cases} \theta_0 - 1 > 0 \\ 0 \\ (\theta_0 - 1)/2 < 0 \end{cases}$$

$$C_0 = \begin{cases} -k_0/(m_0 + \sigma_0^2 \delta_0/2), & \theta_0 > 1 \\ \left[(m_0^2 + 4R_0 k_0)^{1/2} + m_0\right] / 2R_0 > 0, & \theta_0 = 1 \\ (k_0/R_0)^{1/2} > 0, & 0 < \theta_0 < 1 \end{cases} \tag{bb}$$

按(8.6-9)，受控系统平均 Itô 方程的漂移系数为

$$\overline{\overline{m}}(H)=m_0H-2C_0R_0H^{1+\delta_0}+o(\max(H,H^{1+\delta_0}))\qquad(cc)$$

相应扩散指数、漂移指数及特征标值为

$$\alpha_l=2,\quad \beta_l=\begin{cases}1\\1\\1+\delta_0\end{cases}$$

$$c_l=\begin{cases}2m_0/\sigma_0^2, & \theta_0>1\\ 2(m_0-C_0/2R)/\sigma_0^2, & \theta_0=1\\ \overline{\overline{m}}(0^+)<0, & 0<\theta_0<1\end{cases}\qquad(dd)$$

比较(x)与(dd)知,当 $\theta_0>1$ 时,$H=0$ 的边界类别不受控制影响;当 $\theta_0=1$ 时,控制影响自然边界分类之参数值,即 $H=0$ 在 $\zeta+C_0/4\omega_0R>\omega_0D/4$ 时为吸引自然边界,$\zeta+C_0/4\omega_0R=\omega_0D/4$ 时为严格自然边界,$\zeta+C_0/4\omega_0R<\omega_0D/4$ 时为排斥自然边界;当 $0<\theta_0<1$ 时,$H=0$ 恒为越出边界。

$H\to\infty$ 时,

$$\begin{aligned}\overline{m}(H)&=m_\infty H+o(H)\\ \overline{\sigma}^2(H)&=\sigma_\infty^2H^{(3+\delta)/(1+\delta)}+o(H^{(3+\delta)/(1+\delta)})\end{aligned}\qquad(ee)$$

式中

$$m_\infty=-4\zeta\omega_0(1+\delta)/(3+\delta)$$

$$\sigma_\infty^2=4\omega_0^2D[(1+\delta)/\eta]^{2/(1+\delta)}B(3/1+\delta,3/2)/B(1/1+\delta,1/2)\qquad(ff)$$

相应扩散指数、漂移指数、漂移系数为

$$\alpha_r=(3+\delta)/(1+\delta),\qquad \beta_r=1,\qquad m_\infty<0\qquad(gg)$$

$H\to\infty$ 恒为排斥自然边界。

最优控制律仍为例 8.6-1 中(f),该例中(g)也适用,只是

$$\begin{aligned}\langle P^2/4R\rangle&=[(1+\delta)/2(3+\delta)R]H+o(H)\\&=R_\infty H+o(H)\end{aligned}\qquad(hh)$$

若选取成本函数使

$$f_1(H)-\gamma=k_\infty H^{\theta_\infty}+o(H^{\theta_\infty})\qquad(ii)$$

则动态规划方程(8.6-7)之解为

$$\mathrm{d}V/\mathrm{d}H = C_{\infty} H^{\delta_{\infty}} + o(H^{\delta_{\infty}}) \tag{jj}$$

式中

$$\delta_{\infty} = \begin{cases} (\theta_{\infty} - 1)/2 > 0 \\ 0 \\ \theta_{\infty} - 1 < 0 \end{cases}$$

$$C_{\infty} = \begin{cases} (k_{\infty}/R_{\infty})^{1/2} > 0, & \theta_{\infty} > 1 \\ \left[(m_{\infty}^{2} + 4R_{\infty}k_{\infty})^{1/2} + m_{\infty}\right]/2R_{\infty}, & \theta_{\infty} = 1 \\ -k_{\infty}/m_{\infty} < 0, & 0 < \theta_{\infty} < 1 \end{cases} \tag{kk}$$

受控系统平均 Itô 方程的漂移系数为

$$\bar{\bar{m}}(H) = m_{\infty} H - 2C_{\infty} R_{\infty} H^{1+\delta_{\infty}} + o(\max(H, H^{1+\delta_{\infty}})) \tag{ll}$$

相应的扩散指数、漂移指数及漂移系数为

$$\alpha_r = \frac{3+\delta}{1+\delta}, \quad \beta_r = \begin{cases} 1, & \theta_{\infty} \leqslant 1 \\ 1+\delta_{\infty}, & \theta_{\infty} > 1, \quad \bar{\bar{m}}_{\infty} < 0 \end{cases} \tag{mm}$$

可知,在 $\theta_{\infty} \leqslant 1$ 时 $H \to \infty$ 仍为排斥自然边界,$\theta_{\infty} > 1$ 时为进入边界。

按照一维扩散过程全局概率渐近稳定的要求,稳定性由 $H=0$ 边界决定。若在(z)中取 $k_0 > 0$,$0 < \theta_0 < 1$,则控制可使系统无条件全局稳定化;若取 $k_0 > 0$,$\theta_0 = 1$,则在 $\zeta + c_0/4\omega_0 R > \omega_0 D/4$ 时,受控系统全局概率渐近稳定,控制增加系统的稳定性。

类似地可讨论例 8.6-2 的全局稳定化。

8.6.3 拟可积 Hamilton 系统[28]

考虑非共振拟可积 Hamilton 系统的无界遍历控制,平均 Itô 方程形如(8.3-1),即

$$\mathrm{d}H_r = \left[\bar{m}_r(\boldsymbol{H}) + \left\langle u_i \frac{\partial H_r}{\partial P_i} \right\rangle\right] \mathrm{d}t + \bar{\sigma}_{rk} \boldsymbol{H} \mathrm{d}B_k(t)$$

$$r, i = 1, 2, \cdots, k; \qquad k = 1, 2, \cdots, m \tag{8.6-13}$$

性能指标形如(8.3-15),即

$$J(\boldsymbol{u})=\lim_{t_f\to\infty}\frac{1}{t_f}\int_0^{t_f}\left[f_1(\boldsymbol{H}(s))+\langle\boldsymbol{u}^{\mathrm{T}}(s)\boldsymbol{R}\boldsymbol{u}(s)\rangle\right]\mathrm{d}s \tag{8.6-14}$$

式中 $f_1(\boldsymbol{H}$ 与 $\boldsymbol{R}$ 为待定函数与正定对称矩阵。动态规划方程形如(8.3-16),即

$$\inf_{\boldsymbol{u}}\left\{\frac{1}{2}\overline{\sigma_{rk}}\ \overline{\sigma_{sk}}\frac{\partial^2 V}{\partial H_r\partial H_s}+\left[\overline{m_r}+\left\langle u_i\frac{\partial H_r}{\partial P_i}\right\rangle\right]\frac{\partial V}{\partial H_r}\right.$$
$$\left.+f_1(\boldsymbol{H})+\langle\boldsymbol{u}^{\mathrm{T}}\boldsymbol{R}\boldsymbol{u}\rangle\right\}=\gamma \tag{8.6-15}$$

式中

$$\gamma=\lim_{t_f\to\infty}\frac{1}{t_f}\int_0^{t_f}\left[f_1(\boldsymbol{H}(s))+\langle\boldsymbol{u}^{*\mathrm{T}}(s)\boldsymbol{R}\boldsymbol{u}^*(s)\rangle\right]\mathrm{d}s \tag{8.6-16}$$

(8.6-15)左边对 u_i 求极小,得最优控制律

$$u_i^*=-\frac{1}{2}(\boldsymbol{R}^{-1})_{ij}\frac{\partial V}{\partial H_r}\frac{\partial H_r}{\partial P_j} \tag{8.6-17}$$

当 $\boldsymbol{R}$ 为对角阵时,

$$u_i^*=-\frac{1}{2R_i}\frac{\partial V}{\partial H_r}\frac{\partial H_r}{\partial P_i} \tag{8.6-18}$$

将 u_i^* 代入(8.6-15)取代 u_i,并完成平均,得最后动态规划方程

$$\frac{1}{2}\overline{\sigma_{rk}}\ \overline{\sigma_{sk}}\frac{\partial^2 V}{\partial H_r\partial H_s}+\left[\overline{m}+\left\langle u_i^*\frac{\partial H_r}{\partial P_i}\right\rangle\right]\frac{\partial V}{\partial H_r}$$
$$+f_1(\boldsymbol{H})+\langle\boldsymbol{u}^{\mathrm{T}*}\boldsymbol{R}\boldsymbol{u}^*\rangle=\gamma \tag{8.6-19}$$

求解(8.6-19)得$\partial V/\partial H_r$,将它代入(8.6-17)或(8.6-18),得最优控制力 u_i^*。将 u_i^* 代入(8.6-13)取代 u_i,完成平均,得形如(8.3-21)的受控系统平均 Itô 方程

$$\mathrm{d}H_r=\overline{\overline{m}}_r(\boldsymbol{H})\mathrm{d}t+\overline{\sigma_{rk}}(\boldsymbol{H})\mathrm{d}B_k(t)$$
$$r=1,2,\cdots,k;\qquad k=1,2,\cdots,m \tag{8.6-20}$$

式中

$$\overline{\overline{m}}_r(\boldsymbol{H})=\overline{m}(\boldsymbol{H})+\left\langle u_i^*\frac{\partial H_r}{\partial P_i}\right\rangle \tag{8.6-21}$$

设 $\boldsymbol{Q}=\boldsymbol{P}=\boldsymbol{0}$ 是原系统的平凡解，系统受纯随机参激作用，则 $\boldsymbol{H}=0$ 是(8.6-20)的平凡解。设 $\overline{\overline{m}}_r$，$\overline{\sigma}_{rk}$满足齐一次性条件

$$k\overline{\overline{m}}_r(\boldsymbol{H})=\overline{\overline{m}}_r(k\boldsymbol{H}),\quad k\overline{\sigma}_{rk}(\boldsymbol{H})=\overline{\sigma}_{rk}(k\boldsymbol{H}) \tag{8.6-22}$$

与非退化条件

$$(\overline{\sigma}(\boldsymbol{H})\overline{\sigma}^{\mathrm{T}}(\boldsymbol{H})\boldsymbol{a},\boldsymbol{a})\geqslant c|\boldsymbol{H}|^2|\boldsymbol{a}|^2 \tag{8.6-23}$$

$\boldsymbol{a}$ 为任意 n 维矢量而 $c>0$ 为常数。若(8.6-22)不满足，则以 $\overline{\overline{m}}_r$，$\overline{\sigma}_{rk}$在 $\boldsymbol{H}=0$ 处之线性化或 H_s 的齐一次式代替 $\overline{\overline{m}}_r$，$\overline{\sigma}_{rk}$，从而(8.6-22)满足。

引入 n 个独立、对合首次积分之和

$$\overline{H}=\sum_{r=1}^{n}H_r(\boldsymbol{Q},\boldsymbol{P}) \tag{8.6-24}$$

并作变换

$$\rho=(\ln\overline{H})/2 \tag{8.6-25}$$

$$\alpha_r=H_r/\overline{H} \tag{8.6-26}$$

对(8.6-20)应用 Itô 微分公式(2.6-1)可得关于 ρ,α_r 的 Itô 随机微分方程

$$\mathrm{d}\rho=Q^c(\alpha)\mathrm{d}t+\Sigma_k(\alpha)\mathrm{d}B_k(t) \tag{8.6-27}$$

$$\mathrm{d}\alpha_r=m_r^c(\alpha)\mathrm{d}t+\sigma_{rk}(\alpha)\mathrm{d}B_k(t) \tag{8.6-28}$$

$$r=1,2,\cdots,n;\qquad k=1,2,\cdots,m$$

式中

$$Q^c(\alpha)=\frac{1}{2}\sum_{s=1}^{n}\overline{\overline{m}}_s(\alpha)-\frac{1}{4}\sum_{s,s'=1}^{n}\sum_{k=1}^{m}\overline{\sigma}_{sk}(\alpha)\overline{\sigma}_{s'k}(\alpha)$$

$$\begin{aligned}m_r^c(\alpha)=&-\alpha_r\sum_{s=1}^{n}\overline{\overline{m}}_s(\alpha)+\overline{\overline{m}}_r(\alpha)+\frac{1}{2}\alpha_r\sum_{s,s'=1}^{n}\sum_{k=1}^{m}\overline{\sigma}_{sk}(\alpha)\overline{\sigma}_{s'k}(\alpha)\\&-\frac{1}{2}\sum_{s=1}^{n}\sum_{k=1}^{m}\overline{\sigma}_{rk}(\alpha)\overline{\sigma}_{sk}(\alpha)\end{aligned} \tag{8.6-29}$$

$$\sigma_{rk}(\alpha)=\overline{\sigma}_{rk}(\alpha)-\alpha_r\sum_{s=1}^{n}\overline{\sigma}_{sk}(\alpha)$$

注意，$\sum_{\alpha=1}^{n}\alpha_r=1$ (8.6-28)中只有 $n-1$个方程独立，取前 $n-1$ 个

方程，记 $\alpha' = [\alpha_1 \ \alpha_2 \cdots \alpha_{n-1}]^{\mathrm{T}}$。

定义受控系统的 Lyapunov 指数为

$$\lambda = \lim_{t \to \infty} \frac{1}{t} \ln \overline{H}^{1/2} \tag{8.6-30}$$

按 6.3.1 中的推导，得受控系统最大 Lyapunov 指数

$$\lambda_1^c = \int Q^c(\alpha') p^c(\alpha') \mathrm{d}\alpha' \tag{8.6-31}$$

$p^c(\alpha')$是与(8.6-28)相应的 FPK 方程的平稳概率密度。令 $u_i^* = 0$，得未控系统的最大 Lyapunov 指数

$$\lambda_1^u = \int Q(\alpha') p(\alpha') \mathrm{d}\alpha' \tag{8.6-32}$$

受控与未控系统最大 Lyapunov 指数之差为 $\lambda_1^c - \lambda_1^u$。随机稳定化就是选取(8.6-14)中 $f_1(\boldsymbol{H})$与 $\boldsymbol{R}$ 使此差值为负且其绝对值尽可能大。

例 8.6-4 考虑线性阻尼与随机参激耦合的一个线性振子与一个非线性振子的稳定化，其运动方程为

$$\begin{aligned}
\dot{Q}_1 &= P_1 \\
\dot{P}_1 &= -\omega_1^2 Q_1 - \beta_{11} P_1 - \beta_{12} P_2 + u_1 + f_{11} P_1 \xi_1(t) + f_{12} P_2 \xi_2(t) \\
\dot{Q}_2 &= P_2 \\
\dot{P}_2 &= -\gamma |Q_2|^{\delta} \mathrm{sgn}(Q_2) - \beta_{21} P_1 - \beta_{22} P_2 + u_2 + f_{21} P_1 \xi_1(t) \\
&\quad + f_{22} P_2 \xi_2(t)
\end{aligned} \tag{a}$$

式中 ω_1, γ, δ 为正常数；β_{ij} 为阻尼系数；$\xi_k(t)$是强度为 $2D_k$ 的独立 Gauss 白噪声。设 β_{ij}, D_k 及 u 同为 ε 阶小量。与(a)等价的 Itô 随机微分方程为

$$\begin{aligned}
\mathrm{d}Q_1 &= P_1 \mathrm{d}t \\
\mathrm{d}P_1 &= [-\omega_0^2 Q_1 - (\beta_{11} - f_{11}^2 D_1) P_1 - (\beta_{12} - f_{12} f_{22} D_2) P_2 \\
&\quad + u_1] \mathrm{d}t + f_{11} \sqrt{2D_1} P_1 \mathrm{d}B_1(t) + f_{12} \sqrt{2D_2} P_2 \mathrm{d}B_2(t) \\
\mathrm{d}Q_2 &= P_2 \mathrm{d}t
\end{aligned} \tag{b}$$

$$\mathrm{d}P_2=\left[-\gamma|Q_2|^{\delta}\mathrm{sgn}(Q_2)-(\beta_{21}-f_{21}f_{11}D_1)P_1\right.$$
$$\left.-(\beta_{22}-f_{22}^2D_2)P_2+u_2\right]\mathrm{d}t+f_{21}\sqrt{2D_1}P_1\mathrm{d}B_1(t)$$
$$+f_{22}\sqrt{2D_2}P_2\mathrm{d}B_2(t)$$

Wong-Zakai 修正项不含保守力分量,Hamilton 函数不受它的影响,即

$$H=H_1+H_2 \tag{c}$$

式中

$$H_1=(p_1^2+\omega_1^2q_1^2)/2,\quad H_2=p_2^2/2+\gamma|q_2|^{1+\delta}/(1+\delta) \tag{d}$$

应用 5.3.1 中拟可积 Hamilton 系统随机平均法,得平均 Itô 方程

$$\begin{aligned}\mathrm{d}H_1&=\left[\overline{m_1}(\boldsymbol{H})+\langle u_1P_1\rangle\right]\mathrm{d}t+\overline{\sigma_{11}}(\boldsymbol{H})\mathrm{d}B_1(t)\\&\quad+\overline{\sigma_{12}}(\boldsymbol{H})\mathrm{d}B_2(t)\\\mathrm{d}H_2&=\left[\overline{m_2}(\boldsymbol{H})+\langle u_2P_2\rangle\right]\mathrm{d}t+\overline{\sigma_{21}}(\boldsymbol{H})\mathrm{d}B_1(t)\\&\quad+\overline{\sigma_{22}}(\boldsymbol{H})\mathrm{d}B_2(t)\end{aligned} \tag{e}$$

式中

$$\begin{aligned}&\overline{m_1}(\boldsymbol{H})=m_{11}H_1+m_{12}H_2,\ \overline{m_2}(\boldsymbol{H})=m_{21}H_1+m_{22}H_2,\\&b_{11}(\boldsymbol{H})=\overline{\sigma_{1k}\sigma_{1k}}(\boldsymbol{H})=b_{11}^{(1)}H_1^2+b_{11}^{(2)}H_1H_2\\&b_{22}(\boldsymbol{H})=\overline{\sigma_{2k}\sigma_{2k}}(\boldsymbol{H})=b_{22}^{(1)}H_1H_2+b_{22}^{(2)}H_2^2\\&b_{12}(\boldsymbol{H})=b_{21}(\boldsymbol{H})=\overline{\sigma_{1k}\sigma_{2k}}(\boldsymbol{H})=0\end{aligned} \tag{f}$$

$$\begin{aligned}&m_{11}=2f_{11}^2D_1-\beta_{11},\quad m_{12}=2f_{12}^2D_2(1+\delta)/(3+\delta)\\&m_{21}=f_{21}^2D_1,\quad m_{22}=2(2f_{22}^2D_2-\beta_{22})(1+\delta)/(3+\delta)\\&b_{11}^{(1)}=3f_{11}^2D_1,b_{11}^{(2)}=4f_{12}^2D_2(1+\delta)/(3+\delta)\\&b_{22}^{(1)}=4f_{21}^2D_1(1+\delta)/(3+\delta),b_{22}^{(2)}=24f_{22}^2D_2(1+\delta)^2/\\&\qquad[(3+\delta)(5+3\delta)]\end{aligned} \tag{g}$$

对本例,$\overline{H}=H$。

引入变换(8.6-25)与(8.6-26),得如下未控系统关于 ρ,α_1 的 Itô 随机微分方程

$$\mathrm{d}\rho = Q(\alpha_1)\mathrm{d}t + \Sigma(\alpha_1)\mathrm{d}B(t) \tag{h}$$

$$\mathrm{d}\alpha_1 = m(\alpha_1)\mathrm{d}t + \sigma(\alpha_1)\mathrm{d}B(t) \tag{i}$$

式中

$$\begin{aligned} Q(\alpha_1) &= \mu_1\alpha_1 + \mu_2(1-\alpha_1) + \varphi(\alpha_1)/4 \\ &\quad + b_{22}^{(1)}\alpha_1(1-\delta)/8(1+\delta) \\ m(\alpha_1) &= 2(\mu_1-\mu_2)\alpha_1(1-\alpha_1) + (1-2\alpha_1)\varphi(\alpha_1)/2 \\ &\quad - b_{22}^{(1)}\alpha_1^2(1-\delta)/4(1+\delta) \end{aligned} \tag{j}$$

$$\begin{aligned} &\sigma^2(\alpha_1) = \alpha_1(1-\alpha_1)\varphi(\alpha_1) \\ &\mu_1 = m_{11}/2 - b_{11}^{(1)}/4, \quad \mu_2 = m_{22}/2 - b_{22}^{(2)}/4 \\ &\varphi(\alpha_1) = a\alpha_1^2 + b\alpha_1 + c, \quad a = b_{11}^{(2)} + b_{22}^{(1)} - b_{11}^{(1)} - b_{22}^{(2)} \\ &b = b_{11}^{(1)} + b_{22}^{(2)} - 2b_{11}^{(2)}, \quad c = b_{11}^{(2)} \end{aligned} \tag{k}$$

在 $\alpha_1=0,1$ 上，$\sigma^2(\alpha_1)=0$，它们是 α_1 的两个奇点。通过计算扩散指数、漂移指数及特征标值与查表 2.8-2，可确定 $\alpha_1=0$ 是进入边界，$\alpha_1=1$ 在 $\delta<1$ 时是进入边界，而在 $\delta>1$ 时为规则边界。在$0<\alpha_1<1$ 上 $\alpha_1(t)$遍历，平稳概率密度存在。通过求解与(i)相应的平稳 FPK 方程，可得如下平稳概率密度：

$$\begin{aligned} p(\alpha_1) &= \frac{C(1-\alpha_1)^{(1-\delta)/2(1+\delta)}}{(\varphi(\alpha_1))^{1+(1-\delta)/4(1+\delta)}} \\ &\quad \times \exp\left[\frac{4(\mu_1-\mu_2) + \left(b_{11}^{(1)} + b_{22}^{(2)}\right)(1-\delta)/4(1+\delta)}{\sqrt{\Delta}}\right. \\ &\quad \left.\times \ln\left|\frac{2a\alpha_1 + b - \sqrt{\Delta}}{2a\alpha_1 + b + \sqrt{\Delta}}\right|\right], \quad \Delta > 0 \end{aligned} \tag{l}$$

$$\begin{aligned} p(\alpha_1) &= \frac{C(1-\alpha_1)^{(1-\delta)/2(1+\delta)}}{(\varphi(\alpha_1))^{1+(1-\delta)/4(1+\delta)}} \\ &\quad \times \exp\left[\frac{8(\mu_1-\mu_2) + \left(b_{11}^{(1)} + b_{22}^{(1)}\right)(1-\delta)/4(1+\delta)}{\sqrt{-\Delta}}\right. \end{aligned}$$

$$\times \text{acrtan}\frac{2a\alpha_1+b}{\sqrt{-\Delta}}\Big],\ \Delta<0 \tag{m}$$

$$p(\alpha_1)=\frac{C(1-\alpha_1)^{(1-\delta)/2(1+\delta)}}{(\varphi(\alpha_1))^{1+(1-\delta)/4(1+\delta)}}$$

$$\times \exp\left[-\frac{8(\mu_1-\mu_2)+(b_{11}^{(1)}+b_{22}^{(2)})(1-\delta)/2(1+\delta)}{2a\alpha_1+b}\right],$$

$$\Delta=0 \tag{n}$$

C 为归一化常数，$\Delta=b^2-4ac=(b_{11}^{(1)}+b_{22}^{(1)})^2-4b_{11}^{(2)}b_{22}^{(1)}$。未控系统的最大 Lyapunov 指数为

$$\lambda_1^u=\int_0^1 Q(\alpha_1)p(\alpha_1)\mathrm{d}\alpha_1 \tag{o}$$

若取 $\boldsymbol{R}=\text{diag}(R_1,R_2)$，则按(8.6-18)，最优控制律为

$$u_i^*=-\frac{1}{2R_i}\frac{\partial V}{\partial H_i}P_i \tag{p}$$

于是

$$\langle u_i^*P_i\rangle=-\frac{1}{2R_i}\frac{\partial V}{\partial H_i}\langle P_i^2\rangle \tag{q}$$

鉴于$\langle P_i^2\rangle\sim H_i$，为满足齐一次性要求(8.6-22)，$\partial V/\partial H$ 需为常数，即

$$V(\boldsymbol{H})=C_1H_1+C_2H_2 \tag{r}$$

为满足动态规划方程(8.6-19)，需选取 $f_1(\boldsymbol{H})$使

$$f_1(\boldsymbol{H})-\gamma=k_1H_1+k_2H_2 \tag{s}$$

将(q)～(s)代入(8.6-19)，得

$$k_1+m_{11}C_1+m_{21}C_2-C_1^2/4R_1=0$$

$$k_2+m_{12}C_1+m_{22}C_2-(1+\delta)C_2^2/2R_2(3+\delta)=0 \tag{t}$$

给定 k_i，R_i，可从(t)解出 C_i。(r)代入(p)，得最优控制力

$$u_i^*=-(C_i/2R_i)P_i=-(C_i/2R_i)Q_i \tag{u}$$

(u)代入(e)以取代 u_i，完成平均，得

$$\begin{aligned}\bar{\bar{m}}_1(\boldsymbol{H})&=(m_{11}-C_1/2R_1)H_1+m_{12}H_2\\ \bar{\bar{m}}_2(\boldsymbol{H})&=m_{21}H_1+[m_{22}-(1+\delta)C_2/(3+\delta)R_2]H_2\end{aligned} \tag{v}$$

令

$$\overline{\mu_1} = \mu_1 - C_1/4R_1,$$
$$\overline{\mu_2} = \mu_2 - (1+\delta)C_2/2(3+\delta)R_2 \tag{w}$$

以 $\overline{\mu_i}$ 代替 μ_i，重复(h)至(o)推导，得受控系统的最大 Lyapunov 指数

$$\lambda_1^c = \int_0^1 Q^c(\alpha_1)p^c(\alpha_1)\mathrm{d}\alpha_1 \tag{x}$$

λ_1^c 将依赖于 k_i，R_i 之值。对给定系统参数，可通过适当选取 k_i，R_i 使 λ_1^c 为负且尽可能小。

8.6.4 拟部分可积 Hamilton 系统

8.6.3 中叙述的拟可积 Hamilton 系统随机稳定化方法可容易地推广于拟部分可积 Hamilton 系统。事实上，在非共振情形，只要将首次积分个数 n 改为 r 即可。下面用一个例子说明。

例 8.6-5 考虑受 Gauss 白噪声参激的三自由度系统的稳定化，其运动方程形为

$$\dot{Q}_i = P_i$$
$$\dot{P}_i = -\frac{\partial H}{\partial Q_i} - \beta_{ij}P_j + u_i + f_{ik}P_k\xi_k(t) \tag{a}$$
$$i = 1,2,3; \qquad k = 1,2,3$$

式中

$$H = H_1 + H_2 \tag{b}$$
$$H_1 = (p_1^2 + \omega_1^2 q_1^2)/2 \tag{c}$$
$$H_2 = (p_2^2 + p_3^2)/2 + k(\omega_2^2 q_2^2 + \omega_3^2 q_3^2)^\gamma,$$
$$k,\gamma > 0, \gamma \neq 1 \tag{d}$$

β_{ij}，f_{ik} 为常数；$\xi_k(t)$ 是强度为 $2D_k$ 的独立 Gauss 白噪声；β_{ij} 与 D_k 同为 ε 阶小量。无控系统(a)的概率为 1 渐近稳定性已在 6.4 中研究过。(a)的平均 Itô 方程形为

$$\mathrm{d}H_1 = [\overline{m_1}(H_1,H_2) + \langle u_1P_1\rangle]\mathrm{d}t + \overline{\sigma_{1k}}(H_1,H_2)\mathrm{d}B_k(t)$$

$$\mathrm{d}H_2=[\overline{m_2}(H_1,H_2)+\langle u_2P_2+u_3P_3\rangle]\mathrm{d}t$$
$$+\overline{\sigma_{2k}}(H_1,H_2)\mathrm{d}B_k(t),\qquad k=1,2,3 \tag{e}$$

式中 $\overline{m_i}$，$\overline{\sigma_{ik}}$按(6.4-5)确定。考虑(e)的遍历控制。设其性能指标形如(8.6-14)，其中 $\boldsymbol{u}=[u_1\ \ u_2\ \ u_3]^{\mathrm{T}}$，$\boldsymbol{H}=[H_1\ \ H_2]^{\mathrm{T}}$，$\boldsymbol{R}$ 为 3×3 正定对称矩阵。动态规划方程形如(8.6-15)，其中 $r,s=1,2$；$k=1,2,3$。最优控制律为(8.6-17)或(8.6-18)。最后动态规划方程形如(8.6-19)。

类似于例 8.6-4，$\langle P_1^2\rangle\sim H_1$，$\langle P_2^2\rangle$，$\langle P_3^2\rangle\sim H_2$。为满足平均 Itô 方程系数的齐一次性条件(8.6-22)，$\partial V/\partial H_i$ 需为常数，即

$$V(\boldsymbol{H})=C_1H_1+C_2H_2 \tag{f}$$

由动态规划方程，$f_1(\boldsymbol{H})$需形为

$$f_1(\boldsymbol{H})-\gamma=k_1H_1+k_2H_2 \tag{g}$$

将(8.6-18)、(f)及(g)代入最后动态规划方程(8.6-19)，得如下代数方程

$$\begin{aligned}&k_1+a_{11}C_1+a_{12}C_2-C_1^2/4R_1=0\\&k_2+a_{12}C_1+a_{22}C_2-[\delta C_2^2/4(1+\delta)](1/R_2+1/R_3)=0\end{aligned} \tag{h}$$

给定 R_1、R_2、R_3、k_1、k_2，可由(h)解得 C_1、C_2。在解方程(h)时，可从(h)中消去 C_2，得 C_1 满足的四次代数方程

$$C_1^4+a_1C_1^3+a_2C_1^2+a_3C_1+a_4=0 \tag{i}$$

式中

$$\begin{aligned}&a_1=-2a_{11}/d_1,\quad a_2=(d_2a_{11}^2-2d_1d_2k_1-d_1a_{21}a_{12})/d_1^2d_2\\&a_3=(2d_2a_{11}k_1+a_{11}a_{22}a_{21}-a_{12}a_{21}^2)/d_1^2d_2\\&a_4=(d_2k_1^2-a_{21}^2k_2+a_{21}a_{22}k_1)/d_1^2d_2\\&d_1=1/4R_1,\qquad d_2=(\delta/4(1+\delta_1))(1/R_2+1/R_3)\end{aligned} \tag{j}$$

从(i)解得 C_1 后，C_2 可从下式得到：

$$C_2=(d_1C_1^2-a_{11}C_1-k_1)/a_{21} \tag{k}$$

将所得之 C_1, C_2 代入(f)得 $V(\boldsymbol{H})$,将 $V(\boldsymbol{H})$代入(8.6-18)得最优控制力

$$u_1^* = -C_1 P_1/2R_1, \quad u_2^* = -C_2 P_2/2R_2$$
$$u_3^* = -C_2 P_3/2R_3 \tag{l}$$

将 u_l^* 代入(e)取代 u_i,完成平均,得受控系统平均 Itô 方程

$$\mathrm{d}H_1 = [\overline{m_1}(H_1, H_2) - C_1 H_1/2R_1]\mathrm{d}t + \overline{\sigma_1}_k(H_1, H_2)\mathrm{d}B_k(t)$$
$$\mathrm{d}H_2 = [\overline{m_2}(H_1, H_2) - (1/2R_2 + 1/2R_3)C_2 H_2]\mathrm{d}t$$
$$+ \overline{\sigma_2}_k(H_1, H_2)\mathrm{d}B_k(t) \tag{m}$$

应用 6.4 中描述的方法,可从(m)导得已控系统的最大 Lyapunov 指数表达式

$$\lambda_1^c = \int_0^1 Q^c(\alpha_1)p^c(\alpha_1)\mathrm{d}\alpha_1 \tag{n}$$

式中

$$Q^c(\alpha_1) = e_1\alpha_1 + e_2(1-\alpha_2) + \varphi(\alpha_1)/4 + b_{21}\alpha_1/4\gamma \tag{o}$$

$$p^c(\alpha_1) = \frac{C}{\varphi(\alpha_1)}\exp\left[4(e_1 - e_2)\int_0^{\alpha_1}\frac{\mathrm{d}u}{\varphi(u)} - \frac{b_{21}}{\gamma}\int_0^{\alpha_1}\frac{u\mathrm{d}u}{(1-u)\varphi(u)}\right] \tag{p}$$

$$\varphi(\alpha_1) = a\alpha_1^2 + b\alpha_1 + c, \quad a = b_{12} + b_{21} - b_{11} - b_{22}$$
$$b = b_{11} + b_{22} - 2b_{12}, \quad c = b_{12} \tag{q}$$
$$e_1 = a_{11}/2 - b_{11}/4 - C_1/4R_1$$
$$e_2 = a_{22}/2 - b_{22}/4 - C_2/4R_2 - C_2/4R_3$$

系统(a)的随机稳定化就是决定 k_1, k_2, R_1, R_2, R_3 使(n)中最大 Lyapunov 指数 λ_1^c 为负且最小。计算结果表明,确实可达此目的。

8.7 首次穿越损坏的反馈最小化

在结构振动的主动控制理论中,常以系统响应最小或稳定化为控制目的。虽然近来若干学者研究过受控结构的可靠性[29,30]与以可靠度为目标的反馈增益设计[31,33],但未有人研究过以可靠度最大或平均首次穿越时间最长为目标的随机最优控制问题。

近几年来,作者与其合作者研究了分别以可靠度最大与平均首次穿越时间最长为目标的非线性随机最优控制问题[33,34]。下面概述这些研究的结果。

8.7.1 拟不可积 Hamilton 系统[33]

考虑形如(8.2-5)的弱控制拟不可积 Hamilton 系统,其平均 Itô 方程形如(8.2-6),即

$$\mathrm{d}H = \left[\ \bar{m}(H) + \left\langle u_i \frac{\partial H}{\partial P_i} \right\rangle \right] \mathrm{d}t + \bar{\sigma}(H)\mathrm{d}B(t) \quad (8.7\text{-}1)$$

设 $H(t)$可在$[0,\infty)$上随机地变化,系统正常运行区或安全区为$[0,H_c)$,初值为 $H(0)=H_0\in[0,H_c)$, $H(t)$首次到达边界 H_c 系统就不能正常运行或损坏,需考虑受控系统(8.7-1)的首次穿越损坏问题。

取形如(8.1-11)的可靠性性能指标,研究以可靠度最大为目标的非线性随机最优控制问题。定义形如(8.1-35)的值函数

$$V(H,t) = \sup_{\boldsymbol{u}\in U} P\left\{ H(s,\boldsymbol{u}) \in [0,H_c), \right.$$

$$\left. t < s \leqslant t_f \middle| H(t,\boldsymbol{u}) \in [0,H_c) \right\} \quad (8.7\text{-}2)$$

$\boldsymbol{u}\in U$ 表示控制约束,$t_f\leqslant\tau$ 为控制终了时刻,τ 为首次穿越时间。类似于(8.1-36)~(8.1-38),可导得以可靠度最大为目标的随机最优控制问题的动态规划方程

$$\frac{\partial V}{\partial t} = -\sup_{\boldsymbol{u}\in U}\left\{ \frac{1}{2}\ \bar{\sigma}^2(H)\frac{\partial^2 V}{\partial H^2} + \left[\ \bar{m}(H) + \left\langle u_i \frac{\partial H}{\partial P_i} \right\rangle \right] \frac{\partial V}{\partial H} \right\}$$

$$0 \leqslant t \leqslant t_f,\ H \in [0,H_c) \quad (8.7\text{-}3)$$

与边界条件

$$V(H_c,t) = 0 \quad (8.7\text{-}4)$$

$$V(0,\ t) = \text{有限} \quad (8.7\text{-}5)$$

及终值条件

$$V(H,t_f) = 1,\ H \in [0,H_c) \quad (8.7\text{-}6)$$

(8.7-4)与(8.7-5)分别表明 H_c 是吸收边界而 $H=0$ 是反射边界。(8.7-3)～(8.7-6)构成了拟不可积 Hamilton 系统首次穿越可靠度反馈最大化问题的数学提法，它是一个一维抛物型偏微分方程的边-终值问题。

类似地，可建立拟不可积 Hamilton 系统以平均首次穿越时间最长为目标的随机最优控制问题的数学提法。取形如(8.1-10)的性能指标

$$J(\boldsymbol{u}) = E[\tau(H, \boldsymbol{u})] \tag{8.7-7}$$

定义形如(8.1-18)的值函数

$$V_1(H) = \sup_{\boldsymbol{u} \in U} E[\tau(H, \boldsymbol{u})] \tag{8.7-8}$$

可将(8.7-8)表示成(8.1-39)的形式，从而可导出类似于(8.1-40)的动态规划法方程

$$\sup_{\boldsymbol{u} \in U}\left\{ \frac{1}{2} \bar{\sigma}^2(H) \frac{\mathrm{d}^2 V_1}{\mathrm{d} H^2} + \left[\bar{m}(H) + \left\langle u_i \frac{\partial H}{\partial P_i} \right\rangle \right] \frac{\mathrm{d} V_1}{\mathrm{d} H} \right\} = -1$$

$$H \in [0, H_c) \tag{8.7-9}$$

与类似于(8.7-4)及(8.7-5)的边界条件

$$V_1(H_c) = 0 \tag{8.7-10}$$

$$V_1(0) = \text{有限} \tag{8.7-11}$$

(8.7-9)～(8.7-11)构成了拟不可积 Hamilton 系统以平均首次穿越时间最长为目标的最优控制问题的数学提法，它是一个一维常微分方程的边值问题。

最优控制律由(8.7-3)右边或(8.7-9)左边对 u_i 取极大值条件确定。设控制约束形为

$$|u_i| \leqslant b_i, \quad i = 1, 2, \cdots, n \tag{8.7-12}$$

b_i 为正常数。显然，当 $|u_i| = b_i$ 且 u_i 的符号使 $u_i(\partial H/\partial P_i) \times (\partial V/\partial H)$ 或 $u_i(\partial H/\partial P_i)(\mathrm{d}V_1/\mathrm{d}H)$（不对 i 求和）为正时，(8.7-3)右边或(8.7-9)左边取极大值。因此，最优控制律为

$$u_i^* = b_i \operatorname{sgn}\left(\frac{\partial V}{\partial H} \frac{\partial H}{\partial P_i} \right), \quad i = 1, 2, \cdots, n \tag{8.7-13}$$

或

$$u_i^* = b_i \mathrm{sgn}\left(\frac{\mathrm{d}V_1}{\mathrm{d}H}\frac{\partial H}{\partial p_i}\right), \quad i = 1, 2, \cdots, n \quad (8.7\text{-}13')$$

从第七章文献[5]中图 4(a)、5-7 及本书图 7.3-5 与 7.3-7 知，可靠性函数与平均首次穿越时间皆为初值的单调减函数，从而 $\partial V/\partial H<0$，$\mathrm{d}V_1/\mathrm{d}H<0$。从而(8.7-13)与(8.7-13′)可简化为

$$u_i^* = -b_i \mathrm{sgn}\left(\frac{\partial H}{\partial P_i}\right) = -b_i \mathrm{sgn}(\dot{Q}_i), \quad i = 1, 2, \cdots, n \quad (8.7\text{-}14)$$

这表明，最优控制是一种开关式控制，或称 bang-bang 控制。控制力幅值为 b_i，方向与 $\dot{Q}_i$ 相反，在 $\dot{Q}_i=0$ 时改变方向。值得注意的是，该控制律与在相同控制约束下以响应最小为目标的最优有界控制的控制律(8.2-23)相同。

将(8.7-14)中 u_i^* 代入(8.7-1)取代 u_i，完成平均，得最优控制的拟不可积 Hamilton 系统的平均 Itô 方程

$$\mathrm{d}H = \bar{\bar{m}}(H)\mathrm{d}t + \bar{\sigma}(H)\mathrm{d}B(t) \quad (8.7\text{-}15)$$

式中

$$\bar{\bar{m}}(H) = \bar{m}(H) + \frac{1}{T(H)}\int_\Omega \left(u_i^* \frac{\partial H}{\partial p_i} \Big/ \frac{\partial H}{\partial p_1} \right) \mathrm{d}q_1 \cdots \mathrm{d}q_n \mathrm{d}p_2 \cdots \mathrm{d}p_n \quad (8.7\text{-}16)$$

将(8.7-14)中 u_i^* 代入(8.7-3)取代 u_i，完成平均，得拟不可积 Hamilton 系统以首次穿越可靠度最大为目标的随机最优控制问题的最后动态规划方程

$$\frac{\partial V}{\partial t} + \bar{\bar{m}}(H)\frac{\partial V}{\partial H} + \frac{1}{2}\bar{\sigma}^2(H)\frac{\partial^2 V}{\partial H^2} = 0$$

$$0 \leqslant t \leqslant t_f, H \in [0, H_c) \quad (8.7\text{-}17)$$

其边界条件仍为(8.7-4)与(8.7-5)，终值条件仍为(8.7-6)。求解这组方程可得最优控制的拟不可积 Hamilton 系统的首次穿越可靠性函数。

类似地，将(8.7-14)中 u_i^* 代入(8.7-9)取代 u_i，完成平均，得拟不可积 Hamilton 系统以平均首次穿越时间最长为目标的随机最优控制问题的最后动态规划方程

$$\frac{1}{2}\ \overline{\sigma}^2(H)\frac{\mathrm{d}^2 V_1}{\mathrm{d}H^2}+\overline{\overline{m}}(H)\frac{\mathrm{d}V_1}{\mathrm{d}H}=-1,$$

$$H\in[0,H_c) \tag{8.7-18}$$

其边界条件仍为(8.7-10)、(8.7-11)。求得这组方程可得最优控制的拟不可积 Hamilton 平均首次穿越时间。

由(8.7-15)知,最优控制的拟不可积 Hamilton 系统的 Hamilton 函数 $H(t)$是一个一维时齐扩散过程。按 7.2 中拟不可积 Hamilton 系统首次穿越理论,该系统条件可靠性函数

$$R^c(t_1\mid H_0)=P\{H(s,u^*)\in[0,H_c),\ s\in(0,t_1]\mid H(0)\in[0,H_c)\} \tag{8.7-19}$$

满足下列后向 Kolmogorov 方程

$$\frac{\partial R^c}{\partial t_1}=\overline{\overline{m}}(H_0)\frac{\partial R^c}{\partial H_0}+\frac{1}{2}\ \overline{\sigma}^2(H_0)\frac{\partial^2 R_c}{\partial H_0^2} \tag{8.7-20}$$

式中 $\overline{\overline{m}}(H_0)$由(8.7-16)以 H_0 代 H 得到。其边界条件为

$$R^c(t_1\mid H_c)=0 \tag{8.7-21}$$

$$R^c(t_1\mid 0)=\text{有限} \tag{8.7-22}$$

初始条件为

$$R^c(0\mid H_0)=1,\quad H_0=\in[0,H_c) \tag{8.7-23}$$

求解(8.7-20)~(8.7-23),可得最优控制的拟不可积 Hamilton 系统的条件可靠性函数。相应的首次穿越损坏的条件概率为

$$P_f^c(t_1\mid H_0)=1-R^c(t_1\mid H_0) \tag{8.7-24}$$

首次穿越时间 τ 的条件概率密度为

$$p^c(\tau\mid H_0)=\left.\frac{\partial P_f^c}{\partial t_1}\right|_{t_1=\tau}=-\left.\frac{\partial R^c}{\partial t_1}\right|_{t_1=\tau} \tag{8.7-25}$$

平均首次穿越时间

$$\mu_1^c(H_0)=\int_0^\infty \tau p^c(\tau\mid H_0)\mathrm{d}\tau=\int_0^\infty R^c(\tau\mid H_0)\mathrm{d}\tau \tag{8.7-26}$$

它满足 Pontryagin 方程

$$\frac{1}{2}\ \overline{\sigma}^2(H_0)\frac{\mathrm{d}^2\mu_1^c}{\mathrm{d}H_0^2}+\overline{\overline{m}}(H_0)\frac{\mathrm{d}\mu_1^c}{\mathrm{d}H_0}=-1,\quad H_0\in[0,H_c)$$

(8.7-27)

其边界条件为

$$\mu_1^c(H_c)=0 \qquad (8.7\text{-}28)$$

$$\mu_1^c(0)=\text{有限} \qquad (8.7\text{-}29)$$

注意,虽然值函数 $V(H,t)$与条件可靠性函数 $R^c(t_1\mid H_0)$都表示最优控制的拟不可积 Hamilton 系统的可靠度,$V(H,t)$所满足的方程(8.7-17)、(8.7-4)～(8.7-6)与 $R^c(t_1\mid H_0)$所满足的方程(8.7-20)～(8.7-23)有所不同。这主要是因为两种推导中的时间顺序刚好相反:t 乃从控制终了时刻倒向初始时刻计时,而 t_1 则从初始时刻向控制终了时刻计时。只要作变换

$$t_1=t_f-t \qquad (8.7\text{-}30)$$

方程(8.7-17)与(8.7-20)在形式上就相同,而终值条件(8.7-6)就形同初始条件(8.7-23),边界条件也一样。两组方程之解间的关系为

$$R^c(t_f\mid H_0)=V(H_0,0) \qquad (8.7\text{-}31)$$

因此,对拟不可积 Hamilton 系统以首次穿越可靠度最大为目标的随机最优控制问题,在按(8.7-14)确定最优控制律后,最优控制系统的条件可靠性函数可从求解动态规划方程(8.7-17)、(8.7-4)～(8.7-6)得到,也可从求解后向 Kolmogorov 方程(8.7-20)～(8.7-23)得到,而未控拟不可积 Hamilton 系统的条件可靠性函数则可在后一解中令 $b_i=0$ 得到。

对拟不可积 Hamilton 系统以平均首次穿越时间最长为目标的随机最优控制问题,最优控制律仍为(8.7-14)。动态规划方程(8.7-18)、(8.7-10)、(8.7-11)与 Pontryagin 方程(8.7-27)～(8.7-29)形式上完全一样。因此,最优控制系统的平均首次穿越时间可从求解上述两组方程中任一组得到。而未控拟不可积

Hamilton 系统的平均首次穿越时间则可从求解后一组方程并令 $b_i=0$ 得到。

最后需说明的是，边界条件(8.7-5)、(8.7-11)、(8.7-22)及(8.7-29)只是定性的。而在数值求解方程(8.7-17)、(8.7-18)、(8.7-20)及(8.7-27)时需在 $H=0$ 上的定量边界条件，类似于7.2，该定量条件可从相应方程与系数 $\overline{\overline{m}}$，$\overline{\sigma}$ 在 $H=0$ 上的性态确定，详见下例。

例 8.7-1 考虑在均布随机压力下浅壳的单模态突跳(snap-through)的控制，其运动方程形如

$$
\begin{aligned}
\dot{Q} &= P \\
\dot{P} &= -\omega_0^2(Q-\alpha Q^2+\gamma Q^3)-2\zeta\omega_0 P \\
&\quad + u(Q,P)+\xi(t)
\end{aligned} \tag{a}
$$

$\omega_0,\alpha,\gamma,\zeta$ 为常数，$\xi(t)$是强度为 $2D$ 的 Gauss 白噪声，假定 ζ，D，u 同为 ε 阶小量。相应 Hamilton 函数为

$$
\begin{aligned}
H &= p^2/2+U(q),\ U(q) \\
&= \omega_0^2(q^2/2-\alpha q^3/3+\gamma q^4/4)
\end{aligned} \tag{b}
$$

该 Hamilton 系统有一分界线(同宿轨道)将相平面分成三个区。在原点邻域区域内浅壳作具有正曲率的小幅振动，该区为安全区。另两个区内浅壳分别作具有负曲率的振动与正负曲率交替的大幅振动，属不正常运动或损坏。设初始时刻系统在安全区内，今研究该系统发生首次突跳的最优控制问题。

设与分界线相应的 Hamilton 函数临界值为 H_c。引入无量纲量

$$
H_1=(H-H_0)/H_c \tag{c}
$$

$H_0<H_c$ 为初始 Hamilton 函数值。应用 5.2 中拟不可积 Hamilton 系统随机平均法，可得平均 Itô 方程

$$
\mathrm{d}H_1=\left[\overline{m}(H_1)+\left\langle u\frac{\partial H}{\partial P}\right\rangle\right]\mathrm{d}t+\overline{\sigma}(H_1)\mathrm{d}B(t) \tag{d}
$$

式中

$$
\begin{aligned}
&\overline{m}(H_1) = [D - 2\zeta\omega_0 S(H_1)/T(H_1)]/H_c \\
&\overline{\sigma}^2(H_1) = 2DS(H_1)/[H_c^2 T(H_1)] \\
&S(H_1) = \int_D \pm \{2[H_0 + H_c H_1 - U(q)]\}^{1/2} \mathrm{d}q \\
&T(H_1) = \int_D \pm \{2[H_0 + H_c H_1 - U(q)]\}^{-1/2} \mathrm{d}q \\
&D = \{q \mid U(q) \leqslant H_0 + H_c H_1\}
\end{aligned}
\tag{e}
$$

(d)为(8.7-1)之特例,安全域为[0,1)。对系统(a)以可靠度最大与平均发生首次突跳时间最长为目标的随机最优控制,其最优控制力 u^* 形为(8.7-14),代入(d)经平均得(8.7-15),其中 $\overline{\overline{m}}$ 按(8.7-16)为

$$
\begin{aligned}
\overline{\overline{m}}(H_1) &= \overline{m}(H_1) + \langle u^* \partial H_1/\partial P\rangle \\
&= \overline{m}(H_1) - b(q_2 - q_1)/H_c T(H_1)
\end{aligned}
\tag{f}
$$

q_1 与 q_2 分别是 $H_0 + H_c H_1 - U(q) = 0$ 之小根与大根。按(8.7-17)、(8.7-4)~(8.7-6),得系统(a)以可靠度最大为目标最优控制的动态规划方程

$$
\begin{aligned}
&\left[\frac{\partial}{\partial t} + \overline{\overline{m}}(H_1)\frac{\partial}{\partial H_1} + \frac{1}{2}\overline{\sigma}^2(H_1)\frac{\partial^2}{\partial H_1^2}\right] V(H,t) = 0 \\
&V(1,t) = 0 \\
&V(0,t) = \text{有限} \\
&V(H_1,t_f) = 1, H_1 \in [0,1)
\end{aligned}
\tag{g}
$$

按(8.7-18)、(8.7-10)、(8.7-11),可得系统(a)以平均发生首次突跳时间最长为目标的最优控制的动态规划方程

$$
\begin{aligned}
&\left[\overline{\overline{m}}(H_1)\frac{\mathrm{d}}{\mathrm{d}H_1} + \frac{1}{2}\overline{\sigma}^2(H_1)\frac{\mathrm{d}^2}{\mathrm{d}H_1^2}\right] V_1(H_1) = -1 \\
&V_1(1) = 0 \\
&V_1(0) = \text{有限}
\end{aligned}
\tag{h}
$$

鉴于 $H_1 \to 0$ 时 $\overline{\sigma}(H_1) \to 0$ 而 $\overline{\overline{m}}(H_1) \neq 0$, $H_1 = 0$ 是第一类奇异边界且为流动点。按(7.2-11)与(7.2-12),(g)与(h)中 $H_1 = 0$ 上的定性边界条件分别代之以定量边界条件

$$\frac{\partial V}{\partial t} = -\overline{\overline{m}}(0)\frac{\partial V}{\partial H_1}, \qquad H_1 = 0 \tag{i}$$

与

$$\frac{\mathrm{d}V_1}{\mathrm{d}H_1} = -\frac{1}{\overline{\overline{m}}(0)}, \qquad H_1 = 0 \tag{j}$$

方程(g)与(h)可分别用 Crank-Nicolson 差分法与 Runge-Kutta 法数值求解得最优控制系统的可靠性函数与发生首次突跳的平均 Itô 时间。结果表明,控制确实提高了系统(a)的可靠性与增长了发生首次突跳的平均时间。而且 b 越大,控制效果越好[33]。

例 8.7-2 仍考虑 8.2.4 中弹簧摆的控制,受控系统平均 Itô 方程由(8.2-73)给出。鉴于以可靠度最大或平均首次穿越时间最长为目标的最优控制律(8.7-14)与以响应最小为目标的最优有界控制律(8.2-23)相同,最优控制系统的平均 Itô 方程仍为(8.2-75)。设安全域为$[0, H_c)$。以可靠度最大为目标的随机最优控制问题的动态规划方程为(8.7-17)、(8.7-4)~(8.7-6)。鉴于在 $H=0$ 上

$$\overline{\overline{m}}(H) = D_1 - D_2 > 0, \qquad \overline{\overline{\sigma}}^2(H) = 0 \tag{k}$$

$H=0$ 是第一类奇异边界(流动点),根据方程(8.7-17),定性边界条件(8.7-5)代之以

$$\frac{\partial V}{\partial t} = -\overline{\overline{m}}(0)\frac{\partial V}{\partial H}, \qquad H=0 \tag{l}$$

以平均首次穿越时间最长为目标的最优控制的动态规划方程为(8.7-18)、(8.7-10)、(8.7-11),其中定性边界条件(8.7-11)代之以

$$\frac{\mathrm{d}V_1}{\mathrm{d}H} = -\frac{1}{\overline{\overline{m}}(0)}, \qquad H = 0 \tag{m}$$

上述两个动态规划方程仍可分别用 Crank-Nicolson 差分法与 Runge-Kutta 法数值求解。计算结果表明,解析结果与数字模拟结果甚为吻合,控制确实提高了系统的可靠度与延长了平均首次穿越时间[38],例见图 8.7-1。

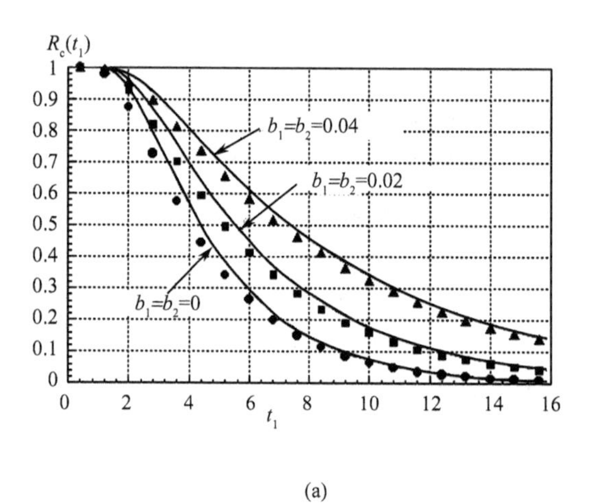

$R_c(t_1)$
1
0.9
0.8
0.7
0.6
0.5
0.4
0.3
0.2
0.1
0
$b_1=b_2=0.04$
$b_1=b_2=0.02$
$b_1=b_2=0$
0 2 4 6 8 10 12 14 16
t_1

(a)

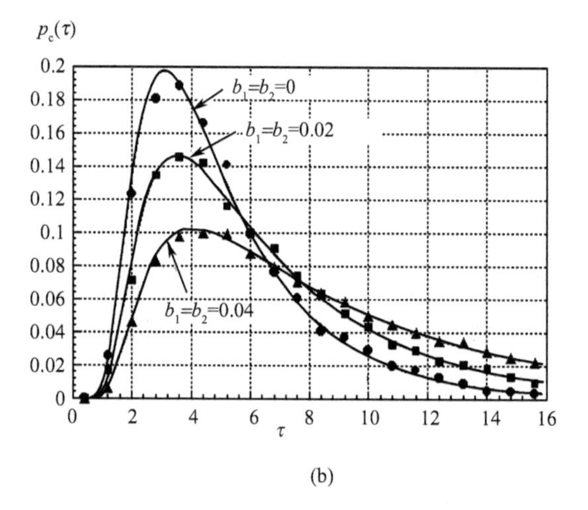

$p_c(\tau)$
0.2
0.18
0.16
0.14
0.12
0.1
0.08
0.06
0.04
0.02
0
$b_1=b_2=0$
$b_1=b_2=0.02$
$b_1=b_2=0.04$
0 2 4 6 8 10 12 14 16
τ

(b)

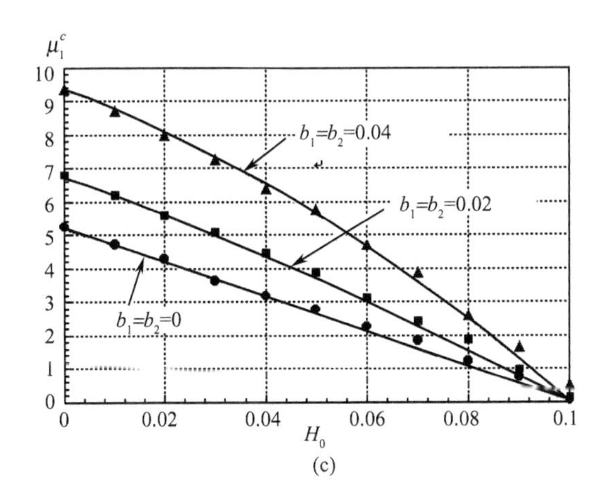

(c)

图 8.7-1 最优有界控制的弹簧摆(8.2-72)

(a) 可靠性函数;(b)首次穿越时间的概率密度;(c) 平均首次穿越时间。$l_0=0.3$, $k=20$, $\beta_1=\beta_2=0.02$, $2D_1=2D_2=0.02$, $H_c=0.1$, $H_0=0.0$。

——表示解析结果;●■▲表示数字模拟结果

8.7.2 拟可积 Hamilton 系统

考虑形如(8.2-4)或(8.2-5)的弱控制拟可积 Hamilton 系统,在非共振情形,其平均方程形如(8.3-1),即

$$
\mathrm{d}H_r=\left[\ \overline{m_r}(\boldsymbol{H})+\left\langle\ u_i\frac{\partial H_r}{\partial P_i}\right\rangle\right]\mathrm{d}t+\ \overline{\sigma_{rk}}(\boldsymbol{H})\mathrm{d}B_k(t)
$$

$$
r,i=1,2,\cdots,n;\qquad k=1,2,\cdots,m \tag{8.7-32}
$$

对多数机械结构系统,$H_r(t)$表示系统各自由度的能量。设$H_r(t)$可在$[0,\infty)$上随机变化(若此假定不满足,可通过适当坐标变换使之满足),系统的正常运行区或安全区为

$$
\Omega=\{(H_1,H_2,\cdots,H_n)\mid h(\boldsymbol{H})<h_r\} \tag{8.7-33}
$$

$h(\boldsymbol{H})=h_r$ 为极限状态曲面。对系统(8.7-32)以首次穿越可靠度最大为目标的随机最优控制,取形如(8.1-11)性能指标,定义形如(8.1-35)的值函数

$$V(\boldsymbol{H},t)=\sup_{u\in U}P\{\boldsymbol{H}(s,\boldsymbol{u})\in\Omega,t<s\leqslant t_f\mid\boldsymbol{H}(t,\boldsymbol{u})\in\Omega\}$$

$$(8.7\text{-}34)$$

类似于(8.1-36)～(8.1-38),可导得动态规划方程

$$\frac{\partial V}{\partial t}=-\sup_{u\in U}\left\{\frac{1}{2}\overline{\sigma_{rk}}\ \overline{\sigma_{sk}}(\boldsymbol{H})\frac{\partial^2 V}{\partial H_r\partial H_s}+\left[\overline{m_r}(\boldsymbol{H})+\left\langle u_i\frac{\partial H_r}{\partial P_i}\right\rangle\right]\frac{\partial V}{\partial H_r}\right\}$$

$$0\leqslant t\leqslant t_f,\quad \boldsymbol{H}\in\Omega \qquad (8.7\text{-}35)$$

与边界条件

$$V(\Gamma_c,t)=0 \qquad (8.7\text{-}36)$$

$$V(\Gamma_0,t)=\text{有限} \qquad (8.7\text{-}37)$$

及终值条件

$$V(H,t_f)=1,\qquad H\in\Omega \qquad (8.7\text{-}38)$$

Γ_c 为极限状态曲面,Γ_0 为至少一个 $H_s=0$ 的 Ω 之边界。(8.7-35)～(8.7-38)构成非共振拟可积 Hamilton 系统以首次穿越可靠度最大为目标的随机最优控制问题的数学提法,它是一个 n 维抛物型偏微分方程的边终值问题。

对系统(8.7-32)以平均首次穿越时间最长为目标的随机最优控制问题,取形如(8.1-10)的性能指标,定义形如(8.1-18)值函数

$$V_1(\boldsymbol{H})=\sup_{u\in U}E[\tau(\boldsymbol{H},\boldsymbol{u})] \qquad (8.7\text{-}39)$$

可导出形如(8.1-40)的动态规划方程

$$\sup_{u\in U}\left\{\frac{1}{2}\overline{\sigma_{rk}}\ \overline{\sigma_{sk}}(\boldsymbol{H})\frac{\partial^2 V_1}{\partial H_r\partial H_s}+\left[\overline{m_r}(\boldsymbol{H})+\left\langle u_i\frac{\partial H_r}{\partial P_i}\right\rangle\right]\frac{\partial V_1}{\partial H_r}\right\}=-1$$

$$\boldsymbol{H}\in\Omega \qquad (8.7\text{-}40)$$

与边界条件

$$V_1(\Gamma_c)=0 \qquad (8.7\text{-}41)$$

$$V_1(\Gamma_0)=\text{有限} \qquad (8.7\text{-}42)$$

(8.7-40)～(8.7-42)构成了非共振拟可积 Hamilton 系统以平均首次穿越时间最长为目标的随机最优控制问题的数学提法,它是

一个 n 维椭圆型偏微分方程的边值问题。

最优控制律由(8.7-35)右边或(8.7-40)左边对 u_i 求极大值得到。设控制约束形如(8.7-12),则当 $|u_i|=b_i$ 且各项 $u_i(\partial V/\partial H_r)(\partial H_r/\partial P_i)$ 或 $u_i(\partial V_1/\partial H_r)(\partial H_r/\partial P_i)$(对 r 求和但不对 i 求和)皆为正时该控制项取极大值。因此,最优控制律为

$$u_i^* = b_i \operatorname{sgn}\left(\frac{\partial V}{\partial H_r}\frac{\partial H_r}{\partial P_i}\right), \quad i=1,2,\cdots,n \tag{8.7-43}$$

或

$$u_i^* = b_i \operatorname{sgn}\left(\frac{\partial V_1}{\partial H_r}\frac{\partial H_r}{\partial P_i}\right), \quad i=1,2,\cdots,n \tag{8.7-44}$$

鉴于首次穿越可靠性函数与平均首次穿越时间皆为初值的单调减函数(见图 7.3-5 与 7.3-7),$\partial V/\partial H_r<0$,$\partial V_1/\partial H_r<0$,若 $\partial H_r/\partial P_i=\delta_{ri}P_i$,则(8.7-43)、(8.7-44)化为

$$u_i^* = -b_i \operatorname{sgn}\left(\frac{\partial H_i}{\partial P_i}\right), \quad i=1,2,\cdots,n \tag{8.7-45}$$

这表明,上述两个最优控制问题的最优控制律皆为 bang-bang 控制,与以响应最小为目标的最优有界控制的控制律(8.3-14)相同。

将(8.7-45)中 u_i^* 代入(8.7-32)取代 u_i,完成平均,得最优控制的拟可积 Hamilton 系统的平均 Itô 方程

$$\begin{gathered} \mathrm{d}H_r = \bar{\bar{m}}_r(\boldsymbol{H})\mathrm{d}t + \bar{\sigma}_{rk}(\boldsymbol{H})\mathrm{d}B_k(t) \\ r=1,2,\cdots,n; \qquad k=1,2,\cdots,m \end{gathered} \tag{8.7-46}$$

式中

$$\bar{\bar{m}}_r(\boldsymbol{H}) = \bar{m}_r(\boldsymbol{H}) + \left\langle u_i^* \frac{\partial H_r}{\partial P_i}\right\rangle \tag{8.7-47}$$

将 u_i^* 代入(8.7-35)取代 u_i,完成平均,得非共振拟可积 Hamilton 系统以首次穿越可靠度最大为目标的随机最优控制问题的最后动态规划方程

$$\begin{gathered} \frac{\partial V}{\partial t} + \bar{\bar{m}}_r(\boldsymbol{H})\frac{\partial V}{\partial H_r} + \frac{1}{2}\bar{\sigma}_{rk}\bar{\sigma}_{sk}(\boldsymbol{H})\frac{\partial^2 V}{\partial H_r \partial H_s} = 0 \\ 0 \leqslant t \leqslant t_f, \qquad \boldsymbol{H} \in \Omega \end{gathered} \tag{8.7-48}$$

其边界条件仍为(8.7-36)、(8.7-37),终值条件仍为(8.7-38)。求解这组方程可得最优控制系统的可靠性函数。

将 u_i^* 代入(8.7-40)取代 u_i,完成平均,得非共振拟可积 Hamilton 系统以平均首次穿越时间最长为目标的随机最优控制问题的最后动态规划方程

$$\frac{1}{2}\overline{\sigma_{rk}}\ \overline{\sigma_{sk}}(\boldsymbol{H})\frac{\partial^2 V_1}{\partial H_r \partial H_s}+\overline{\overline{m}}_r(\boldsymbol{H})\frac{\partial V_1}{\partial H_r}=-1 \qquad (8.7\text{-}49)$$

其边界条件仍为(8.7-41)与(8.7-42)。求解这组方程可得最优控制系统的平均首次穿越时间。

由(8.7-46)知,最优控制的拟可积 Hamilton 系统的首次积分矢量 $\boldsymbol{H}(t)$是一个 n 维时齐扩散过程。按 7.3 中拟可积 Hamilton 系统的首次穿越理论,该系统的条件可靠性函数

$$R^c(t_1 \mid \boldsymbol{H}_0)=P\{\boldsymbol{H}(s,\boldsymbol{u}^*)\in \Omega,\ s\in(0,t_1] \mid \boldsymbol{H}(0,\boldsymbol{u}^*)\in \Omega\} \qquad (8.7\text{-}50)$$

满足下列后向 Kolmogorov 方程:

$$\frac{\partial R^c}{\partial t_1}=\overline{\overline{m}}(\boldsymbol{H}_0)\frac{\partial R^c}{\partial H_{r0}}+\frac{1}{2}\overline{\sigma_{rk}}\ \overline{\sigma_{sk}}(\boldsymbol{H}_0)\frac{\partial^2 R^c}{\partial H_{r0}\partial H_{s0}} \qquad (8.7\text{-}51)$$

其边界条件为

$$R^c(t_1 \mid \Gamma_c)=0 \qquad (8.7\text{-}52)$$

$$R^c(t_1 \mid \Gamma_0)=\text{有限} \qquad (8.7\text{-}53)$$

初始条件为

$$R^c(0 \mid \boldsymbol{H}_0)=1,\qquad \boldsymbol{H}_0\in \Omega \qquad (8.7\text{-}54)$$

求解(8.7-50)~(8.7-54),可得最优控制拟可积 Hamilton 系统的条件可靠性函数。

相应的首次穿越损坏的条件概率

$$P_f^c(t_1 \mid \boldsymbol{H}_0)=1-R^c(t_1 \mid \boldsymbol{H}_0) \qquad (8.7\text{-}55)$$

首次穿越时间 τ 的条件概率密度

$$p^c(\tau \mid \boldsymbol{H}_0)=\left.\frac{\partial P_f^c}{\partial t_1}\right|_{t_1=\tau}=-\left.\frac{\partial R^c}{\partial t_1}\right|_{t_1=\tau} \qquad (8.7\text{-}56)$$

平均首次穿越时间

$$\mu_1^c(\boldsymbol{H}_0)=\int_0^\infty \tau p^c(\tau|\boldsymbol{H}_0)\mathrm{d}\tau$$
$$=\int_0^\infty R^c(\tau|\boldsymbol{H}_0)\mathrm{d}\tau \tag{8.7-57}$$

它满足 Pontryagin 方程

$$\frac{1}{2}\overline{\sigma_{rk}}\ \overline{\sigma_{sk}}(\boldsymbol{H}_0)\frac{\partial^2\mu_1^c}{\partial H_{r0}\partial H_{s0}}+\overline{\overline{m}}(\boldsymbol{H}_0)\frac{\partial\mu_1^c}{\partial H_{r0}}=-1,$$
$$\boldsymbol{H}_0\in\Omega \tag{8.7-58}$$

其边界条件为

$$\mu_1^c(\Gamma_c)=0 \tag{8.7-59}$$
$$\mu_1^c(\Gamma_0)=\text{有限} \tag{8.7-60}$$

求解(8.7-58)~(8.7-60),可得最优控制系统的平均首次穿越时间。

如同拟不可积 Hamilton 系统情形,在作变换(8.7-30)后,动态规划方程(8.7-48)、(8.7-36)~(8.7-38)与后向 Kolmogorov 方程(8.7-51)~(8.7-54)等价。求解任一组方程均可得最优控制拟可积 Hamilton 系统首次穿越可靠度。而动态规划方程(8.7-49)、(8.7-41)、(8.7-42)与 Pontryagin 方程(8.7-58)~(8.7-60)等价,求解任意一组方程均可得最优控制拟可积 Hamilton 系统的平均首次穿越时间。定性的边界条件(8.7-37)、(8.7-42)、(8.7-53)、(8.7-60)可根据相应方程与 Γ_0 上系数 $\overline{\overline{m}}_r$, $\overline{\sigma_{rk}}$化为定量的边界条件。下面用例子加以说明。

例 8.7-3 考虑线性与非线性阻尼耦合的两个线性振子受 Gauss 白噪声外激与参激的控制,其运动方程为

$$\dot{Q}_1=P_1$$
$$\dot{P}_1=-\omega_1^2Q_1-c_{11}P_1-c_{12}P_2-d_1(Q_1^2+Q_2^2)P_1$$
$$+u_1(\boldsymbol{Q},\boldsymbol{P})+\xi_1(t)+Q_1\xi_3(t)$$
$$\dot{Q}_2=P_2$$
$$\dot{P}_2=-\omega_2^2Q_2-c_{21}P_1-c_{22}P_2-d_2(Q_1^2+Q_2^2)P_2$$

$$+ u_2(\boldsymbol{Q},\boldsymbol{P}) + \xi_2(t) + Q_2\xi_4(t) \tag{n}$$

式中 ω_i，c_{ij}，d_i 为常数；$\xi_k(t)$是强度为 $2D_k$ 的独立 Gauss 白噪声。设 c_{ij}、d_i、D_k、u_i 同为 ε 阶小量。无控制无参激时系统(n)的响应已在例 5.3-2 中研究过。无控制时系统的首次穿越问题已在例 7.3-1 中研究过。在非共振情形，应用 5.3.1 中描述的随机平均法，可得系统(n)关于 $H_i=(p_i^2+\omega_i^2 q_i^2)/2$ 的如下平均 Itô 方程：

$$\begin{aligned} \mathrm{d}H_r = & \left[\overline{m}_r(H_1,H_2) + \left\langle u_r \frac{\partial H_r}{\partial P_r} \right\rangle \right] \mathrm{d}t \\ & + \overline{\sigma}_{rk}(H_1,H_2)\mathrm{d}B_k(t) \\ & r=1,2; \qquad k=1,2,3,4 \end{aligned} \tag{o}$$

式中 $\overline{m}_r$，$\overline{\sigma}_{rk}$由例 7.3-1 中(d)给出。

设系统(n)的安全域为 H_1，H_2 平面上第一象限内直角三角形(图 7.3-1)，其边界由例 7.3-1 中(e)、(f)给出。对系统(a)以首次穿越可靠度最大为目标的随机最优控制，最优控制律为(8.7-45)，将它代入(8.7-47)，完成平均后，得最优控制系统的平均 Itô 方程的漂移系数

$$\begin{aligned} \overline{\overline{m}}_1(H_1,H_2) = & -c_{11}H_1 - (d_1/2\omega_1^2)H_1^2 - (d_1/\omega_2^2)H_1H_2 + D_1 \\ & + (D_3/\omega_1^2)H_1 - 2b_1(2H_1)^{1/2}/\pi \end{aligned} \tag{p}$$

$$\begin{aligned} \overline{\overline{m}}_2(H_1,H_2) = & -c_{22}H_2 - (d_2/\omega_1^2)H_1H_2 - (d_2/2\omega_2^2)H_2^2 + D_2 \\ & + (D_4/\omega_2^2)H_2 - 2b_2(2H_2)^{1/2}/\pi \end{aligned}$$

按(8.7-48)，最后动态规划方程为

$$\begin{aligned} & \left(\frac{\partial}{\partial t} + \overline{\overline{m}}_1 \frac{\partial}{\partial H_1} + \overline{\overline{m}}_2 \frac{\partial}{\partial H_2} + \frac{1}{2} b_{11} \frac{\partial^2}{\partial H_1^2} \right. \\ & \left. + \frac{1}{2} b_{22} \frac{\partial^2}{\partial H_2^2} \right) V(H_1,H_2,t) = 0 \\ & 0 < t < t_f, H_1, H_2 \in \Omega \end{aligned} \tag{q}$$

式中 $b_{rr}=\overline{\sigma}_{rk}\,\overline{\sigma}_{rk}$。在 Γ_c 上满足边界条件(8.7-36)，由 $\overline{\overline{m}}_r$，$b_{rr}$在 Γ_0 上的性态与方程(q)，可将 Γ_0 上定性边界条件(8.7-37)化为下列定量边界条件：

Γ_{01}上，

$$\left\{\frac{\partial}{\partial t}+D_1\frac{\partial}{\partial H_1}+\left[-c_{22}H_2-\frac{d_2}{2\omega_2^2}H_2^2+D_2+\frac{D_4}{\omega_2^2}H_2-\frac{2b_2(2H_2)^{1/2}}{\pi}\right]\right.$$

$$\left.\times\frac{\partial}{\partial H_2}+\left[D_2H_2+\frac{D_4}{2\omega_2^2}H_2^2\right]\frac{\partial^2}{\partial H_2^2}\right\}V(H_1,H_2,t)=0 \qquad \text{(r)}$$

Γ_{02}上，

$$\left\{\frac{\partial}{\partial t}+\left[-c_{11}H_1-\frac{d_1}{2\omega_1^2}H_1^2+D_1+\frac{D_3}{\omega_1^2}H_1-\frac{2b_1(2H_1)^{1/2}}{\pi}\right]\right.$$

$$\left.\times\frac{\partial}{\partial H_1}+D_2\frac{\partial}{\partial H_2}+\left(D_1H_1+\frac{D_3}{2\omega_1^2}H_1^2\right)\frac{\partial^2}{\partial H_1^2}\right\}$$

$$\times V(H_1,H_2,t)=0 \qquad \text{(s)}$$

Γ_{03}上，

$$\left(\frac{\partial}{\partial t}+D_1\frac{\partial}{\partial H_1}+D_2\frac{\partial}{\partial H_2}\right)V(H_1,H_2,t)=0 \qquad \text{(t)}$$

终值条件为(8.7-38)。数值求解这组边-终值问题方程可得最优控制系统(n)的首次穿越条件可靠性函数。

对系统(n)以平均首次穿越时间最长为目标的随机最优控制，最优控制律仍为(8.7-45)，最优控制系统平均漂移系数仍为(p)。按(8.7-49)可得最后动态规划方程

$$\left(\frac{1}{2}b_{11}\frac{\partial^2}{\partial H_1^2}+\frac{1}{2}b_{22}\frac{\partial^2}{\partial H_2^2}+\bar{\bar{m}}_1\frac{\partial}{\partial H_1}+\bar{\bar{m}}_2\frac{\partial}{\partial H_2}\right)$$

$$\times V_1(H_1,H_2)=-1 \qquad \text{(u)}$$

Γ_c上边界条件为(8.7-41)，由$\bar{\bar{m}}_r$，b_{rr}在Γ_0上的性态与方程(u)，可将Γ_0上定性边界条件(8.7-42)化为下列定量边界条件：

Γ_{01}上，

$$\left\{\left[D_2H_2+\frac{D_4}{2\omega_2^2}H_2^2\right]\frac{\partial^2}{\partial H_2^2}+D_1\frac{\partial}{\partial H_1}+\left[-c_{22}H_2-\frac{d_2}{2\omega_2^2}H_2^2+D_2\right.\right.$$

$$\left.\left.+\frac{D_4}{\omega_2^2}H_2-\frac{2b_2(2H_2)^{1/2}}{\pi}\right]\frac{\partial}{\partial H_2}\right\}V_1(H_1,H_2)=-1 \qquad \text{(v)}$$

Γ_{02}上，

$$\left\{\left[D_1 H_1+\frac{D_3}{2\omega_1^2}H_1^2\right]\frac{\partial^2}{\partial H_1^2}+\left[-c_{11}H_1-\frac{d_1}{2\omega_1^2}H_1^2+D_1+\frac{D_3}{\omega_1^2}H_1\right.\right.$$

$$\left.\left.-\frac{2b_1(2H_1)^{1/2}}{\pi}\right]\frac{\partial}{\partial H_1}+D_2\frac{\partial}{\partial H_2}\right\}V_1(H_1,H_2)=-1 \quad \text{(w)}$$

Γ_{03}上，

$$\left(D_1\frac{\partial}{\partial H_1}+D_2\frac{\partial}{\partial H_2}\right)V_1(H_1,H_2)=-1 \quad \text{(x)}$$

数值求解(u)的边值问题方程，可得最优控制系统(n)的平均首次穿越时间。

由 b_{rr}与 $\overline{\overline{m}}_r$ 还可建立最优控制系统(n)的后向 Kolmogorov 方程与 Pontryagin 方程。类似于(r)～(t)与(v)～(x)，还可将 Γ_0 上的定性边界条件化为定量边界条件。数值求解这两个方程也可得到最优控制系统(n)的首次穿越可靠度与平均首次穿越时间，且与通过求解上述动态规划方程得到的结果相同。

例 8.7-4 考虑例 5.5-4 与 8.3.3 中研究过的非线性阻尼耦合的两个 Duffing 振子受平稳宽带随机外激与参激系统的最优控制，其运动方程同(8.3-39)，其平均 Itô 方程同(8.3-40)。如上所述，以首次穿越可靠度最大或以平均首次穿越时间最长为目标的最优控制律与以响应最小为目标的最优有界控制的控制律相同，因此，最优控制系统的平均 Itô 方程同(8.3-41)。据此可建立该系统以首次穿越可靠度最大为目标与以平均首次穿越时间最长为目标的动态规划方程，也可建立最优控制系统的后向 Kolmogorov 方程与 Pontryagin 方程。

设安全域同例 8.7-3。对以首次穿越可靠性最大为目标的随机最优控制，按(8.7-51)，可写出后向 Kolmogorov 方程

$$\left(-\frac{\partial}{\partial t}+\overline{\overline{m}}_1\frac{\partial}{\partial H_{10}}+\overline{\overline{m}}_2\frac{\partial}{\partial H_{20}}+\frac{1}{2}b_{11}\frac{\partial^2}{\partial H_{10}^2}\right.$$

$$\left.+\frac{1}{2}b_{22}\frac{\partial^2}{\partial H_{20}^2}\right)R^c(t_1\mid H_{10},H_{20})=0 \quad \text{(y)}$$

上述方程中系数可从例 5.5-4 中(jj)与(8.3-42)应用(5.5-54)并以 H_{r0} 代 H_r 导出。Γ_c 上边界条件为(8.7-52),初始条件为(8.7-54),Γ_0 上的定性边界条件(8.7-53)可根据方程(y)与 $\overline{\overline{m}}_r$、$b_{rr}$在 Γ_0 上之值化为下述定量边界条件：

Γ_{01}上,

$$\left[-\frac{\partial}{\partial t_1}+\overline{\overline{m}}_1(0,H_{20})\frac{\partial}{\partial H_{10}}+\overline{\overline{m}}_2(0,H_{20})\frac{\partial}{\partial H_{20}}\right.$$
$$\left.+\frac{1}{2}b_{22}(0,H_{20})\frac{\partial^2}{\partial H_{20}^2}\right]R^c(t_1\mid H_{10},H_{20})=0 \qquad \text{(z)}$$

Γ_{02}上,

$$\left[-\frac{\partial}{\partial t_1}+\overline{\overline{m}}_1(H_{10},0)\frac{\partial}{\partial H_{10}}+\overline{\overline{m}}_2(H_{10},0)\frac{\partial}{\partial H_{20}}\right.$$
$$\left.+\frac{1}{2}b_{11}(H_{10},0)\frac{\partial^2}{\partial H_{10}^2}\right]R^c(t_1\mid H_{10},H_{20})=0 \qquad \text{(aa)}$$

Γ_{03}上,

$$\left[-\frac{\partial}{\partial t_1}+\overline{\overline{m}}_1(0,0)\frac{\partial}{\partial H_{10}}+\overline{\overline{m}}_2(0,0)\frac{\partial}{\partial H_{20}}\right]R^c(t_1\mid H_{10},H_{20})=0 \qquad \text{(bb)}$$

求解上述方程可得最优控制系统的首次穿越可靠性函数,然后由(8.7-56)得首次穿越时间的概率密度。

对以平均首次穿越时间最长为目标的随机最优控制,按(8.7-58),可写出 Pontryagin 方程

$$\left[\frac{1}{2}b_{11}\frac{\partial^2}{\partial H_{10}^2}+\frac{1}{2}b_{22}\frac{\partial^2}{\partial H_{20}^2}+\overline{\overline{m}}_1\frac{\partial}{\partial H_{10}}\right.$$
$$\left.+\overline{\overline{m}}_2\frac{\partial}{\partial H_{20}}\right]\mu_1^c(H_{10},H_{20})=-1 \qquad \text{(cc)}$$

其中系数与方程(y)中相同。Γ_c 上边界条件为(8.7-59),类似于(z)~(bb),Γ_0 上定性边界条件(8.7-60)可根据方程(cc)与 $\overline{\overline{m}}_r$、$b_{rr}$在 Γ_0 上之值化为下列定量边界条件：

Γ_{01}上,

$$\left[\bar{\bar{m}}_1(0,H_{20})\frac{\partial}{\partial H_{10}}+\bar{\bar{m}}_2(0,H_{20})\frac{\partial}{\partial H_{20}}\right.$$

$$\left.+\frac{1}{2}b_{22}(0,H_{20})\frac{\partial^2}{\partial H_{20}^2}\right]\mu_1^c(H_{10},H_{20})=-1 \qquad \text{(dd)}$$

Γ_{02}上，

$$\left[\bar{\bar{m}}_1(H_{10},0)\frac{\partial}{\partial H_{10}}+\bar{\bar{m}}_2(H_{10},0)\frac{\partial}{\partial H_{20}}\right.$$

$$\left.+\frac{1}{2}b_{11}(H_{10},0)\frac{\partial^2}{\partial H_{20}^2}\right]\mu_1^c(H_{10},H_{20})=-1 \qquad \text{(ee)}$$

Γ_{03}上，

$$\left[\bar{\bar{m}}_1(0,0)\frac{\partial}{\partial H_{10}}+\bar{\bar{m}}_2(0,0)\frac{\partial}{\partial H_{20}}\right]\mu_1^c(H_{10},H_{20})=-1 \quad \text{(ff)}$$

求解上述方程可得最优控制系统的平均首次穿越时间。

8.7.3 拟部分可积 Hamilton 系统

8.7.2 中描述的方法可很容易推广于拟部分可积 Hamilton 系统。在非共振情形，只要将首次积分个数 n 改为 $r<n$ 即可。下面用一个例子说明。

例 8.7-5 考虑 Gauss 白噪声外激与参激下三个自由度拟部分可积 Hamilton 系统的最优控制，其运动方程为

$$\dot{Q}_1=P_1$$

$$\dot{P}_1=-\omega_1^2Q_1-(\alpha_{10}+\alpha_{11}P_1^2+\alpha_{12}P_2^2+\alpha_{13}P_3^2)P_1+u_1$$

$$+\xi_1(t)+Q_1\xi_4(t)$$

$$\dot{Q}_2=P_2$$

$$\dot{P}_2=-\frac{\partial U}{\partial Q_2}-(\alpha_{20}+\alpha_{21}P_1^2+\alpha_{22}P_2^2+\alpha_{23}P_3^2)P_2+u_2$$

$$+\xi_2(t)+Q_2\xi_5(t)$$

$$\dot{Q}_3=P_3$$

$$\dot{P}_3=-\frac{\partial U}{\partial Q_3}-(\alpha_{30}+\alpha_{31}P_1^2+\alpha_{32}P_2^2+\alpha_{33}P_3^2)P_3+u_3$$

$$+ \xi_3(t) + Q_3 \xi_6(t) \tag{gg}$$

无控制时系统(gg)的首次穿越问题已在例 7.4-1 中研究过。式中 U 及相应 Hamilton 函数由例 7.4-1 中(b)~(d)给出。应用 5.4.1 中描述的随机平均法,可得如下平均 Itô 方程:

$$dH_1 = \left[\overline{m_1}(H_1, H_2) + \left\langle u_1 \frac{\partial H_1}{\partial P_1} \right\rangle \right] dt + \overline{\sigma_{1k}}(H_1, H_2) dB_k(t)$$

$$dH_2 = \left[\overline{m_2}(H_1, H_2) + \left\langle u_2 \frac{\partial H_2}{\partial P_2} + u_3 \frac{\partial H_2}{\partial P_3} \right\rangle \right] dt$$

$$+ \overline{\sigma_{2k}}(H_1, H_2) dB_k(t)$$

$$k = 1, 2, \cdots, 6 \tag{hh}$$

式中 $\overline{m_r}$, $\overline{\sigma_{rk}}$由例 7.4-1 中(f)给出。

设安全域同例 8.7.3 中的 Ω。系统(gg)以首次穿越可靠度最大与以平均首次穿越时间最长为目标的随机最优控制的最优控制律为(8.7-14)。将 u_i^* 代入(hh)取代 u_i 并完成平均,得最优控制系统(gg)的平均 Itô 方程

$$dH_r = \overline{\overline{m}}_r(H_1, H_2) dt + \overline{\sigma_{rk}}(H_1, H_2) dB_k(t)$$

$$r = 1, 2; \qquad k = 1, 2, \cdots, 6 \tag{ii}$$

式中

$$\overline{\overline{m}}_1(H_1, H_2) = \overline{m_1}(H_1, H_2) - 2b_1(2H_1)^{1/2}/\pi$$

$$\overline{\overline{m}}_2(H_1, H_2) = \overline{m_2}(H_1, H_2) - \frac{(b_2 + b_3)}{\pi R^2}\left(\frac{b}{2}\right)^{1/2}$$

$$\times \left[\frac{1}{b}\left(R^4 - \frac{2}{b}R^2\right)^{1/2} - \left(R^2 + \frac{1}{b}\right)^2 \left(\frac{\pi}{2} - \arcsin \frac{1}{1 + bR^2}\right) \right] \tag{jj}$$

由(ii)可导出最优控制系统(gg)的后向 Kolmogorov 方程

$$\left[-\frac{\partial}{\partial t_1} + \overline{\overline{m}}_1 \frac{\partial}{\partial H_{10}} + \overline{\overline{m}}_2 \frac{\partial}{\partial H_{20}} + \frac{1}{2} b_{11} \frac{\partial^2}{\partial H_{10}^2} \right.$$

$$\left. + \frac{1}{2} b_{22} \frac{\partial^2}{\partial H_{20}^2} \right] R^c(t_1 \mid H_{10}, H_{20}) = 0 \tag{kk}$$

此处 $\overline{\overline{m}}_r$, b_{rr}为 H_{s0}之函数。Γ_c 上边界条件为(8.7-52),初始条件

为(8.7-54)，Γ_0 上的定性边界条件(8.7-53)可根据方程(kk)与 $\overline{\overline{m}}_r$，$b_{rr}$在 Γ_0 上之值化为定量边界条件，即

Γ_{01}上，

$$\left[-\frac{\partial}{\partial t_1}+D_1\frac{\partial}{\partial H_{10}}+\overline{\overline{m}}_2'\frac{\partial}{\partial H_{20}}+\frac{1}{2}b_{22}\frac{\partial^2}{\partial H_{10}^2}\right]\times R^c(t_1\mid H_{10},H_{20})=0 \tag{ll}$$

Γ_{02}上，

$$\left[-\frac{\partial}{\partial t_1}+\overline{\overline{m}}_1'\frac{\partial}{\partial H_{10}}+(D_2+D_3)\frac{\partial}{\partial H_{20}}+\frac{1}{2}b_{11}\frac{\partial^2}{\partial H_{10}^2}\right]R^c(t_1\mid H_{10},H_{20})=0 \tag{mm}$$

Γ_{03}上，

$$\left[-\frac{\partial}{\partial t_1}+D_1\frac{\partial}{\partial H_{10}}+(D_2+D_3)\frac{\partial}{\partial H_{20}}\right]R^c(t_1\mid 0,0)=0 \tag{nn}$$

其中

$$\begin{aligned}\overline{\overline{m}}_1'=&-\alpha_{10}H_1-3\alpha_{11}H_1^2/2+D_1+D_4H_1/\omega_1^2-2b_1(2H_1)^{1/2}/\pi\\ \overline{\overline{m}}_2'=&-(\alpha_{20}+\alpha_{30})\left(H_2-\frac{R^2}{4}-\frac{bR^4}{12}\right)-\left[\frac{3\alpha_{22}+\alpha_{23}+\alpha_{32}+3\alpha_{33}}{8}\right]\\ &\times\left[4H_2^2-8R^2\left(\frac{1}{4}+\frac{bR^2}{12}\right)H_2+\left(\frac{1}{3}+\frac{bR^2}{4}+\frac{b^2R^4}{20}\right)R^4\right]\\ &+D_2+D_3+\frac{D_5R^2}{4\omega_2^2}+\frac{D_6R^2}{4\omega_3^2}+\left[\frac{(b_2+b_3)}{\pi R^2}\right]\left(\frac{b}{2}\right)^{1/2}\\ &\times\left[\left(R^4-\frac{2R^2}{b}\right)^{1/2}\Big/b-\left(R^2+\frac{1}{b}\right)^2\left(\frac{\pi}{2}-\arcsin\frac{1}{1+bR^2}\right)\right]\end{aligned} \tag{oo}$$

求解上述方程可得最优控制系统(gg)的条件可靠性函数，然后由(8.7-56)得首次穿越时间的概率密度。

类似地，由(ii)可导出最优控制系统的 Pontryagin 方程

$$\left[\frac{1}{2}b_{11}\frac{\partial^2}{\partial H_{10}^2}+\frac{1}{2}b_{22}\frac{\partial^2}{\partial H_{20}^2}+\overline{\overline{m}}_1\frac{\partial}{\partial H_{10}}\right.$$

$$+ \bar{\bar{m}}_2 \frac{\partial}{\partial H_{20}} \Big] \mu_{\text{d}}^{c}(H_1, H_2) = -1 \tag{pp}$$

Γ_c 上边界条件为(8.7-59)，Γ_0 上定性边界条件(8.7-60)可根据方程(pp)与 $\bar{\bar{m}}_r$，$\bar{\sigma}_{rr}$在 Γ_0 上之值化为定量边界条件，即

Γ_{01}上，

$$\left[\frac{1}{2} b_{22} \frac{\partial^2}{\partial H_{20}^2} + D_1 \frac{\partial}{\partial H_{10}} + \bar{\bar{m}}_2' \frac{\partial}{\partial H_{20}}\right] \mu_{\text{d}}^{c}(H_{10}, H_{20}) = -1 \tag{qq}$$

Γ_{02}上，

$$\left[\frac{1}{2} b_{11} \frac{\partial^2}{\partial H_{10}^2} + \bar{\bar{m}}_1' \frac{\partial}{\partial H_{10}} + (D_2 + D_3) \frac{\partial}{\partial H_{20}}\right] \mu_{\text{d}}^{c}(H_{10}, H_{20}) = -1 \tag{rr}$$

Γ_{03}上，

$$\left[D_1 \frac{\partial}{\partial H_{10}} + (D_2 + D_3) \frac{\partial}{\partial H_{20}}\right] \mu_{\text{d}}^{c}(H_{10}, H_{20}) = -1 \tag{ss}$$

求解上述方程可得最优控制系统的平均首次穿越时间。

以上解析结果与数字模拟结果颇为吻合[34]。

参 考 文 献

[1] Pontryagin L S, Boltyanski V G, Gamkrelidze R V, Mischenko E F. Mathematical Theory of Optimal Processes. New York: Wiley, 1962

[2] Bellman R. Dynamic Programming. Princeton: Princeton University Press, 1957

[3] Crandall M G, Lions P L. Viscosity solutions of Hamilton-Jacobi equations. Transaction of American Mathematics Society, 1983, 277: 1—42

[4] Yong J M, Zhou X Y. Stochastic Controls, Hamiltonian Systems and HJB Equations. New York: Springer-Verlag, 1999

[5] Kushner H J. Stochastic Stability and Control. New York: Academic Press, 1967

[6] Fleming W H, Rishel R W. Deterministic and Stochastic Optimal Control. New York: Springer-Verlag, 1975

[7] Fleming W H, Soner H M. Controlled Markov Processes and Viscosity Solutions. New York: Springer-Verlag, 1992

[8] Kushner H J, Dupuis P. Numerical Methods for Stochastic Control Problems in Continuous Time, New York: Springer-Verlag, 1993

[9] Jazwinski A H. Stochastic Processes and Filtering Theory. New York: Academic

Press, 1970

[10] Bensoussan A. Stochastic Control of Partially Observable Systems. Cambridge: Cambridge University Press, 1992

[11] Wonham W M. On the separation theorem of stochastic control. SIAM Journal of Control, 1968, 6: 312—326

[12] Charalambous C D, Elliott R J. Classes of nonlinear partially observable stochastic optimal control problems with explicit optimal control law. SIAM Journal of Control and Optimization, 1998, 36: 542—578

[13] Zhu W Q, Ying Z G. Optimal nonlinear feedback control of quasi-Hamiltonian systems. Science in China, Series A, 1999, 42: 1213—1219

[14] Zhu W Q, Ying Z G, Soong T T. An optimal nonlinear feedback control strategy for randomly excited structural systems. Nonlinear Dynamics, 2001, 24: 31—51

[15] Murray R M. Nonlinear control of mechanical systems: a Lagrangian perspective. A. Rev. Control, 1997, 21: 31—42

[16] Zhu W Q, Ying Z G, Ni Y Q, Ko J M. Optimal nonlinear stochastic control of hysteretic systems. ASCE Journal of Engineering Mechanics, 2000, 126: 1027—1032

[17] Jansen L M, Dyke S J. Semiactive control strategy for MR dampers: a comparative study. ASCE Journal of Engineering Mechanics, 2000, 126: 795—803

[18] Symans M D, Constantinou M C. Semi-active control systems for seismic protection of structures: a state-of-the-art review. Engineering Structures, 1999, 21: 469—487

[19] Gavin H P, Hanson R D, Filisko F E. Electrorheological damper, part Ⅱ: testing and modeling. ASME Journal of Applied Mechanics, 1996, 63: 676—682

[20] Ying Z G, Zhu W Q, Soong T T. A stochastic optimal semi-active control strategy for ER/MR dampers. Journal of Sound and Vibration, 2003, 259(1): 45—62

[21] Zhu W Q, Ying Z G. Nonlinear stochastic optimal control of partially observable linear structures. Engineering Structures, 2002, 24: 333—342

[22] Khasminskii R Z. Stochastic Stability of Diffferential Equation. Alphen aan den Rijn Sijthoff & Noordhoff, 1980

[23] Florchinger P. A universal formula for the stabilization of control stochastic differential equations. Stochastic Analysis and Applications, 1993, 11: 155—162

[24] Florchinger P. Lyapunov-like techniques for stability. SIAM Journal of Control and Optimization, 1995, 33: 1151—1169

[25] Florchinger P. Feedback stabilization of affine in the control stochastic differential systems by the control Lyapunov function method. SIAM Journal of Control and Optimization, 1997, 35: 500—511

[26] Krstic M, Deng H. Stabilization of Nonlinear Uncertain Systems. London: Springer, 1998

[27] Lin Y K, Cai G Q. Probabilistic Structural Dynamics, Advanced Theory and Applications. New York: McGraw-Hill, 1995

[28] Zhu W Q, Huang Z L. Feedback stabilization of quasi integrable Hamiltonian systems. ASME Journal of Applied Mechanics, 2003, 70(1):129—136

[29] Battaini M, Casciati F, Faravelli L. Some reliability aspects in structural control. Probabilistic Engineering Mechanics, 2000, 15: 101—107

[30] Vanini P, Mariani C. Reliability as a measure of active control effectiveness. Computers & Structures, 1999, 73 (1-5): 465—473

[31] Spencer Jr B F, Kaspari Jr J C, Sain M K. Reliability-based optimal structural control. Proceedings of the Fifth US National Conference on Earthquake Engineering, Chicago, IL, 1994

[32] Spencer Jr B F, Kaspari Jr J C, Sain M K. Structural control design: a reliability-based approach. Proceedings of the 1994 American Control Conference, Baltimore, M D, 1994

[33] Zhu W Q, Huang Z L, Deng M L. Feedback minimization of first-passage failure of quasi non-integrable Hamiltonian systems. International Journal of Non-Linear Mechanics, 2002, 37: 1057—1071

[34] Zhu W Q, Huang Z L, Deng M L. First-passage failure and its feedback minimization of quasi-partially integrable Hamiltonian systems. International Journal of Non-Linear Mechanics, in press

索　　引

（中文按汉语拼音字母顺序，西文按拉丁字母顺序）

A

B

C

D

E

F

G

H

J

K

L

M

N

P

Q

R

S

T

W

X

Y

Z

A

B

C

D

E

L

M

O

P

R

S

T

V

W